优秀设计机构 · 人物档案

The Well Known Design Institutions & the Character's Profile

《中国建筑设计作品年鉴》编委会　编

编委题词

Epigraphy Cmooittee

贺《中国建筑设计年鉴》出版

作为中国建筑设计历程的记录，终将成为世界建筑史的辉煌篇章

程泰宁

宗白华先生言：「一切艺术综合于建筑，而礼乐诗歌舞剧之表演，亦与建筑背景协调，成为一片美的生活，所以每一文化的强盛时代，莫不有伟大的建筑计划，以容纳和表现这一丰富之生命」。先生此言发自半个多世纪以前，今日我们更应致力于这一和谐的美的意境早日来临。

吴良镛

历史纪录 时代借鉴

刘景樑

追求卓越 宁静致远

贺《中国建筑设计作品年鉴》出版发行

徐显棠

推陈出新

把祖国建设得更美好

[illegible]

希望"年鉴"成为全面总结和推动中国建筑创作发展的优秀典籍

何镜堂

办年鉴，年年明鉴；推精品，精益求精；树大师，不遗余力。

[illegible]

愿《中国建筑设计作品年鉴》成为中国设计力量走出世界设计主流崛起的推动力！

孔宇峰

希望"年鉴"成为高品质的专业年鉴。

崔建民

NITA
荷兰NITA设计集团
地址：上海市徐汇区田林路142号G楼4楼
电话：+86-21-31278900
传真：+86-21-31278901
邮箱：lego@nitagroup.com
网址：www.nitagroup.com

霍普建築 HOOP
地址：上海浦东新区芳甸路1155号浦东嘉里城办公楼4201
电话：+86-21-58783137/58781808/68590505
传真：+86-21-58782763
邮箱：info@hyparchi.com
网址：www.hyparchi.com

CENTALAND 森拓设计机构
地址：上海市虹口区吴淞路297号甲5楼
电话：+86-21-63831225(26)(27)
传真：+86-21-63831622
邮箱：centaland-sh@163.com

PEDDLE THORP ARCHITECTS
澳大利亚柏涛墨尔本建筑设计有限公司
地址：深圳市南山区华侨城生态广场A栋302
电话：+86-755-26928866
传真：+86-755-26905186
邮箱：main@ptma.com.cn
网址：www.ptma.com.cn

AIM
加拿大 AIM［亚瑞］国际设计集团
地址：广州体育西路173号天河大厦综合楼二、四、五楼
电话：+86-20-38819168
传真：+86-20-38812825
邮箱：a@aimgi.com
网址：www.AIMgi.com

CONCORD 西迪国际
CDG 国际设计机构
地址：北京市海淀区长春桥路11号万柳亿城中心A座1301
电话：+86-10-58815603/33
邮箱：cdg@cdgcanada.com
网址：www.cdgcanada.com

CAPA 美国开朴建筑设计顾问(深圳)有限公司
YIZHOU 深圳艺洲建筑工程设计有限公司
地址：深圳市深南大道4005号联通大厦9楼
电话：+86-755-33068600
传真：+86-755-33068610
邮箱：capa2000@vip.sina.com
网址：www.capa-yizhou.com

J.A.O.Design International Architects & Planners Limited
美國龍安建築規劃設計顧問有限公司
地址：北京市朝阳区光华路5号世纪财富中心东座20层
电话：+86-10-85875222
传真：+86-10-85875922
邮箱：jaobj@jaodesign.com
网址：www.jaodesign.com

澳大利亚道克设计咨询有限公司
地址：深圳市天安数码城天吉大厦A座
电话：+86-755-83869932
传真：+86-755-83869959

RTKL 国际有限公司
地址：北京市朝阳区东三环北路27号嘉铭中心B座9层
电话：+86-10-57756800
传真：+86-10-57756801
邮箱：pliu@rtkl.com
网址：www.RTKL.COM

美国 James · 王建筑师事务所
地址：北京市朝阳区新源里16号琨莎中心2座1101
电话：+86-10-88510711
传真：+86-10-88510892
邮箱：jwda@vip.163.com

Gensler
地址：上海市卢湾区湖滨路222号企业天地1号楼908室
电话：+86-21-6135 1900
传真：+86-21-6135 1999
网址：www.gensler.com/shanghai

ÉTÉ 翌德国际设计机构
été lee et associés architectes urbanistes
地址：上海市静安区乌鲁木齐北路480号万泰国际21楼
邮编：200040
电话：+86-21-53082775
传真：+86-21-53082776
邮箱：etelee@163.com

HMD 汉米敦
汉米敦（中国）建筑设计有限公司
地址：中国上海市常德路800号A4号楼2楼
电话：+86-21-32553266
传真：+86-21-32553298

ATKINS
阿特金斯
地址：上海市南京西路388号仙乐斯广场22楼
电话：+86-21-60802100
传真：+86-21-60802101

美国A+K建筑师事务所
ATTA+K INTERNATIONAL ARCHITECTURE & PLANNING
地址：14738 Pipeline Ave. #E Chino Hills CA91709 USA
电话：001.909.957.9988
传真：001.909.597.9987
网址：www.akintl.com

OARCH
加拿大OARCH建筑设计集团
地址：天津市南开区榕苑路鑫茂科技园F座2层
电话：+86-22-87190558
传真：+86-22-87190558
邮箱：oarch@126.com
网址：www.oarch.cn

HYN
澳大利亚 HYN 建筑设计顾问有限公司
深圳市汉方源建筑设计顾问有限公司
地址：深圳市南山区华侨城东方花园别墅F28栋
电话：+86-755-26004743
传真：+86-755-26943969
邮箱：hynsz@sina.cn
网址：www.hyndesign.com

深圳市承构建筑咨询有限公司
上海承构建筑设计咨询有限公司
地址：深圳市福田区深南大道2008号
中国凤凰大厦1号楼20C
电话：+86-755-33067800
传真：+86-755-33067801

JWDA
美国 JWDA 建筑设计事务所
地址：上海闵行区浦申路1888号三楼
电话：+86-21-33882966
传真：+86-21-64646130
邮箱：hr@jwdainc.com.cn

美国WFA建筑规划设计事务所
上海文飞建筑规划设计咨询有限公司
地址：上海市徐汇区桂平路391号B1502室
电话：+86-21-64957326
传真：+86-21-64957327
邮箱：wfa_design@qq.com
网址：www.wfa-design.com

亚合建築 ARCHOO
地址：上海市普陀区曹杨路450号绿地和创大厦7F
电话：+86-21-62222700
传真：+86-21-61170255
邮箱：archoosh@163.com
网址：www.archoo.cn

MLAI
美国明创建筑设计咨询(上海)有限公司
地址：上海市徐汇区建国西路283号1111室
电话：+86-21-54651707
传真：+86-21-54641929
邮箱：contact@mlai-architects.com
网址：www.mlai-architects.com

ORIGINAL VISION
ORIGINAL VISION LTD
地址：22/F, 88 Gloucester Road, Wanchai, Hong Kong
电话：+852-28109797
传真：+852-28109790

诺思国际建築事務所
www.noesi.net.cn
地址：上海市铁岭路32号同叶大厦703室
电话：+86-21-35120362
传真：+86-21-35120361
网址：www.noesi.net.cn

FIDA INTERNATIONAL
美国飞大建筑设计咨询（上海）有限公司
地址：上海市杨浦区宁国路503号复地四季广场
电话：+86-21-55139250
手机：13911227685
传真：+86-21-65139374
邮箱：fish@fidaarch.com/952217048@qq.com
网站：www.fidaarch.com

Archiland
筑土国际都市设计
地址：天津市河西区友谊北路广银大厦1905室
电话：+86-22-23554760
传真：+86-22-23554761
邮箱：archiland@126.com
网址：www.archiland.com.cn

BIDG
美国波士顿国际设计集团
Boston International Design Group
地址：上海市浦东新区福山路33号建工大厦15楼
电话：+86-21-51327266
传真：+86-21-51327269
网址：www.bidg.com.cn

美国KLP建筑设计有限公司
地址：厦门湖滨北路新港广场9C
电话：+86-592-3277869
传真：+86-592-3277949
网址：www.china-klp.com

Cendes International
（山鼎国际）
地址：上海市局门路427号1号楼110室
电话：+86-21-63736600
传真：+86-21-63114810
邮箱：info@cendes-intl.com

PSA
美国PSA建筑设计（中国）
上海市静安区延平路121号6BC座
电话：+86-21-62462323
传真：+86-21-62462005
邮箱：inquiry@psa-design.net
网址：www.psa-design.net

ANS
ANS国际建筑设计与顾问有限公司
地址：上海市西苏州路71号6楼200041
电话：+86-21-51697511
传真：+86-21-62668470

美国瀚德建筑师事务所
U.S H&Y DESIGN CONSULTANT LTD.
地址：广东省广州市越秀区东风东路750号广联大厦21楼
电话：+86-13922797786 / +86-20-87774507
邮箱：82599106@163.com
网址：www.ushy001.com

LANDAU
朗道国际设计
地址：上海卢湾区局门路550号八号桥创意园区3号楼6F
电话：+86-21-33315041
传真：+86-21-33315042
邮箱：marketing@landau-design.com
网址：www.landau-design.com

LOA 建筑事务所
LINK FURNITURE OFFICE ARCHITECTS INC.
Add：浙江省杭州市西湖区西溪路511号15号楼3楼
电话：+86-571-87981718
邮箱：info@loaarchitects.com.cn
网址：www. loaarchitects.com.cn

W
WHI INTERNATIONAL建筑设计集团
地址：上海市静安区西康路928号创展大厦413室
电话：+86-21-62996297
邮箱：shanghai@whiint.com
网址：www.whiint.com

美国UK.LA太平洋远景国际设计机构
U.K PACIFIC LONG-RANGE PLANNING & DEVELOPING DESIGN CONSULTANT LTD.
地址：南京奥体大街128号奥体名座大厦F座10楼
电话：+86-25-84739678
传真：+86-25-87763798
邮箱：ukla2000@126.com
网址：www.ukladesign.com

STUDIO SAN
壹禾桑建筑设计咨询（上海）有限公司
地址：上海市虹口区花园路128号运动loft7街区
A座2022室
电话：+86-21-38722225
邮箱：admin@studio-san.com
网址：www.Studio-San.com

HIGH INTERNATIONAL
合艺国际（中国）
地址：杭州市西湖区天目山路7号东海创意中心18楼
电话：+86-571-88859228/
+86-571-88859338
传真：+86-571-88859688
邮箱：heyimail@163.com

ROGGEO
加拿大诺杰建筑设计事务所
地址：北京市朝阳区东三环北路霞光里18号
佳程广场A座16D单元
电话：+86-10-84400606（总机）
传真：+86-10-84400062（行政部）
+86-10-84400067（设计部）
邮箱：info@roggeo.com
网址：www.roggeo.com

澳洲高臣建筑事务所
地址：武汉市洪山区珞狮南路517号明泽大厦4058室
电话：+86-27-52237612
传真：+86-27-52237613
邮箱：gca_au@126.com或gordonc_au@126.com

美国华贝设计有限公司(中国)
地址：上海市虹桥路2419号雪松阁2D
电话：+86-21-62695859
传真：+86-21-62685266
邮箱：wpeiw@hotmail.com
网址：www.wartonpei.com

北京戈建建筑设计顾问有限责任公司
地址：北京市西城区德胜门内大街222号
电话：+86-10-66155188
传真：+86-10-66571815
邮箱：nicolas.godelet@gejianzhu.com
网址：www.gejianzhu.com

意大利迪滋国际建筑设计公司
地址：上海市沪松公路1399弄120号814-815室
电话：+86-21-37009213/13601703312
邮箱：dz_design@163.com
网址：www.dza-group.com

达奇国际

地　址：北京市北三环东路30号
电　话：+86-10-82191911
传　真：+86-10-82191911
邮　箱：dachichina@sina.com

地址：中国上海市延安西路1566号龙峰大厦15楼C室
电话：+86-21-33630103
传真：+86-21-33630120
邮箱：info.sh@ltlarch.com.cn

法博国际(香港)规划建筑设计有限公司

地址：深圳市福田区八卦四路中浩大厦18楼G/F
电话：+86-755-25927276
传真：+86-755-25923916
邮箱：wjm1413@163.com
网址：www.hkfabo.com

地址：深圳市南山区艺园路133号田厦IC产业园
电话：+86-755-26470085
传真：+86-755-86604392
邮箱：witen999@163.com

嘉柏建筑师事务所

地址：香港铜锣湾电气道148号39楼
电话：+852-31060754
传真：+852-31068711
邮箱：studio@gravitypartnership.com

刘志桃建筑事务所

地址：北京市朝阳区农光南里1号龙辉大厦1401室
电话：13810249133
传真：+86-10-51295333
邮箱：lauchikwong@gmail.com

地址：中国台湾台北110基隆路二段51号3楼之7
电话：+886-2-27392075
传真：+886-2-27392327
邮箱：cj@cjchenarchitects.com
网址：www.cjchenarchitects.com

桑葉機構
MULBERRY TEAM
上海桑葉建築設計咨詢有限公司
臺灣賴育志建築師事務所

地址：上海市长宁区新华路543号1号楼4F-G座
电话：+86-21-62817700
传真：+86-21-52300755
邮箱：mulberryteam@163.com
网址：www.mulberryteam.com

地址：澳门南湾大马路325号昌辉大厦一楼A座
电话：+853-28752667
传真：+853-28752544
邮箱：admin@joychoi.com

安徽建筑工业学院
安徽建苑城市规划设计研究院

地址：安徽省合肥市金寨南路856号
安徽建筑工业学院北区
邮编：230022
传真：+86-551-3513115

安徽华盛国际建筑设计工程咨询有限公司

地址：安徽省合肥市包河区九华山路99号
九华国际大厦19-20F
邮编：230001
电话：+86-551-2671131
网址：www.awia.cn

黄山市城市建筑勘察设计院

地址：黄山市屯溪区黄山东路93号建设大厦
电话：+86-559-2315517/2315617/2546473/2318805(转分机)
传真：+86-559-2315617
邮箱：306457651@qq.com
网址：www.hscjsj.com

中国城市建设研究院

地址：北京市西城区德胜门外大街36号中国城市建设研究院
电话：+86-10-57365152
传真：+86-10-57365153
邮箱：cucd_001@163.com
cucd_001@126.com
网址：www.cucd.cn

泛道国际联合设计机构 PANSHA

地址：北京市西城区北展北街华远企业号17号楼A602室
电话：+86-10-82379700
传真：+86-10-82379702
邮箱：pan-s@vip.sina.com
网址：www.pan-s.com.cn

北京白林建筑设计咨询有限公司

地址：北京市西城区西外大街1号西环广场T2 19层C1
电话：+86-10-58301336/7
传真：+86-10-58301336/7-606
邮箱：bailin.bailin@263.net
网址：www.bailindesign.com

北京市建筑设计研究院有限公司

地址：北京市南礼士路62号
电话：+86-10-68700809
传真：+86-10-68700817
邮箱：biad7s1@163.com
网址：www.biad.com.cn

清华大学建筑设计研究院有限公司

地　址：中国北京清华大学建筑设计中心楼
电　话：+86-10-62789999
传　真：+86-10-62784727
网　址：www.thad.com.cn
邮　箱：jzsjy@tsinghua.edu.cn

北京清润国际建筑设计研究有限公司

地址：北京经济技术开发区西环南路26号院11号楼
电话：+86-10-67856060
传真：+86-10-67856060-104
邮箱：tsingrun2006@126.com

中国建筑科学研究院建筑设计院

地址：北京市北三环东路30号
电话：+86-10-64517010
传真：+86-10-84281371
网址：www.cabr-design.com

中科院建筑设计研究院有限公司

地址：北京市海淀区中关村北一街四号
电话：+86-10-62565107
传真：+86-10-62550658
邮箱：jiangll@adcas.cn
网址：www.adcas.cn

SKYLINE

天际线国际建筑设计事务所

地址：北京市西城区百万庄大街22号百万庄图书大厦6层
电话：+86-10-68410735，88358031/2/3/5
传真：+86-10-88358031/2/3/5-860
邮件：info@skyline-china.com
网址：www.skyline-china.com

中房集团建筑设计有限公司

地址：北京市海淀区三里河路9号
电话：+86-10-68321378
传真：+86-10-68321377
邮箱：zf2000@vip.sina.com

中国中建设计集团有限公司

地址：北京市海淀区三里河路15号
中建大厦A座9层
电话：+86-10-88083900
传真：+86-10-88083588
网址：www.cscecbdi.com

北京正华建筑设计事务所

地址：北京市海淀区北四环西路9号
银谷大厦2006-2008房间
电话：+86-10-62800546/47/48
传真：+86-10-62800545
邮箱：zhenghuasws@163.com
网址：www.bjzhenghua.com.cn

北京奥思得建筑设计有限公司

地址：北京市朝阳区东三环中路39号
建外SOHO16号楼29楼
电话：+86-10-58692509/58692519
传真：+86-10-58692532
邮箱：bta@vip.sina.com
网址：www.bhad.cc

北京中建建筑设计院有限公司

地址：北京市西四环南路52号
电话：+86-10-83982279
传真：+86-10-83982267
网址：www.cscecbjadi.com

都市意匠 UDT

地址：朝阳门北大街乙12号天辰大厦802室
电话：+86-10-65525201
传真：+86-10-65525203

北京炎黄联合国际工程设计有限公司

地址：北京市海淀区中关村南大街甲18号
北京国际B座9-12层
电话：+86-10-62117746
传真：+86-10-62122704
邮箱：yanhuangguoji@vip.163.com
网址：www.yuie.com.cn

BJXZ

北京享筑建筑设计咨询有限公司

地址：北京知春路甲48号(盈都大厦) C座1-11C
电话：+861-10-58732100
传真：+861-10-58732100
邮箱：bjxiangzhu@163.com
网址：www.bjxiangzhu.com

地址：北京市宣武区宣武门外大街10号，
庄胜广场中央办公楼北翼1301室
电话：+86-10-63109869
传真：+86-10-63109870
邮箱：office@as-arch.com
网址：www.as-arch.com

北京中联环建文建筑设计有限公司

地址：北京市海淀区北三环西路甲18号
中坤广场E座 (6F-7F)
电话：+86-10-82113499
传真：+86-10-82113459
邮箱：info@uadesign.cn
网址：www.uadesign.cn

地址：北京市东城区安德里北街甲20号三层（紫萱园写字楼）
电话：+86-10-84126698
传真：+86-10-84126698
邮箱：mail@gj-cad.sina.net
网址：www.bjgjsj.com

北京市住宅建筑设计研究院有限公司

地址：北京市东城区东总布胡同5号
电话：+86-10-85295858
传真：+86-10-65220810
网址：www.zzjz.com

王暐建筑工作室
WANGWEI Architectural Studio

地址：北京西城区南礼士路13号
中广电广播电影电视设计研究院404室
电话：13501197969
传真：+86-10-68026482
邮箱：wangwei@dsarft.com
网址：www.dsarft.com

北京行者匠意建筑设计咨询有限责任公司

地址：北京东城区香河园路1号当代MOMA T2-1001
电话：+86-10-88365055
传真：+86-10-88365055
邮箱：xingzhejiangyi@hotmail.com
网址：www.padesign.cn

CSA 中天伟业
做建筑设计专家

中天伟业(北京)建筑设计集团

地址：北京市海淀区车公庄西路乙19号
华通大厦B座9层
电话：+86-10-88018011/8012/8569
传真：+86-10-88018011/8012/8569转202
邮箱：csabj@163.com
网址：www.csabj.com

卓创国际工程设计集团

地址：上海漕宝路80号光大会展中心D座十楼
电话：+86-21-64329355

重庆大学建筑设计研究院

地址：重庆沙坪坝区北街83号重庆大学B区
电话：+86-23-65120920
传真：+86-23-86398555
邮箱：cqdxjzsjyjy@VIP.163.com

地址：重庆市渝中区鹅岭地产大厦一栋十楼
电话：+86-23-67989118
传真：+86-23-67989118-8004
邮箱：mo_chen@126.com
网址：www.zmyc.com.cn

福建省福州市鼓楼区东大路36号花开富贵A座29楼
电话：+86-591-87430666
传真：+86-591-87430680

FADI

福州市建筑设计院

地址：福建省福州市鼓楼区津门路32号
电话：+86-591-87554471/87556803
传真：+86-591-87616491
邮箱：fadi@fzjzy.com
网址：www.fzjzy.com

地址：厦门市湖滨南路107号
电话：+86-592-2298061
传真：+86-592-2298062
邮箱：rencai@hordor.com
网址：www.hordor.com

地址：广东省广州市海珠区琶洲大道8号701-708室
电话：+86-20-89890986
传真：+86-20-37621177
邮箱：winland@win-land.com
网址：www.win-land.com

广州珠江外资建筑设计院有限公司

地址：广州市环市东路360号珠江大厦东16楼
电话：+86-20-83843732
传真：+86-20-83846074
邮箱：mail@pearl-river.com/zjtb16@126.com
网址：www.pearl-river.com

广州市扉越建筑设计有限公司
地址：广州市海珠区南华东路草芳围2号自编151号
财京商务公馆601—603
电话：+86—20—37688779
传真：+86—20—37688799
网址：www.feiarchitects.com

SP SHING & PARTNERS 漢森伯盛國際設計集團 SINCE 1993

地址：广州市体育西路123号新创举大厦8楼(510620)
电话：+86—20—38218180
传真：+86—20—38288130
邮箱：SP@sp—arch.cn
网址：www.hsarch.com.cn

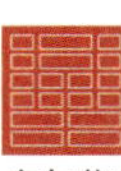

广东华方工程设计有限公司
地址：广东省东莞市南城区元美路华凯广场A座19楼
电话：+86—769—22820769
传真：+86—769—22820736
邮箱：winway866@163.net
网址：www.gdhuafang.com

广州市天作建筑规划设计有限公司
地址：广州市珠江新城华夏路28号富力盈信大厦6楼
电话：+86—20—83840927/83840847/83840875/83840583
传真：+86—20—83839072
邮箱：teamzero@teamzero.com.cn
网址：www.teamzero.com.cn

广州市天任建筑设计顾问有限公司
地址：广东省广州市天河区龙怡路91号
省农机物资公司综合楼四楼
电话：+86—20—38483926/38483929
邮箱：tr3848@126.com
网址：www.tianren.8hy.cn

深圳市东大建筑设计有限公司
东南大学建筑设计研究院深圳分院
地址：深圳市深南中路6031号杭钢富春商务大厦8楼
电话：+86—755—82996899
传真：+86—755—82995667
邮箱：ddfy_szb@21cn.net
网址：www.seusz.com

美騰設計 M.T.DESIGN
香港美騰(M.T)设计工程有限公司
地址：深圳市罗湖区人民南路深房广场B座11楼
电话：+86—755—82295888
传真：+86—755—25186832
邮箱：mt0755@163.com
网址：www.mtdesign.hk

WUARCH 武向兵建筑设计
深圳市武向兵建筑设计有限公司
地址：中国深圳市华侨城东部工业区B—9栋302室
电话：+86—755—86106965
传真：+86—755—86106948
邮箱：project@wuarch.com
网址：www.wuarch.com

WUA
无极建筑设计有限公司(香港)
无极建筑设计(深圳)有限公司
地址：深圳市南山区蛇口南海意库2栋4楼408
电话：+86—755—26856312/26859375
传真：+86—755—26809387
邮箱：szwua@wua.com
网址：www.wua.hk

广州亚泰建筑设计院有限公司
地址：广州市海珠区北约新街5号6楼
电话：+86—20—84214629/84204936
传真：+86—20—84214629—802/81908802—802
邮箱：lwsjok88@163.com
网址：www.gzatsj.com

华蓝集团 HUALAN GROUP
广西华蓝设计(集团)有限公司
地址：广西壮族自治区南宁市华东路39号
电话：+86—771—2438149
传真：+86—771—2435011
邮箱：hualan@gxhl.com.cn

贵州省建筑设计研究院
地址：贵州省贵阳市遵义路48号
电话：+86—851—5573792
传真：+86—851—5572433
邮箱：gzsjy@vip.sina.com
网址：www.gadri.cn

贵州天海规划设计有限公司
地址：贵州省贵阳市中华南路181号华坤发展大厦16楼C座
电话：+86—851—5845337
传真：+86—851—5848386
邮箱：tianhai6699@163.com
网址：www.gzthgh.com

地址：贵州省贵阳市金阳新区金阳北路南段1号
电话：+86—851—8551870
传真：+86—851—8613501
邮箱：2864658963@qq.com

海南华磊建筑设计咨询有限公司
地址：海南省海口市海甸岛32号金谷大厦202房
电话：+86—898—36365412
传真：+86—898—36365414
邮箱：hnhualei@sina.com/1091003047@qq.com
网址：www.hn—hualei.com

石家庄市建筑设计院
地址：石家庄市光华路16号
电话：+86—311—87023414
传真：+86—311—87023414
邮箱：Reshine@heinfo.net
网址：www.sjzarc.cn

保定市建筑设计院有限公司
BAODING INSTITUTE OF ARCHITECTURE DESIGN CO.,LTD
地址：河北省保定市五四中路951号（五四路地道桥东口北侧）
电话：+86—312—5997906/5997889
传真：+86—312—5997906/5997889
邮箱：bdad@vip.163.com
网址：www.bdad.com.cn

唐山市规划建筑设计研究院
地址：河北省唐山市路北区华岩路30号
电话：+86—315—2826806
传真：+86—315—2825904
邮箱：zgtsgiy@sina.com
网址：www.tsgjy.com

UDC 大成國際
河北大成建筑设计咨询有限公司
地址：石家庄市裕华槐安路建华大街交口
万达广场写字楼A座12层
电话：+86—311—85899809
传真：+86—311—86212618
邮箱：dachenggs@163.com
网址：www.dachenggs.com

地址：河南郑州市中原中路191号
电话：+86—371—67606087
传真：+86—371—67639571
邮箱：zjly@zz.sippr.cn
网址：www.sippr.cn

河南圣地建筑景观设计有限公司
地址：河南省郑州市经三路32号财富广场1号楼14层C座
电话：+86—371—65350762
+86—371—65350782
13592662087(郑州)/15010699369(北京)
传真：+86—371—65350763
邮箱：xsd808@163.com

哈尔滨方舟建筑设计有限公司
地址：黑龙江省哈尔滨市道外区红旗大街991号
电话：+86—451—87858515
传真：+86—451—87858504
邮箱：fz2001@vip.163.com
网址：www.fzjz.net

黑龙江省建筑设计研究院
地址：黑龙江省哈尔滨市南岗区果戈里大街1号
电话：+86—451—82694040
传真：+86—451—82694127/82694128
邮箱：HIAD@vip.163.com
网址：www.hljiad.com

黑龙江省农垦建筑设计院
地址：黑龙江省哈尔滨市香坊区公滨路441号
电话：+86—451—55665452
传真：+86—451—55662126
邮箱：hljsnkjzsjy@163.com
网址：www.nkjg.cn/fgs3/index.asp

中信建筑设计研究总院有限公司
地址：武汉市汉口四唯路8号
电话：+86—27—82722966
传真：+86—27—82726178
网址：www.whadi.com.cn

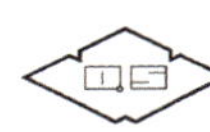

中国轻工业武汉设计工程有限责任公司
地址：武汉市武昌区首义路176号
电话：+86—27—88075955
传真：+86—27—88041709
邮箱：rlzy@qgsj.com
网址：www.qgsj.com

曾益海工作室
Zeng YiHai Studio
中铝国际长沙有色冶金设计研究院有限公司
电话：+86—731—84397140
传真：+86—731—84458515
邮箱：zengyihai@yahoo.cn
网址：www.cinf.com.cn

中国水电顾问集团中南勘测设计研究院
地址：湖南省长沙市雨花区圭塘香樟路9号博远大厦13楼
电话：+86—731—85075241
传真：+86—731—85073221
邮箱：msdi2008@hotmail.com
网址：www.msdi.cn

土木風設計
TUMUFENG DESIGN
地址：吉林省长春市东民主大街519号
电话：+86—431—88591360
传真：+86—431—88591360
邮箱：tumufeng@126.com
网址：www.tumufeng.com

吉林省光大建筑设计有限公司
地址：吉林省长春市南关区人民大街207号
电话：+86—431—5355550
传真：+86—431—85355522
邮箱：JLGDJZ@163.com
网址：3229494.71ab.com

長江都市
南京长江都市建筑设计股份有限公司
地址：南京市洪武路328号
电话：+86—25—84567205
传真：+86—25—84567205
邮箱：jihuake@nanjing—design.com
网址：www.nanjing—design.cn

南京金宸建筑设计有限公司
地址：南京市建邺区梦都大街150号建筑师工社4层
电话：+86—25—86500666
传真：+86—25—86501232
邮箱：kad@kingdomarch.com
网址：www.kingdomarch.com

辽宁省建筑设计研究院
LIAONING PROVINCIAL BUILDING DESIGN & RESEARCH INSTITUTE
地址：辽宁省沈阳市和平区和平南大街84号
电话：+86—24—23392468
传真：+86—24—23389612
网址：www.ldi.com.cn

沈阳万宸建筑规划设计有限公司
地址：沈阳市和平区胜利南大街92号胜利大厦14层
电话：+86—24—83507869—800/83507867
传真：+86—24—83507865
邮箱：wanchensj001@sina.com
网址：www.wcjzsj.com

大连市建筑设计研究院有限公司
C&Z建筑师工作室
地址：中国大连市西岗区胜利路102号308室
电话：+86—411—84313789
传真：+86—411—84303187
邮箱：ud_studio@126.com
网址：www.dlad.com.cn

沈阳都市建筑设计有限公司
地址：辽宁省沈阳市沈河区西滨河路60—2号5门
电话：+86—24—23939337
传真：+86—24—23931370
邮箱：urban2001@126.com
网址：www.urban2001.cn

内蒙古工大建筑设计有限责任公司
地址：内蒙古呼和浩特市哲里木路49号
电话：+86—471—6576005/575347/6577170
传真：+86—471—6576322
邮箱：Gdsjy@yahoo.com.cn

山东建大建筑规划设计研究院
地址：山东省济南市历下区历山路96号
电话：+86—531—86367169
传真：+86—531—86956156
邮箱：sdjdsjy@163.com
网址：www.jdsjy.com

山东省华都建筑设计院有限公司
地址：山东省济南市历下区历山路173号历山名郡B座5层
电话：+86—531—68600068
传真：+86—531—68600069
邮箱：sdhdsj@163.com

青岛中景建筑设计有限公司
地址：中国山东省青岛市抚顺路15号甲
电话：+86—532—68876887
传真：+86—532—68876886
邮箱：hr@zjdchina.com
网址：www.zjdchina.com

山东大卫国际建筑设计有限公司
地址：济南市英雄山路166号
电话：+86—531—82719857/82719858
传真：+86—531—82719879
邮箱：dawei_sheji@163.com
网址：www.daweiarch.com

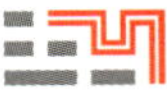

北京东方华脉工程设计有限公司青岛分公司
地址：青岛市经济技术开发区长江中路519号建国大厦18层
电话：+86—532—68972799
传真：+86—532—68972799
邮箱：dfhmqd@163.com
网址：www.chinahumax.com

山东景城建筑规划设计有限公司
地址：山东潍坊櫻前街虞河西岸瑞泰南郡写字楼13层
电话：+86—536—8799920
传真：+86—536—8799950
邮箱：SD—jingcheng@163.com

青岛原创工程设计有限公司
地址：青岛市崂山区山—东头路58号盛和大厦1号楼1—3层
电话：+86—532—83950136/83950137/83950138/83950139
传真：+86—532—83950117
邮箱：qingdaoyc@vip.sina.com
网站：www.qdyc—arch.com

TONTSEN 建筑设计事务所(美国)
上海方大建筑设计事务所

地址：上海市浦东新区东方路971号钱江大厦27层
电话：+86－21－50582111
传真：+86－21－50583009
邮箱：tontsen@tontsen.com
网址：www.tontsen.com

地址：上海市浦东新区张江高科园区
伽利略路11号伽利略商务公馆6单元
电话：+86－21－31265800
传真：+86－21－50814700
邮箱：ppddg@ppddg.com
网址：www.ppddg.com

上海经纬建筑规划设计研究院有限公司

地址：上海市杨浦区长阳路1568号
（宁国路503号）复地四季广场10－12号楼
电话：+86－21－65039009
传真：+86－21－65638325
邮箱：jwjz@china.com
网址：www.sladi.com.cn

唯士国际设计与发展有限公司

地址：上海市淮海西路666号中山万博国际中心11楼
电话：+86－21－32503750/32503752
传真：+86－21－32503950
邮箱：dotint@vip.163.com
网址：www.dotint.com.cn/www.ky-arch.com

上海加合建筑设计有限公司

地址：上海市莫干山路50号21号楼2层
电话：+86－21－62773208
邮箱：teamplus@teamplus.cn
网址：www.teamplus.cn

中船第九设计研究院工程有限公司

地址：中国上海市武宁路303号
电话：+86－21－62549700
传真：+86－21－62573715
邮箱：sxy@ndri.sh.cn
网址：www.ndri.sh.cn

HSarchitects
上海汉思建筑设计事务所

地址：中国上海市长宁路1018号龙之梦大厦901室
电话：+86－21－33727290
传真：+86－21－33727291
网址：www.HSarchitects.cn

上海工程勘察设计有限公司

地址：上海市武宁南路318号
电话：+86－21－62310080
传真：+86－21－62317080
邮箱：info@saec.cc
网址：www.saec.cc

MOD
德中建筑·摩德

地址：中国上海市北京西路1701号1602室
电话：+86 21 62884020
传真：+86 21 62884030
邮箱：oecmod@126.com
网址：www.mod-china.net

華墨國際
HM International
美国HM国际有限公
上海华墨建筑设计事务所有限公司

地址：上海市闸北区恒丰路436号（裕通路路口）
环智国际大厦904单元
电话：+86－21－52436133/52436233
传真：+86－21－62870077
邮箱：market@hmint.com.cn

上海都冀建筑设计有限公司

地址：上海普陀区陕西北路1388号上海银座企业中心
电话：+86－21－51688771
传真：+86－21－51685271
邮件：biz@dugee.cn
网址：www.dugee.cn

上海大椽建筑设计事务所

地址：上海市复兴中路369号13层
电话：+86－21－63737771
传真：+86－21－63731118
邮箱：1554973486@qq.com
网址：www.dca.sh.cn

上海筑誉设计及工程集团

地址：上海市静安区安远路555号806室
电话：+86－21－62981500
传真：+86－21－62986711
邮箱：mail@zhuyudesigngroup.com
网址：www.zhuyudesigngroup.com.cn

HMA
Architects & Designers

上海广万东建筑设计咨询有限公司

地址：上海黄浦区建国中路3号建国大厦3层
电话：+86－21－54669966
传真：+86－21－64152060
邮箱：hma@hmadesign.com
网址：www.hmadesign.com

上海沃尔建筑设计有限公司

地址：上海市静安区新闸路831号丽都新贵18－C
电话：+86－21－52340632
传真：+86－21－52340630
邮箱：caozhenfu@vip.sina.com
网址：www.taliesinwest.com.cn

上海柏创建筑设计有限公司

地址：上海市浦东新区浦东南路528号证券大厦北塔17楼
电话：+86－21－68824686
传真：+86－21－68824687－8001
邮箱：bdi@vip.163.com
网址：www.boarch.com

山西省建筑设计研究院

地址：山西省太原市府东街5号
电话：+86－351－3285917/3285361
传真：+86－351－3073613
邮箱：sxy-khfw@126.com
网址：www.sxjzsj.com.cn

西安利群建筑工程设计事务所

地址：西安市高新一路5号正信大厦B座2603室
电话：+86－29－83151599
传真：+86－29－83151599－816
邮箱：Xian_liqun@163.com
网址：www.xaliqun.com

西安樊广智建筑设计事务所

地址：西安市高新三路财富中心二期B座2512号
电话：+86－29－65676928
传真：+86－29－65676928/8822
邮箱：Fgzhsws@163.com

地址：四川省成都市天府大道北段866号
电话：+86－28－62550866
传真：+86－28－62550900
邮箱：xnyyb@vip.163.com
网址：www.xnjz.com

Cendes

四川山鼎建筑工程设计股份有限公司

地址：中国上海市北京西路1701号1602室
电话：+86－21－62884020
传真：+86－21－62884030
邮箱：oecmod@126.com
网址：www.mod-china.net

成都基准方中建筑设计事务所

地址：成都市西玉龙街6号
新世纪广场10F－16F，20F，29F
电话：+86－28－86582121
邮箱：KF@jzfz.com.cn

地址：四川省成都市高新区天府大道北段1480号9号楼F座5层
电话：+86－28－86786662
传真：+86－28－86788919
邮箱：vtr@vtr-sc.com
网址：www.vtr-sc.com

地址：四川省成都市高新区科园南路88号
天府生命科技园A1办公楼905室
电话：+86－28－85315296/7/8
传真：+86－28－85315296－818
邮件：zggdjz@126.com
网址：www.zggdjz.com.cn

天津大学建筑设计规划研究总院

地址：天津市南开区鞍山西道192号
电话：+86－22－27404753
传真：+86－22－27401845
邮箱：td_design@126.com
网址：www.aatu.com.cn

元正（天津）建筑设计有限公司

地址：天津市河西区友谊北路广银大厦1601
电话：+86－22－23558166/7/8
传真：+86－22－58780084
网址：www.dreambuilt.com.cn/www.imaap.com.cn

天津市城市规划设计研究院

地址：天津市河西区黄埔南路81号万顺大厦B座13层
电话：+86－22－28012350
传真：+86－22－28012350
邮箱：Buildingbranch_tj@126.com
网址：www.tjcityplan.com

天津加尚建元建筑设计有限公司

地址：天津市南开区士英路与云际道交口
东海岸商务中心8层
电话：+86－22－23669303
邮箱：jianyuanzhaopin@126.com/tianjinjianyuan@126.com
网址：www.cansun-ca.com

天津市港建建筑设计有限责任公司

地址：天津华苑产业园区榕苑路15号8号楼2楼
天津市北辰区经济开发区双辰中路西双街创业园A座5楼
电话：+86－22－23859697/23859798
传真：+86－22－23859697－8000
邮箱：23859798@86-22.cn

天津港津建筑设计工程有限公司

地址：天津市空港经济区凤鸣道华盈大厦6层
电话：+86－22－66267758/66267757/66267756
传真：+86－22－66267759
邮箱：tjbhgj@163.com
网址：www.tjgangjin.com

天津华厦建筑设计有限公司

地址：天津市南开区华苑产业区榕苑路16号
鑫茂科技园中心楼三层
电话：+86－22－58693336/58693341/23672000
传真：+86－22－58598916
邮箱：tjhxjzsjgs@126.com
网址：www.tj-huaxia.cn

天津宏筑建筑设计有限公司

地址：天津市南开区红旗南路588号
仁爱濠景国际大厦D座10F
电话：13702167898/13702167899
邮箱：hz_sjy_cc@126.com
网址：www.hongzhujz.com

地址：新疆乌鲁木齐市水磨沟区安居南路70号
中国方向招商大厦13层
电话：+86－991－4697637
传真：+86－991－4697637
邮箱：xjsf-_d@sina.cn

新疆印象建设规划设计研究院(有限公司)

地址：乌鲁木齐市高新区苏州东街568号
金邦大厦15楼、11楼、10楼、7楼
电话：+86－991－7819196
传真：+86－991－7819189
邮箱：irismuse_shao@163.com
网址：www.xjyinxiang.com

新疆维吾尔自治区建筑设计研究院

地址：新疆乌鲁木齐市光明路125号
电话：+86－991－8869192（总机）
传真：+86－991－8865683
邮箱：xadi@vip.163.com

云南华凌建筑设计有限公司
YUN NAN HUA LING BUILDING DESIGN CO.,LTD.

地址：昆明市官渡区关上中心区关兴路239号8层
电话：+86－871－7197609
传真：+86－871－5711559
邮箱：809733532@qq.com

昆明兰德设计有限公司

地址：云南省昆明市东风东路47号建业商务中心25楼
电话：+86－871－3200488
传真：+86－871－3114758
邮箱：design@land-design.cn
网址：www.land-design.cn

地址：浙江省杭州市古墩路389号
电话：+86－571－88366180
传真：+86－571－88366080
邮箱：goa@goa.com.cn
网址：www.goa.com.cn

普立策设计
PLCDESIGN

杭州普立策建筑设计有限公司

地址：杭州市拱墅区湖墅南路186－1号丽阳国际商务中心6楼
电话：+86－571－88103291(前台)/+86－571－88102636(业务)
+86－571－88103373(投诉)
传真：+86－571－88103291
邮箱：plcd@plcdesign.cn
网址：www.plcdesign.cn

宁波中鼎建筑设计研究院

地址：浙江省宁波市环城西路南段695号
电话：+86－574－87495078
传真：+86－574－87497098
邮箱：zddesign@zddesign.cn
网址：www.nbzd.cn

杭州友慧润城建筑设计有限公司

地址：杭州市拱墅区湖墅南路271号中环大厦405室
电话：+86－571－88387906
传真：+86－571－88388172
邮箱：yhrc2011@126.com

浙江新中环建筑设计有限公司

地址：杭州市天目山路217号江南电子大厦6－10楼
电话：+86－571－88228015
邮箱：1061740422@qq.com
网址：www.zjxzh.com

浙江安居建筑设计有限公司

地址：杭州市西湖区文一路68号坤和商务楼9楼
电话：+86－571－89710598
传真：+86－571－85117797
邮箱：wawawa7797@163.com/
214263452@qq.com/66090247@qq.com

地址：浙江省杭州市潮王路22号
电话：+86－571－56738888/56737418
传真：+86－571－88392805
邮箱：zhao_wb@ecidi.com
网址：www.ecidi.com

特邀编委 Contributing Editor

（按姓氏首字母排序）

姓 名	所属机构	页 码
白 林	北京白林建筑设计咨询有限公司	31
曹珍福	上海沃尔建筑设计有限公司	67
昌 伟	中国中建设计集团有限公司	35
陈 超	天津宏筑建筑设计有限公司	73
陈 工	澳洲高臣建筑事务所	21
陈 建	北京正华建筑设计事务所	32
陈合文	唐山市规划建筑设计研究院	51
陈厚诚	青岛中景建筑设计有限公司	60
陈继腾	黄山市城市建筑勘察设计院	30
陈晓宇	加拿大AIM[亚瑞]国际设计集团	7
陈子弘	陈子弘建筑师事务所	27
程红波	上海加合建筑设计有限公司	65
戴 军	荷兰NITA设计集团	2
邓 立	沈阳万宸建筑规划设计有限公司	58
邓文杰	吕邓黎建筑师有限公司	24
董 明	贵州省建筑设计研究院	48
董 平	安徽华盛国际建筑设计工程咨询有限公司	29
董高翔	卓创国际工程设计集团	40
范 强	中房集团建筑设计有限公司	34
范文峰	广州市纬纶建筑设计有限公司	44
冯文飞	美国WFA建筑规划设计事务所	16
傅倩恺	中国水电顾问集团中南勘测设计研究院	55
干 彤	森拓设计机构	4
戈 建	北京戈建建筑设计顾问有限责任公司	17
龚 俊	美国HOOP建筑设计有限公司	3
顾承伟	四川国鼎建筑设计有限公司	69
郭三锁	上海柏创建筑设计有限公司	66
洪再生	天津大学建筑设计规划研究总院	71
胡志文	上海汉思建筑设计事务所	66
黄甲兵	中国水电顾问集团中南勘测设计研究院	55
金 捷	合艺国际（中国）	22
金 山	中国轻工业武汉设计工程有限责任公司	54
剧元峰	石家庄市建筑设计院	51
康 慨	沈阳都市建筑设计有限公司	59
赖育志	上海桑叶建筑设计咨询有限公司/台湾赖育志建筑师事务所	28
李 靖	森拓设计机构	5
李 青	南京金宸建筑设计有限公司	57
李 霞	上海加合建筑设计有限公司	65
李洪夫	哈尔滨方舟建筑设计有限公司	53
李日强	嘉博筑业	43
李少云	广州市天作建筑规划设计有限公司	47
梁 华	卓创国际工程设计集团	40
林 沨	LOA建筑事务所	21
林 媛	北京享筑建筑设计咨询有限公司	37
林卫宁	厦门合道工程设计集团有限公司	44
刘 臻	澳大利亚HYN建筑设计顾问有限公司	13
刘光亚	北京中联环建文建筑设计有限公司	38
刘晓光	RTKL国际有限公司	11
刘志桃	刘志桃建筑事务所	27
龙卫国	中国建筑西南设计研究院有限公司	68
罗 理	澳大利亚道克设计咨询有限公司	10
罗巨光	浙江新中环建筑设计有限公司	78
马炳坚	北京市古代建筑设计研究所	38
马立东	中国建筑科学研究院建筑设计院	33
孟 斌	元正（天津）建筑设计有限公司	70
孟祥群	青岛原创工程设计有限公司	62
欧阳颖	美国HOOP建筑设计有限公司	3
彭一刚	天津大学建筑设计规划研究总院	70
齐 方	上海方大建筑设计事务所	63
邱 进	VTR(美国)国际设计研究有限公司(中国机构) 四川中维工程设计有限公司	69
饶及人	美国龙安建筑规划设计顾问有限公司	8
申丽萍	英国UK.LA太平洋远景国际设计机构	20
申作伟	山东大卫国际建筑设计有限公司	61
沈 凡	杭州普立策建筑设计有限公司	76
盛宇宏	汉森国际伯盛设计集团	45
石铁军	吉林土木风设计	56
孙 亮	美国亚合国际建筑设计事务所	17
谭 琛	重庆筑墨逸臣建筑工程设计有限公司	42
陶振永	天津港津建筑设计工程有限公司	73
滕玉泉	山东景城建筑规划设计有限公司	62
田 兵	北京奥思得建筑设计有限公司	36
王 成	广州亚泰建筑设计院有限公司	48
王军民	法博国际(香港)规划建筑设计有限公司	25
王克江	嘉柏建筑师事务所	26
王漓峰	澳大利亚柏涛墨尔本建筑设计有限公司	6
王天才	A+K建筑师事务所	15
王振楣	美国James · 王建筑师事务所\北京杰地亚建筑咨询有限公司	2
魏浩波	西线建筑规划设计研究院	50
魏宏杨	重庆大学建筑设计研究院	41
吴 强	安徽建筑工业学院 · 安徽建苑城市规划设计研究院	29
吴立志	无极建筑设计(深圳)有限公司	46
吴希良	宁波中鼎建筑设计研究院	77
伍新凤	贵州天海规划设计有限公司	49
武向兵	深圳市武向兵建筑设计有限公司	47
席建立	新疆维吾尔自治区建筑设计研究院	74
夏 军	Gensler	12
谢劲松	西线建筑规划设计研究院	50
徐 石	汉米敦(中国)建筑设计有限公司	13
徐宗武	中国中建设计集团有限公司	35
薛 峰	中国中建设计集团有限公司	35
薛世勇	中天伟业（北京）建筑设计集团	39
严 晖	澳大利亚道克设计咨询有限公司	10
杨 晔	辽宁省建筑设计研究院	58
杨承冈	北京奥思得建筑设计有限公司	36
叶 葵	合艺国际（中国）	22
叶松青	上海经纬建筑规划设计研究院有限公司	64
于力明	美国飞大建筑设计咨询（上海）有限公司	18
余茂林	加拿大诺杰建筑设计事务所	23
余啸峰	嘉柏建筑师事务所	26
袁 歆	四川山鼎建筑工程设计股份有限公司	68
岳 欣	河北大成建筑设计咨询有限公司	52
张敏军	杭州普立策建筑设计有限公司	76
张天宝	香港华天国际建筑与城市设计有限公司	25
张学锋	山西省建筑设计研究院	67
赵 苹	浙江新中环建筑设计有限公司	78
赵 伟	黑龙江省建筑设计研究院院	53
赵 军	天津加尚建元建筑设计有限公司	72
赵春水	天津市城市规划设计研究院	72
赵景孔	机械工业第六设计研究院有限公司	52
赵文冰	中国水电顾问集团华东勘测设计研究院	75
赵学义	山东建大建筑规划设计研究院	59
赵英鹏	吉林省光大建筑设计有限公司	56
周 星	广东华方工程设计有限公司	46
朱 飞	新疆四方建筑设计院有限公司	75
朱儁夫	美国波士顿国际设计集团	19
朱兴刚	北京市建筑设计研究院有限公司	32
邹 航	澳大利亚道克设计咨询有限公司	10

主要建筑设计师 Main Architectural Designers

（按机构首字母排序）

主要建筑设计师
Main Architectural Designers

设计机构 Design Institutions

The Well Known Design Institutions & the

Character's Profile

2011-2012 中国建筑设计作品年鉴

优秀设计机构 · 人物档案

特邀编委

Contributing Editor

NITA

荷兰NITA设计集团

Netherlands NITA Design Group

戴 军
Jun Dai

戴 军

荷兰NITA设计集团亚洲区代表，荷中花卉促进会副会长，东南大学客座教授，GREEN CITY（绿色城市）理念的倡导者和实践者。2010上海世博会景观总协调人，带领荷兰NITA设计集团中外设计师团队出色完成了世博园区绿地景观设计及总体管控工作，编写并出版中国建筑工业出版社发行的《2010年上海世博园区绿地景观》，世博绿地系统规划获得了IFLA（世界风景园林师联合会）颁发的杰出大奖。长期致力于世界不同城市的改造与系统性更新研究，形成了NITA对城市更新发展独特的风格和理念，带领团队完成了多个国际国内城市的城市改造与更新项目。

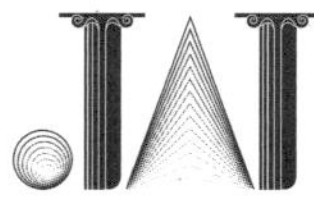

美国James · 王建筑师事务所

James Wang Design Associates, Inc.

北京杰地亚建筑咨询有限公司

James Wang Design Associates

James Wang
王振楣

王振楣

James Wang：北京杰地亚建筑咨询有限公司创办人

现任职务

总裁、总建筑师

教育背景

1974	获得台湾淡江大学建筑学士
1977—1978	美国伊利诺理工大学建筑系研究所研究生
1979	获得美国伊利诺州立大学建筑系研究所建筑硕士，是美国建筑师协会会员

工作经历

1987	在洛杉矶创立James Wang Design Associates
2000	在北京成立北京杰地亚建筑咨询有限公司

James · 王的工作成绩得到了多方面的认可，获得国内的多项优秀设计奖项。特别是在2011年荣膺第八届地产年度风云榜“中国最具影响力设计师大奖”。

美国HOOP建筑设计有限公司
HOOP ARCHITECTURAL DESIGN CONSULTANTS.INC.

龚 俊
Jun Gong

龚 俊

上海霍普建筑设计事务所有限公司 执行董事 总经理 设计总监

毕业于重庆建筑大学，建筑学学士，国家一级注册建筑师，上海建筑学会商业委员会委员。曾就职于新加坡杰盟建筑设计公司。2003年创办上海霍普建筑设计事务所有限公司并出任执行董事、总经理、设计总监，凭着敏锐的市场洞察力、对设计价值的深刻理解，十年来一直专注于对商业综合体和高品质住宅的设计研究与创新，带领霍普建筑不断发展壮大，致力打造一个追求理想的建筑设计事务所。在此期间，曾主持设计过大量的优秀作品，以精细化的设计水平赢得了业内口碑和认可。

部分代表作品

项目名称	设计时间	项目规模	项目状况
常州龙湖香醍漫步	2010	580 000 m^2	竣工完成
武汉万达中心	2009	136 000 m^2	竣工完成
南通文峰城市广场	2009	243 000 m^2	实施阶段
杭州保利东湾	2009	650 000 m^2	竣工完成
南京保利紫晶山	2009	340 000 m^2	竣工完成
南通万濠华府	2009	180 000 m^2	竣工完成
南京万达广场	2008	195 000 m^2	竣工完成
上海保利海上五月花	2007	366 000 m^2	竣工完成
上海仁恒滨江园	2001	370 000 m^2	竣工完成
上海仁恒河滨花园	2001	350 000 m^2	竣工完成
上海尚德学校	2001	147 000 m^2	竣工完成

Jun Gong

Executive Director, General Manager and Chief Design Officer of Shanghai HOOP Architectural Design Firm Ltd..
Graduated from Chongqing University of Architecture with Bachelor's Degree. He is also a national class-1 registered architect, and member of Commercial Committee of the Architectural Society Shanghai. He once worked with JGP Architecture (Singapore) Pte., Ltd. In 2003, he founded Shanghai Hoop Architects as executive director, general manager and chief design officer. He leads Hoop Architects to grow stronger, trying to create a dream-seeking architects' firm. With sharp market insights, profound understanding of design value, and decade's focus on commercial complex and hi-quality residential design research and innovation. During this period, he designed a lot of excellent works and won popular reputation and recognition in this industry, for his refined design level.

Masterpieces

Project	Design Date	Site Area	Status
LongFor Chianti, Changzhou	2010	580,000 m^2	Completed
Wanda Center, Wuhan	2009	136,000 m^2	Completed
Wenfeng City Plaza, Nantong	2009	243,000 m^2	Under construction
Poly East Bay, Hangzhou	2009	650,000 m^2	Completed
Poly Zijing Mountain, Nanjing	2009	340,000 m^2	Completed
Wanhao Mansion	2009	180,000 m^2	Completed
Wanda Plaza, Nanjing	2008	195,000 m^2	Completed
Poly Mayflower, Shanghai	2007	366,000 m^2	Completed
Renheng Riverside Garden, Shanghai	2001	370,000 m^2	Completed
Renheng Riverbank Garden, Shanghai	2001	350,000 m^2	Completed
Shangde Experimental School, Shanghai	2001	147,000 m^2	Completed

欧阳颖
Ying Ouyang

欧阳颖

深圳市霍普建筑设计有限公司 首席设计师
毕业于天津大学获建筑学学士学位
重庆建筑大学获建筑学硕士学位

主持设计项目

浙江宁波雅戈尔东湖花园二期
浙江慈溪慈土储10号地块
浙江宁波雅戈尔东钱湖别墅设计

Ying Ouyang

Chief Designer of Shenzhen HOOP Architectural Design Ltd.
Graduated as a Bachelor of Architecture from Tianjing University and a Master Degree of Architecture from Chongqing Architecture University.

Designs Projects

Ningbo Youngor East Lake Garden Phase II, Zhejiang
The No.10 Plot of Cixi Land Reserve, Zhejiang
Ningbo Youngor Dongqian Lake Villa, Zhejiang

CENTALAND
森拓设计机构

干 彤

加拿大籍　CENTALAND总裁
1986–1991　清华大学建筑系，获学士学位
1991–1994　浙江大学建筑系，任教
1995–1997　加拿大McGILL大学，获硕士学位
1997–2001　在Perfect Design、Forrec等公司做建筑设计
2001–至今　森拓设计机构，建筑设计实践

Tong Gan

Canadian citizen, president of CENTALAND
He has gotten the bachelor's degree in architecture department, Tsinghua University from 1986 to 1991.
He acted as a teacher in architecture department, Zhejiang University from 1991 to 1994.
He has gotten the master's degree of McGILL University from 1995 to 1997.
He engaged in architecture and design in Perfect Design and Forrec Company from 1997 to 2001.
He engaged in architecture and practice in Centaland Design institute from 2001 to now.

干 彤
Tong Gan

主要设计作品

上海	保利·十二橡树	建筑设计
	城开·万源城御溪	规划及建筑设计
北京	保利·垄上别墅	规划及建筑设计
重庆	龙湖·香樟林别墅区	规划及建筑设计
	龙湖·蓝湖郡别墅居住区	建筑设计
	保利·国际高尔夫别墅区	规划及建筑设计
	天骄·美茵河谷	规划及建筑设计
	中安·翡翠湖别墅居住区	规划设计
	天江·常青藤别墅居住区	规划及建筑设计
	旭阳·朗晴广场	规划及建筑设计
	中渝·梧桐郡	规划及建筑设计
	金科·太阳海岸	规划及建筑设计
成都	新昕·原乡别墅居住区	规划及建筑设计
	龙湖·长桥郡	规划及建筑设计
	龙湖·弗莱明戈	建筑设计
	朗基·欧城	建筑设计
	朗基·望今缘	规划及建筑设计
贵阳	保利·温泉新城	规划及建筑设计
昆明	俊发·滨江俊园	规划及建筑设计
	俊发·滇池华府	规划及建筑设计
杭州	绿城·桃花源生态别墅居住区（获建设部综合大奖）	建筑设计
	华立·爵士风情居住区（获建设部环境大奖）	规划及建筑设计
	新湖·香格里拉居住区	建筑设计
	万科·魅力之城	规划及建筑设计
	恒励·龙王溪谷	
广州	保利·林语山庄别墅居住区	建筑设计
郑州	建业·森林半岛	规划及建筑设计
	建业·壹号城邦	规划及建筑设计
南京	瑞基·山河水	规划及建筑设计
	鸿信·云深处	规划及建筑设计
	华隆·紫金七号	规划及建筑设计
常州	莱蒙·水榭花都国际城	规划及建筑设计
宜昌	泰江·长江画廊别墅居住区	规划及建筑设计

Main Design

Shanghai
Poly·Twelve Oaks
Urban Development·Wanyuan City Yuxi
Beijing
Poly·Longshang Villas
Chongqing
Longfor·Fragrant Forest Villas Area
Longfor ·Blue Lake County Villas Area
Poly·International Golf Garden Villas Area
Tianjiao·Meiyin River Valley
Zhang'an·Emerald Lake Villas Area
Tianjiang·Lvy humanities Villas Area
Xuyang·Langqing Place
Zhongyu·Phoenix County
Jinke·Sun Coast Villas
Chengdu
Xinxin·Yuanxiang Villas Area
Longfor·Bridge County
Longfor·FlamencoSpain
Langji·Europe City
Langji·Wang-jin-yuan
Guiyang
Poly·Hot Spring New City
Kunming
Junfa·Binjiang Junyuan
Junfa·Dianchi Huafu
Hangzhou
Greentown·Tao Hua Yuan Villas Area
(Comprehensive Award by the Minstry of Constrution)
Holley • Jazz Style Residential Area
(Environment Award by the Ministry of Construction)
Xinhu ·Shangri-la
Vanke·Glamorous City
Handnice·King Valley
Guangzhou
Poly·Linyu Mountain Villas Area
Zhengzhou
Jianye·Forest Peninsula
Jianye·King of the City
Nanjing
Ruiji·Romanvision
Hongxin·Invisible Class
Hualong·Zi Jin Qi Hao
Changzhou
Le Leman City
Yichang
Taijiang·Yangtze River Gallery Villas Area

CENTALAND
森拓设计机构

李 靖
Jing Li

李 靖

中国籍 CENTALAND 董事
1980–1984 西安建筑科技大学建筑系，获学士学位
1984–1988 西安建筑科技大学建筑系任教
1988–1991 西安建筑科技大学建筑系，获硕士学位
1992–2001 在珠海、深圳等地做建筑设计及设计管理
2001–至今 森拓设计机构，建筑设计实践

Jing Li

Chinese citizen, board director of CENTALAND.
He has gotten the bachelor's degree in architecture department, Xi'an University of Architecture and Technology from 1980 to1984.
He acted as a teacher in Xi'an University of Architecture and Technology from 1984 to 1988.
He has gotten the master's degree of Xi'an University of Architecture and Technology from 1998 to 1991.
He engaged in architecture and design in Zhuhai and Shenzhen from 1992 to 2001.
He engaged in architecture and practice in Centaland Design Institute from 2001 till now.

主要设计作品

上海	保利·十二橡树	建筑设计
	城开·万源城御溪	规划及建筑设计
北京	保利·垄上别墅	规划及建筑设计
重庆	龙湖·香樟林别墅区	规划及建筑设计
	龙湖·蓝湖郡别墅居住区	建筑设计
	保利·国际高尔夫别墅区	规划及建筑设计
	天骄·美茵河谷	规划及建筑设计
	中安·翡翠湖别墅居住区	规划设计
	天江·常青藤别墅居住区	规划及建筑设计
	旭阳·朗晴广场	规划及建筑设计
	中渝·梧桐郡	规划及建筑设计
	金科·太阳海岸	规划及建筑设计
成都	新昕·原乡别墅居住区	规划及建筑设计
	龙湖·长桥郡	规划及建筑设计
	龙湖·弗莱明戈	建筑设计
	朗基·欧城	建筑设计
	朗基·望今缘	规划及建筑设计
贵阳	保利·温泉新城	规划及建筑设计
昆明	俊发·滨江俊园	规划及建筑设计
	俊发·滇池华府	规划及建筑设计
杭州	绿城·桃花源生态别墅居住区（获建设部综合大奖）	建筑设计
	华立·爵士风情居住区（获建设部环境大奖）	规划及建筑设计
	新湖·香格里拉居住区	建筑设计
	万科·魅力之城	规划及建筑设计
	恒励·龙王溪谷	
广州	保利·林语山庄别墅居住区	建筑设计
郑州	建业·森林半岛	规划及建筑设计
	建业·壹号城邦	规划及建筑设计
南京	瑞基·山河水	规划及建筑设计
	鸿信·云深处	规划及建筑设计
	华隆·紫金七号	规划及建筑设计
常州	莱蒙·水榭花都国际城	规划及建筑设计
宜昌	泰江·长江画廊别墅居住区	规划及建筑设计

Main Design

Shanghai
Poly·Twelve Oaks
Urban Development·Wanyuan City Yuxi
Beijing
Poly·Longshang Villas
Chongqing
Longfor·Fragrant Forest Villas Area
Longfor ·Blue Lake County Villas Area
Poly·International Golf Garden Villas Area
Tianjiao·Meiyin River Valley
Zhang'an·Emerald Lake Villas Area
Tianjiang·Lvy humanities Villas Area
Xuyang·Langqing Place
Zhongyu·Phoenix County
Jinke·Sun Coast Villas
Chengdu
Xinxin·Yuanxiang Villas Area
Longfor·Bridge County
Longfor·FlamencoSpain
Langji·Europe City
Langji·Wang-jin-yuan
Guiyang
Poly·Hot Spring New City
Kunming
Junfa·Binjiang Junyuan
Junfa·Dianchi Huafu
Hangzhou
Greentown·Tao Hua Yuan Villas Area
(Comprehensive Award by the Minstry of Constrution)
Holley • Jazz Style Residential Area
(Environment Award by the Ministry of Construction)
Xinhu ·Shangri-la
Vanke·Glamorous City
Handnice·King Valley
Guangzhou
Poly·Linyu Mountain Villas Area
Zhengzhou
Jianye·Forest Peninsula
Jianye·King of the City
Nanjing
Ruiji·Romanvision
Hongxin·Invisible Class
Hualong·Zi Jin Qi Hao
Changzhou
Le Leman City
Yichang
Taijiang·Yangtze River Gallery Villas Area

王漓峰

董事长，首席代表

教育背景：
1980 — 1984 中国上海同济大学建筑学士
1990 — 1991 澳大利亚皇家墨尔本理工学院建筑学硕士

资　历：
1997 —至今
首席代表　澳大利亚柏涛墨尔本建筑设计有限公司
董事长　澳大利亚柏涛（墨尔本）建筑设计亚洲公司

在信息、理念、创意、文化急速传播的时代，各种创意、构思需要一个巨大的平台去融合、去研究、去实施。特别是在中国"城市化"进程的巨大舞台上，澳大利亚柏涛公司和具有本土特征的柏涛咨询（深圳）有限公司正以它的国际化视野和理念以及设计手法和本土化的服务特征，在澳大利亚和中国两国之间扮演着文化交流、创意交流、技术交流和经验交流的重要角色。

澳大利亚柏涛公司成立于 1889 年，在一个多世纪的时间里，柏涛公司一直是澳大利亚城市规划、建筑设计队伍中的主力军，是澳大利亚建筑设计领域中最有影响力的设计公司之一，特别是从 20 世纪 80 年代至今，柏涛公司在城市规划、区域规划、大型体育综合设施、商业设施、公共设施、文化设施、教育设施以及大型住宅区规划、景观设计等领域创造了一个又一个辉煌。如澳大利亚国家网球中心、ABC 广播公司总部、墨尔本水上运动中心等都体现了柏涛公司在创意、技术以及项目实施上的卓越才能和贡献。

1998 年初，中国的"城市化"进程开始加速，又适逢中国的设计市场向海外开放，澳大利亚柏涛（墨尔本）公司抓住了这个历史契机，在中国深圳设立了办事处。2001 年又设立了柏涛咨询（深圳）有限公司，为中国的设计业务提供了一个直接沟通交流的平台，把国外先进的设计理念在经过中国实际情况和法规规范检验后可行地、完整地应用于中国项目中，为客户提供了面对面沟通、交流、碰撞的服务平台，最大程度地实现了本土化与国际化的接轨。在过去的十年中，柏涛公司的作品遍布中国的大江南北，创作设计了四百多个项目，其所设计的作品屡屡中标，三十多个项目获得多个国家级和国际大奖。

柏涛公司的发展见证了中国城市化进程的标志性阶段，并在这个进程中扮演了非常重要的角色。从 1996 年深圳万科城市花园、1999 年深圳湾蔚蓝海岸、2001 年华侨城波托菲诺纯水岸、2003 年万科第五园及 2005 年中信红树湾，柏涛公司的这些作品标志了中国大规模住宅开发的各个不同阶段，柏涛公司亦成为中国住宅区规划设计最有影响力的公司之一。

柏涛公司把它进入中国的前十年的重点放在了在中国城市化进程中起主导和推动作用的住宅规划设计领域，我们认为：对中国城市的自然生态、社会生态和人文生态产生巨大影响的中国"城市化"运动的急剧发展将迅速改变中国社会，文化的架构，冲击中国社会、生活和文化价值观。"住宅"作为社会最大需求以它强大的力量改变着城市的功能、文脉和肌理，改变着中国城市的空间和内容。如何运用国外大型居住区规划设计中对人、自然、生态、社区空间在物质层面和精神层面多方面研究的实例和经验，对这次城市化运动中的大型住宅开发提供负责任、策略性的设计咨询服务，使中国的住宅开发能够沿着正确的道路走下去，是我们的责任和义务。我们希望通过我们的国际化视野和本土实践的经验，用理性、负责的理念和态度为中国急剧扩张的城市版图提供战略上的发展纲要和理论上的研究方向，保持城市文脉的连续性和发展的可持续性。

十几年的实践使柏涛公司在中国住宅发展的过程中，起到了开疆拓壤、引领时尚的先锋作用，成为最具影响力的公司之一。同时，柏涛公司在商业、文化、体育建筑领域也取得了很大的成功，阿布扎比国家银行、天津泰达体育场、上海体育文化中心和上海外滩十六铺码头等投标，显示了柏涛公司在这些领域的创造力和实力，也证实了柏涛在这些领域具有很大的发展潜力。

我们在中国的实践，始终贯彻柏涛公司一直倡导的设计哲学：每一个建筑都是新的挑战，我们以对环境、文脉和地域文化的仔细研究，对客户要求的积极反应和专业诠释，对新技术，新材料的积极应用，在设计理念上大胆创新，演绎激情，寻找到最佳的解决办法，使我们的作品达到提升人类精神面貌、丰富建筑文化内涵的境界，从而实现人类的自身价值、社会价值和文化价值。

回顾柏涛十几年来在中国的几百个作品，其中都贯穿了以下几个重要的词汇：

- 尊重：我们尊重自然，尊重地脉文化，尊重地域的文化和习惯，尊重客户的理念和理想。
- 激情：我们充满激情追求每一个作品的创意和完美。
- 激发力：我们和合作伙伴及客户互相激发，共同创作。
- 创造力：我们充满了创作的热情，追求每一个作品的创意和个性。
- 融合力：我们努力把设计中许多相互对立的因素和谐地组合起来，以达到一种突破社会和空间界限的效果。
- 协调力：我们努力在设计理念的完美和客户的需求中寻找平衡，以达到"双赢"的效果。

我们倡导的是：理性、逻辑的思维分析；创意、灵感的迸发；有效、可实施的技术应用。柏涛公司始终坚持"主创核心"团队精神来保证设计作品品质的一贯性和连续性，我们提倡的是互相尊重、各取所长、互相包容、共同进取的团队精神，以及多元化的企业文化。柏涛公司成为境外设计师、海外设计师、本土设计师在一起互相学习、博采众长、共同研究、超越自我的平台。

当我们重新审视这十多年来的作品，我们看到了国外先进设计理念和本土实践相碰撞的火花，看到了创意和灵感在大时代洪流中的闪现和飞扬，看到了迸发的激情和理性的思考。这些作品是柏涛公司在中国十多年时间的缩影，它表明了在一个社会文化巨大变革的大时代背景下，我们做了什么，我们能做什么，我们将做什么。我们的目标是：以建筑师的社会责任感和敬业精神，以科学、理性的态度，用 心 去创作今后的每一个作品。

AIM International
[加拿大]
亚瑞建筑|景观
[中国甲级]

2004 Registered architect of Canada
2004年加拿大注册建筑师
2000 Member of Royal Canadian Institute of Architects
2000年加拿大皇家建筑师学会会员

Calvin Chen

Position
Chief Architect / CEO Of AIM INTERNATIONAL (Canada)

2004 Registered architect of Canada
2000 Member of Royal Canadian Institute of Architects
1997 Master Of Architecture

Work experience
1998-2004 KNEIDER ARCHITECTS
2004-2006 JULIAN JACOBS ARCHITECTS
2006-present AIM GROUP INTERNATIONAL

more for www.AIMgi.com

陈晓宇

现任职务：
加拿大AIM国际设计集团　总建筑师

2004年加拿大注册建筑师
2000年加拿大皇家建筑师学会会员
1997年建筑学硕士

工作经历：
1998—2004年 KNEIDER ARCHITECTS
2004—2006年 JULIAN JACOBS ARCHITECTS
2006年至今　加拿大AIM国际设计集团

更多作品请浏览：www.AIMgi.com

Major Designs
LANWA Garden City PhaseII&III, Dongguan
Daojiao Bus Terminal and the Commercial & Residential District, Dongguan
Hengda Oasis, Chengdu
CITIC Triumph International
LongHua Sunsu Garden
LANWA Galaxy Legend·Moonlit Lotus Pond, Dongguan
HuiLong Sunnyday Mall
Bi Jiang DiJing
ChangBai Mountain Tourismresort
Kunming International Financial Center
Weston Hotel
CLC Tower & MSFL Tower Design
DongLing Head Quarters Tower
FoShan Dragon Hotel
DongGuan Shun Tak Center
BX-AEON Mall Preliminary Planning Design
HuMen Bus Terminal
XingYi Sport Center
Internationa Leather Outlet
Urban Planning Exhibition Hall For Aerial New City
LANWA QunYingHui
Waves & Orchids Garden

代表作：
东莞联华花园城二、三期
东莞道滘客运站及商住小区
恒大成都恒大绿洲
中信凯旋国际
龙华尚墅名门
联华东莞星河传说 · 荷塘月色
番禺汇珑新天地
碧江帝景
万达长白山别墅渡假区
昆明国际金融商务中心
联华威斯顿酒店
深圳双塔
东凌总部大厦
佛山瑞龙酒店商业街
东莞信德中心
宝兴永旺梦乐城
虎门客运站城市综合体
兴义体育城
广州国际皮具中心
珠海航空新城规划展览馆
联华群英会
广晟海韵兰庭

J.A.O.Design International Architects & Planners Limited
美國龍安建築規劃設計顧問有限公司

饶及人
James C. Jao

Long On Group

饶及人

字铭泽，号两栖文化。出生于台湾，祖籍浙江青田，美籍华人、香港永久居民、著名美籍建筑规划专家，现任美国龙安集团总裁，曾任美国纽约市规划委员、局长。
1980 年毕业于纽约普拉特大学（PRATT）建筑系，1984 年获得纽约佩斯大学工商管理研究所市场系 MBA 学位，之后长期从事城市规划和建筑设计工作，为全美注册建筑师，持有美国纽约州、新泽西州、康州、宾州、乔州、加州、麻省等注册开业建筑师资质。
曾分别于 1988 年、1989 年被美国建筑师协会选为“杰出少数族裔建筑师”和“美国十大青年建筑师。”
本世纪初，应前国家总理朱镕基感召，于 2001 年率龙安公司入驻北京，开始致力于中国城市规划与建筑设计，同时被聘为中国国家外专局美籍规划建筑专家，中国国际城市化发展战略研究委员会战略咨询委员、全国工商联房地产设计联盟第二任 CEO（首席执行官）、“国家智库”委员和中国三十多个省市高级城市规划顾问。 至今已在中国大陆做了 300 余个城市规划项目。
内蒙古政协对外交流促进会副会长、浙江丽水政协海外代表
中西方两种不同的生活环境和经历，使饶及人将西方人的理性、幽默和东方人的传统、热情凝聚一身，局内人的体验及局外人的敏锐融于一体。他充分了解与熟悉中国的体制与管理，并能和中国各城市主管领导进行无障碍沟通，同时又掌握大量国外优势资源，成为被中美双方最认可的主流人员。
2009 年，出任联合国人居署人居年会（UN Habitat World Urban Campaign Steering Committee）程序委员，并开始大力倡导和致力于推动中国城市化的绿色生态和可持续发展。

美国经历 ：年青的“美国华裔风云人物”
纽约市 360 年首位亚裔局级官员
1990—1994 年，饶及人先生出任美国纽约规划局委员、局长，成为纽约市 360 年历史上第一位亚裔局级官员，同时也是纽约市最年轻的首位持有建筑师执照的局级官员。
在纽约市城市规划领域中，饶及人先生提出了“平衡发展（Balance Development）”规划理论，并在曼哈顿中国城的改造规划研究、皇后区法拉盛新中国城规划调整等方面做出了杰出贡献。
纽约市的“饶及人日”
1993 年，纽约曼哈顿区为见证饶及人对公共服务的贡献及个人专业成就，将其当作纽约侨民成功典范，并定每年 12 月 7 日为“饶及人日”。与此同时，他还荣获纽约州州长、纽约市市长的嘉奖令，并入选“美国华裔风云人物志”

中国规划：寻找中国城市魂的城市医生
引进先进理念
在中国，饶及人提出许多先进的规划设计理念，如“四因二应”、“旅游三三八八原则”、“城市以使用者为本”、“穴位工程概念”等，他将先进的规划理念与设计手法，同中国传统的建筑观念相结合，所设计的项目独具风格，**并得到使用者的高度认可**。
在新疆拜城，他提出慢行生活理念，引进漫步社区理论，引领当代中国小城镇的慢行生活规划设计风潮；
苏州国际教育园总体规划与建筑设计，开启校园园区规划潮流，建立中国第一所没有围墙的校园。200 幢建筑，从规划设计到落成使用，完全遵照设计者的构思。
中国宋庄文化创意产业集聚区，将产业与文化结合，成为北京著名的文化产业园区，在国际上具有典范性意义。
江西省赣州市古城墙及周边地区城市设计，使拥有三千年历史的宋城墙得到完整保护，建成后居住环境提升，居民幸福指数在江西省排名第一。

培训中国官员
自 1990 年起，饶及人为中国培训了数以万计的城市规划官员，成为中国市长培训中心、中国住建部市长培训班、中国外专局和各省市领导最受欢迎的城市规划培训专家之一。他同时兼任中国 30 多个省市政府的高级城市规划与经济开发顾问，为中国主管城市建设的领导干部，指导和传授最新的规划理念和发展趋势，使这些官员将先进的城市规划建设理念，运用到城市建设中，提高中国城市化进程。

著书立说： 影响中国城市官员规划思想的“启蒙者”
2005 年 6 月，新华出版社出版饶及人第一本著作《十年规划中国情》（32.8 万字），书中，饶及人先生用小故事的方式将西方的规划理念娓娓道来；
2007 年 8 月，城市出版社出版他的第二本著作《寻找中国城市魂》（38 万字），在帮助中国城市找准定位的同时，力现出城市更新和中国文化在现代规划与建筑的意义，并极力倡导与推动绿色建筑在中国的发展。
2009 年 10 月下旬，中国铁道出版社发行他人写就的饶及人传记《从美国梦到中国梦——城市“医生”饶及人》，较为全面地向大家展示了一个鲜活的饶及人先生及其规划理念。
如今，这三本系列丛书都成为了深深影响中国领导层与规划界的重要城市建设理念专业书籍。
2012 年，两本新书即将面世。中文书《你我的城市》，深入浅出的讲解中国城市化，争取使更多的民众关注城市化进程。英文书《Straight Talk On Chinese Urbanization（直言中国城市化）》，向西方人描述一个美籍华人眼中的中国城市化。

饶及人说
“作为一位规划师，我们必须明确地认识到，我们今天所画的每一条线，均会影响到当地居民日后的生活品质。”
“朋友是财富，关系是生产力，发展跟着国策走。”

“城市不能无限制的扩张”
“回归以人为本，城市最终的使用者是人。”
……

说饶及人
“中国的建设需要你这样的人，你来帮我做三件事：为中国引进西方先进的规划理论和方法；为中国政府培训一流的规划人才；适当地为中国留下好的规划作品。”
——前国家总理 朱镕基
“饶及人是一位充满激情、学识渊博、有着独到见解的学者与专家。”
——原中国建设部副部长 杨慎
“饶及人先生把西方的先进规划理念带到中国，这是所有海外归来的建筑师应该做的事情。”
——全国工商联住宅产业商会会长 聂梅生
“饶及人是热爱中国文化的海外华人，同时也是一个优秀的规划师和设计师。”
——东中西部区域发展和改革研究院执行院长 于今
“饶及人先生十年中国情所锐觅的城市魂是持续创新的源泉。”
——国务院发展研究中心局长 李伯溪
“饶及人对外国人了解中国起到了一个非常好的桥梁作用，我们公司很多的高级经理都听过他讲课，他们觉得受益匪浅。”
——怡和集团（中国）高级顾问 刘鹭
“在做国际化社区理念和国际化社区推广的时候，饶先生不仅将城市规划和管理，更是将东西方的文化很好地结合，赋予社区高品质的文化内刊和文化积累，这些附加价值单靠开发商和设计师是带不来的。”
——首创置业股份有限公司总经理 唐军
“饶及人的设计，改造了环境，对于带动区域经济发展和提高区域的知名度，都起到很大的作用。”
——呼和浩特市回民区建设局局长 金雪明
“我觉得他在当今中国，乃至世界建筑史上，在中西合璧、中美结合方面，是非常有建树的。”
——香港沿海投资集团执行总裁 孙飞

JAMES C. JAO

NCARB, NABAR, SAFEA, AIA, RA

AN URBAN DOCTOR FOR THE 21ST CENTURY

From his education and extensive urban experiences in New York, to his prolific work in China, Mr. James Jao has made an impact on environment. Enthusiastically instilled in his bicultural experience, Mr. Jao easily blends the westerner's rationality and sense of humor with the easterner's appreciation of tradition and warm nature and blends the insider's experience and the outsider's sensitivity, all into one entity. The former vice minister of China State Construction, Yang Shen, praised him as "a scholar, an enthusiastic and intellectual erudite, and an expert who holds unique opinions and foresight." With the pseudonym Mingze and a deep understanding of bilateral culture, the famous Chinese-American, Mr. James Jao, born in Taiwan in 1957; became a US Citizen in 1980, is currently the C.E.O of the Long On Group headquartered in Beijing, China.

For many years now, James Jao has actively taken on a range of important social responsibilities in a variety of positions earning him the moniker of "Urban Doctor" for China's planning sector. These positions include: Expert for the State Administration of Foreign Experts Affairs of the P.R.C of China; Chairman of "Fortune 100" Association; Strategic Consulting Member of China International Urbanization Developing Community; Second CEO of China Real-estate Developing Association; Member of "Nation Elites" and planning and economic development consultant for more than 30 provinces. James Jao has been nominated and appointed as the Vice President and Standing Member of the Inner Mongolia CPPCC Overseas Promotions Association. He also serves as Special Advisor and Overseas Representative to the CPPCC Lishui, Zhejiang Province. Since 2007, he has held the position of supervisor for the "Beijing Jing Rui Housing Technology Foundation." He is also a guest professor at the National Mayor's Training Center, Tsinghua University EMBA Class Professor, Nanchang University Adjunct Professor, and Suzhou University Graduate Student Advisor. He is also a member of the UN Habitat World Urban Campaign Steering Committee. The breadth of his involvement in urban-related affairs illustrates the extent of James Jao's reach into Urban China today.

NEW YORK CITY - Formative Years for creating an Urban Vision

For over 30 years, James Jao has been involved in the planning and architectural fields. He received his Bachelor of Architecture degree from New York Pratt Institute in 1980 and four years later, Mr. Jao received his MBA from Pace University in New York. He is a certified architect by the US National Council of Architectural Registration Boards (NCARB), and is a registered architect in the States of New York, California, New Jersey, Connecticut, Pennsylvania, Georgia, and Massachusetts. He is also certified by the Chinese National Administrative Board of Registered Architects (NABAR) as a Class A architect.

In 1988 he was honored as an "Outstanding Asian American Architect" and in 1989, he was recognized as one of the top 10 young architects. In 1987， he was elected to the Board of Directors of New York Society of Architects (NYSA). He served as the annual dinner fundrasing chairman between 1989-1993. He was elected as the First Vice President of this oldest professional group in New York State in 1993. He resigned in 1995 and moved to Asia the following year.

From 1990 to 1994, James Jao was appointed by Former New York City Mayor David Dinkins to the New York City Planning Commission (CPC). In addition, he holds the great distinction of being the first Asian American Commissioner during the 360-year history of New York City as well as the youngest one, as well as the sole commissioner who holds an architectural license.

James Jao spawned the planning theory of "Balanced Development", which contributed to the Manhattan Chinatown's rebuilt research and Flushing Town Planning in Queens District. In homage to his achievements and contribution, the City of Manhattan rewarded him with a Proclamation Declaring Award, honoring him as a role model for emigrants and set the date of December 7th as "James Jao Day". At the same time, he was awarded the title of "Honored Asian American" and the Certificate of Appreciation by both the Governor of New York and the Mayor of New York City.

More recently, in 2009, following his appointment by Anna Tibaijuka from UN-HABITAT, James Jao was elected as the member of UN Habitat World Urban Campaign Steering Committee (2009-2012).

PUBLICATIONS

Since the 1980s, making use of his bilingual ability, Mr. James Jao has introduced New York City's planning codes through the Chinese media. He became the first professional planner to translate the English planning terminology into Chinese for Chinese planners and designers. Now, he is the special commissioned columnist writer for China Daily and the academic consultant for the mainstream medias like China Construction, China Real Estate and Law Evening Paper.

In addition to his skills as an industrious individual, a scholar, and a successful entrepreneur, Mr. James Jao is often referred to by the Chinese government, professors and mainstream medias as the "foreign architectural and planning expert who deeply understands China's situation and condition intimately." He has successfully authored books, developing various positions which have deeply influenced the Chinese planning field. Moreover, he has been paying special attention to and conducting in-depth research on city development problems in China. James Jao has published a large volume of essays, journals and books of urban planning theory putting forward many authoritative, specific and detailed applicable recommendations.

In order to make city officials understand and take advantage of international planning theories and to practice and to enhance the living standards of the Chinese people, the "Urban Doctor" has involved himself for many years, not only within domestic and international political circles and business fields, but also in academic circles, training Chinese officials and leaders and providing them with advanced and latest planning theories. One such example is the foreign-matured theory "Smart Growth" bringing advanced urban planning concepts into China. Other urban planning ideas can be found in his articles: "Using Four Different Conditions Well Connected Future and History" and "Jao' 3388 Concept in Tourism Planning".

In June 2005, with his first book published by Xinhua Press, "A Decade of Planning Experience in China", James Jao introduced western planning theory through a series of short stories. August 2007, two years after the first book, The China Urban Press published his second book, "Searching the Souls of China City", which helps folks in China find the right direction in Chinese cities, demonstrating and telling the essence and meaning of Chinese culture in the process of urban renewal and the development of green buildings in China.

In the late October 2009, the China Railway Publishing House brought a lively James Jao's unique planning theories to the forefront with the publication "Striving from America to China — Urban Doctor James Jao".

Today, these three books have become broadly and deeply influential to the Chinese leadership and planning arenas of important urban construction; becoming a major series of professional books.

Besides his books and workshops, James Jao has been able to disseminate his planning theories and concepts through the platform of internet blogging. As a result his blog was rated as the most influential blog in the SouFun website. He was also honored as the "Blog Super Star 2008-2009" and "Sohu Focus Real Estate Opinion Leader 2009" and James' blog was named the "most influential real estate blog" by netizens in the sixth Real Estate Network's 'Most Popular Blog'.

Because of his familiarity with the China real estate sector and his unique perspective regarding its development, the abovementioned blogs are frequently appearing in "The Hottest and Most Popular Blog in China". Furthermore, his blogs are often reprinted by the official media, and often reproduced in the Consumer Daily as front page articles.

RECENT WORK

Mr. James Jao is now CEO of the US Long On Group (www.longongroup.com); President of J.A.O Design International Ltd., Associated Design Institute, Design & Technical Services (Class Registration No.A111000883), Hannuo City (Beijing) Investment Consulting Co., Ltd.; and Design Director of J.A.O. Design International Architects & Planners Ltd.

Long On Group was founded by Mr. Jao in New York circa 1984. Currently its business organization consists of five main categories: urban planning, architectural design, capital and real estate investment and charity.

As a trusted professional firm executing projects in China, J.A.O. Design International Ltd. has been awarded one of the "Ten Most Influential Design Firms in China", six years in a row since 2004. In 2007, it was recognized by All-China Federation of Industry and Commerce Real Estate Chamber of Commerce as a "Green Building Projects Planning and Design Firm". In celebration of the 60th anniversary of Inner Mongolia Autonomous Region, the Hohhot Islamic Style Street Project (2006) won the Best Architectural Design Award and Mr. Jao also received the Mayor's Special Award. In 2008, "West to East, J.A.O. Design International Award Winning Projects" was published by the China City Press.

In 2009, J.A.O's project design proposal stood out among 46 design firms and 96 design submittals by being chosen by the Ministry of Railways to exclusively produce three design options; of which one was then selected as the final design of the Railway Pavilion Shanghai Expo, 2010.

By the end of August 2010, the firm has performed planning and architectural design services with a total area of 2760 square kilometers of urban planning; 19,570,000 square meters of residential buildings; 19,030,000 square meters of commercial offices, hotels, civic centers, shopping malls, and mixed use developments; and 776 hectares of landscape design.

In addition to his Urban and Architectural services, James Jao actively gives of his time to help those less fortunate. Low-income Visionary Education (LIVE) founded by James Jao and Gene Fu (China Daily senior writer), is a volunteer organization carrying out a mission to develop education in China's poor and mountainous areas. With dedication and respect, volunteers from China and abroad communicate and engage with inhabitants of impoverished mountainous areas on an equal platform. The hope is that both the local community and volunteers benefit from the exchange of ideas and cultures.

邹 航
Hang Zou

邹 航

毕业于重庆建筑大学建筑城规学院 获建筑学学士学位及建筑学硕士学位

1994	获台湾财团法人洪四川基金会国际建筑设计竞赛佳作奖
1997	获国际建筑院校联合会建筑设计竞赛一等奖
1998–1999	深圳市陈世民建筑师事务所 担任建筑师
1999–2000	深圳市筑网建筑设计工作室 担任设计总监
2001	至今澳大利亚道克咨询设计(深圳)有限公司 担任建筑师 执行董事

主要作品

2004	重庆御景天成住宅区规划 方案设计 (获2005年中国城市新地标10大名盘和2005年经典人居10大名盘)
2005年	山西阳泉御康山庄别墅区规划 方案设计 (获2006年中国城市新地标10大名盘和2006年经典人居10大名盘)
2007年	泸州波士顿国际——景上住宅区规划 方案设计 (获2007年中国城市新地标10大名盘和2007年经典人居10大名盘)
2009	江苏南通市海门东恒盛国际五星级大酒店
2010	江苏南通东恒盛国际公馆方案设计
2011	龙湖 · 成都牧马天堂悠山郡

严 晖
Hui Yan

严 晖

就读于重庆建筑大学建筑系 获得建筑学学士学位

1999–2004	任职于深圳市规划与国土资源局
2004	作为合伙人加入澳大利亚道克设计咨询（深圳）有限公司

主要作品

2004	重庆御景天成住宅区规划 方案设计 (获2005年中国城市新地标10大名盘和2005年经典人居10大名盘)
2007	山西临汾太行新外滩住宅区规划 方案设计
2007	泸州波士顿国际二期住宅区规划 方案设计
2008	重庆水墨江南住宅区规划设计
2008	四平新加坡不夜城商业街规划 方案设计
2009	中航城昆山及常州项目概念规划设计
2009	贵阳兆发汪家湾项目规划 方案设计
2010	遵义九龙现代城规划设计

罗 理
Li Luo

罗 理

1994	毕业于重庆建筑大学建筑城规学院室内设计专业 建筑学士学位
2005–至今	与澳大利亚道克设计咨询有限公司合作成立道克洛空间艺术设计（北京有限公司） 担任董事长 创意总监

主要作品

北京世纪远洋宾馆Best Western管理
获:北京建筑装饰优秀奖
北京伯豪瑞廷酒店
北京金色阳光俱乐部
同一首歌KTV及音乐广场
北京远洋大厦（初步、施工图设计）
长沙铜锣湾购物广场方案设计
北京怡和大酒楼

RTKL国际有限公司
RTKL International Ltd.

刘晓光
Xiaoguang Liu

刘晓光

美国建筑师协会会员
美国加利福尼亚州注册建筑师

现任职务
RTKL 国际有限公司副总裁

工作经历
RTKL 国际有限公司
1992—至今

教育背景
南加利福尼亚大学建筑学院硕士
清华大学建筑学院硕士

代表作品
中国科学技术馆
上海科学技术馆
中国电影博物馆
上海新江湾文化中心
深圳文学艺术中心

获奖情况
中国科学技术馆（新馆）
第十二届首都规划与建筑设计展公共建筑项目一等奖

中国美术馆二期扩建国际设计竞赛
一等奖

中国电影博物馆
第九届首都规划与建筑设计展专家评审奖第一名
第九届首都规划与建筑设计展大众评审奖第一名
詹天佑建筑奖

广东科学中心国际设计竞赛
建筑设计一等奖

上海科学技术馆
詹天佑建筑奖
中国科技进步二等奖
上海市最佳建筑奖

国家图书馆二期工程国际设计竞赛
建筑设计二等奖

深圳文学艺术中心国际设计竞赛
建筑设计一等奖

Xiaoguang Liu

American Institue of Architects
Registered Architect of California

Present Position
Vice President, RTKL International Ltd.

Work Experience
RTKL International Ltd.
1992- Present

Education
University of Southern California, School of Architecture, Master of Architecture, 1992
Tsinghua University, School of Architecture, Master of Architecture,1989

Selected Experience
China Science and Technology Museum
Shanghai Science and Technology Museum
National Film Museum of China
New Jiangwan Cultural Center
Shenzhen Literature & Arts Center

Awards
China Science and Technology Museum (New Building)
1St Place, 12th Annual Capital Architecture and Planning Review Exhibition January 2006

National Art Museum of China Phase II Expansion Design Competition
1st Place, 2007

National Film Museum of China
First Place, Expert Jury Award, 9th Annual Capital Architecture and Planning Review Exhibition, January 2003
First Place, Top Ten Best buildings as Voted by the General Public, 9th Annual Capital Architecture and Planning Review Exhibition, January 2003
National Zhan Tianyou China Architecture Award

Guangdong Science Center
Architecture Design 1st Place, 2004

Shanghai Science and Technology Museum
National Zhan Tianyou China Architecture Award
China Science and Technology Achievement Award, 2nd Place
The Best Architecture Design of Shanghai, 2003

National Library of China Phase II Design Competition
Architecture Design, 2nd Place, 2003

Shenzhen Literature & Arts Center International
Architecture Design Competation, 1st Place, 2009

Gensler

夏 军

副总裁
亚洲地区设计总监
1991年加入Gensler

夏军是一位天才设计师，他擅长于在建筑的可施工性、经济性和美观性基础上对建筑进行物理、空间和行为方面的分析。他诠释设计理念的能力在项目初期给予客户更为清晰和深入的理解，能够进行更多的设计校准，并促使项目的成功。夏军出生并成长于上海，曾在中国城市规划和设计院工作，参与了总体规划，城市设计以及住宅、零售和商业办公楼的建筑设计。在美国，夏军担任过数家著名公司的主设计工作，包括Gallup、Invesco、MCI及Sun Microsystems。他已参与了近20年中诸多全球重要建筑项目设计工作，包括预计成为世界第二高楼的上海中心。

背景资料
科罗拉多大学丹佛分校城市设计学院建筑学硕士
上海同济大学建筑学学士

代表作品
上海中心、北京长安国际中心、上海浦东发展银行、东银中心、JW万豪酒店、中石化总部、呼家楼综合体、宝矿国际广场、朝阳广场、阳光上东国际小区、长江国际金融中心、南京世界贸易中心、杭州钱塘19、北京饭店、中国商飞总装制造中心、上海招商银行总部等。

夏 军
Jun Xia

Jun Xia

Principal
Regional Design Director
Joined Gensler 1991

Xia Jun is an exceptional designer who thrives on analyzing the physical, spatial, and behavioral aspects of a building within the framework of its constructability, economy, and aesthetics. His ability to realize design concepts has given his clients a clearer, deeper understanding of their projects at an early stage, allowing for more design collaboration, leading to award winning projects. Jun was born and grown up in Shanghai, ever worked at China Academy of Urban Planning and Design in Beijing, participated in master plan, urban design and architecture design of residence, retail and commercial office. In the United States, Jun has worked with several leading companies, including Gallup, Invesco, MCI and Sun Microsystems. Internationally, he has worked on some of the most visionary projects to be developed in the past 20 years, including the Shanghai Tower, expected to be the world's second tallest building.

Background
Master of Architecture in Urban Design, University of Colorado at Denver
Bachelor of Architecture, Tong Ji University, Shanghai

Representative Works
Shanghai Center, Beijing Changan Int'l Center, Shanghai Pudong Development Bank, Donyin Center, JW Marriot Hotel, China Petrochemical, Hujialou Complex, BM Plaza, Chaoyang Square, Shangdong Int'l Community, Yangtze Int'l Financial Center, Nanjing WTC, Hangzhou Qiantang 19, Beijing Hotel, China Commercial Aircraft R&D Center, Shanghai Merchants Bank, etc.

Benjamin Ward

副总裁
设计总监
1998年加入Gensler

Benjamin是加利福尼亚注册建筑师，拥有超过15年的设计经验。到中国之前曾先后在纽约、巴黎和旧金山工作，参与从商业中心到城市规划等各种项目。Benjamin自加入Gensler后，已参与了三座大型机场、一个商业中心改造以及麦迪逊广场花园扩建等项目。作为建筑设计和总体规划项目的设计总监，Benjamin处理各项工程均细致到位，在总体规划项目中也总以独特的视角进行构思规划。同时，他也非常擅长于使用设计软件进行构图创意，运用三维技术更好地理解空间规划和设计方向。此外，Benjamin曾被《建筑实录》杂志评为全球建筑行业杰出青年设计师。.

背景资料
宾夕法尼亚大学美术研究生院建筑学硕士
哥伦比亚大学，纽约和巴黎，城市的形状
利哈伊大学艺术学士，主修建筑学，辅修城市研究

代表作品
旧金山国际机场、新加坡樟宜国际机场、上海21世纪大厦、上海衡山路12号、重庆融汇温泉度假酒店、四川中航广场、上海陶氏化学中心、珠海情侣路总体规划、上海世贸中心总体规划、青岛国际啤酒城总体规划、天津CBD开发总体规划、杨浦大桥总体规划等。

Benjamin Ward

Benjamin Ward

Principal
Design Director
Joined Gensler 1998

Benjamin Ward is a licensed California architect who has worked in New York, Paris, and San Francisco prior to arriving in China. He has over 15 years of varied design experience, from retail architecture to urban planning. Since joining Gensler, he has worked on three international airports, a retail center revitalization, an addition for Madison Square Garden, and is a Design Director overseeing architecture and master planning projects in China.
Benjamin tackles every project with dedication and a unique master-planning angle that is essential to urban design. He also specializes in designing in the virtual world, using 3D applications to better understand space and design direction. In 2005, Benjamin was featured in Architectural Record as one of the industry's top young professionals working for large architectural firms.

Background
Master of Architecture, University of Pennsylvania, Graduate School of Fine Arts
Columbia University, The Shape of Two Cities: New York / Paris
Bachelor of Arts, Major in Architecture, Minor in Urban Studies, Lehigh University

Representative Works
San Francisco Airport Int'l Terminal, Changi Airport Terminal 2, Shanghai 21st Century Tower, Shanghai Hengshan Road 12, Chongqing Hot Springs Resort, Sichuan Aviation Tower, Zhuhai Lover's Road Master Plan, Shanghai WTC Master Plan, Qingdao Int'l Beer City Master Plan, Tianjin CBD Development Master Plan, Yangpu Bridge Area Master Plan, etc.

HMD 汉米敦

汉米敦(中国)建筑设计有限公司
HMD(China) Architecture Design Co., Ltd.

徐 石
Shi Xu

徐 石

现任职务
董事总经理 高级建筑师

教育背景
1990 天津大学建筑系学士
2008 清华大学EMBA

工作经历
2010－至今 汉米敦中国 董事总经理
2000–2009 阿特金斯中国 副董事长
1998–2000 PWD Consultant Pte Ltd（Singapore） 建筑师

徐先生具有超过二十年的规划及建筑设计领域的工作经历。曾先后工作于中国，香港地区及新加坡。在城市设计、酒店、商业办公等类型的项目上积累了丰富的经验。徐先生曾任阿特金斯中国区副董事长，参与其中国业务的创立。目前徐先生作为汉米敦中国公司的董事总经理，全面负责公司的发展业务。

代表作品
泰信成都西部金融中心
沈阳北中街"豫珑城"
泰合成都东大街商业综合体
乌海东外滩坝上公园
天津泰达MSD城市商务中心发展项目
上海佘山世茂酒店
乌海滨河五星级酒店
上海松江新区泰晤士小镇（1平方公里）
北京永泰五星级酒店（300床）
廊坊开发区五星级酒店（200床）
沈阳五里河高级酒店式公寓（8万m^2）
苏州建屋发展8号地块英式居住区（10万m^2）
沈阳方迪山庄别墅区（20ha）
上海佘山银湖别墅二、三期概念性总体规划（147ha）
上海松江新城交通枢纽区概念性规划及初步方案设计（1km^2）
上海松江大学城北区示范区规划设计（4.5 km^2）

国外项目
新加坡德明中学外籍学生公寓方案设计及施工图设计（4万m^2）
新加坡New National Heart Center方案设计（7万m^2）
新加坡Tampinis Polyclinic方案设计（0.8万m^2）

HYN

澳大利亚HYN建筑设计顾问有限公司
HYN Architecture Design & Consulting Pty Ltd. Australia
深圳市汉方源建筑设计顾问有限公司
Shenzhen Hanfang Source Architectural Design Consulting Co., Ltd.

刘 臻
Zhen Liu

刘 臻

现任职务
总经理 首席建筑师

教育背景
毕业于澳大利亚新南威尔士大学（unsw）建筑学专业

工作经历
2009－至今 任澳大利亚 HYN 建筑设计顾问有限公司（深圳市汉方源建筑设计顾问有限公司）总经理，首席建筑师
2003–2009 曾任美国开朴建筑设计顾问（深圳）有限公司三位创始合伙人之一， 副总建筑师 ，副总经理
1999–2003 曾任香港华艺设计顾问有限公司建筑师

擅长商业城市综合体、购物中心、高容积率社区及低密度别墅建筑设计、高端旅游度假区规划。从业十余年间，主持过大量知名地产公司房地产开发规划。具备国际视野及丰富国内实践经验的住宅户型专家。也是国内少有的同时具备高水准规划、及具备一定商业运营专业背景的建筑师。

代表作品
南京浦口总体规划、宝安区玉湖地产南头关口片区规划、水湾头酒店、南昌金域名都、连云港帝豪、阳光国际、赣州F5 地块中心城、合肥万向城、俄罗斯海参威蓝宝石项目等。

获奖情况
荣获《中国建筑设计作品年鉴》编辑委员会授予 2011"中国建筑设计行业杰出贡献人物"称号
南海怡翠花园二、三、四期（任专业负责人 38.00 万 m^2 住宅）2001 年度获全国创新风暴金奖
重庆隆鑫骏逸天下 2003 年度中国五十名盘综合大奖之一
深圳大学城北大园区 2003 – 2004 年度中建总公司优秀工程设计奖二等奖
宝安鸿荣源西城上筑 销售速度登深圳 2005 年度金榜
郑州太极"滨水带．圣菲城"2005 年度获中原地区十佳城市人居项目，CCPE2005 年度中国名盘综合大奖（40 家）
西安紫薇地产风尚项目获得建设部颁发的"06 中国创新户型设计二等奖"

中国项目地点 China Projects

北京 Beijing
世际国际艺术城七棵树项目 Beijing Shiji International Art City 7 Tree
树村住宅项目 Beijing Shucun Residential
龙泉 1008 栋 Dragon Spring
石景山大厦 Shijingshan Tower
湖畔别墅 The Lakes
那帕溪谷 Napa Valley

成都 Chengdu
花样年大溪谷 2.2 期 Emerald Highlands, Chengdu 2.2
花样年大溪谷 2.1 期 Emerald Highlands, Chengdu 2.1

重庆 ChonQing
重庆南温泉商业项目 ChonQing South Hot Sprint
重庆金融街商业规划 Chonqing Financial District
重庆南温泉规划项目 ChonQing South Hot Sprint Planning
坡岭顿小镇 Burlington Town
梦幻别墅 Dreamland Villas
弗莱明戈/好旺山 Flamenco

大连 Dalian
南海头规划 Nanhaitou Planning
石门新区七号地块 Airport parcel 7
第五郡（1号&3号～6号地块） The Fifth County (Parcel 1&3～6)
龙门醒李口官项目 Dalian Dragon Gate
盛合大连长兴岛项目 Changxing island
第一郡 The First County
第一郡文体中心 The First County Sports Center
明珠路南养老项目 Mingzhu South Nursing Home
夏家河项目 Xiajiahe
由家村住宅项目 You Village
春田 Spring Field
金州红塔 Jinzhou Red Tower
纳帕九乡 Napa 9
庙邻西区 Miaoling West
庙邻山林公园图书馆及山顶标志塔 Miaoling Library & Tower
普罗旺斯 Provence
庙邻北区 Miaoling North
庙邻北区 学校 Miaoling North School
营城子镇新居工程商业 Yang Chen Zi
育马场 Yumachang
蓝山 Blue Mountain
大东沟三新工程 Dadongou Returning Housing
高尔基路 Garoergi Road
东方圣克拉 Eastern Santa Clara
蓝湾水城 Blue Beach

丹东 Dandong
表厂沟项目

大庆 Daqing
大庆大庆创业城情景水岸商业街项目 Daqing Waterfront Retail
大庆明湖 Ming Lake
大庆湖滨宾馆项目 Lakeshore Hotel

广州 Guanzhou
中信南海美景山语湖 C1,C2, C3 The Lakes, Guanzhou C1,C2, C3
中信南海美景山语湖 A7, A5, A3 The Lakes, Guanzhou A7, A5, A3

广州增城 Guangzhou Zengcheng

海南 Hainan
陵水南国侨城 （接洽中）
慧远美林谷 Sunnyville

杭州 Hangzhou
杭州青山湖别墅 Hangzhou Qingshan Lake

河北 Hebei
大都会红酒村 Daduhui Red Wine Village

江苏 Jiangsu
南京纳帕地产（接洽中）
周庄盛世明珠园规划 Zhouzhuang Development
周庄钱龙盛市 Zhouzhuang Retail Plaza
连云港扁担河商业街 Lianyun Gung Bian Dan He Retail

锦州 Jinzhou
锦州综合发展项目 Jinzhou Development

昆明 Kunming
昆明绿世界 Kuming Green World

南昌 Nanchang
南昌 A—11 地综合项目 Nanchang A-11 Parcel Development

青岛 Qingdao
青岛大岔口 Qingdao Da Cha Kou
青岛天逸综合规划 Qingdao Resort Hotel

上海 Shanghai
复兴岛规划项目 Fuxing Island Complex
佘山运动及休闲度假公园 Sheshan Sports Park & Resort
晶采名人大厦 Crystal Century Mansion
佘山高尔夫（6号+ 3号地块） Sheshan Parcel 6 & 3
昆山大上海高尔夫别墅 Shanghai Kunsan Golf villas
长乐路酒店式公寓 Changle Service Apartment

沈阳 Shenyang
沈阳唯美麓景田园 Woody Ridge

嘉义/台湾 Taiwan
ERA 媒体公园 ERA Media Park

天津 Tianjin
天津天嘉湖项目 Tianjia Lake

乌海 Wuhai
滨河新区君正商业项目 Jun Zheng Project
君正花园 Wuhai Residential

徐州 Xuzhou
珠山云龙湖规划 Zhushan Commercial Complex
珠山云龙湖住宅 Zhushan Residential

总裁 President
王天才 Tein Wang

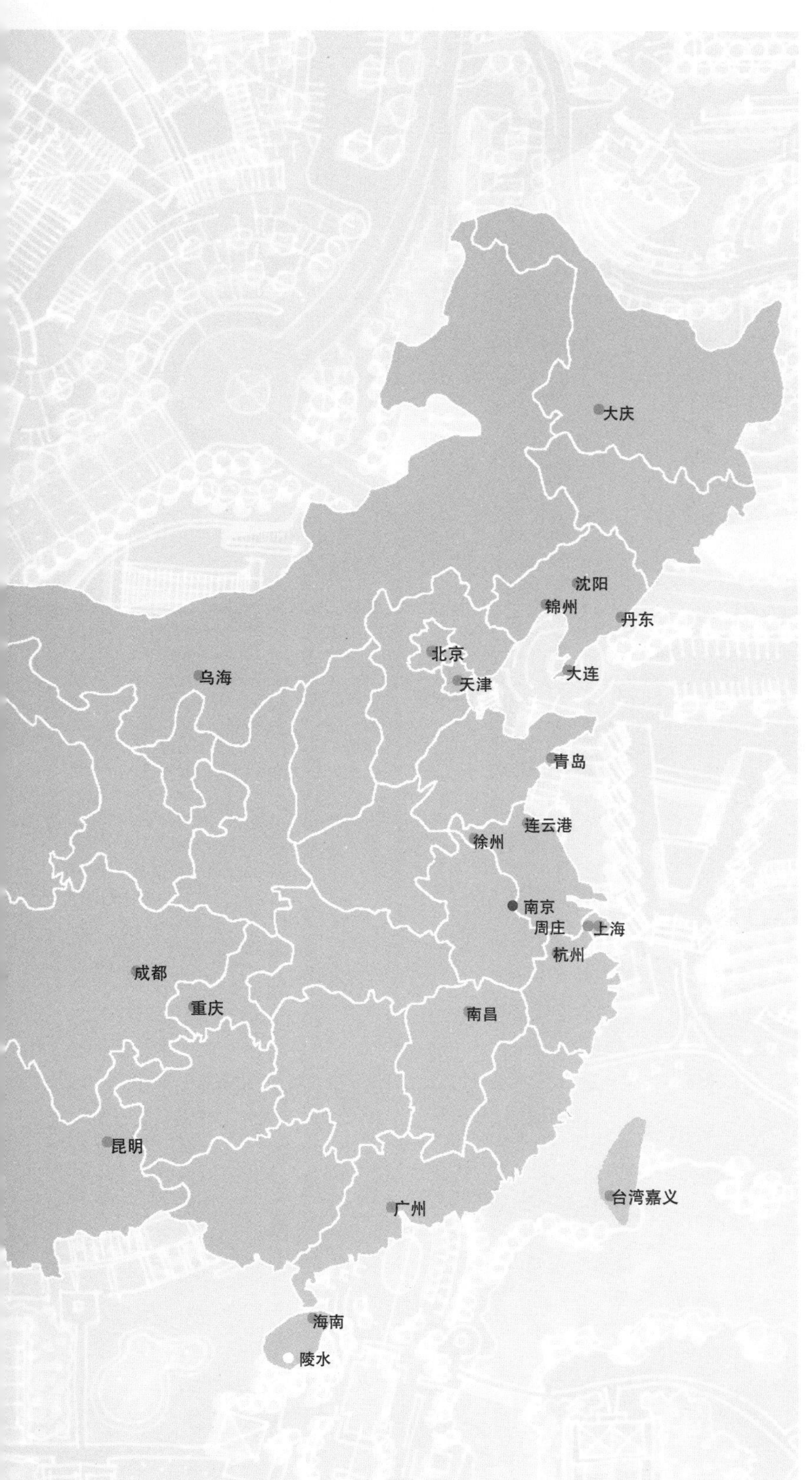

A+K建筑师事务所总裁王天才，拥有30多年的建筑设计以及房地产开发经验，具有中国人背景且在美国社区生活25年以上，同时有18年中国大陆从事建筑设计的经验，深根当地，故了解如何在中国大陆地区设计适当及独特的建筑。此外，王总裁特别强调“以人为本”的设计，创造舒适及人性化的空间，并与当地大自然环境做整合，打造最理想的居住环境。他所带领的设计团队来自不同的专业领域包括： 总体住宅规画、土地开发使用研究、综合体开发、高层会所酒店住宅、低至中密度住宅项目以及豪华订制别墅设计。

总裁亲自参与每个项目各个阶段的规划设计，再透过多年来与政府经纪人及大型顶尖地产开发商直接面对面沟通互动，奠定了雄厚的根基，更是能够敏锐的了解开发商及当地居民的需求，让设计作品能够更精准的直达客户端，提高双方的工作效率，王总裁所带领的工作团队，是一个真正能够替开发商赚钱的建筑师事务所。

总裁专业认真负责的工作态度，在中国的各地区都可以看得到相当丰富成果，造乡造镇之外也创造人潮及并带动地方的繁荣，为开发商共同努力，创造更多的利润及声誉是总裁的一贯的目标，在创造怡人的居住环境之外，能够建造一个让人忍不住多看一眼，并且停下脚步拍照留念的城市风景，更是总裁最大的骄傲。

美国WFA建筑规划设计事务所
上海文飞建筑规划设计咨询有限公司
WFA DESIGN INC USA

冯文飞
Wenfei Feng

冯文飞

美国WFA建筑规划设计公司创史人和总裁，资深建筑设计师和建筑表现图专家，获清华大学建筑系学士和美国路易丝安那州立大学建筑学硕士学位，具有二十多年丰富的国际建筑设计和工程管理经验，项目遍及美国、中国及南韩，是国内外豪宅、高端会所的顶级设计师之一。冯文飞早年在美国佛罗里达州Fugleberg Koch Architect、美国加州Ledenfrost Horowitz Architects 和 WAT&G 担任项目设计师和建筑表现图专家，从事住宅、商业、娱乐休闲项目的设计工作。后来在美国佛罗里达州豪华社区开发商WCI Communities公司以及加州别墅与住宅设计规划公司Bassenian Lagoni Architects公司担任项目主创设计师。此外还在美国豪宅设计公司RICHARD MANION ARCHITECTURE和Michael CF Chan & Associates担任过顾问。冯文飞在美国公司就业期间曾主持设计过北京龙湖颐和原著、上海龙湖滟澜山会所、北京万通天竺新新家园别墅、深圳东部华侨城天麓七区别墅、无锡南丰御园别墅、上海古北香堤岭别墅、上海佘山世茂庄园和韩国TUSCAN HILLS高尔夫别墅等项目，并在美国加利福尼亚州的洛杉矶市比佛利山庄和奇诺山高尔夫社区做过超级豪宅的设计工作。

主要项目
北京 远洋·东隆LaVie
北京 远洋·万和公馆
青岛 世茂·公园美地
天津远洋·远洋城
上海 龙湖·蓝湖香颂
苏州 协信圆融·阿卡迪亚
宁波 龙湖·滟澜海
北京 远洋·天著
青岛 远洋·远洋公馆
上海 龙湖·蓝湖郡
上海龙湖·滟澜山
无锡龙湖·滟澜山
太仓 景瑞·研发项目

其它项目（以下为设计师在美国BLA建筑事务所工作时的主创作品）
北京龙湖·颐和园著
北京万通·天竺新新家园
深圳华侨城·天麓七区
上海古北·香堤岭
无锡南丰·御园别墅
成都万华·麓湖叠拼别墅
大连圣岛联排别墅
韩国高尔夫社区别墅

Wenfei Feng

Founder and President of WFA Design, Mr. Feng has more than 20 years experience in architectural design and planning. He is one of the top designers for high end residential projects in China and abroad. Mr. Feng obtained his degree in Architecture from Tsinghua University and Louisiana State University. Previously, he worked as project designer and architectural illustrator with Fugleberg Koch Architect (Florida), Ledenfrost & Horowitz Architects (California), and WAT&G (California) on residential, commercial, entertainment and hospitality projects. Later, he worked as lead designer of WCI communities (luxury community developer based in Florida), and Bassenian Lagoni Architects (California) on high end residential projects in the U.S., South Korea, and China. He also worked as consultant for Richard Manion Architecture (Formally Hablinski Manion Architecture) and Michael CF Chan& Associates. During these times, Mr. Feng has worked on some of the most renowned residential projects in China and the U.S., such as Beijing Longfor "Summer Palace Splendor", Shanghai Shenshan Shimao Villa, Chino Hills Golf Community Custom Home, and Custom Estates in Beverly Hills, California. In 2009, Mr. Feng started his own architecture firm, WFA Design, and has been commissioned to design some of the most renowned high end residential projects in China.

Projects
Beijing Sino-ocean • Lavie
Beijing Sino-ocean • Ocean Crown • Palace
Qingdao Shimao • Noble Town
Tianjing Sino-ocean • Ocean City
Shanghai Longfor • Blue Lake Chanson
Suzhou Since-harmony • Acadia
Ningbo Longfor • Sunshine Coast
Beijing Sino-ocean • Ocean Palace
Qingdao Sino-ocean • Ocean Mansion
Shanghai Longfor • Blue Lake County
Shanghai Longfor • Rose and Ginkgo Villa
Wuxi Longfor • Rose and Ginkgo Villa
Taicang Jing Rui • Stack Townhouse and High Rise

Other Projects (worked while employed by bassenian lagoni architects,u.s.a)
Beijing Longfor • Splendor
Beijing Vantone • Casa
Shenzhen Oct • East Horizon 7th District
Shanghai Gubei • Paradise Ridge
Nan Fung • Palazzo Del Lago
Chengdu Wide Horizon • Luxe Lake
Dalian Anda • Shengdao
South Korea • Tuscana Hills

美国亚合国际建筑设计事务所
Archoo International Design Inc. USA
上海亚合建筑设计有限公司
Shanghai Archoo Architectural Design Co., Ltd.

孙 亮

现任职务
美国 ARCHOO INTERNATIONAL 建筑设计事务所执行董事
上海亚合建筑设计有限公司总经理
美国 ARCHOO 商业地产研究中心执行总监
国家一级注册建筑师

教育背景
华中科技大学建筑学硕士

工作经历
于美国、日本、中国从事建筑设计工作逾 15 年，期间服务于世界著名建筑师事务所，如黑川纪章建筑师事务所。并于 2008 年至今担任 ARCHOO INTERNATIONAL 执行董事。

代表作品

公共建筑
泰州医药城核心区（533 000 m^2）
大理洱海湾综合体（228 000 m^2）
昆明昆锐新天地商业综合体（37 000 m^2）
腾冲国家级体育训练基地（1 900 000 m^2）
福州中庚喜来登酒店（152 000 m^2）
福州中庚高级会议中心（4400 m^2）
普者黑五星级酒店片区（252 000 m^2）
普者黑游客服务中心（22 000 m^2）
南京南捕厅历史街区（28 000 m^2）
昆明东门市场（55 000 m^2）
玉溪戛洒腾瑞大酒店（24 000 m^2）
福建周宁南街一号商业综合体（75 000 m^2）

住　宅
万科泉水湾别墅区（143 000 m^2）
万科宁波金域蓝湾（238 000 m^2）
马鞍山朝辉东方城（1 384 000 m^2）
首钢重庆蔡家 B 地块（342 000 m^2）
昆明吉祥大院（97 000 m^2）
武汉名都花园（180 000 m^2）
绿地牡丹江白桦原墅（108 000 m^2）
广州清远金保利综合社区（1 100 000 m^2）

孙 亮
Liang Sun

北京戈建建筑设计顾问有限责任公司
Nicolas Godelet -Gejian Architectural Design

戈 建

戈建（Nicolas Godelet），生于瑞士，比利时国籍，精通包括中文在内的多国语言
毕业于欧洲历史最悠久，比利时最著名的鲁汶大学，建筑和工程双学位

师从于路易斯康的得意门生伊夫　勒佩尔（Yves Lepère），继承了他独特的方法论，这种建筑理念强调建筑必须以技术、材料、品质、光线等创造出有诗意和场景感的空间，直接与人在精神层面产生共鸣。

在毕业后，戈建以独立建筑师工作，另外参与了国际级的可持续性发展与节能建筑研究项目。
5年的中文学习（东方文字和甲骨文专业）让戈建对中国语言文字与文化的兴趣愈发浓厚，在2002年决定来到中国，以顾问的身份参与北京国家大剧院工程，负责水下长廊钢结构设计制造。
之后的十年里，戈建带领他多学科多文化的团队在全国范围内参与了许多重要工程的设计工作。他力求完美，从不停止对事务所方案的自我评估与修改。为了能够保证质量，他一直坚持自己的原则，在对方案的选择方面做到了宁缺勿滥。

代表作品
法国使馆控温幕墙钢结构顾问
北京国家大剧院水下走廊钢结构顾问
莱品酒窖设计
平遥景观及规划
太谷景观桥等

戈 建
Nicolas Godelet

于力明

现任职务
美国飞大建筑公司／FIDA International Co. Inc 任总裁及主任创意建筑设计师；

教育背景

1988—1992　中央工艺美术学院，获学士学位
1996—2000　美国纽约普莱特大学，获硕士学位

工作经历及代表作品

1997　美国迪斯尼梦幻工程师设计公司／Walt Disney Imagineering, Los Angeles, California，洛杉矶总部，主题创作及景区建筑概念设计部 参与设计迪斯尼加利福尼亚历险记／东京迪斯尼海等迪斯尼的其它迪斯尼项目的设计。是当年迪斯尼在全美东海岸选中的唯一创意设计师。
1999—2001　美国马里兰州的巴尔地摩，RTKL建筑创意设计部首席设计师，在任期间曾参与十余个国际商业购物中心项目的设计
2002—2003　美国 AECOM 首席设计师，参加设计纽约最新地铁的站型设计，商业娱乐空间的设计等项目
2000　创立美国FIDA建筑公司任中国区总裁，股东之一及主任创意建筑设计师
2005　广州深圳东部华侨城茶溪谷的茶翁古镇的总体规划，创意设计及施工监理工作
2006　云南禄丰侏罗纪世界公园的策划，概念设计和整体景区建筑设计
2007　广州番禺长隆欢乐世界大巡游花车的设计制作和部分水公园的设计
2010　策划和设计西岭雪山国际旅游度假区
2011　策划并设计西安“老城根汉十里长街”商业娱乐步行街
获得2011年住建部颁发的人居经典最高奖综合大奖
2007　译制并出版《名家名椅》

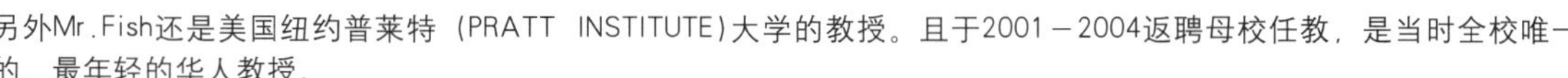
另外Mr.Fish还是美国纽约普莱特（PRATT INSTITUTE）大学的教授。且于2001—2004返聘母校任教，是当时全校唯一的，最年轻的华人教授。

于力明
Mr. Fish Yu

Mr. Fish Yu

Current Positions
President of FIDA International Co. Inc and Chief Designer in Novelty Architecture

Educational Background
1988-1992: Central Academy of Craft Art, Bachelor Degree
1996-2000: Pratt Institute, Master Degree

Working Experience and Representative Designs
1997: When he worked with theme design and scenic conception department of Walt Disney Imagineering, Los Angeles, California, he participated in designing Disney California Venture Park, Tokyo DisneySea and other projects. It was the only Creative Designer selected by TWDC in East Coast of the United States of the year.
1999-2001: As chief designer in the Novelty Architecture Design Department of RTKL in Baltimore, Maryland State in the USA, he participated in design of more than 10 international commercial shopping center projects during this period.
2002-2003: As chief designer in AECOM, he participated in NY's latest subway station design and other projects in commercial entertainment space design.
2000: As founder of FIDA International Co. Inc, president in Chinese Branch, a shareholder and Chief Designer in Novelty Architecture
2005: Responsible for overall design, creative design and construction and supervision on ChaWeng Ancient Town in Tea Valley of OCT East
2006: Participated in the planning, conceptual design of Jurassic World-class Park in Lufeng County, Yunnan Province and its overall design for architectures.
2007: Design on the parade float of Chime Long Tourist Resort and some water parks
2010: Engaged in the planning and design of International Tourist Resort of Xiling Snow Mountain
2011: Made a planning and design on the commercial pedestrian street named "5km Long Street under the Old Wall of Han Capital" in Xi'an City, Winning the General Reward of Habitation Classic, the highest prize granted by MOHURD
2007: Translated and published "Chairs"

Moreover, Mr. Fish was invited by his Alma Mater to teach from 2001 to 2004, known as the only youngest Chinese-American professor in Pratt Institute then.

美国波士顿国际设计集团
Boston International Design Group

朱儁夫
Junfu Zhu

朱儁夫

总裁　董事　首席设计师

1992–1997年就读于清华大学建筑学院。1997年进入美国麻省理工学院（MIT），2000年毕业于麻省理工学院建筑与城市设计硕士。2000开始任职于波士顿的斯塔宾建筑事务所。2003年年底被任命为高级副总裁，合伙人，是当时美国大型事务所中罕见的年轻合伙人。2004年9月，朱儁夫先生在波士顿创建波士顿国际设计集团（BIDG），同年年底到上海设立波士顿国际设计集团上海公司。波士顿国际设计集团现有设计人员100多人，在波士顿、上海、北京设有三个机构，主要从事重要城市的历史街区的保护、更新与发展，校园可持续规划及校园建筑设计，高端物业及商业设计等。朱儁夫先生现担任美国波士顿国际设计集团总裁、首席设计师。

朱儁夫先生近年来一直从事可持续发展的城市规划及建筑设计工作。朱儁夫先生主要的国际设计项目包括：拉斯维加斯的威尼斯酒店、澳门氹仔岛整体规划、波士顿空权计划、德国德累斯顿市城市中心城区再发展计划、波士顿麻州总医院及监狱酒店改造方案、亚特兰大艾莫瑞大学表演中心设计等。

近期由朱儁夫先生主持在中国的作品包括：北京钟鼓楼区域保护与设计、北京雍和宫国子监区域规划研究及米高梅MGM酒店设计、北京隆福寺历史街区改造规划、北京南锣鼓巷及地铁周边地区规划及建筑设计、北京玉河北及南段历史保护规划、清华大学核心区规划、清华大学主楼东区建筑立面改造、杭州西湖商业整体规划及具体分期设计、宁波月湖西区保护规划及设计、宁波月湖盛园郁家巷地区整体设计、宁波莲桥街区规划改造及设计、上海黄浦区露香园区块保护设计、三亚香水湾一号、北京红楼梦主题文化园规划等。朱儁夫先生受北京市规划委员会和教育委员会委托，主持研究了《北京市高等学校规模研究》。朱儁夫先生设计的作品曾多次荣获国内外大奖，其中威尼斯酒店二期工程获2004年拉斯维加斯建协金奖。朱儁夫先生主持编写的《世界名校校园研究》等将在近期出版。朱儁夫先生曾在麻省理工学院（MIT）、清华大学建筑学院、芝加哥大学、美国内华达大学、韩国汉城大学湖西学院、浙江大学等高等院校作专题报告。

Junfu Zhu

President, Director, Chief Designer

Zhu Junfu studied at the architecture department of Tsinghua University from 1992 to 1997. He was admitted to the Massachusetts Institute of Technology (MIT) in 1997 and graduated with the Master's Degree of Architecture and Urban Design in 2000.Since 2000 Zhu began to work in the Stubbing Architectural Firm in Boston. At the end of 2003, he was named as the senior vice president and a partner, which is rare in major U.S. firms at such young age. In September 2004, Mr. Zhu established the Boston International Design Group (BIDG) in Boston and at the end of the same year founded the Shanghai branch of Boston International Design Group in Shanghai. BIDG now has more than 100 designers and three bodies in Boston, Shanghai and Beijing. BIDG mainly engaged in the protection, renewal and development of the historic district in major cities, campus' sustainable planning and architectural design, high-end property and commercial design, etc. Mr. Zhu currently serves as the president and chief designer of Boston International Design Group.

In recent years Mr. Zhu has been engaged in the urban planning and architectural design of sustainable development. The major international design projects in which he participated include: Venetian Hotel in Las Vegas, the overall planning of Taipa Island in Macau, Boston air rights plan, Dresden City Center redevelopment plan in Germany, Boston, the reform program of Massachusetts General Hospital and the prison hotel in Boston, Emory University, the design for the performance center of Emory University in Atlanta.

The recent designs in China chaired by the Mr. Zhu include: the protection and design for Beijing Bell and Drum Tower area; the regional planning for Imperial College District in Beijing Lama Temple and MGM Hotel's Design; the transformation planning of the historic district in Beijing Longfu Temple; the planning and architectural design for South Luogu Lane in Beijing and the metro surrounding region; the historic preservation planning for the north and south section of Jade River in Beijing; the core area planning of Tsinghua University; the building façade reconstruction for the east district of the main building in Tsinghua University; the overall planning and the design of specific stages for West Lake business district in Hangzhou, the protection planning and design for the western district of Moon Lake in Ningbo; the overall design for Yujia Lane District of Moon Lake•Shengyuan in Ningbo; the transformation planning and design for Lotus Bridge District in Ningbo; the protection design for Luxiang Park of Huangpu District in Shanghai; Sanya Perfume Bay No.1 and the planning for the Honglou Dream theme cultural park in Beijing, etc. Under the commission of Beijing Municipal Planning Commission and Board of Education, Mr. Zhu conducted the study of "the Scale of Colleges and Universities in Beijing." His designs have won many domestic and international awards, in which the second phase project of Venetian Hotel won the Gold Medalby Las Vegas Building Society in 2004. The book "The Study of World Famous Campus" comp iled by Mr. Zhu will be published in the near future. In addition, he has made special reports in many institutions of higher education, such as Massachusetts Institute of Technology (MIT), Architecture Department of Tsinghua University, Chicago University, U.S. Nevada University, Husi College of Seoul National University in South Korea, Zhejiang University, etc.

英国UK.LA太平洋远景国际设计机构
U.K PACIFIC LONG-RANGE PLANNING & DEVELOPING DESIGN CONSULTANT LTD.

申丽萍

华中科技大学建筑学硕士
东南大学建筑学博士
南京大学——美国康奈尔大学 EMBA
占版 .LA 太平洋远景国际设计机构大中华区董事长
南京环洋远景建筑规划设计顾问有限公司总经理
南京泛奥建筑规划设计顾问有限公司总经理
黑龙江嘉达置业有限公司董事
宁夏久远置业有限公司董事
杭州当代投资有限公司董事

先后被评为
中国房地产协会专家委员会委员
亚洲杰出建筑规划师
法国建筑师协会会员（20090619）
中房商协城市规划与建筑设计专业委员会委员
南京市六合区政协委员

申丽萍
Ms. Shen Liping

主要作品

1、城市规划部分
A. 苏州古城一、二号街坊保护性规划（76 hm^2）
B. 郑州龙子湖湖心岛城市设计（99 hm^2）
C. 新沂窑湾古镇规划（101 hm^2）
D. 平顶山湛河两岸城市设计（80 hm^2）

2、公共建筑部分
A. 郑州意大利格拉姆中心（12 万 m^2 超高层）
B. 南京金宁广场（18 万 m^2 综合建筑群）
C. 连云港甬连再生资源加工园区（100 万 m^2 科技园区）
D. 连云港水晶宫（5 万 m^2）
E. 郑州东湖国宾馆（2000 亩国宾馆）

3、居住社区部分
A. 南京华欧国际友好城（230 万 m^2）
B. 南京旭日上城建筑设计（202 万 m^2）
C. 海南儋州双联滨海住区（88 万 m^2）
D. 郑州清华大溪地（260 万 m^2）
E. 红太阳乌江新城（530 万 m^2）

4、景观设计部分
A. 郑州西南绕城高速景观设计（全长 52 km）
B. 南京河西江东路景观设计（总长 16.8 km）
C. 南京徐庄软件园景观设计（设计面积 12 hm^2）
D. 信阳百花园景观设计（设计面积 20 hm^2）

LOA 建筑事务所

林 沨
Feng Lin

林 沨

LOA 建筑事务所创办人
主持建筑师
国家一级注册建筑师
天津大学建筑系

主要作品
浙江省黄龙体育馆
浙江省高级人民法院审判办公大楼
芜湖长江之歌
丹东翡翠湾规划
丹东月亮岛国际养生度假中心
昆山淀山湖产业社区
义乌北门街区块综合体
大连银沙滩地块规划

Feng Lin

Co-founder
Principal Architect
Class 1 Registered Architect
Bachelor of Architecture of Tianjin University

Works
Huanglong Stadium Hangzhou
Judicial building of Zhejiang Provincial Court
Residential and Urban Complex Wuhu
Masterplan Jade Bay Dandong
Resort of Moonisland Dandong Liaoning
Block at Dianshan Lake in Kunshan
Urban Complex in Yiwu North District
Masterplan Dalian silver Beach

澳洲高臣建筑事务所
GORDON CHEN ARCHITECT(GCA)

陈 工
Gordon Chen

陈 工

Gordon Chen RAIA

现任职务
澳大利亚高臣建筑事务所 首席建筑师/董事
Chief Architect/Director (GCA)
Registered Architect in Australia
M.Arch. B.Arch.

陈工先生早年在中国接受建筑设计专业教育，获清华大学建筑学学士学位，后又师从中国建筑设计大师佘畯南先生，在华南理工大学攻读建筑设计，并获建筑学硕士学位。陈工先生在移民澳大利亚之前，已在中国从事了十年以上的建筑教育和设计工作。在澳大利亚陈先生先后就职于西澳洲著名的房地产开发设计公司J-CORP和建筑事务所PHA.

陈工先生以其深厚的建筑功底和英语水平，在移民不久后就通过了澳大利亚全国的注册建筑师考试，成为在澳大利亚为数不多的华裔注册建筑师，并被吸纳为澳大利亚皇家建筑师学会正式会员。2004年陈工先生在西澳首府珀斯注册创办了高臣建筑事务所(GORDON CHEN ARCHITECT)。

教育背景

1981–1986	清华大学 建筑系 获建筑学学士学位
1989–1992	华南理工大学 建筑设计研究院 获建筑设计工程硕士 导师 佘畯南

工作经历

2005－至今	Gordon Chen Architect（澳大利亚高臣建筑事务所）
2002–2004	Peter Hunt Architect（澳大利亚彼岸建筑师事务所）
1999–2002	澳大利亚J–Corp公司
1994–1999	深圳市规划国土局 龙岗分局
1992–1994	华南建设学院 建筑系
1986–1989	武汉大学 建筑学系

代表作品
武汉大华南湖公园世家二期、三期；北京汇佳学校教学楼、体育场看台、幼儿园等附属建筑；江门天鹅湾、三门峡天鹅湾、广州天鹅湾；武汉大华晶晶幼儿园、大华英格中学、大华武珞路小学；江苏真武商业街、安徽全椒奥康商业街；河北承德峰云书院；苏州中信青剑湖项目投标、武汉中国地质大学江城学院体育馆投标；武汉阳逻企业总部基地，河北正元文化产业园规划与建筑投标等。

合艺国际（中国）
HIGH International (China)

叶 葵
Kui Ye

叶 葵

现任职务
澳洲合艺国际中国区　总负责　合伙人
杭州合艺建筑环境设计有限公司　总经理
中国杰出中青年设计师

教育背景
中国美术学院（原浙江美术学院）学士

代表作品
银泰百货近20家门店
银泰置地武汉、成都、苏州、临平、衢州、绍兴等多项商业综合体
宜兴温泉度假酒店
温州永嘉芙蓉山庄
无锡太湖马山檀溪湾别墅区

设计理念
叶葵先生主持构建合艺国际商业地产咨询服务体系。致力于大型综合商业地产、城市开发、商业零售空间全过程设计咨询服务。综合规范规划、建筑、室内、景观以及其他商业顾问服务标准。以面向目标的综合管理体系，与多家上市公司、著名商业零售商、房产开发商形成略合作。
叶先生对商业地产开发的独特远见，为合作单位带来了巨大的利益回报和坚实的发展平台。在咨询服务的同时，也为合作团队提供专业的思考和培训。

金 捷
Jie Jin

金 捷

现任职务
澳洲合艺国际中国区 设计总监 合伙人
杭州合艺建筑环境设计有限公司 执行董事
中国杰出中青年设计师
国家一级注册建筑师
中国建筑学会室内设计分会理事

代表作品及获奖情况
陈云纪念馆方案设计（全国设计竞赛一等奖）
通和·南岸花城（2005年国际花园社区综合金奖）
天津世纪广场
卡森·海南博鳌亚洲湾
杭州东海创意中心
桂林公馆·原乡墅
绍兴大城小院

设计理念
金捷先生90年代曾工作于浙江省建筑设计研究院，参与大量国家重点工程设计，造就了建筑创作的原创底蕴。在金先生主持合艺国际中国区数百项建筑项目中充分展示了对地域文化的尊重，形成了合艺国际中国区的精尚建筑设计风格。

ROGGEO

加拿大诺杰建筑设计事务所
ROGGEO DESIGN ASSOCIATES INC.

余茂林
Roger Yu

余茂林

现任职务
加拿大诺杰建筑设计事务所 CEO 高级设计师

教育背景
美国哥伦比亚大学、加拿大多伦多大学建筑学院、天津大学建筑硕士、天津大学工程学士

专业背景
北美建筑艺术家协会、中国建筑学会会员、安省房屋建造协会、中国商业地产联盟会员、加拿大诺杰建筑设计事务所、加拿大Page + Steele建筑师事务所、加拿大蔡德勒建筑师事务所

工作经历
1993年余茂林先生在多伦多合伙创建了诺杰工作室，后改名为加拿大诺杰建筑设计事务所。先后参与美国RTKL及KPF建筑事务所、加拿大WZMH和蔡德勒建筑设计事务所多项设计工作。
2002年初，余茂林先生带领加拿大诺杰建筑设计事务所参与中国区的投标设计工作并主持加拿大蔡德勒建筑事务所的在中国区的业务。主持和参与了近100个项目的设计，其中包括住宅、商业、酒店、购物中心、医院、音乐厅和博物馆等。
2006年，加拿大诺杰建筑设计事务所，在中国北京正式注册并开展工程设计工作。凭借着对中国项目的丰富经验，联合国际建筑师与中国本土的设计精英，在全国各大城市共同创造出许多具标志性的项目。

代表作品
加拿大国家展览馆
加拿大伊陶碧古湖边高级公寓
加拿大安省尼亚加拉赌场酒店
中国上海大华七宝龙城商场
中国北京朗琴园四期
中国北京“山水文园”
中国内蒙古呼和浩特东岸国际
天府花城
德国幕林道夫高尚居住区
日本东京安贝纳商务综合楼
中国北京中关村国际商城
中国北京汉斯公园大道二期
中国北京东方梅地亚中心
中国黑龙江哈尔滨金色莱茵
中国四川成都置信
中国北京昆仑公寓商业室内设计

获奖情况
获联合国“人居大奖”和“国际花园社区金奖”、获建设部设计金奖

Roger Yu

Current Positions
CEO & senior designer of Canada Roggeo Design Associates Inc.

Education
School of Architecture, Columbia University, New York USA; School of Architecture, University of Toronto, Canada; Master of Architecture, Tianjin University, China

Professional Background
Member, American Society of Architectural Illustrators; Member, Architectural Society of China; Member, Ontario Building Association; Member, China Commercial Real Estate Union; Canada Roggeo Design Associates Inc.; Page+Steele Architects, Canada; Zeidler Partnership Architects, Canada.

Career
Mr. Yu Maolin founded the Roggeo Studio with his partners in Toronto in 1993, and later renamed it Canada Roggeo Design Associates Inc. He was successively involved in many design projects in RTKL, Baltimore USA and KPF (Kohn Pedersen Fox Associates), WZMH Partnership, Canada and Zeidler Partnership Architects, Canada.
Beginning in 2002, Mr. Yu began working full time for Zeidler Partnership Architects. He was charged with opening Zeidler's design office in China, where he was both a partner and the principle designer. During that time, Mr. Yu was the lead designer on nearly 100 projects, evenly divided between residential and commercial, including hotels, shopping centers, hospitals, concert halls and museums.

In 2006, Canada Roggeo Design Associates Inc. officially registered its China office in Beijing and began its tasks on engineering design. With wide experience and by means of uniting with the international architects and local design talents, Mr. Yu and the firm have created numerous iconic projects throughout different major cities of China.

Masterpieces
Canada National Exhibition Place
Mulyngdorf Noble Residential Area, Germany
Canada Etobicoke Lakeside Superior Apartment
Anbelna Business Complex, Tokyo, Japan
Casino Niagara Hotel, Ontario, Canada
International Mall, Zhongguancun, Beijing, China
Dahua NEXTMALL, Shanghai, China
Hans Park Avenue II, Beijing, China
Langqin Garden IV, Beijing, China
Oriental Meidiya Center, Beijing, China
Riverside Residences, Beijing, China
Golden Rhine Residences III, Harbin City, Heilongjiang Province, China
Dong'an International Residences, Hohhot, Inner Mongolia, China
Chengdu Zhixin, Sichuan Province, China
Tianfu Garden
Commercial Interiors Design, Kunlun Apartment, Beijing, China

Honors
Won the "UN-Habitat Award" and the "International Garden Community Award" from the UN, and the Golden Design Award from the MOHURD.

LU TANG LAI ARCHITECTS LTD.
吕邓黎建筑师有限公司

邓文杰
Tang Man Kit

邓文杰

现任职务： 公司董事

教育背景

1979 香港大学建筑学（一级荣誉）文学士
1981 香港大学建筑学士（优异）

专业资格／公职

1985 香港建筑师学会会员
1986 英国皇家建筑师学会会员
1987 香港政府屋宇署认可人士（第一类别）
1990 香港注册建筑师
2002 香港建筑师学会资深会员
2004 中国一级注册建筑师资格
2006 香港大学建筑系助理教授
2007 – 2009 地政委员会小组委员
2008 – 2010 建筑师事务所商会秘书长
2009 – 2011 地区设施管理委员会委员（南区）
2010 – 至今 公共事务论坛（论坛）成员
2010 – 2012 建筑师事务所商会财务长
2011 – 至今 扑灭罪行委员会委员（南区）
2011 亚太经合建筑师
2011 香港建筑文物保护师学会专业会员
2012 中国绿色建筑委员会及中国绿色建筑与节能（香港）委员会 Green Building Label Manager

获奖情况

1979 香港大学何福建筑奖
1979–1981 香港大学怡和奖学金
1981 世界建筑师联会之建筑系学生国际设计比赛
法国建筑师学会奖项
法国都市规划师学会奖项
匈牙利布达佩斯科技大学奖项
1983* 香港专业教育学院（屯门）设计元素比赛（一等奖）
1985* 九龙公园设计元素比赛（一等奖）
1987* 香港科技大学设计项目比赛（二等奖）
* 曾就职于关善明建筑师事务所有限公司

Tang Man Kit

Current Position: Director

Educational Background

1979 Spacing Bachelor of Arts in Architectural Studies,University of Hong Kong (Awarded with First Class Honours)
1981 Spacing Bachelor of Architecture,University of Hong Kong (Awarded with Distinction)

Professional Qualification / Appointment

1985 Member of The Hong Kong Institute of Architects
1986 Member of The Royal Institute of British Architects
1987 Inclusion in the registrar of Authorized Person ,List 1 of Buildings Department
1990 Registered Architect of The Architects Registration Board, Hong Kong
2002 Fellow of The Hong Kong Institute of Architects
2004 PRC Class I Registered Architect Qualification
2006 Assistant Professor, Department of Architecture University of Hong Kong
2007 - 2009 Land Sub-committee of Land and Building Advisory Committee – Nominate Representative
2008 - 2010 Honorary Secretary and Executive Committee The Association of Architectural Practice
2009 - 2011 Member of District Facilities Management Committee (Southern District)
2010 - Present Government Secretariat, Home Affairs Bureau, Public Affairs Forum (the Forum) - Member
2010 - 2012 Honorary Treasurer and Executive CommitteeThe Association of Architectural Practice
2011 - Present Member of District Fight Crime Committee (Southern District)
2011 Architect of The Asia Pacific Economic Co-operation
2011 Professional Member of Hong Kong Institute of Architectural Conservationists
2012 Green Building Label Manager of China Green Building Council and China Green Building (HK) Council

Awards

1979 Ho Fook Prize in Architecture (HKU)
1979 - 1981 Jardine Henry Lo Scholarship (HKU)
1981 UIA International Design Competitionfor Students of Architecture
Prize from Societe Francaise des Architects, France
Prize from D'instit et urbanizme, France
Prize from the Technical University of Budapest, Hungary
1983* Design Competition Tuen Mun Technical Institute (First Prize)
1985* Design Competition - Kowloon Park (Co-Winner)
1987* Design Competition - Hong Kong University of Science and Technology (Second Prize)
* Work under Simon Kwan & Associates Ltd.

法博国际(香港)规划建筑设计有限公司

China International planning architectural design limited company

王军民
Junmin Wang

王军民

法博国际（香港）规划建筑设计有限公司董事长，首席设计师
1985年毕业于西北建筑工程学院建筑系，获建筑工程学士学位。1991年任职深圳市城市规划设计研究院总建筑师。深圳专家委员会委员、世界华人建筑师资深会员。1998年担任宗灏建筑师事务所设计总监。他主要从事建筑、规划方案设计，擅长建筑方案手绘表现，作品细腻不失粗犷，表现自然且视觉感强烈，设计中突出其个性，在功能要求的基础上，建筑造型多样化、现代化。始终把握设计的独立性和领先性，坚持设计的愉悦心理过程和融合性。2000年先后创立法博国际（香港）规划建筑设计有限公司和深圳市法博建筑设计有限公司，培养大批建筑设计人才，同时在设计行业中拥有广泛的知名度。

Junmin Wang

President and Chief Designer of Faber Int'l (HK) Layout Construction Design Union Company Limited.
He graduated from Architecture Department of Northwest Institute of Architectural Engineering with Bachelor's Degree of Architectural Engineering in 1985. In 1991, he worked in Shenzhen Research Institute of Urban Planning and Design as Chief Architect. He is member of Shenzhen Committee of Experts and senior member of World Association of Chinese Architects. In 1998, he worked in Zonghao Architects Chief Design Officer. He is mainly engaged in design of architecture and planning scheme. He is good at handmade drawings. His works are fine yet rugged, natural but having a strong sense of visual performance. His design highlights personality of project. On the basis of functional requirements, architectural styles are diverse and modern. He always grasps the independence and pioneering characteristic of design and adheres to the mental pleasure and converging character of design. In 2000, he founded Faber Intl (HK) Layout Construction Design Union Limited Company and Shenzhen Faber Architectural Design Co., Ltd. He has trained a large number of architectural design talents, meanwhile, he has been widely accepted in architectural design field.

张天宝
Tianbao Zhang

张天宝

毕业于铜陵有色金属工业学校　工业与民用建筑专业
合肥工业大学建筑学专业
合肥工业大学建筑学建筑设计及其理论专业　硕士研究生
现在读 清华大学EMBA
香港华天国际建筑与城市设计有限公司执行董事　设计总监
高级建筑师

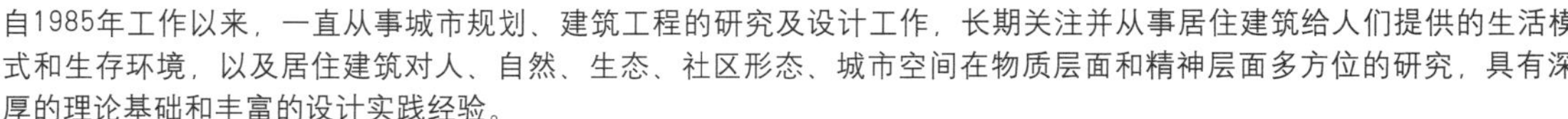

自1985年工作以来，一直从事城市规划、建筑工程的研究及设计工作，长期关注并从事居住建筑给人们提供的生活模式和生存环境，以及居住建筑对人、自然、生态、社区形态、城市空间在物质层面和精神层面多方位的研究，具有深厚的理论基础和丰富的设计实践经验。
在居住建筑、酒店建筑、医院建筑、大型商业建筑等设计方面有自己独特的创作理念，设计曾多次获省、部级优秀设计奖。
2010年被授予〝中国城市规划与建筑设计行业金牌建筑设计师〞称号。

Tianbao Zhang

Graduated from Tongling Nonferrous Metals Industry University
Industrial and Civil Building Professional
Bachelor of Architecture, Hefei University of Architecture
Master of Architectural Design and Theory, Hefei University of Architecture
EMBA, Tsinghua University
Executive Director, Design Director of Hong Kong Witen International Architecture and Urban Design Co., Ltd.
Senior Architect

Since starting to work in 1985, he has been engaged in urban planning, architectural engineering research and design work, in the long-term, focuses and engages in the dimensions of multi-faceted research on the residential buildings Providing people with lifestyle and living environment and influence of residential buildings on people, nature, ecology, community patterns, urban space level in the material and spiritual. He has a solid theoretical foundation and rich experience in design practice.
He has his own creative ideas in residential buildings, hotel buildings, hospital buildings, large commercial construction and other design, and the design works have won the provincial and ministerial excellent design awards many times.
In 2010, he was awarded the title of "China's Vrban Planning and Architectural Design Industry Golden Architect".

gravity

嘉柏建筑师事务所

f +(852) 3106 8711
t +(852) 3106 0754
e studio@gravitypartnership.com

香港铜锣湾电气道148号39楼
39fl, 148 electric road
causeway bay, hong kong

余啸峰 FRANK YU

余啸峰 设计总监

现任香港嘉柏建筑师事务所设计总监。生于香港，12岁前赴美接受教育，1986年毕业于美国纽约 Pratt Institute 建筑学院，随即被罗致到当时美国最大的建筑师事务所–美国纽约 Ellerbe Becket 任规划设计师，并取得多项建筑设计大奖，其后一直参与不同的著名项目及比赛，屡获奖项。2000年决定回到香港发展，为了实践对建筑设计的理想及抱负，于2003年伙同资深建筑师王克江先生创立了嘉柏建筑师事务所，并找到一群志同道合的专业人才，共同努力提供高质素、具创意及独特的设计，致力现代建筑设计打开新的一页。

教育经历

1986年毕业于美国纽约 Pratt Institute 建筑学院

工作经历

2003至今	香港嘉柏建筑师事务所有限公司设计总监
2000-2003	香港许李严设计亚洲有限公司副董事及设计总监
1990-1994	美国加州洛杉矶 B.T.A. 有限公司设计总监及亚洲办事处常务董事
1987-1990	美国纽约 Ellerbe Becket 设计总监

FRANK YU principal - design

Design Principal of Gravity Partnership Limited. Born in Hong Kong, Frank received his education in the United States from the age of 12. He studied architecture at Pratt Institute, New York, and after graduating in 1986, was invited to join the largest architectural firm in the US – Ellerbe Beckett New York as a Design Architect. He has worked on various renowned projects and international design competitions, and has won numerous awards. In 2000, Frank decided to return to Hong Kong and founded Gravity Partnership Limited with Claude Wong in 2003. Together with a group of dedicated designers, who have the same enthusiasm for non conventional design ideas and working methodologies, they look to create high quality and inspired designs and starting a new chapter in modern architecture.

academic background

1982-1986 Bachelor of Architecture - Pratt Institute, New York, USA

professional experience

2003-Present	Gravity Partnership Ltd. HKSAR, Principal
2000-2003	RDL Asia Ltd. HKSAR, Design Principal / Deputy Director
1990-1994	B.T.A. Ltd. (USA) Design Principal, (Asia office) Managing Director
1987-1990	Ellerbe Becket (New York office), Project Designer

王克江 项目总监

1984年毕业于英国伦敦建筑协会 Architectural Association。香港注册建筑师，香港屋宇处认可人仕及中华人民共和国一级注册建筑师资格。期间曾任香港特别行政区建筑署高级建筑师、规矩建筑师有限公司总监、许李严设计亚洲有限公司副董事。

教育经历

1984年毕业于英国伦敦建筑协会 Architectural Association

工作经历

2003至今	香港嘉柏建筑师事务所有限公司技术总监
2001-2002	香港许李严设计亚洲有限公司副董事
1992-2001	香港规矩建筑师有限公司总监
1984-1992	香港特别行政区建筑署高级建筑师

专业资格

香港注册建筑师及认可人仕
香港建筑师学会
英国皇家建筑师学会会员
中华人民共和国一级注册建筑师资格

CLAUDE WONG principal - project

Graduated at the Architectural Association in the United Kingdom in 1984, Claude practices as Registered Architect and Authorized Person in Hong Kong; and received the PRC Class 1 Registered Architect Qualification. Professional experiences include Architectural Services Department, Cartesian Architects Limited and RDL Asia Limited.

academic background

1979-1984 AA Diploma, Architectural Association, London, United Kingdom

professional experience

2003-Present	Gravity Partnership Ltd. HKSAR, Principal
2001-2002	RDL Asia Ltd. HKSAR, Deputy Director
1992-2001	Cartesian Architects Ltd. HKSAR, Director
1984-1992	Architectural Services Department, HKSAR, Architect

professional qualification

Registered Architect, Authorized Person (List of Architects), HKSAR
Member of Hong Kong Institute of Architects
Chartered Member of Royal Institute of British Architects
PRC Class 1 Registered Architect Qualification

刘志桄建筑事务所
LauChiKwong Architects

刘志桄
LauChiKwong

刘志桄

现任职务

刘志桄建筑事务所 主持建筑师
美国建筑师协会会员
纽约州注册建筑师

教育背景

1997 美国哈佛大学，哈佛设计学院建筑与城市设计硕士学位
1994 美国纽约市立大学建筑学院，建筑学士学位
1993 法国 Ecole Des Beaux Arts in Fontainebleau

工作经历

Pei Cobb Freed & Partners
贝聿铭 考伯 弗里德及合伙人建筑师事务所（原贝聿铭建筑事务所）、
R.M.Kliment and Frances Halsband Architects、
KPF(KPF 建筑师事务所）

代表作品

IMF 总部、芝加哥凯悦酒店集团总部、美国高盛集团总部、中国北京 CBD 中心商业区总体规划，美国密西西比州 Gulfport 联邦法院，美国罗斯福总统图书馆及博物馆访问及教育中心，维维安和米尔斯坦家庭心脏中心，纽约长老会医院等。

刘志桄先生曾到

西班牙、法国、英国、意大利、德国、土尔其、西腊、印度、柬埔寨、韩国、日本、香港、台湾、加拿大、美国及中国各地游学。

C.j Chen Architects
陈子弘建筑师事务所

陈子弘
C.j Chen

陈子弘

工作团队中主持人陈子弘先生在过去15年的建筑学习执行的过程中，体认到建筑的完整呈现应包含“形而下”的建筑实务以及“形而上”的建筑上的设计理念。为了追求卓越，陈子弘先生于2007年前往美国纽约哥伦比亚(Columbia U GSAPP)建筑研究所展开为期一年的建筑修习课程。
基于对建筑设计的热爱，陈子弘先生于纽约求学期间大量参加许多国内外的竞图，借由竞图得奖磨炼设计的专业以及奠定日后执业的基础。2008年陈子弘先生设计的海南岛海口岩石饭店(Rock Hotel)概念设计获得当年度学校最佳设计奖，并深受香港开发商的喜爱。
同年10月参加台北莒光国小风雨操场竞案比赛中，以其优异的设计风格赢得评审的青睐并荣获设计监造权。对陈子弘先生来说，建筑的意义不仅仅止于业务的执行，而是更近一步通过建筑物来提升人类心灵的精神层次以及情感。因此，针对每个竞图、每个建案，陈子弘先生总是全心全意地投入，在基地上找出建筑的灵魂而后付之以实践。
对陈子弘先生来说，建筑创意是无国界的。在完成国内的建筑专业教育，取得建筑师以及公务员资格后，毅然前往纽约进修。对于国际大都会纽约不仅仅是艺术创意的殿堂，更累积了国际的设计实力以及眼界之提升。
陈子弘先生通过与美国纽约设计中心，纽约建筑师Andrew Macnair带领的设计团队以及台湾地区事务所的通力合作，打造优质的建筑团队。
面对诡变的建筑环境，陈子弘先生把建筑视为一种提升文化心灵的产业，除了生意之外，建筑更是重要的国家文化深度以及民族自信指标。
因为建筑是伟大的，重要的，需要时间淬炼的；陈子弘先生期盼将最好的作品实践在自己深爱的土地上，为业主提供优质的服务。

C. j Chen

In the past 15 years of the implementation of the construction, Mr. C. j Chen as director of the team realized the full presentation of buildings should include the physical construction and metaphysical design ideas. The pursuit of excellence, Mr. Chen went to Columbia University GSAPP in New York, the United States in 2007, for architecture study courses.
Based on the devotion of architectural design, he participated in many domestic and international competitions during the time of his study in New York, by winning the competition for professional design and laying the foundation for future practice. In 2008, Mr. C.j Chen designed Rock Hotel in Haikou, Hainan Island, his conceptual design obtained the Best Design Award of the school, and became Hong Kong developer's favorite.
In October of the same year, he participated in competition for Taipei Juguang Elementary School playground, with his excellent design style of the popular and award winning design supervision rights. For Mr. Chen C.j, a building of significance not only limited to business execution, but even more so through the building to enhance the spirit of the human mind and emotional level. Therefore, for each competition, each case, Mr. Chen C.j always dedicated all on the base to find the soul of the building, and then put into practice.
For Mr. Chen C.j , a building creativity has no borders. Upon completion of the domestic architecture professional education, access to architects and civil servants, he decided to go to New York for study. As a cosmopolitan city, New York is not just as a hall full of art creativity, but also the cumulative strength of the international design and vision of the upgrade.
Mr. Chen C.j cooperated thoroughly with the United States New York Design Center, New York architect Andrew Macnair design team and China Taiwan Office, to create high-quality construction team.
Facing complex built environment, Mr. Chen takes the building as an industry enhance spiritual and cultural spirit, in addition to business, the building is a very important national cultural depth, and national self-confidence indicators.
Because the building is great, important, take time to practice. Mr. Chen C.j hopes the works will be the best practiced in this beloved land and provide high quality services for the owners.

桑葉機構

MULBERRY TEAM

上海桑葉建築設計咨詢有限公司
臺灣賴育志建築師事務所

赖育志
Norman

赖育志

台湾省注册建筑师
台北市注册建筑师
中华建筑文化协会　理事

现任职务
上海桑叶建筑设计咨询有限公司　总经理

教育背景
东海大学建筑系

工作经历

陈庆利、丘树雄建筑师事务所	主任设计师
村庄开发股份有限公司	开发部经理
台鼎建设股份有限公司	董事长特助　副总经理
台顶批发世界	筹备总经理
台中市都市发展协会	总干事
中濠不动产投资顾问公司	副总经理
深圳城市购物中心	设计顾问
赖育志建筑师事务所	负责人
新企圆境设计咨询（上海）有限公司	总经理
上海桑叶建筑设计咨询有限公司	总经理

大陆代表作品
河南省商丘行署地块概念规划
开封建业商业综合体概念规划
青岛某SHOPPING MALL规划
沈阳某地SHOPPING MALL室内规划
南京中储SHOPPING MALL规划设计
安徽铜陵台湾风情文化商贸城项目
湖北孝感城市综合体项目
河南三门峡建业新天地商店街方案设计
上海北斗星商业广场建筑及景观、室内全程设计
大连益嘉商业广场方案设计
上海骏利财富大楼建筑及景观设计
河南洛阳建业森林半岛左岸风情街设计
河南建业神垕钧都新天地方案设计
河南省郑州市中南时代龙家居广场方案设计
江苏海安恒天新世界项目方案设计
上海城投集团新凯家园商业方案设计
上海城投集团新江湾城社区商业方案设计
浙江温州龙港商业中心方案设计
江苏省淮安市富士达广场方案设计
苏州路劲集团凤凰城单体项目设计
河南建业凯旋广场方案设计
上海广为集团内装设计
河南三门峡城市广场景观方案设计
浙江杭州龙申剑桥公社景观设计
山东聊城小东关地块SHOPPING MALL规划设计
福建莆田涵江白塘湖城市综合体规划设计
甘肃省兰州市金城国际商贸城概念规划
浙江桐庐世贸中心商业街区及景观设计

安徽建筑工业学院·安徽建苑城市规划设计研究院

吴 强

安徽建筑工业学院建筑与规划学院副教授，硕士生导师，清华大学硕士。安徽建苑城市规划设计研究院副院长，2011—2012“中国建筑设计作品年鉴”——安徽建筑工业学院荣录参展作品首席创意设计师。2011，第八届中国人居典范最佳设计师。主要研究方向城市设计、建筑创作、景观设计与历史文化保护。

主要代表作品

中国迎驾酒文化博物馆建筑创作与城市设计（2009全国人居经典建筑规划设计方案竞赛规划、环境双金奖）
霍山下符桥政务文化中心建筑创作与城市设计（2010全国人居经典建筑规划设计方案竞赛建筑金奖）
安徽省六安东部新城承接产业转移示范园区中心区建筑创作与城市设计（2011全国人居经典建筑规划设计方案竞赛规划、建筑双金奖）
安徽好运机械有限责任公司“门景”建筑创作与城市设计（2011全国人居经典建筑规划设计方案竞赛建筑金奖）
福建省福鼎市铁锵滨海新区建筑创作与城市设计（第八届中国人居典范建筑规划设计方案竞赛规划金奖、建筑金奖）
安徽东流历史文化名镇“门景”建筑创作与城市设计（第八届中国人居典范建筑规划设计方案竞赛建筑金奖）

Mr Wu, The Construction Industry Institute Associate Professor, School of Architecture and Planning, Master Instructor, Tsinghua University, Master. Anhui Jian Yuan Urban Planning and Design Research Institute, 2012 China International Architecture Biennale Special Issue - Construction Institute wing exhibits chief creative designer. 2011, Eighth Habitat model of the best designers. The main research direction of urban design, architectural creation, Landscape Design & Historical Relics Protection.

安徽省六安东部新城承接产业转移示范园区中心区建筑创作与城市设计——会展中心

安徽华盛国际建筑设计工程咨询有限公司

董 平

教授级高工，国家注册结构师、注册建筑师。中国迎驾酒文化博物馆、霍山下符桥政务文化中心、霍山经济开发区中央商务区建筑创作城市设计主创设计师之一。曾在安徽建筑工业学院任教，并任安徽建筑工业学院建筑设计研究院院长。现为安徽华盛国际建筑设计工程咨询有限公司总经理兼总工程师，浙江水利水电专科学校教授级高工具有国家注册结构师、注册建筑师和监理工程师执业资格。担任百余个大型设计项目负责人，如安徽省审计厅办公楼、中国科技大学图书馆、迎驾酒文化博物馆等。

Miss Dong, Professor level senior engineer, national registered structural engineer, registered architect.Yingjia Wine Culture Museum creative designer In the Construction Industry Institute, Zhejiang Water Conservancy and Hydropower College, taught and served as Dean of the School of Architecture Design and Research Institute of Construction Industry, the general manager and chief engineer of Anhui Huasheng International Architectural Design Engineering Consulting Co., Ltd.. Published papers in the core and magazines nearly ten articles. Served as the person in charge of more than 100 large-scale design projects, such as Anhui Auditing Department office, the library of the University of Science and Technology of China, Yingjia Wine Culture Museum.

中国迎驾酒文化博物馆建筑创作与城市设计——北立面

黄山市城市建筑勘察设计院

Huangshan Urban Architecture Survey & Design Institute

陈继腾
Jiteng Chen

陈继腾

现任职务

黄山市城市建筑勘察设计院院长
安徽黄山文化学术交流中心主任
安徽省徽学会理事
安徽省工程勘察设计协会常务理事
黄山市徽州文化研究院研究员
黄山学院特聘教授
被黄山市市政府聘为"百村千幢"保护与利用特聘专家

教育背景

硕士研究生

工作经历

1984	毕业于安徽建筑工业学院城市规划专业
1984—1987	黟县建设局，从事规划管理设计
1987—1993	屯溪建筑勘察设计院，从事规划建筑设计
1993—1996	黄山市规划设计院，从事规划设计
1996—至今	黄山市城市建筑勘察设计院（市城建设计院）院长

代表作品

黄山市屯溪徽菜美食街景观风貌整治设计
黄山市齐云大道景观工程设计
黄山市黟县碧阳镇五里村旅游规划
黄山市阜安新区详细规划
黄山市黟县西武乡集镇建设规划
黄山市黄山东路拉直段道路规划设计
黄山市祁门县总体规划调整（城市设计）
黄山市黟县旅游急救中心
黄山市屯溪老街历史文化街区（利民巷）保护规划建筑设计等

获奖情况

2012	安徽省黄山市城西廉租房小区荣获安徽省保障性住房优秀设计二等奖
2011	屯溪徽菜美食城景观设计获安徽省优秀工程勘察设计三等奖
2011	《加快转型、多元发展，开创勘察设计新时代——黄山市勘察设计业"十二五"发展战略思考》一文，荣获安徽省勘察设计优秀论文三等奖
2008	黄山市齐云大道景观工程获安徽省优秀工程勘察行业-市政公用二等奖
2008	黟县碧阳镇五里村村庄策划专题获安徽省村镇规划设计三等奖
1995	黄山市阜安新区详细规划获省级优秀勘察设计三等奖
1994	祁门总体规划调整获安徽省优秀城市规划三等奖
1990	《屯溪小巷》获得建设部建筑画大赛优秀作品三等奖

陈继腾先生曾荣获2005年度安徽省建设系统"十五"发展创新工程先进个人、安徽省住建厅命名的第一批全省住建系统优秀共产党员先锋岗称号、2011年当选为黄山市第五次党代表、2011年度被选为黄山市年度经济人物最佳新锐人物。

陈继腾先生几十年如一日，长期致力于徽派建筑文化与技术的研究，形成了独特徽派建筑价值体系，阐明了徽派建筑的哲学理念，强调文化与技术的辩证关系。所做项目遍及全国各地，为弘扬和传播徽派建筑文化做出了巨大的贡献。

白 林
Lin Bai

白 林

1985	日本京都艺术短期大学毕业
1992	日本京都府立大学硕士学位
1996	日本京都大学工学博士学位（建筑学专业）
1994－1996	京都大学建筑系执教（助教）
1996－1998	京都环境建筑研究所和（株式会社）日本设计工作
1998－2000	在清华大学建筑学院做博士后研究
2000－至今	任北京交通大学教授（前建筑系主任）
2002－至今	任北京白林建筑设计咨询有限公司主持建筑师

发表论著

在《日本建筑学会研究论文集》、《清华大学学报》、《世界建筑》等期刊发表论文30余篇，出版了《中国传统民居》（在日本出版）、《安藤忠雄论建筑》等6部专著。博士论文《中国传统住宅空间与生活行为对应关系研究》（日文）、博士后研究报告《建筑设计方法的理论研究》受到广泛关注。

近期代表作

深圳前海地区概念规划国际咨询
泰山环山路景观带城市设计
常州花园街城市设计
常州武进区遥观镇剑湖区块概念规划
吴江东太湖大道及周边区域城市设计
天津小白楼地区概念规划
四川沱牌科技研究中心规划设计
晋商银行总部大厦方案设计
太湖湾广场及北大门设计
太湖湾旅游度假区西入口区域总体规划与西大门设计
太湖湾庙堂山宕口度假公寓
新疆石河子大学校园规划
青岛奇石博物馆
唐山南湖大门设计

Lin Bai

1985	Graduated from Kyoto Art Junior College, Japan
1992	Master of Kyoto Prefectural University, Japan
1996	Doctor of Engineering of Kyoto University, Japan (majoring in architecture)
1994-1996	Faculty of Architecture, Kyoto University (Assistant Professor)
1996-1998	Kyoto Institute of Environmental Architecture & Corporation (Designer in Japan)
1998-2000	School of Architecture of Tsinghua University (Postdoctoral Research)
2000-present	Beijing Jiaotong University (Professor, formerly Head of the Department of Architecture)
2002-present	BaiLin Architectural Design and Consultant Corporation Ltd., Beijing (Chief Architect)

Publications

Over 30 papers published in *Proceedings of Architectural Institute of Japan*, *Journal of Tsinghua University* and *World Architecture*, etc., published 6 monographs, such as *Traditional Chinese House* (in Japan) and *Tadao Ando on Architecture*. Doctoral dissertation: *Study of the Relationship between Residential Space of Traditional Chinese House and Living Behavior* (in Japanese), post-doctoral research: *Study of the Theory of Architectural Design.*

Recent Representative Works

Conceptual Planning and International Advisory for Qianhai Region, Shenzhen
Urban Design for Landscape of Huanshan Road, Taishan Mountain
Urban Design for Garden Street, Changzhou
Conceptual Planning for Jianhu Lake Block, Yaoguan Town, Wujin District, Changzhou
Urban Design for East Taihu Boulevard and the Surrounding Area, Wujiang
Conceptual Planning for Xiaobailou Area, Tianjin
Planning and Design for Tuopai Technology Research Center, Sichuan
Design for the Headquarters Building of Jinshang Bank
Design for Taihu Bay Plaza and North Gate
Master Planning for the West Entrance Area of Taihu Bay Resort and Design for West Gate
Dangkou Resort Apartment of Miaotangshan Mountain, Taihu Bay
Planning for the Campus of Shihezi University, Xinjiang
Qingdao Rocks Museum
Design for the Gate of Nanhu Lake, Tangshan

BIAD 北京市建筑设计研究院有限公司
Beijing Institute of Architectural Design

朱兴刚
Xinggang Zhu

朱兴刚

现任职务

北京市建筑设计研究院有限公司副总工程师
北京市建筑设计研究院有限公司7S1工作室主任
国家一级注册结构工程师
教授级高级工程师

教育背景

硕士研究生

工作经历

1988—至今	北京市建筑设计研究院有限公司

代表作品

厦门国际银行大厦、蝶翠华庭、澳门中心、吉祥大厦、合肥体育中心、坦桑尼亚国家体育场、福州市海峡国际会展中心、乌兰木伦湖南岸住宅小区、福建三迪联邦大厦

获奖情况

澳门中心	北京市第十五届优秀工程三等奖
吉祥大厦	北京市第十五届优秀工程三等奖
厦门国际银行大厦	部级三等奖，市级二等奖、鲁班奖
坦桑尼亚国家体育场	部级三等奖、鲁班奖
福州市海峡国际会展中心	北京市优秀工程一等奖
合肥体育中心	北京市科技进步奖、部级二等奖

发明专利

钢结构万向支座（专利号：ZL2006 1 0200027.0）

实用新型专利

可调TMD阻尼装置（专利号：ZL2010 2 0505215.6）
钢结构万向球形铰接支座（专利号：ZL2009 2 0319085.4）

北京正华建筑设计事务所
Beijing Genre Architects Associate

陈 建
Jian Chen

陈 建

总经理

1997年毕业于哈尔滨工业大学，建筑学学士。毕业后就职于建设部综合勘察研究设计院，任所长助理，同时兼任香港何何建筑师事务所北京代表。2002年成立北京建景筑成建筑设计有限公司，任总经理。2009年始任北京正华建筑设计事务所总经理。

主要设计作品

公建类

中国工商银行北京数据中心
北京市公安局刑侦科技大楼
中国电子科技集团华北所科技大厦
北京平谷渔阳饭店 等

居住类

长春市南湖小区
固安天园住宅区
固安恒基现代城住宅小区
固安方正悦城住宅小区 等

中国建筑科学研究院建筑设计院
China Academy of Building Research Architectural Design Institute

马立东

马立东
Lidong Ma

现任职务
院长
副总建筑师
高级建筑师
国家一级注册建筑师
建筑设计院院长
中国勘察设计协会、建筑设计分会、副秘书长
香港建筑师学会HKIA、会员
中国国际工程咨询公司、第六届专家委员会专家
国资委中央企业青年联合会委员

2004 被评为“中央企业劳动模范”
2007 度中国建筑规划设计行业北京地区十强影响力领军人物
2009 获得中国勘察设计协会颁发的“全国建筑设计行业国庆60周年管理创新奖”

教育背景
1992 毕业于清华大学建筑学院，获建筑学学士学位
1995 毕业于清华大学建筑学院，获硕士学位

工作经历
1995至今 中国建筑科学研究院建筑设计院

代表作品及获奖情况
黑龙江省电力局驻京办事处
昆明天元国际商城
科威特国驻华大使馆
北京招商局中心02楼美国惠普公司中国总部室内装修
北京盛福大厦
获第十届北京市优秀设计一等奖
河北曲阳县电力局电力调度楼
北京丽高花园
北京金宝街总体修建性详细规划
北京丽来花园
北京中关村国际商城修建性详细规划
中国疾病预防控制中心一期工程
获2010年度国家优质工程［银质奖］
获2011年度北京市第十五届优秀工程设计［一等奖］
获2011年度全国优秀工程勘察设计行业奖建筑工程公建类［二等奖］

SOHO尚都（尚都国际二、三期工程）
中国国家博物馆改扩建工程
获2012年度北京市第十六届优秀工程设计［一等奖］

主要论文及科研专题
《建筑技术与建筑艺术的高度结合－北京盛福大厦的建筑设计》
《立足近期规划，着眼未来发展－中国疾病预防控制中心一期工程规划方案设计简介》
《生物安全实验室类建筑的规划与建筑设计》
《疾病预防控制机构建筑技术规范》

CRED 中房集团建筑设计有限公司
Architects&Engineers

范 强

总经理 总建筑师 一级注册建筑师
清华大学建筑学硕士 教授级高级建筑师

范强先生是公司创始人之一，是中国深具影响力的年轻建筑师，近十年留下很多标志性的作品，他作为主创并领导的设计小组，以重大项目设计竞标中的骄人成绩而著名。
范强先生的作品，以对社会、文化、城市、技术及公众需求的综合把握为显著特点，以其自身对专业知识与人的心理社会发展、情感、责任感的深刻理解，形成其作品突出的亲和力。他一直致力于突破建筑师的专业视角，在更广泛的文化前景下，寻求具有发展意义的建筑作品的解决方案。
范强先生作为公司的主要负责人之一，始终在为建立一个符合中国特点并与国际接轨的真正现代意义的建设技术顾问服务机构而努力，并且获得了初步的成功，公司得到了长足的发展。面对设计项目的市场挑战，他冷静地分析自身的优势及不足，在与众多中外委托人的合作中争取更大的发挥空间。
范强先生秉承优秀的技术素养和工程组织能力，掌握和精通建筑设计自始到终各专业环节的关键要素，凭借其良好的亲和力，对设计团队和工程实施中的各方面力量，发挥其激励、调动、协调的重大作用．在设计过程的各个阶段，范强先生所率领的设计小组主导了建筑设计的方向，并在其后的设计当中发挥了重要作用。

主要作品
东营市市政广场建筑群（政府办公楼、检察院、法院、世纪广场等）、永泰园居住小区、北京华龙苑住宅小区、东营职业学院、北京石景山人民法院、北京城南嘉园、山东按劳动职业技术学院、万恒家园住宅小区、碧盛住宅小区、西安第五人民医院、农学院图书馆、军事医学科学院科兴佳园、临沂市天元商务大厦、中视联国际数字产业园。

范 强
Qiang Fan

Qiang Fan

Chief Manager, Chief Architect, Class-one Registered Architect
Master of Architecture, Tsinghua University, Professor-level Senior Architect

Mr.Fan Qiang, one of the company's founders, is one of China's influential young architects, He completes many landmark works for nearly a decade. The design team led by him as a main writer is well-known for the impressive achievements of the bid of design of major projects over the years.
Fan Qiang's works have characteristic of a comprehensive grasp of the social, cultural, urban, technology and public demand, depending on the profound understanding of professional knowledge, the psychological social development, emotion, and sense of responsibility form outstanding affinity of his works. He has committed to breakthroughing the architect's professional perspective to seek the solution for architectural works with development significance under a broader cultural context.
Mr.Fan Qiang, as one of primarily responsible chargers for the company, has been working for the establishment of the true modern sense technical consultancy services of adhesion characteristics of China and international standards, and won initial success. The company has developed remarkably, facing market challenges of design projects, he can have cool-headed analysis of their strengths and weaknesses, and fight for more chances in cooperation with many Chinese and foreign clients, Mr.Fan Qiang upholds the outstanding technological literacy and engineering organizational capacity. He masters the professional architectural design throughout the key elements of the various sectors. By virtue of its good affinity, he plays a major role of motivation, mobilization and coordination to all aspects of strength and projectimple mentation. In various stages of the design provess, the design team led by Mr.Fan Qiang dominates the direction of architectural design, and has played an important role in subsequent designs.

Main Works
Dongying Municipal Plaza Buildings (government offices, prosecution, courts, Century Square, etc)
Yong Tai Park Residential Area
Beijing Hualong Garden Residential Area
Dongying Vocational College
Beijing Shijingshan People's Court
Beijing Southern-city home
Shandong Labor Vocational and Technical College
Wanheng Home Residential District
Bisheng Residential District
The Firfth People's Hospital, Xi'an
Library of College of Agriculture
Kexing Jiayuan of Military Medical Sciences
Linyi Tianyuan Business Building
Zhongshilian International Digital Industrial Park

中国中建设计集团有限公司
China Construction Engineering Design Group Corporation Limited

薛　峰

薛　峰
Feng Xue

现任职务
中国中建设计集团（直营总部）　　总建筑师
总部第一设计院院长
教授级高级建筑师
国家一级注册建筑师
中国房地产研究会住宅产业发展和技术委员会副秘书长
中国房地产业协会专家委员会专家委员兼副秘书长
住房和城乡建设部城乡规划标准化技术委员会委员
中国绿色建筑与节能委员会委员
清华大学《住区》杂志副主编
北京建筑工程学院建筑系客座教授
硕士研究生导师

教育背景
毕业于清华大学建筑学院 博士研究生

代表作品及获奖情况
中国职工对外交流中心、青岛鲁能“领秀城”住宅小区、邯郸市世纪科技产业孵化中心、鄂尔多斯孟克烛拉蒙元文化园区、内蒙电力调度中心及电力锦绣福源住宅小区等各大型工程项目分别获得全国优秀工程勘察设计行业二等奖和中国建筑优秀工程勘察设计一等奖和二等奖。

昌　伟

昌　伟
Wei Chang

现任职务
中国中建设计集团（直营总部）　　总建筑师
上海分公司总经理
教授级高级建筑师

教育背景
1983年　毕业于重庆建筑工程学院建筑学专业（现重庆大学建筑学院）

徐宗武

徐宗武
Zongwu Xu

现任职务
中国中建设计集团（直营总部）　　副总建筑师
专业事业部执行总经理
总部建筑专业院院长
A2建筑工作室主持建筑师
国家一级注册建筑师、高级建筑师
北京交通大学硕士生导师
中国建筑学会会员

教育背景
毕业于天津大学建筑学院 建筑历史及其理论博士

主要建筑设计作品
内蒙古工业大学总体规划、河北承德旅游学院规划、重庆师范大学田家炳书院、河北东方大学城二期总体规划、河北东方大学城教育发展大厦、天津市香榭郦舍别墅小区、鄂尔多斯市世爵国际高档社区、山西应县县城综合治理项目、北京市亦庄经济开发区数字电视产业园概念规划设计、北京奥体南区三号、四号、五号地块、唐山文化艺术中心、天津望海楼天主教堂保护修缮（全国文保单位），天津紫竹林天主教堂保护修缮（和平区文保单位）等数十项设计项目。

www.**BHAD**.cc

北京奥思得建筑设计有限公司
Beijing Honest Architectural Design Co.,Ltd.

杨承冈
Chenggang Yang

杨承冈

北京奥思得建筑设计有限公司　董事总经理

杨承冈先生毕业于清华大学建筑学院，一直致力于融合东西方设计理念和社区哲学研究，营建具有中国特色的新时代建筑艺术。在高级居住建筑、商业综合体、度假区、办公建筑等领域，结合绿色生态技术的多方面应用，努力创造出富有空间变化流动性，传承城市建筑文脉，将自然环境和建筑完美结合的多种类型的区域建筑，风格富于创新，收到广泛好评，在建筑应用和社会美学方面能做到很好的结合。

1994　毕业于清华大学建筑学院　建筑学学士
2001　法国布列塔尼建筑学院硕士

设计项目

1997　北京中海雅园高尚社区
1999　首都师范大学外语教学楼
2000　北京亮马名居高级公寓
2003　北京乐府江南居住区
2003　北京万柳文化公园
2004　北京香江雅园别墅区
2005　郑州中原杏湾城时尚社区
2005　河北西柏坡干部学院
2005　阿尔及利亚国家综合演出厅
2006　北京芸溪境分时度假村
2007　呼和浩特东岸国际B区
2008　呼伦贝尔珊瑚墅别墅区
2009　山西尧庙国际商贸城
2009　重庆垫江行政中心区规划
2010　宁夏固原尚都国际商贸城
2011　葫芦岛北港工业区管委会办公区
2011　鄂尔多斯康巴什左岸公园别墅区

奖项

2000　入选50年"中国建筑师到法国"交流项目
2003　北京乐府江南居住区获北京市优秀规划社区奖
2004　入选《新地产》100名影响中国著名建筑师
2005　阿尔及利亚国家综合演出厅获国际竞赛第二名
2009　呼和浩特东岸国际获建设部优秀住宅设计二等奖

田　兵
Bing Tian

田　兵

董事总经理，国家一级注册建筑师
1988年毕业于重庆建筑大学建筑系，从业二十余年，数度赴国外考察建筑，具有开阔的国际视野，与国外建筑师事务所有过多次成功合作经验，在住宅区规划与设计领域具有丰富的市场与专业经验，擅长处理复杂的设计项目，作品受到发展商广泛好评，并且多次获得北京市及建设部设计奖项。

相关专业经历

1988－1991　国家机械委工程设计研究院，建筑师
1991－2002　北京维拓时代建筑设计有限公司，建筑室主任、董事、建筑总师
2003－至今　北京奥思得建筑设计有限公司，董事总经理

主要设计项目

1994　北京人民大会堂宾馆扩建工程，1.2万m^2
1996　北京金岛花园，10万m^2，高级公寓，5A级写字楼及商业
2001　北京朝阳门蓝筹名座，公寓及商业设施，10万m^2
2001　北京东方太阳城规划及一期工程，70万m^2，高尔夫别墅及低层公寓
与美国SASAKI公司合作设计
2002　北京金桥国际公寓，五星级酒店公寓，近10万m^2
2005　北京顺驰领海二期工程，高层住宅，10万m^2
2006　北京华彩国际公寓，14万m^2
与加拿大诺杰建筑师事务所合作设计
2007　海门理想城，五星级酒店、商业及住宅，32万m^2
与加拿大诺杰建筑师事务所合作设计
2007　加拿大温哥华奥运村工程，高级公寓及商业，5.0万m^2
与加拿大GBL建筑师事务所合作设计
2009　北京自主城项目，高层办公及公寓，15万m^2
2010　北京东单正和广场，豪华商业及办公，5万m^2
2011　河南洛阳京熙帝景住宅项目，30万m^2

主要奖项

1993　获北京市优秀住宅设计方案竞赛一等奖
2000　北京回龙观经济文化居住区A08区，获得建设部优秀户型奖
2001　北京万泉新新家园二期工程，获北京市十大明星楼盘第一名
2002年获北京市优秀工程设计一等奖、建设部优秀设计银奖等多项大奖

BJXZ 北京享筑建筑设计咨询有限公司
Beijing Xiangzhu Architectural Design Co.,Ltd.

林 媛
Yuan Lin

林 媛

现任职务
北京享筑建筑设计咨询有限公司创始人
总建筑师
美国注册建筑师
美国建筑师协会会员

工作经历
曾就职于美国道林集团，MVE等大型建筑设计公司，任资深设计师等职位，
目前在中国创办北京享筑建筑设计咨询有限公司

代表作品
北京大学科技园概念规划与设计
内蒙锡林浩特旅游文化中心
河南中牟君临龙山社区
陕西榆林南门文化广场
河北任丘会战道商业综合体
北京东华金座商住综合体
北京东方太阳城三期别墅（与都市邻意合作）
山西阳泉示范高中
浙江温州木山后基督教堂

拥有二十余年国际国内规划与建筑设计经验，崇尚自然流畅的建筑与城市空间，讲求淳朴而精致的设计手法，关注生活内涵与品味，追求甲乙方对建筑设计的共同享受。她的商业与居住建筑设计作品已遍及中国美国等多地。

Yuan Lin

Current Positions
The founder of Beijing Xiangzhu Architectural Design Ltd.
Chief Architect
American Registered Architect
Member of the American Institute of Architects

Working Experience
Once worked as the senior designer, etc for large architectural design companies such as the Dahlin Group, MVE and so on.
Presently engaged in founding Beijing Xiangzhu Architectural Design Ltd. in China

Masterpieces
The conceptual planning and design for Peking University Science Park
The Tourist Culture Center of Xilinhot City, Inner Mongolia
Jun Lin Long Shan Community in Zhongmu County, Zhengzhou City, Henan Province
Nanmen Cultural Square in Yulin City, Shaanxi Province
The Commercial Complex in Huizhan Avenue, Renqiu City, Hebei Province
The Commercial and Residential Complex in Dong Hua Jin Zuo, Beijing
Beijing Oriental Sun City Phase III Villa (cooperated with Du Shi Lin Yi)
Yangquan Model High School, Shanxi Province
Mu Shan Hou Christian Church in Wenzhou City, Zhejiang Province

She has over 20 years' experience in national and international planning & architectural design. She advocates natural and fluent architectural and urban spaces as well as simple and exquisite designing techniques. She pays close attention to the content and taste of life, and pursues common enjoyment acquired from architectural design for both parties. She has accomplished commercial and residential architectural designs all over China, the United States, etc.

中聯環設計
UA DESIGN

北京中联环建文建筑设计有限公司
United Architects & Engineers Co.,Ltd.

刘光亚

刘光亚
Guangya Liu

现任职务

北京中联环建文建筑设计有限公司 董事长
兼任清华校友总会房地产行业协会副会长
全国（工商联）房地产设计联盟CEO
中国建筑学会工业建筑遗产学术委员会学术委员
中国建筑学会竞赛工作委员会委员
建设部高级技术职称专家评委会委员
国务院南水北调工程建设委员会评标专家
《DETAIL》编委会副主任
《建筑师》编委会编委

教育背景

1979年入学清华大学建筑学院，获建筑学学士和硕士学位
工作期间获教授级高级建筑师、国家注册城市规划师、国家一级注册建筑师等专业技术职称

代表作品

"北京电视城"总体规划及一期工程控制性详细规划
北京市25片历史文化保护区保护规划（鲜鱼口地区）
2008 奥运"首都机场起降航线可视区域环境整治与景观规划"
"5.12"四川什邡红白镇灾区规划与建筑重建规划设计
三亚海棠湾国际养生社区规划
西南民族大学新校区规划及建筑设计
燕莎中心园林工程设计……

著作部分

主编《新建筑设计丛书—旧建筑空间的改造和再生 I》
《新建筑设计丛书—会所设计 I》
《新建筑设计丛书—售楼处设计 I》
《三亚酒店 I》
《三亚酒店 II》

北京市古代建築設計研究所

马炳坚

马炳坚
Bingjian Ma

现任职务

北京市古代建筑设计研究所所长
《古建园林技术》杂志杂志社主编
中国建筑学会建筑史学分会学术委员
中国文物学会传统建筑园林委员会常务理事
中国紫禁城学会常务理事
中国民族建筑研究会副会长

代表作品

美国华盛顿中国城牌楼设计、扎伊尔金沙萨恩塞莱总统庄园水榭、俄罗斯莫斯科北京饭店设计、中共中央党校园林景观设计、北京万佛华侨陵园设计、山东龙口南山寺修缮设计、澳门渔人码头中国城方案设计、北京历代帝王庙保护修缮工程设计 等50余项。

获奖情况

著作《中国古建筑木作营造技术》获得第二届全国优秀建筑科技图书一等奖和北京市科技进步二等奖。

代表著作

《中国古建筑木作营造技术》
《北京四合院建筑》
《大壮营造录——北京市古代建筑设计研究所作品集》

成就及影响

本人事迹先后收入《中国专家人才库》、《世纪经典中华百年人物篇》现代卷、《中国当代创业英才》、《二十一世纪人才库》；《人民日报（海外版）》"名流周刊"刊登专稿《难得的古建筑艺术师》。

CSA 中天伟业
做建筑设计专家

中天伟业（北京）建筑设计集团
China Sky (Beijing) Architecture Group

薛世勇
Shiyong Xue

薛世勇

中天伟业（北京）建筑设计集团董事长 总裁
沈阳建筑大学工学学士
清华大学经管学院EMBA
高级工程师

执业经历

1984—1995　　建设部建筑设计院（现中国建筑设计研究院）
1995—至今　　中天伟业（北京）建筑设计集团

在建设部建筑设计院工作的11年中，与数名设计大师共同合作，设计出了众多的优秀作品。因工作出色，曾获中直机关“全国优秀青年知识分子”称号、建设部“优秀青年知识分子”称号、建设部建筑设计院优秀党员，深圳蛇口优秀团干部。
于1995年创立中天伟业（北京）建筑设计集团。目前集团具有建设部颁发的建筑工程甲级资质和工程监理资质。集团注册资金1000万，拥有150余名员工。
由于集团在绿色建筑设计领域的领先技术和设计探索，2010年被《中国企业报》誉为中国绿色建筑设计先锋，薛世勇2010年被国务院、国资委等机构授予“新世纪新十年十大低碳经济人物”称号。

主要作品

中国美术馆第一次改造（与戴念慈大师合作）
辽沈战役纪念馆（与戴念慈大师合作）
西安阿房宫宾馆（与崔恺大师合作）
深圳东方大厦
内蒙古通辽宾馆
北京通用时代国际中心
北京雅宝城商业中心

Shiyong Xue

China Sky (Beijing) Architecture Group　President
Shenyang Jianzhu University　bachelor of engineering
EMBA of Tsinghua SEM
Senior architect

Working Experience

1984-1995　Architecture Design Institute, Ministry of Construction (China Architecture Design & Research Group)
From 1995 China Sky (Beijing) Architecture Group

With 11 years of architecture design working experience in Ministry of Construction, Shiyong Xue designed numerous excellent works in cooperation with design masters. For his outstanding achievement, he was awarded the title of "National Outstanding Young Intellectual" and "Excellent Young Intellectual of Ministry of Construction", excellent party member of Architecture Design Institute, Ministry of Construction and Model Communist Youth in Shekou of Shenzhen.
In 1995, he established China Sky(Beijing) Architecture Group, which has class A architectural engineering qualification issued by Ministry of Construction and Project supervision qualification . The group is of 10,000,000 registered capitals and over 150 staffs.
Due to the advanced technology and design exploration the group adopted in green architecture design area, China Sky (Beijing) Architecture Group was entitled as the pioneer of Chinese green architecture design by China enterprise news, Xue Shiyong 2010 by the State Council, the SASAC and other institutions awarded the "Top Ten new decade, new century low-carbon economy" title.

Major Works

The first innovation of National Art Museum of China (cooperated with master Nianci Dai)
Memorial Hall of Liaoshen Campaign (cooperated with master Nianci Dai)
Hyatt Regency Hotel Xi'an (cooperated with Master Cui Kai)
Oriental Mansion in Shenzhen
Tongliao Hotel in Inner Mongolia
GM International Center in Beijing
Yabaocheng Commercial Center in Beijing

卓创国际工程设计集团
ECD International Engineering Design Group

董高翔
Gaoxiang Dong

董高翔

现任职务
ECD上海卓创国际设计董事 执行总经理 高级建筑师

教育背景
1998.6获武汉大学建筑系 学士
2002.6获武汉大学建筑系 硕士

工作经历
董高翔先生在其十几年的国内外建筑行业实践中，擅长对地产项目的开发经济效益、社会效益及环境效益的统筹与共赢。提倡"设计在设计之外"，"设计引导生活"，"设计创造价值"，"资源最优化、价值最大化"。作为一名社会职业建筑师的一员，同时也是出色管理者与领导者，曾任CCDI中建国际设计集团运营总监，策划与执行CCDI集团上海公司矩阵式管理变革、事业部的筹建、运营体系的筹划与软着陆，是设计公司科学管理的实战派专家。

代表作品
南宁青秀山高尔夫别墅、惠州天地源御湾雅墅、武汉百瑞景中央生活区、成都龙湖三千里、上海玫瑰苑联排别墅、上海湖北大厦办公酒店、上海合生城邦城别墅及商业。

获奖情况
2005年获全国优秀工程华彩奖

梁 华
Hua Liang

梁 华

现任职务
西安卓创国际工程设计有限公司总经理 国家一级注册建筑师 注册规划师 英国特许建造师

教育背景
建筑学博士 经济学博士 管理学硕士

工作经历
在十余年的工作实践中，积累了大型房产公司开发管理和国家甲级设计院规划设计之经验，主持完成多项大型建设开发项目和规划建筑设计项目，受到广泛的赞誉。本人的工作历程和多专业融合，构建了广博的知识体系和多方位实践的集合，提倡"设计还原生活"，致力于建造生活本源的精神之塔。

代表作品
金科永川中央公园、成都柏林城、福安国际大酒店、南宁青秀山国际高尔夫别墅、峨眉山天下名宅、三亚土福湾、西安曲江国际5星级酒店、西安小东门5星级酒店

魏宏杨
Hongyang Wei

魏宏杨

重庆大学建筑设计研究院院长
国家一级注册建筑师
重庆大学建筑城规学院教授 博士生导师
中国勘察设计协会建筑分会理事
重庆市勘察设计协会副理事长
中国建筑学会建筑综合防火分会理事
中国建筑学会建筑防火与区划学术委员会副主任
全国建筑师学会人居环境委员会委员
连续三届全国建筑学专业教育评估委员会委员
重庆市规划委员会建筑与环境艺术专委会委员

长期从事建筑设计实践和建筑教育工作。在建筑教育和建筑设计与构造技术研究领域具有较高的学术造诣，两次荣获国家优秀教学成果二等奖；国家级精品课程负责人；主要研究方向为山地居住建筑设计与理论；山地高层建筑设计与防火安全；绿色建筑与技术。

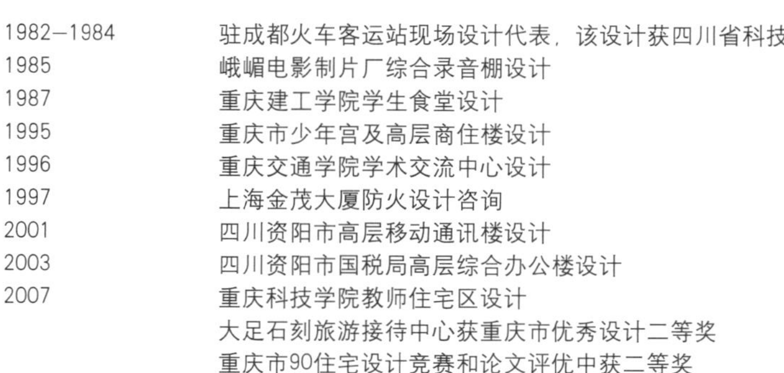
1982—1984　驻成都火车客运站现场设计代表，该设计获四川省科技进步二等奖
1985　峨嵋电影制片厂综合录音棚设计
1987　重庆建工学院学生食堂设计
1995　重庆市少年宫及高层商住楼设计
1996　重庆交通学院学术交流中心设计
1997　上海金茂大厦防火设计咨询
2001　四川资阳市高层移动通讯楼设计
2003　四川资阳市国税局高层综合办公楼设计
2007　重庆科技学院教师住宅区设计
　大足石刻旅游接待中心获重庆市优秀设计二等奖
　重庆市90住宅设计竞赛和论文评优中获二等奖

主编国家十五、十一五规划教材<建筑构造>和<住宅设计原理>；国家级精品课程<建筑构造>课程建设负责人和学术带头人；负责国家自然科学基金重点项目(50738007)子课题：西南山地城镇规划适应性技术研究；编撰四川省地方标准《蓄水覆土种植屋面工程技术规范》（DB51/5010—94）；《中国土木建筑百科辞典》和《建筑设计资料集》等；在专业学术刊物《建筑学报》等发表论文多篇；已培养研究生60余名，其中2名获优秀论文奖。

Hongyang Wei

President of Architecture Design Institute of Chongqing University
National First-Grade Certified Architect
Professor & Doctoral Supervisor of Faculty of Architecture and Urban Planning, Chongqing University
Executive of Architecture Branch of China Exploration & Design Association (CEDA)
Vice Director of Chongqing Exploration & Design Association
Executive of Architecture General Fire Protection Branch of Architectural Society of China
Deputy Director of Fire Protection & Regionalization Academic Committee of Architectural Society of China
Member of Human Settlements Committee of Nationwide Institute of Architects
Member of National Architecture Professional Education Assessment Committee for 3 Times in A Row
Member of Architecture & Environmental Arts Special Committee of Chongqing Planning Committee

Long term devotion to architectural design practices and architectural education. High scientific attainments in architectural education and architectural design & composition technique research, awarded with 2nd Prize of National Excellent Teaching Achievement twice; principal of national-level excellent courses; Main direction of studying architectural design & theory of upland inhabitance, upland high rise building design & fire protection safety, and green building & technique.

1982-1984: Design representative stationed at Chengdu Railway Passenger Station, awarded with 2nd Progress Prize in Science & Technology in Sichuan Province
1985: Design for Integrated Recording Studio of Emei Film Studio
1987: Design for Students' Dining Hall of Chongqing Vocational College of Architectural Engineering
1995: Design for Children's Palace and High Rise Commercial & Residential Building in Chongqing
1996: Design for Academic Exchange Center of Chongqing Jiaotong College
1997: Design Consultant for Fire Protection of Shanghai Jin Mao Tower
2001: Design for High Rise Mobile Communication Building in Ziyang City, Sichuan
2003: Design for High Rise Integrated Office Building of National Tax in Ziyang City, Sichuan
2007: Design for Teachers' Residential Community of Chongqing University of Science & Technology;
Awarded with 2nd Prize of Excellent Design in Chongqing for Tourist Reception Center of the Dazu Rock Carvings;
Awarded 2nd Prize in 90 Residential Design Competition and Thesis Appraisal in Chongqing.

He acted as chief editor of the Architectural Composition and the Residential Design Principle as textbooks prepared in the national 10th and 11th Five-year Plan. He acted as course building principal and academic leader of Architectural Composition of the national-level excellent courses. He was in charge of technical research on suitability in southwestern upland town planning, and the sub-topic of the key project (50738007) of state natural sciences fund. He compiled Sichuan Provincial Local Standard of Technical Specifications of Impounding & Earthing Planted Roof Engineering (DB51/5010-94), China Civil Engineering Encyclopedia and Collection of Architectural Design, and others. He published many a thesis on specialized academic publication of Architectural Journal. He trained over 60 graduate students, 2 of whom awarded with Excellent Thesis Prize.

重慶築墨逸臣建築工程設計有限公司
CHONGQING ZHUMOYICHEN ARCHITRCTURAL ENGINEERING DESIGN CO.,LTD.

谭　琛

现任职务
重庆筑墨逸臣建筑工程设计有限公司　首席设计师　执行董事
教育背景
1993–1998 西安建筑科技大学　建筑学专业
工作经历
1998–2005 重庆市设计院 历任：设计师至设计总负责
2005–2006 美国柏诚公司重庆分公司　副总经理
2006–至今 重庆筑墨逸臣建筑工程设计有限公司　首席设计师　执行董事
在设计院职工大院内渡过了整个青少年时代，形形色色的建筑模型和设计图纸在脑海中幻化成浓郁的设计情结，促使在踏入社会前毅然只选择了唯一热爱的专业—建筑学。在校成绩优异，1998年荣获世界建协UIA大学生设计竞赛鼓励奖。执业十几年里先后历练了国有设计院，外资设计公司不同创作理念，不同管理方式，不同文化价值，并形成了在生活中设计，在设计中享受生活的企业文化理念，很多作品先后获得市级及国家级奖项，赢得了市场的认知与赞誉。
人生格言"快乐生活，感恩生活，享受生活"。
主要工作业绩

1998	重庆东水门湖广会馆保护性规划（二等奖）	8万 m^2
1999	重庆三峡博物馆（三等奖）	5万 m^2
2000	四川省南充滨江路以西地段40公顷修建规划	110万 m^2
2002	四川省绵阳核九院住宅小区	30万 m^2
2004	重庆长江大桥南桥头片区修建规划	60万 m^2
2006	重庆童家院子轻轨车辆厂片区规划	380万 m^2
2008	重庆顶峰（菲律宾）七星岗商住小区	28万 m^2
	四川省泸州万象城	28万 m^2
	贵州贞丰黄金城商住小区	36万 m^2
2009	重庆歌乐山明庄生态度假酒店	8万 m^2
	四川省广安友谊中学	8万 m^2
	四川省合江滨江路滨江公园	2.5 km
	重庆市移民局培训中心	12万 m^2
2010	海南省保亭电视台	0.6万 m^2
	成都中财泰富商住小区	11万 m^2
	重庆巴南区颜龙山水住宅小区	24万 m^2
	海南省保亭上观园住宅小区	12万 m^2
	重庆九龙坡春熙尚城住宅小区	36万 m^2
2011	重庆融豪泸州翡翠城	220万 m^2
	四川省泸州文化艺术中心	1.2万 m^2
	四川省合江尧坝古镇湿地公园	110万 m^2
	重庆南川区仿古步行街	8万 m^2
	贵州遵义县档案馆及博物馆	2.1万 m^2
	贵州省遵义马家湾新天地	47万 m^2
	贵州赤水双碑风景区规划	360 ha
	四川省广安新希望城	33万 m^2
2012	贵州修文城中村新城区规划	210万 m^2
	重庆国家级物流基地保障房	21万 m^2
	四川省泸州紫御江山住宅小区	74万 m^2
	四川省合江新区小学及中学	9万 m^2
	贵州省遵义华纬商都	36万 m^2

谭　琛
Chen Tan

Chen Tan

Current Position
Chief Designer, Executive Director of Chongqing Zhumo Yichen Construction Co., Ltd.
Educational Background
1993-1998 Xi'an University Of Architecture And Technology; Major: Architecture Specialty
Working Experience
1998-2005 Design Institute of Chongqing; Successive: designer to design manager
2005-2006 Parsons Brinckerhoff Chongqing Branch; Position: Deputy General Manager
2006- Chongqing ZMYC architectural engineering design Co.,Ltd; Position: The chief designer and executive director
Throughout the teenage years in the design workers compound, kinds of architectural models and drawings in the mind becomes rich design plot, led me select the only profession – architecture before the start of the community. Be outstanding at the school, won the honorable mention of College Student Design Competition held by the World Association of Architecture UIA in1998. In practice for more than a decade,successively experienced different ideas, different management modes, different cultural values between state-owned design institutes and foreign design companies, and formed the philosophy of the corporate culture"design in the life, and enjoy life in the design", many works have access to municipal and national awards, won the recognition and praise of market.
Life motto "a happy life, appreciate life, enjoy life ".
Main Performance
1998: Protection plan of Chongqing Watergate East Huguang clubhouse (Sceond Prize) , 80,000 m^2
1999: The Museum of Chongqing Three Gorges (Third Prize), 50,000 m^2
2000: The construction planning of the 40 hectares area west of Binjiang Road in Nanchong, Sichuan, 1,100,000 m^2
2002: The planning of the residential area of nuclear weapons in Mianyang,Sichuan, 300,000 m^2
2004: The construction planning of the south bridge area of Chongqing Yangtze River bridge, 600,000 m^2
2006: The planning of Chongqing Tongjia courtyard light rail vehicle factory area, 3,800,000 m^2
2008: Chongqing Summit (Philippines) Qixinggang residential area, 280,000 m^2
2008: The Mixc in Luzhou, Sichuan, 280,000 m^2
2008: Golden City commercial and residential area in Zhenfeng Guizhou, 360,000 m^2
2009: Chongqing Geleshan Ming Zhuang Ecological Resort, 80,000 m^2
2009: Sichuan Province Guang'an friendship school, 80,000 m^2
2009: Sichuan Province Binjiang Road Binjiang Park, 2.5 kilometers
2009: Chongqing City immigration bureau training center, 120,000 m^2
2010: Hainan province Baoting television station, 6,000 m^2
2010: Chengdu ZhongCai Taifu Commercial and residential area, 110,000 m^2
2010: Chongqing Banan District Yan dragon landscape residential area, 240,000 m^2
2010: Hainan province Baoting View Garden residential area, 120,000 m^2
2010: Chongqing Jiulongpo city residential area, 360,000 m^2
2011: Chongqing Rong Hao Luzhou Emerald City, 2,200,000 m^2
2011: Sichuan Province Luzhou Cultural Arts Center, 12,000 m^2
2011: Sichuan Province ancient town of Yaoba Wetland Park, 1,100,000 m^2
2011: Chongqing Nanchuan District Antique Street, 80,000 m^2
2011: Guizhou Zunyi County Archives and Museum, 21,000 m^2
2011: Guizhou province Zunyi horse Chichiawan new world, 470,000 m^2
2011: Planning of double monument scenic area in Chishui,Guizhou, 360 ha
2011: Sichuan Province Guang'an New Hope City, 330,000 m^2
2012: Guizhou Xiuwen village new city planning, 2,100,000 m^2
2012: Chongqing national logistics base low-income housing, 210,000 m^2
2012: Sichuan Province Luzhou Purple Royal landscape residential area, 740,000 m^2
2012: Sichuan Province District primary school and middle school, 90,000 m^2
2012: Guizhou province Zunyi Hua Wei Mall, 360,000 m^2

李日强

同济大学工学学士　中国人民大学EMBA　高级工程师
现任"嘉博筑业"集团机构董事长、福建永嘉投资有限公司执行董事

1986年～1992年，在福建省轻纺工业设计院工作，历任工程师、总工助理。
1993年，参与创办福建省首家中外合资建筑设计企业嘉博（福建）联合设计有限公司，并以此为核心和基础，陆续创办了可为房地产投资商和开发商提供以设计为核心的全程专业技术服务（立地分析、项目定位、规划设计、建筑设计、园林环艺、装饰装修、智能顾问、电力服务、照明设计、工程监理）于一体的"嘉博筑业"集团机构。现已成为福建省建筑设计服务龙头企业之一。
2006年，受邀出任福建融侨集团有限公司副总裁，并兼任该集团核心企业福州融侨房地产开发有限公司总经理，直接介入融侨集团福州、武汉、重庆、西安等地产项目的开发定位及规划推进工作，快速、高效地推进福州地产业务各条块工作，当年福州融侨实现销售收入总额超过融侨福州地产既往历史的总和。
2007年，加盟福建阳光城集团，担任集团董事、执行总裁，构建了集团全国性开发布局和多项目集团化开发管理体系，并战略性地进入了城市商业综合体项目及一、二级土地市场的开发运作。
2008年，被中国住交会组委会授予"CIHAF2008中国房地产百杰"荣誉称号。
2009年，与永辉超市（上交所上市代码：601933）战略合作，组建福建永嘉投资有限公司，目前已通过福建轩辉地产、漳浦永嘉地产、重庆轩辉置业、福建永嘉商业运营管理和福建永嘉商业物业管理等项目公司及专业服务企业，全面进入商业地产投资开发、商业运营管理及商业物业服务等业务，创建了具有鲜明民生特色和文化特质的集美食、购物、休闲、娱乐、艺术与商住于一体的自有城市综合体品牌——永嘉天地，荣获由中国商业地产协会、中国房地产品牌企业联合会等机构颁发的"2011至2012中国商业地产100最佳城市商业新地标"、由中国国际贸易促进委员会福建省委员会颁发的"2012海峡地产最佳城市综合体"等称号。

李日强
Riqiang Li

Riqiang Li

Mr. Li Riqiang, senior engineer, holds a bachelor's degree in engineering issued by Tongji University, and an EMBA degree issued by the People's University of China.
Now he acts as the president of Good Broad Industry Group, and executive director of Fujian Yongjia Investment Co., Ltd.

From 1986 to 1992, he acted as engineer and assistant chief engineer of Fujian Architectural Light Textile Design Institute.
In 1993, he joined the first Sino-foreign joint venture design company in Fujian province, namely Good Broad Architects Association Co., Ltd. and based on which founded "Good Broad Industry" Group that can provide real estate investors and developers with full process professional technical services based on design, including site analysis, project location, planning design, architectural design, gardening environmental arts, decoration, intelligent consulting, electrical service, lighting design and engineering supervision. Now it has become one of the leading enterprises of Fujian Province, architectural design services.
In 2006, he was appointed to be vice president of Fujian Rongqiao Group Co., Ltd. and general manager of its core company Fuzhou Rongqiao Real Estate Development Co., Ltd., directly responsible for the development location and planning advancement of Rongqiao Group's projects in Fuzhou, Wuhan, Chongqing, Xi'an and other cities, and rapidly efficiently promoting Fuzhou Rongqiao's real estate businesses. In the same year, Fuzhou Rongqiao's yearly sales revenue exceeded the historical sum.
In 2007, he joined Fujian Yango Group, acting as its director and chief executive officer. In this role, he constructed the group's national development layout and multi-project group management system, and strategically participated and reliesed listed companies additional transformation and entered into urban commercial complex and primary and second land market development and operation.
In 2008, he was titled as one of "Top 100 China Real Estate Players in CIHAF 2008" by the Organizing Committee of CIHAF.
In 2009, he invested with Yonghui Superstores (Stock Code: 601933.SH) to establish Fujian Yongjia Investment Co., Ltd. With project companies and professional services firms, including Fujian Xuanhui Real Estate, Zhangpu Yongjia Real Estate, Chongqing Xuanhui Property, Fujian Yongjia Commercial Operation Management, and Fujian Yongjia Commercial Property Management, full accessed in commercial property investment and development, operation area and commercial property service etc. to create a proprietary city complex brand "Yongjia World" integrating catering, shopping, leisure, entertainment, arts and commercial/residential functions with distinct civic features and cultural characteristics, winning honors such as one of "2011-2012 China Commercial Real Estate Top 100 Urban New Commercial Landmarks" issued by China Commercial Real Estate Association and China Enterprise Confederation Real Estate Brand, and "The Best Urban Complex of Cross-Strait Real Estate Community in 2012" issued by China International Trade Promotion Committee Fujian Subcommittee.

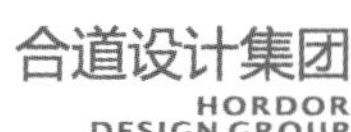

厦门合道工程设计集团有限公司
Xiamen Hordor Engineering Design Group

林卫宁
Weining Lin

林卫宁

现任职务
现任厦门合道设计工程设计集团总建筑师
福建省合道建筑设计有限公司副总经理

职　称
国家一级注册建筑师、高级建筑师、福建省建筑师学会常务理事

代表作品
福建省体育馆
福建省博物馆
福建省游泳跳水馆
福建省革命历史纪念馆
福建省冰心文学馆
莆田市体育中心田径场
福建省人民银行大楼
福建省鲤鱼洲国宾馆内游泳、网球馆
三明市体育健身中心
福建省政协综合大楼
福州大学新校区第五学科群
江夏学院学生生活区
福州世茂茶亭地下商业广场
长乐长山湖广场
云南省曲靖市金麟湾体育馆
云南省曲靖市博物馆
福州金辉天鹅湾
福州融侨旗山别墅
福州福晟－钱隆·金山
福州琴亭湖畔
福清音西城市综合体
贵州省黔西南州顶效生态文化创意园
福清三山温泉新郡城市综合体
福州利嘉海峡医药城
武汉汉正街购物主题公园
武汉江山如画城市综合体

广州市纬纶建筑设计有限公司
Win-land Architecture Design Co.,Ltd.
设计无限可能

范文峰
Wenfeng Fan

范文峰

董事总经理　总建筑师
1989年毕业于华南理工大学建筑学系
从业二十多年来，以其务实、专注的作风在行内获得好评无数

“设计无限可能”是他对建筑设计的基本理念和不变追求，尤其擅长平衡、揉合客户和使用者之需要，以灵活变通的设计手法，打造出满足全方位期望的建筑作品。

主要设计作品
美林湖畔花园
佛山奥林匹克花园
力迅上筑
佛奥广场
天伦林和村改造项目
贵港御临皇府
南京苏宁天润城9、10、12、14街区
万科天景花园
佛山怡翠宏璟
合景泰富科汇金谷

Wenfeng Fan

Managing Director, Chief Architect
Graduated from Architecture Department of South China University of Technology in 1989.
Has won numerous appraises from the industry for his practices and commitment in more than 20 years' experience.
"Design of limitless possibilities" is his basic philosophy and unremitting pursuit for architectural design, and he is especially proficient in balancing and mixing the demands of customers and users, and creating architectural works with his flexible design manners, which satisfy all expectations.

Main Designs
Mayland Lakeshore Garden
Foshan Olympic Garden
Lixun Upzone
Foao Plaza
Tianlun Linhe Village Urbanization Project
The Royal Oaks, Guigang City
Suning Tianrun Town Blocks 9, 10, 12 & 14, Nanjing
Vanke Skyview Garden
Emerald Collection, Foshan
KWG International Creative Valley

SP® SHING & PARTNERS
漢森伯盛國際設計集團 SINCE 1993

盛宇宏

现任职务
汉森国际伯盛设计集团创始人　董事长　总裁　总建筑师

受聘清华大学房地产总裁班教授
广东工业大学客座教授

担任广东省广州市房协专家委员会委员
广东省广州市装饰协会专家委员会委员
《中国房地产报》专家团专家兼特约撰稿人
《时代楼盘》杂志社特邀顾问
《时代建筑》杂志社理事会理事

教育经历
华南理工大学　本科（学士）
清华大学 EMBA（高级工商管理硕士）
国家一级注册建筑师
香港建筑师学会会员
高级室内建筑师

盛宇宏
Yuhong Sheng

代表作及获奖情况

个人获奖
2004年–2010年历任为“CIHAF中国建筑二十大品牌影响力青年设计师”
“广州地产二十年杰出贡献建筑设计师”
“中国地产年度创新个人奖”
荣获首届“羊城十大设计师”
“2007年度中国十大设计师（南部区）”
“CHIAF 2007年度中国最具影响力设计师”
“CIHAF 2011年度中国建筑师年度杰出贡献奖”

代表作品及获奖情况
北京富力又一城
　2007年中国居住创新典范最具品牌经典价值示范楼盘
广州云山诗意
　2006年中国居住创新典范国际影响力中国名盘
　2006年度广州市优秀工程设计一等奖
　2007年广东省优秀工程设计一等奖
广州富力城
　2008年度广州市优秀工程设计一等奖
山东临沂尚城
　2008年度广州市优秀工程设计二等奖
兰州仁恒·国际商住社
　2006年度广州市优秀工程设计二等奖
　2007年广东省优秀工程设计二等奖
汇侨新城项目
　2008年度广州市优秀工程设计二等奖
广州时代花园
　2006年中国居住创新典范中国建筑创新示范楼盘
广州富力广场
　建设部中国建筑文化中心2006年第二届中国国际建筑艺术双年展建筑设计优秀奖
佛山奥林匹克花园
　2008年度广州市优秀工程设计一等奖
广东丰泰花园酒店(五星级)
　建设部建设部2006年广东省优秀工程设计二等奖
　2007年国家鲁班奖
广东实验中学(芳村校区)
　建设部广东省优秀设计二等奖

从业经历
从业二十余年，拥有丰富的海外和国内著名事务所工作经验，主持过大量大型设计项目。目前公司在国内已发展成超过200人的国际专业设计团队。

设计理念
设计应以营造生活的感受为目标，并推动社会的进步，强调多专业国际整合（规划、建筑、室内、园林），概念创新为先，细节保证为本，讲究创意、本原、互动，以客户的成功为己任，以此为理念组建了现在汉森国际设计。已建成的设计作品包括大量优秀的住宅区、酒店、学校和商业项目，亲历房地产开发商业化全过程，在通过设计品质和设计与市场的结合提升项目附加值等方面卓有建树。

广东华方工程设计有限公司
GuangDong Huafang Architects & Engineers Co., Ltd.

周 星
Xing Zhou

周 星

国家一级注册建筑师
广东华方工程设计公司副总经理

主要经历

1994—1995	上海城乡建筑设计研究院南通分院　助理建筑师
1995—2001	华南建设学院西院东莞分院　建筑师
2001—2003	广东华方工程设计有限公司　建筑师
2003—2005	广东华方工程设计有限公司方案所　所长
2006—2011	广东华方工程设计有限公司　副总经理

主要作品
香樟绿洲大二期
石竹山水园五六期
御花苑——天珺湾
星河传说
佛山恒福国际二期
长沙中建芙蓉和苑
松山湖汽车客运站
常平翠湖湾
东莞市黄旗山1号（左庭右院）
御花苑
威斯顿联邦广场

Xing Zhou

First Class Registered Architect
Vice-President of Guangdong Huafang Architects & Engineers Co., Ltd.

Main Experiences

1994-1995	Shanghai Research Institute of Urban-rural Architectural Design (Nantong Branch) / Assistant Architect
1995-2001	West Campus of South China Construction University (Dongguan) / Architect
2001-2003	Guangdong Huafang Architects & Engineers Co., Ltd. / Architect
2003-2005	Guangdong Huafang Architects & Engineers Co., Ltd. (Scheme Office) / Director
2006-2011	Guangdong Huafang Architects & Engineers Co., Ltd. / Vice General Manager

Main Works
Cinnamon Oasis Phase II
Dianthus Landscape Park Phase V, Phase VI
Yuhuayuan – Tianjun Bay
Milky Way Fairytale
Hengfu International Phase II, Foshan
CSCEC Furong Heyuan, Changsha
Songshan Lake Bus Station
Green Lake Bay, Changping
Huangqi Mountain No. 1 (court on the left, yard on the right), Dongguan
Yuhuayuan Residential Community
Wei Si Federal Square

WUA
无极建筑设计有限公司(香港)
WUA Architects Co., Ltd.(Hongkong)
无极建筑设计(深圳)有限公司
WUA Architects (Shenzhen) Co., Ltd.

吴立志
Lup Chee NG

吴立志

现任职务
WUA建筑设计有限公司香港和深圳公司　董事长

教育背景
毕业于英国斯科特萨瑟郡建筑学院，取得学士学位和建筑学硕士学位

工作经历
于2005年来到中国，2005～2007年在阿特金斯深圳公司任理事、主创设计师，2007～2010年在中建国际深圳公司创建国际事业部并任总经理和主创设计师，于2010年8月成立WUA建筑设计有限公司香港和深圳公司。具有30年以上房地产与建筑行业经验，曾在国际公司担任总裁、理事、主创设计师、设计师和项目设计师

获奖情况
获得多项大陆、香港、澳门和泰国的国际建筑设计奖，曾获日本的灯具设计奖，香港的专利奖，具有在伦敦、中国大陆、香港、澳门、泰国、新加坡、印度尼西亚、马来西亚工作的国际经验。

广州市天作建筑规划设计有限公司
天作國際 TEAMZERO Guangzhou TEAMZERO Architectural Design & Planning Co., Ltd.

李少云
Shaoyun Li

李少云

现任职务
同济大学城市设计博士、教授级高级规划师、广州市天作建筑规划设计有限公司设计总监、广州市城市规划协会理事、国家一级注册建筑师、注册规划师、广州市城市规划勘测设计研究院副总规划师、城市与建筑设计所所长。

获奖情况
长期以来从事城市规划和建筑设计工作，共主持和参加完成了100余个城市规划与建筑设计项目，获得省部级优秀设计奖以及国际设计奖项30多项，并获2007年“金羊奖”全国十大青年设计师称号。

发表刊物
迄今已在国内重要专业期刊上发表了学术论文20篇，并于2005年10月在中国建工出版社出版个人专著《城市设计的本土化——以现代城市设计在中国的发展为例》推动中国城市从理念走向操作。

Joe

Joe

现任职务
广州市天作建筑规划设计有限公司行政董事、资深设计师

教育背景
布尔诺大学，捷克
墨尔本大学，澳大利亚
皇家墨尔本理工大学，澳大利亚

工作经历
拥有50年建筑和规划设计经验，作品遍布四大洲，2000年落户广州，已参与设计全国各地大型建筑和规划项目。

持有资质
维多利亚州注册建筑师，澳大利亚

WUARCH 武向兵建筑设计
深圳市武向兵建筑设计有限公司
Shenzhen Wu Xiangbing Architectural Design Co.,Ltd.

武向兵
Xiangbing Wu

武向兵

1988年取得东南大学建筑学硕士学位，并于1990年前往美国，两年后获得美国俄克拉荷马大学建筑硕士学位，然后在美国休斯敦地区开始职业建筑师生涯，并于1998年获得美国德克萨斯州注册建筑师资格。目前他是美国建筑师学会会员和世界华人建筑师协会的创始会员。
武向兵长期在美国SPA、Ray Bailey Architects以及Marshall Porterfield Architect等著名建筑设计机构参与住宅和公共建筑的设计，他以扎实的建筑设计功底见长，经过具有不同特点的设计公司和设计项目的磨练，在美国十几年的设计实践中积累了丰富经验，尤其在高端住宅领域。武向兵于2004年回国，开始参与国内建筑设计任务。他的早期作品包括招商地产和华侨城地产的深圳曦城。
“建筑师的工作是梦幻工作，建筑师能够将梦想变为现实。”经过30年的建筑实践，武向兵仍然对设计热情如初。他的设计始终保持较高的设计标准，这也成为许多与他共事的同行和合作者的同感。“设计作品应该经得起时间的检验，对得起这个时代”……
评判建筑设计似乎可以有两个角度：现实角度和历史角度。“我们的建筑设计首先是为业主服务的。”住宅设计首先要好住、好用、好看，这是设计的出发点，也是对设计的基本要求。这些要求看似简单，真正做到却很难。“设计的要求简单，但由于各个项目的条件千差万别，要做到精品设计，往往需要建筑师和业主双方的反复推敲、多轮修改，有时甚至是推倒重来，才可能找到最佳的解决方案。这就要求建筑师必须具备精益求精，锲而不舍的精神，我以为这是一个合格建筑师必须具备的品质。”建筑设计的成败取决于细节，对细节的把握成为建筑设计成熟与否的标志。多年在欧美建筑界的浸淫，使精细设计成为武向兵设计的一贯追求，并且在他主持的一系列设计中贯彻始终。

Xiangbing Wu

After graduated with a Master Degree from Southeast University in 1988, Mr. Xiang Bing Wu went on to study in the graduate program in the College of Architecture in University of Oklahoma. He then started his career as an architect in Houston, Texas. Mr. Wu is a registered architect in Texas and a member of AIA and a founding member of CAAW.
Mr. Wu has a lot of working experience in residential and public building design while working with SPA, Ray Bailey Architects and Marshall Porterfield Architect in the US. His talent is revealed in a number of high-end residential designs in years. After relocating in China in 2004, Mr. Wu started taking part in domestic projects. His early projects include Buena Vista in Shenzhen and others.
“Architects have the dream job. They can create the dream and realize it.” It's the enthusiasm that keeps the design refreshing and creative.
We could judge the design in the two points of view: actual & historical. “The building design is primarily for the service of its users. It needs to be fit to live, smooth in function and good looking. These are simple requests but hard to satisfy. Architects have the wonderful job of creating the ultimate solution to a variety of conditions and dilemma. It is often a time consuming, back-and-forth process. In the end it's all worth it.”

广州亚泰建筑设计院有限公司
Guangzhou Asiatal Architecture Design Institute Co.,Ltd.

王 成
Cheng Wang

王 成

院长
高级建筑师
1994 毕业于武汉工业大学建筑系
1999 华南理工大学获城市规划硕士

主要设计作品
华南农业大学跃进南区教学楼、宿舍楼、生活区配套
广州天河软件园——IT商务中心（五星级酒店）
广州天河软件园孵化中心
山西花园国际大酒店五星级
山西世茂广场太钢不锈本部写字楼
广州大学城二期工程
大宇宙信息创造（中国）有限公司办公大楼
钦州东方豪庭项目规划设计

Cheng Wang

President
Senior Architect
1994, Architecture Department of Wuhan University of Technology
1999, Master's degree of city planning South China University of Technology

Main Designs
Teaching Building, Dormitory and Supporting Living Area of South China Agricultural University
Guangzhou Tianhe Software Park –IT Business Center (five-star hotel)
Incubation Center of Guangzhou Tianhe Software Park
Shanxi Garden International Hotel (five-star)
Taigang Stainless Steel Building of Shanxi Shimao Plaza
Guangzhou Higher Education Mega Center Phase
Office Building of Transcosmos Information Creative (China) Co., Ltd
Project Planning Design of Qinzhou Oriental Plaza (under-construction)

贵州省建筑设计研究院
Guizhou Provincial Architectural Design & Research Institute

董 明
Ming Dong

董 明

现任职务
贵州省建筑设计研究院总建筑师
国家一级注册建筑师
教授级高级建筑师
中国建筑学会建筑师分会理事
世界华人建筑师协会创会会员 常务理事
当代中国建筑创作论坛成员
贵州省土木建筑工程学会 副秘书长
贵州省建筑师分会 会长
贵州大学土木建筑工程学院 客座教授

教育背景
1989 毕业于重庆建筑工程学院建筑系硕士学位

在建筑设计方面，董明主张追求建筑作品的原创性，不断研究、实践和探索。先后发表了《贵州省花溪分区概念规划初探》、《关于贵州城镇化的认识和思考》、《继承与发展---毕节市新行政办公中心设计》等10余篇专业论文和研究报告，并主编出版《美好家园—大型住宅小区环境景观设计》、《贵州乡土建筑》、《千年家园—贵州山寨住文化》。

主持设计中天花园、新理想华庭、花溪迎宾馆会议中心、开磷集团总部大厦、贵阳市科技馆、贵州省高速公路联网收费机监控中心、贵州龙洞堡国际机场航站楼扩建工程等项目，多次荣获全国、省级优秀工程设计奖项。

董明挚爱建筑专业，始终相信"一个建筑的产生，是两种力量的冲突、碰撞、消弭的结果。一种是内力（主观因素—建筑师的功力），另一种是外力（客观因素—包括场所、艺术与技术、业主的意象等），其中内力是最重要的。设计成功靠的是设计人员的调查与研究，实践经验、知识水平、正确的判断力和丰富的想象力。"

贵州天海规划设计有限公司
Guizhou Tianhai Planning and Design

伍新凤
Xinfeng Wu

伍新凤

天海规划创始人　董事长　总经理　首席策划、规划、设计师
贵州民族大学建筑工程学院副教授
中国景观设计专业委员会副主任
中国建筑学会会员
中国城市规划学会会员
国际ICAD注册A级职业景观设计师
贵州省旅游规划评审专家组成员
贵州省美术家协会理事
贵州省设计艺术委员会副主任

博观——历程

1958年生于湖南凤凰，长于贵州，毕业于贵州大学艺术学院美术系。从激情燃烧的知青，到苦累重负的井下矿工，艰难的生活磨砺了他坚韧不拔的精神；从风光体面的私企老板，到打工维计的“打工仔”，巨大的落差陶冶了他荣辱不惊的情操；从孤陋寡闻略显青涩的子校老师，到才华横溢的大学教授；一路攀登，学识水平有了质的飞跃……纵观其人生经历，堪称极富传奇，令人惊诧。昨天默默无闻的美术老师，今天规划设计领域的英才，集艺术家与企业家，老师与老总于一身。总结过去，他说“我无怨无悔！”

厚积——美术

当知青时美术天赋初露，自始无论是逆境还是顺境，他对艺术的追求从未停息。美术成了他人生中的关键词。油画强烈的色彩和西方文化开放张扬的特点，培养了他天马行空纵横驰骋的想象能力；对民族工艺品设计的痴迷，让他悟到了民族民俗文化的精华以及借鉴传承的途径；现代雕塑让他找到了本土文化与现代表现手法的契合点，曾令他兴奋不已。他对专业知识探求的深度和对相关知识涉猎的广度足以使人叹服。“不积跬步，无以至千里；不积小流，无以成江海。”正是这些专业知识的大量富集，相关知识的融会贯通，成就了他今天的事业。

约取——成绩

一分耕耘，一分收获，不吝春的播种，何虑秋的硕果。几年来，他所获得一些荣誉，就是对其辛勤劳作的褒奖。2006年5月以作品“贵州博物馆”荣膺全国环境艺术设计大赛最高奖项；2008年荣获中国规划建筑行业年度“规划建筑金牌设计师”称号；先后获得贵州省“有突出贡献的美术家”、贵阳“城市新锐榜风尚人物”、“贵州都市年度人物奖”等殊荣。2011年10月，伍新凤编著的《变城记—城市规划改造篇》、《筑魂记—原创建筑篇》、《梦游记—旅游规划篇》、《造景记—原创景观篇》四部专著已由中国建筑工业出版社再版发行。面对这些接踵而来的荣誉，他保持着清醒的头脑。
每当人们谈起这些，他总是淡淡的说：“我不在意结果，我看重过程”

薄发——天海

机遇总是青睐有准备的人。必然永远存在于偶然之中，这是事物发展的普遍规律。
2000年前后，迫于生计四处漂泊打工的他，在一个偶然的情况下，接触到了规划设计行业。平时看来高深玄奥的规划设计，他自己所学的专业知识和所掌握的相关知识在此得到充分发挥，运用起来竟然如此得心应手，在这个领域他似乎有一种如鱼得水的感觉。他突然感觉这才是其理想之所在，自己就是为了这个行业而生。
于是他毅然辞掉了当时看来收入还算不错的这份工作，注册了自己的公司。
公司之所以取名“天海”，就是他把自己宏大的理想抱负予寓其中。立志以通天达海之势去实现自己的夙愿：实现自我，报效国家。
而今，十年过去了，他与公司虽历经风雨，但终于见到彩虹。公司与成立之初相比，无论是规模和实力都有了质的变化。在取得可观经济效益的同时，实现了良好的社会效益，信誉口碑俱佳。
“天高任鸟飞，海阔凭鱼跃”——天海规划以无拘无束的广阔胸襟与开拓创新的从业精神为您提供耳目一新的各项规划设计服务。

西线建筑规划设计研究院
West-line architectural planning & design institute

魏浩波

魏浩波
Haobo Wei

重庆建筑大学建筑设计及其理论专业硕士研究生；教授级高级建筑师，西线建筑规划设计研究院技术总监，贵阳建筑勘察设计有限公司设计总监；长期致力于贵州当代建筑发展的实践与研究；对贵州建筑在普适性、多元型社会背景下的可能性发展有着独特的理解与探索，实践中注重将有效的方法论体系纳入到调查与设计生成阶段；代表其在地域性建筑领域研究实践的“上山下乡”系列建成建筑，有目的地探索了复杂地理状态、乡土社会、民族性、神话传说、通用建造等现实背景交融下的基地调查手段与建筑生成方式；反映其对城市化激剧发展过程中，对公共生活地缺失的关注与努力的“偏方−服务于公众的城市景观”系列，则摸索了建筑师如何巧妙利用自己的专业智慧与方法，实现为公众生活服务的社会理想；而“取悦与施法系列”则借用院落建筑深度思考了传统文化机制与当代规范化机制作用下的建筑空间在矛盾与协调碰撞中的存在可能等等，这些系列研究项目在近几年的陆续建成与相继获奖，不仅指明了贵州建筑的未来发展的可能性方向，更提供了当代建筑同地域、同公共生活、同社会运行机制相嫁接的现实参照。

十多次荣获国际、国内、省市级各类奖项：

1997　获美国建筑师协会主办的AFFORDING HOUSING国际建筑竞赛第五名
2004　获英国皇家建筑师协会主办的“英皇DIVERSECITY（幻变都市）建筑设计作品环球巡回展”最终入围名单，作品被永久收藏
2004　贵州省第十三优秀工程勘察设计奖二等奖
2005　获中国建筑学会优秀论文奖
2006　获第三届中国威海国际建筑设计大奖赛银奖2项
2009　获中国建筑学会建国六十周年建筑创作大奖入围奖
2010　获贵州省2010年度优秀工程勘察设计奖一等奖1项及二等奖1项
2010　获贵州省第十六次优秀工程勘察设计奖二等奖
2010　获第八届中国建筑学会青年建筑师奖
2011　获中国首届保障性住房设计竞赛三等奖等

谢劲松

谢劲松
Jinsong Xie

现任职务

西线建筑规划设计研究院院长
贵阳建筑勘察设计有限公司副总工程师
策划总监、团队的管理与技术核心
高级工程师

教育背景

毕业于西安建筑科技大学

获奖情况

贵州省第九次优秀工程勘察设计奖
贵州省第十二次优秀工程勘察设计奖
贵州省第十六次优秀工程勘察设计奖
贵州省第十六次优秀工程勘察设计奖等

石家庄市建筑设计院
ShiJiazhuang Architectural Design Institute

剧元峰
Yuanfeng Ju

剧元峰

教育背景
1987年毕业于河北工业大学
正高级工程师
国家一级注册建筑师
院总建筑师

代表作品
石家庄市广播电视局采编播综合业务楼、河北省老干部活动中心、昆仑盛阳门、盛典苏州

唐山市规划建筑设计研究院
Tangshan City Planning and Architectural Design & Research Institute

陈合文

现任职务
总建筑师
教授级高级建筑师
国家一级注册建筑师
河北省土木建筑学会常务理事
省建筑师学会副主任委员
省建设行业科技成果评审鉴定专家委员会委员
省建筑工程抗震专家委员会委员
省超限建筑专家委员会委员
省绿色建筑与低碳城市专家委员会委员
唐山市专家咨询委员会委员
唐山市人民检察院专家咨询委员会委员

陈合文
Hewen Chen

教育背景
毕业于大连理工大学水利系港口工程专业

获奖情况
从事建筑设计行业30余年，主持设计了各类大、中建筑百余项，数次在国内有多所甲级设计院及重点大学参加的设计竞赛中获一等奖。

1999　应邀出席了北京世界建筑师第二十届代表大会
2004　荣获全国建设系统先进工作者称号及奖章
2006　荣获中国从事勘察设计工作30年以上贡献荣誉奖
2009　荣获河北省勘察设计行业终身成就奖

由他主持的两项河北省爱国主义教育基地项目设计中，潘家峪惨案纪念馆荣获国家优秀设计银奖；2009年荣获建国60周年国家建设创作优秀奖，感动河北工程设计奖。潘家戴庄惨案纪念馆荣获省优秀设计二等奖，并入选2011中国建筑优秀创意设计。全国城运会工程“市多功能体育馆”获省优秀设计一等奖，并获省十大精品建筑奖。此外获省二、三等奖十余项。他撰写的“辩证的哲学理念与建筑创作的方法”荣获省优秀论文一等奖，“丰南体育馆声学设计”“潘家戴庄惨案纪念馆设计浅析”分获省优秀论文三等奖；他主编的河北省98及05系列工程建设标准设计图集《加气混凝土砌块墙》《专用门窗》分册，获得省一、二、三等奖。2008年主持完成了《唐山建设志》规划建筑设计章节。河北2012系列《专用门窗》分册已完成送审稿。

代表作品
冀东烈士陵园、唐山商业医院、唐山市三家联合大楼、唐山农行大楼、丰南体育馆、玉田豪门剧场（1500座）、广东清远国泰广场28层双塔、大钊公园综合楼、唐山移动通信大楼、唐山会议中心、遵化市殡仪馆、河北新农村民居、本院办公楼装修改造、唐山第四中学等项目。

UDC [建築・規劃・景觀・室內] 大成國際

河北大成建筑设计咨询有限公司
Hebei Dacheng Architectural Design Consulting Co., Ltd.

岳 欣
Xin Yue

岳 欣

现任职务
河北大成建筑设计咨询有限公司总经理

教育背景

1989　毕业于合肥工业大学建筑学系　学士学位
1997　通过国家一级注册建筑师考试
2005　天津大学MBA工商管理专业　硕士学位
2001　石家庄十佳青年

工作经历

1989—2007　北方设计研究院工作，先后担任高级工程师、上海、厦门、苏州分院院长、建筑室主任、副所长、院计划部部长、院副总建筑师等职。
2007-至今　河北大成建筑设计咨询有限公司担任总经理职务，负责公司行政、技术等全面工作。
多次获得国家鲁班奖、省优奖、部优设计奖等。先后完成数十项大型建筑工程的可行性研究报告、方案设计、初步设计、施工图设计。具有丰富的设计实践经验、较强的创新能力及管理经验。

代表作品
石家庄国际会展中心
河北省国税局阳光大厦
东海大厦
广安大厦
洛阳国税大厦等

获奖情况
多次获得部级一等奖、国家鲁班奖、省优奖等。

赵景孔
Jingkong Zhao

赵景孔

现任职务
中机六院院长兼党委书记
中国机械工业勘察设计协会理事
中国机械工程学会环保分会副主任委员
河南省勘察设计协会常务理事
河南省二十一世纪城市发展战略规划研究中心特约研究员
合肥工业大学兼职教授

教育背景

1977　毕业于南京工学院
2002　毕业于中央党校研究生班

工作经历
毕业后就职于机械工业第六设计研究院有限公司，历任技术员、工程师、高级工程师、室主任、副院长、党支部书记、院党委委员等职，1992年5月任副院长，1993年9月任院长，1994年4月任党委书记。原机械工业部中青年专家，享受国家政府特殊津贴的研究员级高级工程师，国家注册咨询工程师，国家一级注册建造师，荣获河南省劳动模范，河南省勘察设计行业先进管理者、优秀院长，中国勘察设计优秀企业家等诸多荣誉称号。

代表作及获奖情况
1、承担的上海机床公司利用世界银行贷款技术改造项目获1994年机械工业部科技进步三等奖，1995年机械工业部优秀工程勘察设计二等奖；
2、承担的银川机床铸造厂硅铁扩建二期工程获1992年国家优秀工程设计银质奖；
3、承担的上海机床厂利用银行贷款技术改造项目获1993机械工业部科技进步二等奖；1995年机械工业部优秀工程勘察设计一等奖。
4、在我国技术刊物上发表《铸造工程总承包的发展趋势》等多篇铸造技术研究和行业发展趋势研究论文。

哈尔滨方舟建筑设计有限公司
Harbin Fangzhou Architectural Design Co., Ltd.

李洪夫

1982 年毕业于哈尔滨工业大学建筑系
教授级高级建筑师、一级注册建筑师
省建筑工程专家委员会专家
总工程师、总建筑师、技术负责人

主要作品
大庆实验中学新校区
哈尔滨香格里拉大饭店
帕弗尔饭店
哈尔滨赛马场
大庆奥林匹克体育场
哈尔滨师范大学体育场
黑龙江八一农大体育场
德强商务学院新校区
东升江畔居住社区
哈尔滨理工大学远东学院新校区
世茂滨江新城三期二区、三区别墅区
黑龙江望奎县人民医院新建门诊大楼
齐齐哈尔锦湖雅居—纯水岸居住社区

Hongfu Li

Graduated from the Architecture Department of Harbin University of Technology in 1982
Senior architect with professor level, First-class registered architect
Member of the Provincial Architect Committee
Chief designer, Chief architect, Technical leader

Major
New Campus Project for Daqing Experimental Middle School
Harbin Shangarila Hotel
Pafer Hotel
Harbin Equestrian Park
Daqing Olympic Stadium
Harbin Normal University Stadium
Stadium of Bayi Agricultural University in Heilongjiang Province
New Campus Project for Deqiang Business School
Dongsheng River Bank Residential Area
New Campus Project for Yuandong School in Harbin University of Science and Engineering
The Second and Third Section of Villa Area of the Phase III of Shimao Binjiang New Town
Out-patient Building of Heilongjiang People's Hospital
Qiqihar Jinhu Yaju Residential Shore

李洪夫
Hongfu Li

HIAD 建筑 规划 景观 装饰 勘察 咨询 工程管理
黑龙江省建筑设计研究院
Heilongjiang Provincial Institute of Architectural Design and Research

赵 伟

现任职务
黑龙江省建筑设计研究院院长兼党委书记，研究员级高级建筑师
国家一级注册建筑师，注册咨询师
黑龙江省建设工程评审专家
黑龙江省城市规划专家
黑龙江省建筑工程勘察设计专家委员会专家
黑龙江省司法鉴定委员会建筑工程专家鉴定组成员
哈尔滨工业大学建筑学院兼职教授
黑龙江省高级评审委员会评审专家

教育背景：毕业于哈尔滨建筑工程学院
工作经历：建筑专业从业30年

代表作品及获奖情况
哈尔滨国际会展体育中心〔2006年全国优秀勘察设计银奖、住建部优秀设计一等奖、2005年黑龙江省优秀工程勘察设计一等奖、哈尔滨新世纪十佳建筑〕
萧红纪念馆〔2012年黑龙江省优秀工程勘察设计一等奖〕
龙安大厦〔2009年黑龙江省优秀工程勘察设计二等奖〕
绥芬河中俄互市贸易区商贸城一期工程〔2009年黑龙江省优秀工程勘察设计三等奖〕
中俄绥一波互市贸易区五星级酒店〔2008年黑龙江省优秀工程勘察设计二等奖〕
常熟世茂新城一期5号地会所工程〔2008年黑龙江省优秀工程勘察设计一等奖〕
常熟世茂新城项目规划设计〔2008年黑龙江省城市规划优秀设计二等奖〕
黑龙江省民族饭店〔1999年黑龙江省优秀工程勘察设计一等奖〕
哈尔滨香格里拉大饭店〔1999年黑龙江省优秀工程勘察设计一等奖〕
哈尔滨民航大厦〔1999年黑龙江省优秀工程勘察设计二等奖〕

主要业绩
2005年获得黑龙江省政府特殊津贴
2006"十五"全国建设科技进步先进个人
2007年全省建设系统先进工作者
2008年荣获中国建筑设计行业优秀管理人才奖
2009年荣获全国建筑设计行业国庆60周年"管理创新"奖
2010年荣获国务院特殊津贴

著作
《电脑建筑画创作——技法与实例》
《中国建筑精华》与《建筑内墙外墙设计与装修》
《实现设计和开发一体化是搞好适用经济型住房开发与建设的在效途径》
《建筑功能与使用要求的协调》
组织编写《公共建筑节能设计标准黑龙江省实施细则DB23/1269—2008》

赵 伟
Wei Zhao

中国轻工业武汉设计工程有限责任公司
China National Light Industry Wuhan Design Engineering Co.,Ltd.

金 山

现任职务

中国轻工业武汉设计工程有限责任公司总建筑师
教授级高级工程师
国家一级注册建筑师
湖北省土木建筑学会绿色建筑与节能专业委员会委员
中国海诚专业技术委员会委员
中国建筑学会工业建筑分会理事
全国勘察设计行业奖评审专家

教育背景

1992年毕业于武汉理工大学建筑学专业 工学学士学位
曾主持数百项大中型民用和工业工程规划、设计项目，类型包含居住、办公、商业、旅游、交通、教育、医疗、会展、影剧院等，多次获得省部级优秀设计奖。

代表作品

赤道几内亚马拉博（首都）旧城改造规划
深圳市运输管理中心
海南文昌波溪丽亚湾 五星酒店
武汉公安局安康医院
赤道几内亚影剧院
湖北省生物工程技术学校

金 山
Shan Jin

Shan Jin

Present Post

General Manager in China National Light Industry Wuhan Design Engineering Co.,Ltd. Chief Architect
Professorial Senior Engineer
State First Grade Regiestered Architect
Member of Green Building and Energy Professional Committee under Hubei Civil Engineering Institute
Member of China Haicheng Specialty Technical Committee
Director of Industrial Building Branch under China Arcitecture Institute
Appraisal Expert on Industrial Prize by China Survey and Design Industry

Education Background

Awarded bachelor degree of engineering graduated from Architecture Department of South China University of Technology in 1992.
He had taken charge more than hundred of project plan and design with large and middle type civil and industrial works, including residential, office, commcial, travel, communication, education,medical treatment, exhibition, cinema and so on, and won numerous Excellent Design Prize from province and ministry.

Main Works

Equatorial Guinea Malabo (Capital) Reforming Planning on the Old City
Shenzhen City Transportation Management Center
Five-star Hotel in Hainan Wenchang Posey LIA Bay
Health Hospital in Wuhan Public Security Bureau
Theater in Equatorial Guinea
Hubei Biological Bngineering Technology School

中国水电顾问集团中南勘测设计研究院
HydroChina Zhongnan Engineering Corporation

傅倩恺

现任职务
中南勘测设计研究院建筑设计院副院长兼总建筑师、教授级高级建筑师、国家一级注册建筑师、湖南省建筑师学会理事、长沙市城市规划协会理事、湖南省发改委、住建厅、长沙市住建委建设工程专家库评委。

教育背景
毕业于湖南大学

代表作及获奖情况
湖北省竹山县一中、宜宾市酒都大剧院、浏阳市体育馆、利比亚祖瓦拉 5000 套住房项目、利比亚祖瓦拉海滩概念性规划、向家坝水电站业主营地建筑规划及水电站库区绥江、屏山两县城 11 个集镇规划、湘阴县劳动局办公综合楼、长沙市湘江风光带景观设计、中南博远大厦 （荣获 2010 年湖南省优秀勘察设计二等奖）、长沙市青竹湖学校 （荣获 2008 年湖南省优秀勘察设计三等奖）、贵州省剑河县城新址迁建总体规划（湖南省 2001 年优秀城乡规划三等奖）、常德市水利局防汛指挥调度中心（荣获 2008 年湖南省优秀勘察设计二等奖）、郴州市国税局办公楼（荣获 1999 年湖南省青年建筑师佳作奖）。

主要论文
《论建筑画的构图中心》
《常德卷烟厂高层住宅方案、某娱乐场入口大堂两幅建筑画作品》高等学校建筑美术系列教学丛书《建筑画》中国建筑工业出版社
《湘达工艺品展销中心方案、常德防汛指挥调度中心大楼等三幅建筑画作品》高等学校建筑美术教材《建筑画》陕西人民美术出版社
傅倩恺建筑师刀锋作入选《德士门——建筑. 景观. 室内》湖南美术出版社
中国水电顾问集团中南勘测设计研究院建筑设计院作品选《中外建筑》2010.08

个人建筑观
建筑设计是创造人性的空间，使人人都能在其中感受到安全、温暖和关爱；
建筑设计是艺术创作与工程设计的有机结合体；
建筑设计是建筑师在环境制约中寻求突破的过程；
建筑设计是通过理性的逻辑才能建立的秩序；
建筑设计是通过材料、技术来实现构思空间和形体的有力手段。

傅倩恺
Qiankai Fu

黄甲兵

黄甲兵
Jiabing Huang

现任职务
中南勘测设计研究院建筑设计院院长、教授级高级建筑师、国家一级注册建筑师、湖南省城乡规划协会理事

教育背景
毕业于西安建筑科技大学

代表作及获奖情况
长沙电力学校体育馆、浏阳市体育馆、利比亚祖瓦拉 5000 套住房项目、四川屏山县城总体及详细规划、云南绥江县城总体及详细规划、田汉大剧院、长沙市枫林绿洲住宅小区、长沙东城大厦、长沙市青竹湖学校 （荣获 2008 年湖南省优秀勘察设计三等奖）、贵州省剑河县城新址迁建总体规划（湖南省 2001 年优秀城乡规划三等奖）。

主要论文
《水电工程移民安置城镇迁建规划设计规范》
中国水电顾问集团中南勘测设计研究院建筑设计院作品选《中外建筑》2010.08

石铁军
Tiejun Shi

石铁军

生于1968年，1990年毕业于吉林建筑工程学院建筑系建筑学专业。曾任吉林建筑工程学院设计院副院长。2005年创办《土木风设计》，现任吉林土木风设计集团董事长、总经理。2011年荣获首批吉林省青年设计大师的称号。

现任职务
吉林土木风设计集团 董事长、总经理、高级建筑师、国家一级注册建筑师、首批吉林省青年设计大师、吉林省土木建筑学会 理事、吉林省土木建筑学会建筑师分会 副秘书长、长春市雕塑协会 常务理事、吉林省景观工作委员会 主任、吉林建筑工程学院艺术设计学院 副教授

教育背景
1990年毕业于吉林建筑工程学院建筑系建筑学专业。

工作经历
曾任吉林建筑工程学院设计院副院长。2005年创办《土木风设计》，现任吉林土木风设计集团董事长、总经理。

代表作品
吉林省广电中心、长春市欧亚卖场、长春市科技馆、长春高新北区兴华学校、敦化市渤海街社区文化体育活动中心、长春市档案馆、长春老年大学、长春市观澜湖公园 、吉林建筑工程学院净月校区景观
获奖情况：2011年荣获首批吉林省青年设计大师的称号，并多次获得吉林省优秀工程勘察设计一等奖

吉林省光大建筑设计有限公司
Jilin Guangda Architectural Design Ltd., Company

赵英鹏
Yingpeng Zhao

赵英鹏

毕业于哈尔滨建筑大学

总经理、总建筑师
国家一级注册建筑师
吉林省勘察设计大师

李 青

1956年4月生于福建。1980年毕业于东南大学建筑系。1989年获德国Hanns-Seidel-Stiftung奖学金国家教委选派赴德国TH.Darmstadt大学建筑系研修生。1996年再度获国家教委出国留学基金，以高级访问学者身份赴奥地利维也纳ATP.Wien.Zt-Ges.m.b.H建筑设计事务所工作，参与蓝天组Coop Himmelblau创作的千禧大厦Millennium-Turm建筑施工图设计工作，其工作作风和专业技能得到国外同行同事及驻奥大使馆教育处的高度评价和肯定。2003年前曾任江苏省建筑设计研究院副总建筑师。2004年任南京金宸建筑设计有限公司总建筑师，2011年任金宸城市商业综合体设计研究院院长。2011年任南京大学城市科学研究院副院长。2011年2月被授予江苏省优秀工程勘察设计师。2011年12月被授予南京市十佳勘察设计注册工程师。

历任南京土木建筑学会常务理事。江苏省土木建筑学会第七、八届理事会理事。中国建筑学会建筑师分会教育建筑专业学术委员会委员，中国建筑学会建筑创作与理论学术委员会委员。江苏省注册咨询专家。江苏省消防总队建筑工程消防技术咨询专家，南京规划委员会技术专家咨询委员会专家，江苏省建筑工程施工图设计技术审查专家，江苏省住建厅建筑节能委员会委员，南京市墙体材料革新和建筑节能专家委员会委员，江苏省住房和城乡建设厅绿色建筑评价标识专家委员会专家，中国民主建国会第六届江苏省委会常务委员。

从事建筑设计工作三十余年不断完善自己，注重设计经验积累，努力提高设计水平和综合素质，具有良好的职业道德，娴熟掌握英、德两国语言，主持完成了多项大型建筑设计任务，获得江苏省第八、九、十、十一、十二、十三、十四，十五届优秀工程设计奖项。目前主要从事商业建筑的业态分析和城市商业综合体建筑设计研究，不同等级的酒店设计和分析总结，酒店管理型公寓的设计和总结，小型历史性建筑的修缮工作和环境设计。

李 青
Qing Li

结合工程参编2009版《江苏省工程设计文件编制深度规定》，参编江苏省工程建设标准DGJ32/J67-2008《商业建筑设计防火规范》撰写研究工作，参与编制06系列江苏省工程建设标准设计图集《平屋面建筑构造》苏J03-2006，参与东南大学共同编写普通高等教育"十五"国家级规划教材、高校建筑专业指导委员会推荐教材《建筑构造设计》第五章节撰写，《室内建筑师词典》审稿人，《绿色建筑设计与技术》审稿人。

长期从事建筑设计工作，审核工作，施工现场服务工作和技术咨询以及建筑专业教学工作。通过方案设计、施工图设计和工地后期服务及高校教学，积累了许多第一手前沿资讯，工程资料和设计经验，由建筑设计单一领域向前后两端宏观和微观领域拓展。熟练了多种不同功能建筑的思维逻辑性，了解国家法规、规范和地方现行法规及规程，并能准确地反映和应用到建筑设计和业务咨询服务工作中。

Qing Li, was born in Fujian, in April 1956 and graduated from Department of Architecture of Southeast University in 1980. She was selected by Ministry of Education to study master degree in Department of Architecture of TH.Darmstadt University in Germany by Hanns-Seidel-Stiftung scholarship in 1989 and worked for Vienna ATP.Wien. Zt-Ges.m.b.H Architecture Design Institute in Austria as a senior visiting scholar by the oversea study scholarship from the Ministry of Education in 1996. She participated in building construction drawing design for Millennium-Turm which was created by Coop Himmelblau and she was highly appreciated on working style and professional skills by foreign colleagues and Education Division of embassy in Austria. She worked for Jiangsu Provincial Architectural Design and Research Institute as vice chief architect before 2003, for Nanjing Jinchen Co. LTD as chief architect in 2004, and for Jinchen Integrated Urban Commerce Design and Research Institute as president in 2011. She was appointed as vice president of Urban Science Research Institute of Nanjing University in 2011. She was awarded as Jiangsu Provincial Excellent Project Investigation Designer in Feb 2011 and one of Nanjing Top 10 Registered Engineers for Investigation Design in Dec 2011.

She has served successively as the executive director of Nanjing Civil Engineering and Architectural Society and the director of 7th and 8th council of Jiangsu Civil Engineering and Architectural Society, the member of Educational Architecture Profession Academic Committee of Architects Chapter of Architectural Society of China, the member of Architecture Creation and Theory Academic Committee of Architectural Society of China, the consultancy expert registered in Jiangsu, the fire technology consultancy expert of Jiangsu Province Firefighting Team on Constructional Projects, the expert of Technical Expert Consultancy Committee of Nanjing Planning Committee, the technical review expert of Jiangsu constructional project construction drawing design, the member of Jiangsu Housing and Construction Bureau Architectural Energy Saving Committee, the member of Nanjing Wall Material Renovation and Architectural Energy Saving Expert Committee, the expert of Jiangsu Housing and Urban-Rural Construction Bureau Green Architecture Evaluation and Marking Expert Committee and the standing member of 6th Jiangsu Provincial Committee of China National Democratic Construction Association.

During more than 30 years devoted in architectural design, She has continuously improved herself and paid attention to accumulation on design experience to strive for higher design level and integrated quality. She has fine professional ethic and is skilled in both English and German well. She has controlled and completed large architecture design tasks for many times and was awarded as Jiangsu 8th, 9th, 10th, 11th, 12th, 13th, 14th and 15th Excellent Project Design Prizes. Now, she mainly devoted into analysis on commercial architecture industry state, design and research on urban integrated commercial architectures, design, analysis and summary of hotels at different levels, design and summary of hotel management type apartments, and remedy and environmental design for small historical architecture.

She participated in writing Regulation on Jiangsu Project Design Documentation Depth Version 2009 and Jiangsu Project Construction Standard DGJ32/J67-2008 Fire Prevention Code for Commercial Buildings, as well as researching, by combination with actual projects. She participated in preparing Series 6 Jiangsu project construction standard design drawing collection Flat Roof Building Construction SuJ03-2006, Chapter V of Design for Building Structures which is General Higher Education "Tenth Five-Year" National Level Planning Teaching Material and the teaching material recommended by university architecture major guiding committee with Southeast University, reviewed Dictionary for Interior Architects and Green Architecture Design and Technology.

She has been devoted in architectural design and review, construction site services, technical consultancy and architecture major teaching. She accumulates plenty of latest information from scheme design, construction drawing design, site later stage service and teaching in the university on project data and design experience and expand single architectural design field to both ends in micro and macro fields. She is familiar with thinking logic of the architecture for different purposes, know national laws, specifications, local effective laws and regulations, and correctly reflects and applies into architecture design and business consultancy services.

辽宁省建筑设计研究院
LIAONING PROVINCIAL BUILDING DESIGN & RESEARCH INSTITUTE

杨 晔
Ye Yang

杨 晔

现任职务

辽宁省建筑设计研究院院长
教授级高级建筑师 国家一级注册建筑师
中国建筑学会资深会员 香港建筑师学会会员
中国建筑学会建筑分会理事 辽宁省土木建筑学会副理事长 辽宁省勘察设计协会副理事长 辽宁省建筑师协会副理事长
辽宁省注册建筑师管理委员会委员 国家二级注册建筑师考试命题专家组成员
沈阳建筑大学硕士导师
辽宁省直青联常委 辽宁省青联常委
沈阳市十大中青年建筑师 沈阳市十大杰出青年 辽宁省劳动模范
辽宁省优秀共产党员 辽宁省享受政府特殊津贴专家 中国勘察设计协会优秀企业家
第十六届辽宁省十大杰出青年 辽宁省首批工程设计大师

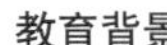

教育背景

1990 毕业于西安冶金建筑学院(现名西安建筑科技大学)建筑系
2007 赴新加坡南洋理工大学(NTU)人文及社会科学学院公共管理专业 获公共管理硕士学位(MPA)

代表作及获奖情况

1990 第17届UIA加拿大蒙特利尔大会世界建筑大学设计竞赛第一名 联合国教科文组织奖(UNESCO PRIZE)
1992 沈阳宫后里商业城(现名沈阳东亚商业广场)方案设计竞赛二等奖(无一等奖，中标实施方案)
1997 沈阳市、优秀勘察设计一、三等及表扬奖各一项；沈阳市建筑节能与墙体革新工作先进个人
1998 辽宁省文化艺术中心、省博物馆新馆工程二等奖(第二名)；中国建筑学会青年建筑师奖，优秀奖
辽宁省"九五"城乡住宅设计方案竞赛获辽宁省、优秀工程勘察设计二等奖
1999 沈阳高登大酒店获辽宁省优秀工程勘察设计一等奖
鲁迅美术学院综合教学楼获辽宁省优秀工程勘察设计二等奖
2001 辽宁电视台彩电中心获辽宁省优秀工程勘察设计一等奖
2004 沈阳市图书馆、儿童活动中心国际建筑设计竞赛第一名 沈阳市十大中青年建筑师、沈阳市十大杰出青年、
辽宁省新世纪百千万人才工程"百人层次"
2005 第五届辽宁省优秀科技工作者、辽宁省享受政府特殊津贴专家、辽宁省建设行业优秀工程技术人才、
第四批辽宁省省级优秀专家、辽宁省省直机关优秀共产党员
2006 辽宁省劳动模范、辽宁省优秀共产党员、中国勘察设计协会优秀企业家
沈阳市图书馆、儿童活动中心获全国绿色建筑创新奖综合奖——公建建设部三等奖
2008 第十六届辽宁省十大杰出青年，奥运火炬手，辽宁省首批工程设计大师
2009 辽宁省杰出青年志愿者，辽宁省首批工程设计大师
2010 全国建筑设计行业国庆60周年管理创新奖
"抚顺市平顶山惨案遗址纪念馆"获中国勘察设计协会优秀建筑工程设计二等奖
"辽宁东北抗联史实陈列馆工程"获中国勘察设计协会优秀建筑工程设计三等奖
2011 辽宁省优秀勘察设计院院长
2012 获选"中国建筑学会——当代中国百名建筑师"

建筑观

在技术材料发展迅速，思想意识呈现多元，个性需要追求多样的今天，建筑师应努力寻求建筑中蕴涵的情感，寻求建筑随时间变化在空间上与人的互动关系与影响。人的生命在不同的建筑中过度并消耗，建筑却随其过程获得了生命与情感，虽然建筑的类型、规模、功能、对象、地域、环境等各有不同，但都会与其中的使用者——人，产生各种各样的相互影响与关系。一个有社会责任感的建筑师就是要利用各种可能的和必要的技术手段和空间方式发现并提供这种影响与关系的人。

沈阳万宸建筑规划设计有限公司
Shenyang Wanchen Architecture & Plan Design Co.,Ltd.

邓 立
Li Deng

邓 立

现任职务

沈阳万宸建筑规划设计有限公司任总经理
国家一级注册结构工程师
辽宁省土木协会副理事长
教授级高级工程师

教育背景

1983年毕业于大连理工大学

工作经历

1983—2007 辽宁省城乡建设规划设计院副院长
2007—至今 工作于沈阳万宸建筑规划设计有限公司任总经理

沈陽都市建築設計有限公司
URBAN ARCHITECTURE DESIGN CO.,LTD

康 慨

康 慨
Kai Kang

现任职务：沈阳都市建筑设计有限公司副总经理、副总建筑师、高级建筑师、国家一级注册建筑师

教育背景：1987年7月毕业于西安建筑科技大学 建筑学专业

工作经历

2001—至今 沈阳都市建筑设计有限公司
1998—2000 沈阳新大陆建筑设计有限公司
1987—1998 中国建筑东北设计研究院

代表作品

2011 星润国际中心
2010 营口天赋温泉度假酒店
2009 北京当代原创艺术与卡通产业集聚区公共服务平台
2008 盘锦水榭春城五星级酒店
2007 沈阳职业技术学院
2006 辽宁输水工程纪念馆
2005 辽河美术馆
2004 成都东软软件园
2003 大连东软软件园
2002 成都东软信息技术学院
2001 大连阳光学校
2000 大连东软信息技术学院
1999 沈阳棋盘山山门
1998 沈阳棋盘山国际棋牌竞技中心
1997 青岛香格里拉大酒店

获奖情况

1991年 沈大高速公路控制中心 获沈阳市优秀设计一等奖
1993年 青岛江南大厦 获中建总公司优秀方案三等奖
2000年 沈阳鸿凯花园 获沈阳市最佳立面造型奖
2003年 盘锦河畔花园 获沈阳市优秀设计二等奖
2003年 沈阳华天新城 获沈阳市优秀设计三等奖
2004年 大连东软信息技术学院 获建设部优秀设计三等奖及省市优秀设计一等奖
2005年 大连东软软件园 获建设部优秀设计三等奖及省市优秀设计一等奖
2005年 沈阳市气象局业务楼 获省优秀设计二等奖、市优秀设计一等奖
2005年 大连阳光学校 获省市优秀设计二等奖
2005年 大连天泽健康俱乐部 获省、市优秀设计三等奖
2005年 辽河美术馆 获省市优秀设计一等奖
2008年 成都东软信息技术学院一期工程 获省市优秀设计一等奖
2009年 辽河美术馆 获建筑创作大奖入围奖
2009年 大连东软信息技术学院及国际软件园中心园 获建筑创作大奖入围奖
2009年 沈阳东软研发综合楼 获省优秀设计二等奖
2009年 北京东软解决方案技术验证中心 获省优秀设计二等奖
2012年 北京当代原创艺术与卡通产业集聚区公共服务平台 获沈阳市优秀设计一等奖

山东建大建筑规划设计研究院
Shandong Jianzhu University Architecture & Urban Planning Design Institute

赵学义

赵学义
Xueyi Zhao

现任职务

山东建大建筑规划设计研究院书记兼总建筑师、总规划师、教授
山东省工程勘察设计大师、国家一级注册建筑师、国家注册规划师、国家注册咨询工程师、香港建筑师学会会员、山东省优秀建筑师、山东省十佳注册建筑师、山东建筑大学专业技术拔尖人才、山东建筑学会建筑创作委员会副主任委员、济南市城市规划委员会专家组成员。

教育背景

1983 毕业于山东建筑工程学院城市规划专业 本科
1996 天津大学建筑设计及理论专业 硕士研究生毕业

代表作品

山东建筑大学新校区图书信息中心、山东省实验小学逸夫教学楼、
山东省建筑工程学院新校区详细规划、济南军区燕子山庄项目、建大花园居住小区修建性详细规划

获奖情况

获中国建筑学会建筑创作佳作奖、建设部优秀设计二等奖、山东省优秀勘察设计一等奖、获教育部逸夫第十一批捐资工程优秀项目二等奖、建国60周年山东省城市规划设计成就奖、山东省优秀城市规划设计一等奖等。

青岛中景建筑设计有限公司
Qingdao ZhongJing Architectural Design Co.,Ltd.

陈厚诚
Houcheng Chen

陈厚诚

现任职务
青岛中景建筑设计有限公司　　董事长　高级工程师　国家一级注册建筑师
从事规划设计、建筑设计及房地产策划和开发建设等工作三十余年。在住宅设计方面有较高的造诣和研究，曾在建设部举办的“中国八五住宅设计大赛”中获一等奖，在“小面宽”节地等方面及“动静分区”有独到的见解，在住宅户型设计具有丰富的经验，并获得丰硕的成果。

工作经历
1987—1993	中房青岛建筑设计院	工程师	
1993—1996	青岛益青房地产开发公司	总工程师	高级工程师
1997—2001	山东国泰建筑设计研究院	总建筑师	高级工程师
2002—2004	中国建筑技术集团有限公司青岛分公司	总建筑师	高级工程师
2004—至今	青岛中景建筑设计有限公司	董事长	高级工程师

代表作品
波尔亚太（青岛）金属容器有限公司整体设计
青岛圣德雅阁大酒店（五星级）
宁夏银川宁东展示中心
青岛新兴体育馆改造工程
蒙古乌兰巴托温泉大酒店（五星级）
蓬莱骨病专科医院
青岛市即墨实验高中
蓬莱广播电视中心
蓬莱联检机构大楼（海关、商检、动植物检疫）
宁夏银川开发区中央商务区竞标方案
主持设计的住宅小区有：风和日丽居住小区 、蓬莱海景苑 等约十余个项目。

获奖情况
1992年建设部“中国八五住宅设计大赛”一等奖
山东省住宅设计竞赛二等奖
青岛市住宅设计竞赛一等奖
多次荣获省、市优秀工程设计一、二、三等奖

Houcheng Chen

Current Positions & Titles
President of Qingdao Zhongjing Architectural Design Co., Ltd., senior engineer, national first-class registered architect
Mr. Chen has been engaged in planning and design, architectural design, real estate planning, development and construction for more than 30 years. He has high attainments and deep study in residential design. He got the first prize in "China Residential Design Competition of the Eighth Five-Year Period held by the Ministry of Construction. His opinions on "small shops" land-saving aspect and "activity zoning" are insightful. With rich experience in residential unit design, Mr. Chen gains fruitful results.

Working Experience
1987-1993: Zhongfang Qingdao Architecture Design Institute, Engineer
1993-1996: Qingdao Yiqing Real Estate Development Company, Chief Engineer, Senior Engineer
1997-2001: Shandong Cathay Architecture Design Institute, Chief Architect, Senior Engineer
2002-2004: China Building Technology Group Co., Ltd. Qingdao Branch, Chief Architect, Senior Engineer
2004-present: Qingdao Zhongjing Architectural Design Co., Ltd., President, Senior Engineer

Representative Works
The integration design of Ball Asia Pacific (Qingdao) Metal Containers Co., Ltd.
Shengde Yage Hotel (Five-Star), Qingdao City
Ningdong Exhibition Center, Yinchuan City, Ningxia Province
The reconstruction project of Xinxing Gymnasium, Qingdao City
Spring Hotel (Five-Star), Ulan Bator, Inner Mongolia
Osteopathy Hospital, Penglai City
Jimo Experimental High School, Qingdao City
Radio & TV Center, Penglai City
Joint Inspection Agency Building (Customs, Commodity Inspection and Quarantine of Animals and Plants), Penglai City
The bidding program of the central business district of the development zone, Yinchuan City, Ningxia Province
The residential communities designed by him include: Sunny Residence Community, Penglai Seascape Residence Community and more than 10 programs.
Awards
The first prize of "China Residential Design Competition of the Eighth Five-Year Period" held by the Ministry of Construction in 1992
The second prize of the Residential Design Competition of Shandong Province
The first prize of the Residential Design Competition of Qingdao City
He has been awarded the first, second or third prize of city or provincial excellent design for several times.

山东大卫国际建筑设计有限公司
Shandong David International Architectural Design Co., Ltd.

申作伟

学　位：硕士
专　业：城市规划
职　称：教授级高级建筑师、国家一级注册建筑师、国家注册规划师、香港注册建筑师

社会兼职及荣誉
中国居住区规划专业委员会委员（2003年）
建设部优秀勘察设计评选委员会委员
中国新本土居住设计名家
首批山东省工程设计大师
山东省优秀建筑师、山东省十佳注册建筑师
山东大学硕士生导师

个人经历

1985—1997	临沂地区规划设计研究院	院长兼临沂市规划局副局长
1997—1998	山东省城乡规划设计研究院	任院长
1998—至今	山东大卫国际建筑设计有限公司	董事长

申作伟先生自从业以来，曾获得全国优秀设计奖二十余项，获山东省优秀设计奖五十余项，并有十几篇论文在《建筑学报》等全国性学术刊物上发表。
"建筑师应该是未来生活的设计者和创造者，引导人们的生活水准向更高层次和更高标准迈进。因此，尽最大努力满足现代人们的生活需求是建筑师的生存方式。
"建筑设计的发展趋势应该是把传统建筑的精髓与现代生活方式相结合，用现代技术、现代材料和现代的审美观去设计有文脉的建筑。
由申作伟先生主持设计的北京优山美地别墅是中国当代新中式住宅的代表之作，荣获全国优秀设计金奖及建设部优秀设计一等奖。该别墅区涵盖的"新本土"理念，崇尚亲情感、邻里感，围合了自然、安逸、私密的空间，使人们回归至居住本性。

申作伟
Zuowei Shen

Zuowei Shen

Master
Majored in Urban Planning
Senior Architect in Professor Level
First Grade Registered Architect of China. Registered Planner of China. Registered Architect of Hong Kong

Social Service and Awards
Member of Residential Planning Committee of China, 2003
Member of Ministry of Construction Excellent Survey and Design Selection Committee
Master of New Local Living Design in China
The first batch of Master of Engineering in Shandong Province
Excellent Architect, Outstanding Registered Architect in Shandong Province
Master Tutor of Shandong University

Personal Experience
1985-1997, President of Linyi Planning and Design Research Institute, Deputy Director General of Linyi Planning Bureau
1997-1998, President of Shandong Province Urban and Rural Planning and Design Research Institute
1998-Present, Chairman of Shandong David International Architecture Design Co., Ltd.

Since his industry, Mr. Shen Zuowei has won more than twenty the National Excellent Design Award, more than fifty items Shandong Province the Excellent Design Award and more than a dozen papers published in the Architecture Journal and other national academic journals.
"Architects should be the designer and creator of future life, and guide people forward to higher level and higher living standards, so the architect's way of survive is to do the best to meet the needs of modern people's lives.
Architectural design trend is the essence of the traditional architecture combined with modern lifestyle, with modern technology, modern materials and modern design aesthetic to design the context of buildings.
Beijing Yosemite Villa designed by Mr. Shen Zuowei is the representative for new Chinese residence of contemporary China, won the gold medal of National Excellent Design Award and First Prize of the Ministry of Construction Excellent Design Award. The villa covers the "new native" concept, advocating Familial Affection, the sense of neighborhood, building the natural, comfortable, intimate space, so that people can return to live in nature.

山东景城建筑规划设计有限公司
Shandong King City Architecture & Design

滕玉泉
Yuquan Teng

滕玉泉

1965	出生于山东省潍坊市昌乐县
1988	毕业于青岛建筑工程学院　工业与民用建筑学士、高级工程师
现任	山东景城建筑规划设计有限公司董事长

工作经历

1988–1994	潍坊市潍城区城建开发公司、房管局机关工
1994–1997	潍坊市奎文区房管局工作
1997–1999	潍坊市奎文区建设局、奎文区房管监察队工作
1999–至今	潍坊市奎文区建筑设计研究院（现改制为山东景城建筑规划设计有限公司）工作

设计成果

2000年至今于山东景城建筑规划设计有限公司主持规划绿化设计、建筑方案及建筑设计工作。

迄今参与并完成了亿丰时代广场、梨园·豪门御景小区、玫瑰苑、香颂湾、唐宁府、广饶亿丰国际时代广场、滨州阳信国际大酒店、滨州现代城商业广场、滨海开发区欣泰商业街、中华茶博苑、新华国际、昌乐·盛唐御园小区、安丘·御景福邸、昌邑山前御景园、昌邑佳乐家等多个项目；

青岛原创工程设计有限公司
Qingdao Yuanchuang Engineering Design Co., Ltd.

孟祥群
Xiangqun Meng

孟祥群

现任职务：国际一级注册建筑师

代表作品

青岛新贵都一期
青岛华嘉大厦
青岛万达沃尔玛购物广场
泰安国华时代
肥城广播电视大厦
青岛阳光置业公园一号
肥城中超大酒店
泰安旅游集散中心
青岛亚丁海湾欧风街别墅
青岛市沙子口中心学校
泰安文化发展中心
济南汉峪翠岭

Xiangqun Meng

National Class-1 Registered Architect

Major Design

New Metropolis Phase I
Huajia Building
Wanda-Walmart Shopping Plaza
Guohua Times
Broadcasting & TV Building
Sunshine Property Garden No. 1
Zhongchao Hotel, "Fei Cheng"
Taian Tourism Terminal
Gulf of Aden European Street Villa
Shazikou Central School
Taian Cultural Development Center
Jade Range

TONTSEN 方大設計

TONTSEN 建筑设计事务所(美国)
TONTSEN Architects Associate(USA)
上海方大建筑设计事务所
Shanghai Fangda Architects Associate

齐 方

TONTSEN方大设计集团 董事长 首席设计师

美国建筑师协会会员
国家一级注册建筑师
上海市建筑学会商业地产专业委员会委员
清华大学建筑学 学士
同济大学建筑学 硕士
同济大学建筑学 博士

齐方博士，上海方大建筑设计事务所创始人，先后从学于清华、同济两所著名院校建筑系，历经中国南北两大学派的陶冶，造就了齐方博士对于学术和市场的辩证理解。十余年研究与实践，齐方博士在国内外主要学术期刊发表学术论文近30篇，著有《上海人居模式研究》等著作，设计作品获全国住宅新世纪人居经典综合大奖，并负责上海《新世纪人居经典》优秀住宅规划设计作品的点评工作。

齐 方
Fang Qi

为了让建筑理想更好的融入现实空间，齐方博士以学术为着力点，创立空间价值理论，通过建筑空间的变化和衍生，在达成创作高度的同时，也为客户带来更多价值；他带领的TONTSEN方大设计团队，致力于整合高端资源，形成一体化设计服务平台。通过全方位、多角度的深入设计服务，不断创作出轰动地产界的优质作品。十余年耕耘，TONTSEN方大设计已发展为拥有两百多位员工的创新实力型设计公司。齐方博士的设计理论与管理思想也已获得业内和市场的充分认可，他曾经荣膺“中国建筑规划设计最具影响力人物”等多项荣誉。

得益于行业的历史性发展机遇，齐方博士对于房地产业有着准确的前瞻和敏锐的把握。凭借“创新‘赢’来市场”的经营理念，助力战略伙伴在房地产浪潮中屡占鳌头。曾受邀参加中国企业家沙龙暨设计公司资本运营等业界重要交流会，以及由国内外知名学者共同参与的各类行业高峰论坛，发表他的独到见解，受到第一财经日报、新浪、搜狐、搜房等各大主流媒体的关注，并经常见诸报端。

主要代表作品
上海耀江国际广场（获建设部人居经典综合大奖）
上海紫园样板区规划与建筑设计（中国顶级品质别墅项目）
上海佘山月湖山庄规划、景观与主要建筑单体设计（中国顶级品质别墅项目）
北京国花园（中国顶级品质别墅项目）
上海绿地东上海（获上海市建筑“白玉兰”大奖）
南昌恒茂国际华城（获建设部人居经典综合大奖）
中南世纪城（2 500 000m^{2}大型城市综合开发项目）
上海名人世家别墅（高端别墅项目）
温州中梁首府（高端滨水豪宅项目）
上海北外滩白金府邸（高端滨江住宅项目）
上海国际丽都翡翠岛花园（高端住宅项目）
温州香缇半岛（高端滨水豪宅项目）
上海高速公路客运站（交通类建筑项目）
杭州耀江花园（高端住宅项目）
上海鹏欣九隆坊及假日酒店
上海青浦皇冠假日酒店
中润嘉兴中心（办公、商业综合体项目）
中润常州武进商业中心（办公、商业综合体项目）
南通观音山商业综合体（办公、商业及超高层酒店综合体项目）

设计理念
创造赋予建筑价值和生命

上海经纬建筑规划设计研究院有限公司 叶松青

Shanghai LongiLat Architectural Design & Research Institute Co., Ltd.

叶松青
Songqing Ye

现任职务

中国建筑学会理事
上海经纬建筑规划设计研究院有限公司　董事长 院长
上海市建筑学会理事、副秘书长
上海市中共第十届党代会代表
上海市杨浦区人大城建环工委副主任
上海现代服务业联合委员会设计服务专业委员会秘书长

教育背景

1985—1988	上海城建学院	建工系学士
1994—1997	上海交通大学	工商管理硕士

工作经历

1988—1992	机电部深圳设计院助理工程师
1992	创办上海经纬建筑设计所

个人荣誉

2008	荣获中国（第五届）MBA成就奖
2010	被评为“第三届杨浦区优秀中国特色社会主义事业建筑者”
2011	被评为上海市“两新”组织优秀中国特色共产党员
2011	被中国建筑学会授予“2005—2011年学会工作先进个人”称号

主要成绩

在叶松青院长的带领下，经纬设计院分别于2005、2008年完成《上海市重大工程配套商品房、安居房房型设计专题研究报告》和《保障性住房房型研究》，并在全市的多个大型居住社区规划建设中得到应用和推广。同时，叶松青院长被聘为国家《保障性住房建设标准》研究工作组专家，经纬设计院也作为主编单位参加国家建筑标准设计图集《保障性住房标准设计样图》的编制工作，后又参编国家《公共租赁住房标准设计样图》。

叶松青院长带领经纬设计院参与“迎世博600天”上海市重点区域建筑整治城市设计，先后完成徐汇区、长宁区、卢湾区、闸北区、虹口区等区域共计314万m²建筑整治工程的设计工作。此项工作得到了市领导的高度好评，获得“上海市科协系统第十一届科技咨询和技术服务优秀项目三等奖”。

Songqing Ye

Current Positions

Executive of Architectural Society of China
President & director of Shanghai LongiLat Architectural Design & Research Institute Co., Ltd. (LongiLat)
Executive and vice secretary general of Architectural Society of Shanghai China
Member of the 10th Shanghai Communist Senate
Vice director of Urban Construction and Environmental Protection Commission subordinate to Yangpu District People's Congress, Shanghai
Secretary general of Design Service Special Committee of Shanghai Modern Service Industry United Commission

Educations

1985-1988: Graduated from Shanghai Urban Construction College (now merged into Tongji University)
1994-1997: Studied in Shanghai Jiaotong University, and obtained a MBA degree

Career

1988-1992: Worked as assistant engineer of Shenzhen Design Institute subordinate to the Ministry of Electromechanical Industry (now demolished).
1992: Created Shanghai LongiLat Architectural Design Institute, acting as its director & engineer.

Honors

2008: Won the 5th China MBA Accomplishment Award
2010: Appointed as one of the Excellent Constructors of Chinese Characteristic Socialism in the 3rd Appraisal in Yangpu District
2011: Appointed as one of the Excellent CCP Members in "Neo-socioeconomic" Organizations of Shanghai.
2011: Entitled as one of the "Advanced Individual Persons in Societal Efforts during 2005-2011" by the Architectural Society of China.

Results

Under the guidance and leadership of Mr. Ye Songqing, the company has made innovations and transformations. In 2005 and 2008, the company finished the Special Research Report on Commodity Housing & Economical Housing Unit Design Supporting Key Projects in Shanghai, and the Research on Protective Housing Unit. The researches have been applied and promoted in the planning and construction of citywide large residential buildings. Meanwhile, Mr. Ye Songqing is employed by the government as expert of the Protective Housing Construction Standards Research Group, and what is more, his company participates as chief editor into the preparation of Protective Housing Standards Design Proofs of National Construction Standards Design Collection. He and his company also participate into the preparation of Public Rental Housing Standards Design Proofs.

Mr. Director Ye Qingsong leads his company in participating the urban construction rectification design of key areas in Shanghai "600 days prior to World Expo 2010", completing a range of designs totaling 3,140,000 m² area including Xuhui District, Changning District, Luwan District, Zhabei District and Hongkou District. These efforts have been remarked highly by Shanghai Municipal People's Government, and won the third prize of Excellent Scientific Consulting and Technical Service in the 11th Appraisal by Shanghai Association for Science & Technology (SAST) System.

上海加合建筑设计有限公司
Shanghai Team+ Design Architectural Design Co.,Ltd.

李 霞
Xia Li

李 霞

设计总监，一级注册建筑师、同济大学建筑学学士、新加坡国立大学建筑学硕士。从业15年，曾供职于多家境内外设计机构，2005年创立加合建筑。在多年的实践中希望能结合中国当前现实，寻找适合本土的设计思想和方式。尤其关注于通过设计将人与自然、人与城市、人与历史、人与人有机联结在一起。通过一系列实施项目的不断尝试和验证，力求找到平衡共生和可持续发展的方式。

Xia Li

Chief Design Director, class-1 registered architect, holder of Bachelor's Degree in Architecture of Tongji University, and Master's Degree in Architecture of the National University of Singapore. With rich experience of 15 years, she served many domestic and foreign design organizations, and co-founded TeamPlus in 2005. She is seeking the best practices integrated into locality with suitable local design ideas and manners. She pays special attentions to the integration of human and nature, human and city, human and history, and human and human in designs. After continuous attempts and verifications by a series of implementations, she tries to find the balance of coexistence and sustainable development.

程红波
Hongbo Cheng

程红波

设计总监，工学学士；供职于境内外多家设计机构，2005年创立加合建筑。敢于梦想，全力践行是我们崇尚的方式。

Hongbo Cheng

Chief Design Officer, holder of Bachelor's Degree in Engineering; serving many domestic and foreign design organizations; founded TeamPlus in 2005. Dare to dream and practice with all efforts is what we admire.

HSarchitects
上海汉思建筑设计事务所

胡志文
Owen Hu

胡志文

国家一级注册建筑师

现任职务
上海汉思建筑设计事务所　总建筑师

教育背景

1990	同济大学　建筑学　本科毕业	

工作经历

1990－1997	上海华东建筑设计研究院	建筑师
1997－2003	美国ARQ建筑设计事务所	项目建筑师
2003－2005	海南元正建筑设计咨询有限责任公司上海分公司	总建筑师
2005－至今	上海汉思建筑设计事务所	总建筑师

代表作品

2001	上海龙之梦丽晶大酒店（五星级酒店）
2002	上海龙之梦购物中心
2002	上海虹口商城
2005	潍坊金正财富广场
2006	上海宏泉丽笙大酒店（五星级酒店）
2007	大同假日酒店（五星级酒店）
2007	莘庄凯德龙之梦购物广场
2008	沈阳龙之梦亚太中心
2008	沈阳铁西龙之梦购物中心
2009	成都东客站龙之梦城
2009	西安北客站龙之梦城

BDI
上海柏创建筑设计有限公司
Boarch Design International

郭三锁
Sansuo Guo

郭三锁

执行董事
华中科技大学　建筑学　学士学位

主要设计作品
安徽饭店
山西天域锦城
郑州二马路商业中心
三亚动漫城服务中心
银川宝丰小商品城
固安幸福广场
苏州东山度假区
常州天顺住宅区
郑州东润华景住宅区
鑫苑现代城
廊坊花园5号
开封东方今典

Sansuo Guo

Executive Director
Bachelor of Architecture, Huazhong University of Science and Technology

Main Designs
Anhui Hotel
Celestial Golden Town, Shanxi Province
Ermalu Road Business Center, Zhengzhou City
Sanya Anime Town Service Center, Hainan Province
Baofeng Small Commodities Town, Yinchuan City, Ningxia Region
Happiness Square, Gu'an County, Langfang City, Hebei Province
Dongshan Resort Area, Suzhou City
Tianshun Residential Community, Changzhou City
East Prosperity Residential Community, Zhengzhou City
Xinyuan Modern Town
Langfang Garden 5
Oriental Classicism, Kaifeng City, Henan Province

上海沃尔建筑设计有限公司
Waller Architecture Design Co.,Ltd., Shanghai

曹珍福
Zhenfu Cao

曹珍福

现任职务：上海沃尔建筑设计有限公司总经理兼总建筑师 国家一级注册建筑师
教育背景：1991年毕业于哈尔滨建筑工程学院建筑系 城市规划专业

工作经历

江苏溧阳建筑设计院，担任5年设计院副院长
上海现代建筑设计集团有限公司华设工程咨询公司方案设计部主任
合伙创办上海沃尔建筑设计有限公司，担任总经理
专业从事建筑设计和城市设计，有500万 m^2 建筑设计经验，担任过设计院所长、副院长、设计公司经理，方案创作室主任
多次在国内设计中标大型公共建筑设计方案：电力调度中心、政府办公楼、多个五星级酒店、会展中心、会议中心、大剧院、地铁车站、商业购物中心等。

代表作品

江苏溧阳平陵广场、江苏丹阳香逸大酒店、包头国际会展中心、包头财政局办公楼、上海地铁1#线北延伸呼兰路站、上海地铁8#线市光路站、上海市南电力调度中心、江苏常州阳湖花园度假村、天目湖华天度假村、江苏溧阳市人民政府办公大楼、天目湖国际饭店、江苏溧阳殡仪馆设计等。

山西省建筑设计研究院
Shanxi Architectural Design and Research Institute (SADI)

张学锋
Xuefeng Zhang

张学锋

院长
成绩优异的高级工程师
国家一级注册建筑师
中国建筑学会建筑师分会人居环境专业委员会理事
国务院政府特殊津贴专家
山西省勘察设计协会副会长兼建筑设计委员会秘书长
山西省土木学会副会长兼建筑师学会副理事长
太原理工大学硕士生导师
山西省建工学院兼职教授
山西省太原市规划委员会规划咨询专家

1987年7月毕业于太原工业大学土木系建筑学专业，同年分配到山西省建筑设计研究院从事建筑设计工作。工作期间成绩突出，1994年被派往日本研修一年。张学锋作为一名优秀设计师，对山西建筑创作的发展及山西新地域文化的形成等方面进行积极的探索与思考，为政府在城市建设中科学决策提供有力的技术支持和科学依据，入选为山西省"新世纪学术技术带头333人才工程"省级人选，荣获"当代中国百名建筑师"，亲自主持与参加完成大中型或国家及省重点工程项目百余项，多项获省部级优秀奖，为山西重点工程建设项目实施做出了突出贡献。

代表工程

太原邮电业务综合楼
山西大学图书馆
太原工业大学科学楼
山西省人大常委会办公楼
太原机场改扩建工程
山西晋城学院
山西大剧院

个人荣誉

2003年
荣获山西省建设行业第二届青年科技奖
优秀青年设计专家
山西省劳动竞赛一等功
2005年
荣获中国勘察设计协会先进工作者
2006年
荣获山西省首届优秀青年建筑师
2007年
荣获山西省直机关劳动模范
2008年
荣获山西省五一劳动奖章
山西省"科技奉献奖先进个人一等奖"
"中国建筑设计行业优秀管理人才奖"
2009年
"全国建筑设计行业国庆60周年管理创新奖"
山西省勘察设计行业建国60周年"山西省十佳建筑师"
2010年
山西省劳动模范
2011年
山西省十佳重点工程建设标兵
2012年
荣获全国五一劳动奖章

中国建筑西南设计研究院有限公司
CHINA SOUTHWEST ARCHITECTURAL DESIGN AND RESEARCH INSTITUTE CORP.LTD

龙卫国

龙卫国
Weiguo Long

履历介绍

中国建筑西南设计研究院有限公司院长，执行董事，总经理，教授级高级工程师，清华大学工学硕士。
中国勘察设计协会常务理事，中国勘察设计协会建筑设计分会副会长，四川省勘察设计协会副理事长，四川省土木建筑学会副理事长，四川省工程设计大师，成都市土木建筑学会副理事长，木材及复合材结构专业委员会主任委员。

代表作品

川综商场
王子大酒店
霍英东蒲洲港国际商贸广场
新世纪电脑城
重庆时代广场
南桥花苑
四季花城
成都双楠广场
北斗星大厦
重庆龙湖“观山水”

主编规范和手册

《木结构设计手册》（第三版）
《木结构设计规范》
《木骨架组合墙体技术规范》
《胶合木结构技术规范》
《轻型木桁架技术规范》

学术论文著作

《直接焊接连接钢管节点静承载力分析》
《管节点始屈荷载有限元分析》
《深层搅拌桩在高层建筑中的应用》
《异形柱受力性能及结构设计有关问题探讨》
《混凝土结构耐久性设计建议》
《规格材机械分级方法研究》
《中国木结构需要开展的研究工作》

Cendes
四川山鼎建筑工程设计股份有限公司
Sichuan Cendes Architecture Engineering Design Co., Ltd.

袁　歆

袁　歆
Mario Yuan

现任职务

董事长（创办人）　设计创意中心高级设计总监　高级主任建筑师

教育背景

毕业于西安建筑科技大学　建筑学学士

工作经历

创办山鼎设计前，曾就职于新加坡建屋发展局、新加坡NETEC建筑设计事务所及DCA建筑设计事务所。

曾参与设计和施工管理的工程类型多样化，其中包括城市规划、办公楼、多功能商业综合楼、度假村和住宅小区的设计。
多年来专注从事建筑设计工作，已积累了相当成熟的中外结合的建筑理论和实践经验。参与过的工程坐落在世界多处，尤其是在住宅设计和环境艺术研究方面有过诸多杰出的作品和独特的探索。

VTR

VTR(美国)国际设计研究有限公司
(中国机构)
VTR(USA) International Design Institute Ltd.(China Organization)
四川中维工程设计有限公司
Sichuan Zhongwei Design Engineering Co.,Ltd.

邱　进
Jin Qiu

邱　进

现任职务
总建筑师
毕业于重庆建筑大学建筑学专业
高级工程师
国家一级注册建筑师

自工作以来，一直从事房屋建筑设计工作，专业技术过硬，曾主持过学院、医院、办公楼、住宅等多种建筑项目，在项目管理方面有丰富的实践经验及独到的设计见解。

主要设计作品
内江市第一中学教学楼
内江师范学院综合教学楼
中国建设银行内江市中区支行综合楼
中国人民解放军成都军区战旗文工团战旗文工团改建工程综合楼
四川省复员退伍军人医院　医疗综合楼
四川省革命伤残军人大邑休养院康复医疗综合楼
剑阁县国有资产监督管理局剑阁县公共服务中心综合楼
威远县中医院新址建设项目
四川省革命伤残军人休养院医疗用房
成都　金英汇项目
安岳县人民医院急诊综合大楼
四川省烟草公司阿坝州公司卷烟物流配送中心及经营业务用房灾后恢复重建项目
四川华通柠檬有限公司元象　岭郡住宅小区
成都市禹鑫置业有限责任公司　禹鑫·天赋龙庭住宅小区项目

顾承伟
Chengwei Gu

顾承伟

现任职务
四川国鼎建筑设计有限公司总经理

教育背景
毕业于上海同济大学建筑学专业

工作经历
有多年项目设计和企业管理经验。历任同济大学建筑设计研究院第一分院建筑设计师、成都晓宝轻质建材有限公司总经理、晓宝联合钢结构建筑制造有限公司总经理等职务

代表作品
上海宝山12局行办公楼建筑群、上海动植物检验检疫中心办公楼、上海吴淞轮船客运大楼、复旦大学附属中心教学楼、上海大众4S特约维修站（大众4S示范建筑）等

元正（天津）建筑设计有限公司
Yuanzheng (Tianjin) Architectural Design Co., Ltd.

孟 斌
Bin Meng

孟 斌

1988–1995　就读于天津大学建筑学院 获建筑学硕士学位
1995–1999　在天津大学建筑设计研究院工作
2000–至今　在元正（天津）建筑设计有限公司 任总经理兼设计总监
2008　任世界酒店联盟·世界酒店领袖中国会常务理事
2010、2011　获“世界酒店·五洲钻石奖”——中国杰出设计师
2012　任世界酒店联盟设计中心执行主席

从事建筑设计十余年，多次中标获奖，在大型综合开发项目及Townhouse、酒店以及城市设计上具有丰富经验，所负责设计的几十个项目以及海外的几个酒店项目获多方好评。

Bin Meng

1988-1995: Studied in the School of Architecture, Tianjin University, and obtained a Master's Degree in Architecture
1995-1999: Worked with Tianjin University Research Institute of Architectural Design & Urban Planning
2000-to present: Working as general manager & chief architect of Yuanzheng (Tianjin) Architectural Design Co., Ltd.
2008: Executive of World Hotel Alliance - World Hotel Leaders China Branch
2010 & 2011: Chinese Outstanding Designer – winner of "World Hotel – Continental Diamond Award"
2012: Executive director of World Hotel Alliance Design Center

Mr. Meng Bin has more than 10 years' experience in architectural design, and has won many bids and awards. He has rich experience in large comprehensive developments, townhouse, hotel and urban design, and dozens of his projects and several foreign hotels as his design works have won wide reputations from all communities.

天津大学建筑设计规划研究总院
Tianjin University Research Institute of Architectural Design & Urban Planning

彭一刚
Yigang Peng

彭一刚

教授
博士生导师
中国科学院院士
国家勘察设计大师
天津大学建筑设计规划研究总院名誉院长

主要经历

1953年毕业于天津大学土木工程系，国务院学位委员会第四届学科评议组建筑学学科召集人。

经彭一刚教授设计的建筑有天津大学建筑馆、天津水上公园熊猫馆、山东刘公岛甲午海战馆、平度市现河公园、伦敦中国城等。山东甲午海战馆个性鲜明，并富有深刻的历史文化内涵，深受人们的喜爱，也得到了建筑界的广泛赞誉。彭一刚教授在尽心教书育人、设计创作的同时，还致力于建筑理论的研究，由他撰写的《建筑空间组合论》获得国内外专家学者的高度评价。此外他还撰写了《中国古典园林分析》、《传统村镇聚落景观分析》、《创意与表现》等6部专著，先后获得首届全国优秀建筑图书一等奖、全国优秀科技图书二等奖、国家教委科技进步二等奖和北方十省市科技图书一等奖。在国内外曾发表学术论文60余篇，被学术界认为处于建筑理论研究的前沿。

Yigang Peng

Professor
Doctoral Supervisor
CAS Academician
National Survey and Design Expert
Honorary President of Academy of Tianjin University Research Institute of Architectural Design & Urban Planning

Main Experiences

As architecture subject convener of the 4th Subject Assessing Group affiliated with State Council academic Degree Committee, he was graduated from Department of Civil Engineering in Tianjin University in 1953. Professor Peng Yigang has designed a number of buildings such as Architecture Museum of Tianjin University, Panda House in Tianjin Water Park, Jiawu Sea Battle Museum in Shandong Liugong Island, Xianhe Park in Pingdu city, London Chinatown and so on. With the unique personality and profound historical and cultural connotations, Sea Battle Museum in Shandong is favored by lots of people and has been praised by the architectural field. Professor Peng devotes to teaching and educating people as well as design and creativity. Meanwhile, he has also committed to researching the architectural theory. "Architectural Spatial Combination Theory" written by him is highly evaluated by experts and scholars at home and abroad. Moreover, 6 works are written including "Analysis of Chinese Classical Gardens", "Landscape Analysis of Traditional Village Settlement, Creation and Representation" and so on. They are awarded the First Prize for the 1st national excellent architectural book, the Second Prize for national excellent scientific & technological books, the Second Prize of scientific and technological advancement by national education committee and the Second Prize of scientific & technological book for Northern Ten provinces. He has published academic papers of more than 60 at home and abroad, and his academic research is considered being in the forefront of architectural theory.

天津大学建筑设计规划研究总院
Tianjin University Research Institute of Architectural Design & Urban Planning

洪再生
Zaisheng Hong

洪再生

专　　业：城市规划与设计
研究方向：城市规划与城市设计、城市更新与城市再开发、历史文化名城保护规划等
学　　位：日本神户大学工学博士
职　　称：教授、博士生导师
行政职务：天津大学建筑设计规划研究总院院长
主要学习工作简历
1984年，毕业于天津大学建筑学建筑专业
1989年，获天津大学建筑系城市规划与设计专业硕士学位
1996年，获日本神户大学工学博士学位
1996年10月归国后曾任天津大学建筑学院城规系副主任、天津大学城市规划设计研究院院长
2005年5月至今任天津大学建筑设计规划研究总院院长
社会活动
中国勘察设计协会常务理事
中国勘查设计协会高校勘查设计分会副理事长
中国城市规划学会历史文化名城学术委员会委员
中国城市科学研究会理事
中国建筑学会资深会员
全国教育建筑专家委员会专家
天津市基本建设经济研究会理事长
天津市勘查设计协会副理事长
天津市城市规划协会、城市规划协会学会副理事长
天津市照明学会专家、常务理事
天津市工程评标专家
天津国际工程咨询公司专家库专家
天津市建设科学技术委员会委员、副秘书长
天津市城乡规划专家委员会专家
天津市南开区人大代表
天津市红桥区第十五届人民政府咨询委员会委员
天津市大港区建设管理委员会顾问
天津市参与2010年上海世博会城市最佳实践区华明示范小城镇案例展览展示方案评审专家
山西榆次经济技术开发区管理委员会专家委员
《城市设计空间》杂志执行总编
论文
《建造符合老人心理、生理特点的老人建筑——日本老人院建筑的构成与
设计初探》
《儿童游戏行为与空间的对应关系》
《岳阳楼景区规划设计初探》
《天津传统文化商贸区规划设计探讨》
2005年《烟台城市色彩规划探讨》
2005年《“山海风情·人间仙境”——烟台整体城市设计研究》
2006年《转型期我国特大城市规划编制体系的创新实践比较》
译著《世界城市住宅小区设计 日本卷》
译著国家教委《社区居住的可持续发展研究》
著作《天津建筑风格》（副主编、执行主编）
入选《Dumon+78位优秀设计师》一书
主要获奖
“天津大学第26教学楼”
荣获2010年度天津市“海河杯”优秀勘察设计一等奖
“无锡灵山禅修中心”
荣获2011年教育部优秀勘察设计一等奖
“天津利顺德大饭店修缮改造工程”
荣获2010年度天津市“海河杯”优秀勘察设计一等奖
“天津大学第25教学楼”
荣获2008年度全国优秀工程勘察设计铜奖
2007年度教育部优秀勘察设计一等奖
“天津蓟县地质博物馆”
荣获2009年教育部优秀建筑设计一等奖
2009年度全国优秀工程勘察设计行业奖二等奖
“天津市西青区文化中心”
荣获2009年天津市“海河杯”优秀勘察设计一等奖
《天津市民用建筑施工图设计审查》系列图集
荣获2010年度天津市“海河杯”优秀设计评选一等奖；
“鄂尔多斯市第一中学图文信息中心”
荣获2011年度天津市“海河杯”优秀勘察设计一等奖
“映秀渔子溪村震后重建规划”
荣获“2010年中国建设部村镇规划”一等奖
“天津工业大学图书馆”
2012年天津市“海河杯”优秀设计一等奖
“天津工业大学行政中心”
2012年天津市“海河杯”优秀设计一等奖
“大港区文化艺术中心”
荣获2011年度天津市“海河杯”优秀勘察设计二等奖
“天津市大港区津滨大厦”
荣获2010年度天津市“海河杯”优秀勘察设计二等奖
“东方地球物理公司职工活动中心”
荣获2008年天津市“海河杯”优秀勘察设计二等奖
“响螺湾商务区城市设计”
荣获天津市优秀规划设计二等奖
“烟台整体城市设计”
荣获山东省优秀城市规划设计二等奖
《天津城市形态的演变与城市风貌的未来》
荣获得天津市科学技术进步二等奖
“颐和园清外务部公所修缮工程”
2012年天津市“海河杯”优秀设计二等奖
“塘沽区残疾人综合服务中心”
2012年天津市“海河杯”优秀设计二等奖
“泰山文化大厦”
2012年天津市“海河杯”优秀设计三等奖
“天津市安居办公室农业设施展览中心”
2012年天津市“海河杯”优秀设计三等奖

Zaisheng Hong

Major: Urban Planning and Design
Research Direction: Urban Planning and Urban Design, Urban Renewal and Urban Re-development, the Protection Planning of Historical and Cultural City, etc.
Degree: Kobe University in Japan, Dr. Engineering
Title: Professor and PhD supervisor
Administrative Aervice
Dean of Tianjin University Research Institute of Architectural Design & Urban Planning
Personal Profile
In 1984, he was graduated from Tianjin University, Architecture Department, and majored in Architecture
In 1989, he obtained the master's degree for urban planning and design, Department of Architecture, Tianjin University
In 1996, he obtained D. Engineering at Kobe University in Japan
In Oct 1996, he returned to China and once served as deputy director of the Urban Planning Department of School of Architecture of Tianjin University; Dean of Academy of Urban Planning and Design of Tianjin University
Since May 2005, he has been the dean of Tianjin University Research Institute of Architectural Design & Urban Planning
Social Activities
Executive of China Exploration & Design Association (CEDA)
Vice director of University Branch of China Exploration & Design Association (UBCEDA)
Member of Historic & Cultural Famous Cities Academic Committee of Urban Planning Society of China
Member of Chinese Society for Urban Studies (CSUS)
Senior member of Architectural Society of China
Expert of National Educational Architecture Experts Commission
Director of Tianjin Society for Infrastructure Economics Studies
Vice director of Tianjin Reconnaissance & Design Association
Vice director of Tianjin Urban Planning Society
Expert & executive of Tianjin Illumination Society
Tianjin Engineering Evaluator
Experts in the database of Tianjin International Engineering Consultants Corporation
Member & vice secretary general of Tianjin Construction Science & Technology Commission
Expert of Tianjin Urban Planning Experts Commission
Representative of Nankai District People's Congress, Tianjin
Member of the 15th People's Government Consulting Committee of Hongqiao District, Tianjin
Consultant of Dagang District Construction Management Committee, Tianjin
Expert of Tianjin display program review of Huaming Demonstrative Town Example of the Best Practice Urban Communities in Shanghai Expo 2010
Expert member of Yuci Economic & Technical Development Zone Management Committee, Shanxi Province
Chief executive editor of Urban Design Space Journal
Thesis
"To Make the Construction in Line with the Psychological and Physiological Characteristics of the Old - the Composition and Design Study in Building Homes for the Aged in Japan"
"Corresponding Relations of Children's Playing Behavior and Space"
"Design for the Yueyanglou Tower and Its Environs"
"A Plan for the Tianjin Traditional Cultural and Commercial District"
In 2005, "Color Planning of Yantai"
In 2005, "Urban Design Study of Yantai"
In 2006, "A Comparative Study on the Practical Creativity in Metropolitan Urban Planning Drafting System in China in the Transitional Period"
Translation work: World Urban Residential Quarters - Japan Volume
Translation work: Study on Ecological Sustainable - Development Community in Residential Area for State Education Committee
Work Tianjin Architecture Style (associate editor, executive editor)
Be absorbed into the book Dumon +78 talented designers
Main Awards
"No. 26 Teaching Building of Tianjin University"
Won the first prize of "Haihe Cup" excellent survey & design of Tianjin in 2010
"Wuxi Ling Mountain Meditation Center"
Won the first prize of MOE excellent survey & design in 2011
"Shunde Hotel Renovation in Tianjin"
Won the first prize of "Haihe Cup" excellent survey & design of Tianjin in 2010
"No. 25 Teaching Building of Tianjin University"
Won the bronze prize of national excellent engineering survey & design in 2008
Won the first prize of MOE excellent survey & design in 2007
"Ji County Geologic Museum of Tianjin"
Won the first prize of MOE excellent architectural design in 2009
Won the second prize of national excellent engineering survey & design industry award in 2009
"Xiqing District Cultural Center of Tianjin"
Won the first prize of "Haihe Cup" excellent survey & design of Tianjin in 2009
Series atlas of "Tianjin Civil Works Drawings Design Reviews"
Won the first prize of "Haihe Cup" excellent design evaluation in 2010
"Ordos No. 1 Middle School Library & Information Center"
Won the first prize of "Haihe Cup" excellent survey & design of Tianjin in 2011
"Yuzixi Village Post-earthquake Reconstruction Planning, Yingxiu Town"
Won the first prize of "MOHURD village & town planning in 2010"
Library of Tianjin Polytechnic University, 1st Prize of Excellent Design Award for Tianjin "Haihe Cup" in 2012
Administration Center of Tianjin Polytechnic University, 1st Prize of Excellent Design Award for Tianjin "Haihe Cup" in 2012
"Dagang District Cultural & Art Center"
Won the second prize of "Haihe Cup" excellent survey & design of Tianjin in 2011
"Dagang District Jinbin Building of Tianjin"
Won the second prize of "Haihe Cup" excellent survey & design of Tianjin in 2010
"PetroChina BGP Inc. Workers Center"
Won the second prize of "Haihe Cup" excellent survey & design of Tianjin in 2008
"Xiangluo Bay CBD Urban Design"
Won the second prize of Tianjin excellent planning & design
"Yantai Integral Urban Design"
Won the second prize of Shandong excellent urban planning & desgi n
"The Evolution of Tianjin Urban Forms and the Future of Urban Appearance"
Won the second prize of Tianjin scientific & technological development.
Public Buildings Renovation Project for Qing Dynasty External Affairs Ministry of Summer Palace, 2nd Prize of Excellent Design Award for Tianjin "Haihe Cup" in 2012
Handicapped Integrated Service Center in Tanggu District, 2nd Prize of Excellent Design Award for Tianjin "Haihe Cup" in 2012
Taishan Culture Building, 3rd Prize of Excellent Design Award for Tianjin "Haihe Cup" in 2012
Tianjin Resettlement Office Agricultural Facilities Exhibition Center, 3rd Prize of Excellent Design Award for Tianjin "Haihe Cup" in 2012

天津市城市规划设计研究院
Tianjin Urban Planning & Design Institute

赵春水

日本名古屋工业大学工学（2005）博士　正高级规划师
天津市城市规划设计研究院　总建筑师兼建筑分院院长

1992—1999	天津石化设计研究院建筑室
2000—2005	日本名古屋工业大学助教
2005—2006	日本名古屋建筑设计公司
2006—2008	天津市城市规划设计研究院愿景公司
2008—2012	天津市城市规划设计研究院建筑分院 院长
2012—至今	天津市城市规划设计研究院 总建筑师兼建筑分院院长

赵春水
Chunshui Zhao

获奖作品

2012	新建天津电子信息职业技术学院	"天津市海河杯优秀勘察设计" 建筑工程特等奖
2012	秋怡家园住宅工程	"天津市海河杯优秀勘察设计" 建筑工程二等奖
2011	宁强县天津中学	"天津市海河杯优秀勘察设计" 建筑工程二等奖
2010	天津柳林天钢地区城市设计	"天津市优秀城乡规划设计一等奖"
2010	宁强县天津中学修建性详细规划	"建设部优秀规划设计" 三等奖
2009	天津东丽区华明示范小城镇建设工程	"建设部优秀工程詹天佑奖" 金奖、大奖
2009	宁强县天津中学修建性详细规划	"天津市优秀城乡规划设计一等奖"

代表作品：
天津东丽区华明示范小城镇项目
宁强天津中学项目
天津文化中心图书馆项目
新建天津青年职业学院
新建天津电子信息职业技术学院
天津泰安道五大院工程（贰号院综合楼和肆号院五星级酒店）

译著

赫尔佐格　德穆隆（第二集）　中国建工出版社	2010.10
《建筑少年的梦-日本建筑师》	2012

学术

亲水利用行为和空间条件　季节变化的关系	AIJ(2002-F1)学术大会集	2002.07
日本·中国传统园林景观的研究	EBRA(V5-2002)国际环境	2002.10
日本·中国传统园林景观意向的比较研究	JAABE(V2-2003)日本建筑	2003.12
中国私家园林空间构成分类及特征的研究—从平面构成角度考察	JILA(V67-2004)日本园林	2004.05
天津城市色彩规划	《城市规划增刊》	2009.09
天津市历史街区保护与复兴—以泰安道"五大院"为例	《国际城市规划》	2011.10

天津加尚建元建筑设计有限公司
Tianjin CUN Architectural Design Co., Ltd.

赵 军

赵 军
Jun Zhao

天津大学建筑学院　建筑学硕士
天津市建筑设计院合资设计团队CEO兼设计总监

赵先生在建筑领域工作多年，多次担任重大项目总策划总设计，积累了大量的实际操作经验，并在房地产开发策划、经济运营管理及商业地产运作等方面具有成功的范例，已然成为了一位全方位复合型资深建筑师，擅长组织大型城市规划及城市设计，其带领团队所设计的作品不仅具有视觉观赏价值同时还具有良好的经济效用和可操作性，尤其以和天津建筑设计院合作设计的天津梅江会展中心二期工程项目为代表的作品，现在已经成为了天津市标志性建筑。

Jun Zhao

Bachelor of Architecture, from School of Architecture, Tianjin University
Master of Architecture, from School of Architecture, Tianjin University
CEO & chief architect of joint venture design team, TADI

Mr. Zhao is experienced in building field. He acts as the chief planner & chief architect of many key projects, accumulated rich practices and experiences. With successful examples of real estate development planning, economic operation & management, commercial property operation and other aspects, he has become a multidirectional composite senior architect, good at organizing large urban planning and urban design, and his team has designed a lot of works not only of sightseeing value but also cost-effective and operable, including the MJCEC phase 2 project which has become a landmark of Tianjin.

天津港津建筑设计工程有限公司
Tianjin GangJin Architecture Design & Engineering Co.,Ltd.

陶振永
Zhenyong Tao

陶振永

现任职务
天津港津建筑设计工程有限公司 董事长
高级工程师 一级注册结构师

教育背景
长安大学 工民建专业

代表作品
1993 交通部天科所三峡试验厅
2001 天津泽西矿产办公楼 厂房工程
2003 天津贻成房地产丽水园住宅小区
2003 天津贻成房地产贻丰家园住宅小区

Zhenyong Tao

Current Positions
President of Tianjin Gangjin Architecture Design & Engineers Ltd.
Senior engineer, class-1 registered structural engineer

Education
Bachelor's Degree of Industrial & Civil Engineering from Chang'an University

Masterpieces
1993: MOHURD Tianjin Scientific Research Institute- Three Gorges Trial Hall
2001: Tianjin Zexin Mineral Office Building, Plant House Project
2003: Tianjin Yichens Lishui Garden Residential Community
2003: Tianjin Yichens Yifeng Home Residential Community

天津宏筑建筑设计有限公司
Tianjin Hongzhu Architectural Design Co., Ltd.

陈 超
Chao Chen

陈 超

现任职务：天津宏筑建筑设计有限公司 董事长
教育背景：2004年毕业于天津城市建设学院

工作经历
2004 就职于天津市建筑设计院 任所主创建筑师 经营部部长
2009 创立天津宏筑建筑设计有限公司 任董事长

获奖情况
2008 津湾广场项目获天津市优秀规划设计一等奖
2005 天津市建筑设计院青年演讲比赛第三名
2005 天津市建筑设计院优秀设计三等奖

新疆维吾尔自治区建筑设计研究院
Xinjiang Architectural Design Institute

席建立

新疆维吾尔自治区建筑设计研究院院长
党委副书记
总工程师
享受国务院政府特殊津贴专家
新疆有突出贡献优秀专家
新疆土木结构学会主任委员
教授级高级工程师

教育背景

1982　　毕业于新疆工学院工民建专业

工作经历

1982—至今　　就职于新疆维吾尔自治区建筑设计研究院
　　历任副所长　部长　副院长等职务
2001　　任新疆维吾尔自治区建筑设计研究院院长
　　党委副书记　总工程师

席建立
Jianli Xi

代表作品

新疆新博物馆
新疆新地质矿产陈列馆
库尔勒康城国际酒店
乌鲁木齐工商集贸中心商场
塔里木石油大厦
明园石油文化公寓
乌鲁木齐县人民政府办公楼
阿克苏世纪大厦
东方花园高层建筑群
乌鲁木齐地窝铺国际机场T3航站楼等

获奖及荣誉

新疆新博物馆获“自治区优秀工程设计一等奖”
新疆新地质矿产陈列馆获“自治区优秀工程设计一等奖”
库尔勒康城国际酒店获“自治区优秀设计一等奖”
乌鲁木齐工商集贸中心商场获“自治区优秀设计一等奖”
塔里木石油大厦获“自治区优秀工程设计三等奖、建设部优秀工程设计三等奖”
明园石油文化公寓获“自治区优秀工程设计三等奖、中国建筑鲁班奖”
乌鲁木齐县人民政府办公楼获“自治区优秀工程设计三等奖”

席建立同志是新疆建筑设计行业杰出的结构专家。在长期的建筑结构设计实践中，席建立同志刻苦钻研，精益求精，勇于创新，取得了杰出的设计成就。他负责和主持结构设计的一些项目，都是新疆很有影响的代表建筑。 2009年由席建立同志担任项目总负责人的乌鲁木齐地窝铺国际机场T3航站楼胜利竣工，采用大跨度和复杂的双曲网壳屋顶结构，T3航站楼的引桥更是复杂多变，代表了今天新疆结构设计的最高成就，也代表了我国结构设计的先进水平。

在从事工程设计的同时，席建立同志注重提高理论素养，不断进行结构设计的理论探索、创新和研究，尤其在钢结构、建筑抗震及加固、结构标准图编制上，进行了卓有成效的探索，成就卓著，是新疆建筑结构领域主要的学术带头人。他独自发表的代表性论文有《结构的概念设计》、《悬挑构件结构设计应注意的问题》、《复杂地基土结构基础设计的一次大胆尝试》、《砖混结构综合楼的抗震加固改造设计》、《某文化体育中心疑难结构设计》，参与编制审定了新疆《02系列结构标准设计图集》，在新疆结构设计领域取得了举足轻重的学术成就。

席建立同志也是一名德才兼备的优秀管理者，自2001年任新疆建筑设计研究院院长以来，励精图治，锐意改革，解决了长期困扰设计院发展的诸多难题，将设计院带入了一个良性循环的发展轨道，经营收入连年大幅增长，设计质量逐年提高，技术创新成果累累，职工收入显著增加，职工福利大为改善，把新疆建筑设计研究院建设成为专业门类齐全、技术质量和经济效益领先、竞争优势明显、和谐兴旺的国内综合型、大型设计院。2006年席建立同志被国家建设部评为全国优秀院长，2008年荣获中国建筑设计行业“优秀管理人才奖”，2009年荣获建国六十周年中国建筑设计行业“管理创新成就奖”。

新疆四方建築設計院有限公司
XINJIANG SIFANG INSTITUTE OF ARCHITECTURAL DESIGN co.,Ltd

朱　飞

朱　飞
Fei Zhu

现任职务
新疆四方建筑设计院有限公司院长　高级建筑师　国家一级注册建筑师

教育背景
新疆八一农学院水利系水工建筑专业
苏州城建环保学院建筑系建筑学专业

工作经历

1982–1992	新疆兵团设计院建筑分院任科员、室主任
1993–1997	乌鲁木齐经济技术开发区建筑设计院有限公司任院长、董事长
1997–2001	乌鲁木齐经济技术开发区管委会土地规划局任局长、管委会助理
2001–2009	乌鲁木齐建筑设计院有限公司任院长
2009– 至今	新疆四方建筑设计院有限公司任院长

代表作品
自治区人民广场综合办公楼（万年 101 大厦）、屯河大厦、达坂城幼儿园、独山子大酒店、水清木华住宅小区、新疆军区总医院门诊、病房楼、华源博瑞新村住宅小区等。

获奖情况
自治区人民广场综合办公楼获建设部优秀设计三等奖，自治区优秀设计一等奖
石化花展厅获省级优秀设计二等奖
"湖南省对口援建吐鲁番市二堡乡高昌民居项目"荣获 2011 年度自治区优秀城乡规划设计一等奖

担任其他相应职务
《城市环境设计》学报常务理事
《时代建筑》学报理事
《建筑技艺》学报理事
新疆勘察设计协会理事
新疆勘察设计协会建筑委员会委员

赵文冰

赵文冰
Wenbing Zhao

现任职务
华东勘测设计研究院副总建筑师、国家一级注册建筑师、注册城市规划师、教授级高级工程师、浙江省九届青年委员、浙江省城市规划协会理事

教育背景
毕业于西北建筑工程学院建筑系

代表作品
杭州西湖杨公堤工程恢复设计项目、杭州北国之春住宅小区、中恒世纪科技园、华东勘测设计研究院三墩基地复建改建工程、富阳现代肖邦住宅小区、丽水滨江公园（丽水市青少年宫、丽水博物馆）、杭州玉泉大厦、福建省档案馆、福建省晋江市档案馆、江西省铅山宾馆，江西省铅山县行政中心　。

获奖情况
浙江省钱江杯二等奖、浙江省钱江杯三等奖

建筑观
不同的建筑服务于不同的人群，在设计过程中注重对使用者的特殊要求、文化内涵等进行研究，并落实到建筑内部空间、建筑造型、外部环境中；同时建筑是城市景观组成的基本要素，在解决好建筑自身内涵的同时，注重城市景观的营造。

普立策設計
PLCDESIGN

杭州普立策建筑设计有限公司
Hangzhou PLC Architectural Design Co.,Ltd.

沈　凡

沈　凡
Fan Shen

现任职务
杭州普立策建筑设计有限公司 总经理 公司董事 国家一级注册建筑师

教育背景
1990年　毕业于浙江大学建筑系

工作经历
毕业后主持设计过多种类型的建设项目，其中包括办公、别墅、居住区、酒店及医院等。
2008年作为公司创始人之一共同创建杭州普立策建筑设计有限公司，在专业方面主要负责方案设计的创新。主要擅长别墅、排屋高端居住区规划及建筑设计、学校建筑设计、办公建筑设计、房地产开发项目前期策划工程咨询等。

代表作品及获奖情况
合肥新闻中心　钱江杯优秀勘察设计二等奖
舟山市田家炳中学　浙江省教委优秀校园规划二等奖
临安西雅园住宅小区　临安市优秀人居奖二等奖
嵊泗县菜园三小　舟山市建设工程海山杯奖
舟山市骨伤医院
舟山市商会大厦

设计理念
设计创造价值，细节决定成败。

张敏军

张敏军
Minjun Zhang

现任职务
杭州普立策建筑设计有限公司 总建筑师 公司董事
国家一级注册建筑师、国家注册城市规划师

教育背景
2002　获得东南大学建筑学硕士学位

工作经历
2002　进入浙江省建筑设计研究院工作
2008　作为公司创始人之一共同创建杭州普立策建筑设计公司
主要擅长大型商业综合体设计、别墅、排屋高端居住区规划及建筑设计、大学校园规划设计、办公建筑设计、房地产开发项目前期策划工程咨询等。

代表作品及获奖情况
上海浦东机场中国国际航空公司工作区　全国竞赛第一名、浙江省钱江杯优秀设计三等奖
杭州钱江新城中华航空大厦　全国竞赛第一名
杭州大学城城市设计（与杭州市城市规划设计研究院合作项目）
国际竞赛第一名、
全国优秀城乡规划设计二等奖、浙江省优秀规划设计一等奖
浙江磐安恒风盘龙广场　全国竞赛第一名
上海海运学院新校总体规划　全国竞赛第二名
杭州北城天地综合体项目　杭州城市综合体规划建筑设计优秀蓝本

设计理念
创新是建筑设计的第一生命力，建筑师在为业主和社会创造价值的同时也创造了自身价值。

宁波中鼎建筑设计研究院
Ningbo Zhongding Architecture Design & Research Institute

吴希良

宁波市政府城建规划顾问，享受国务院特殊津贴专家，宁波中鼎建筑设计研究院董事长，曾设计天一广场、诺丁汉大学、华茂外国语学校、大唐贡茶院、月湖盛园等一批有重大影响力的项目，在业内享有盛誉。

吴希良
Xiliang Wu

"道可道　非常道　名可名 非常名"
"对物质的追求是追求平凡，对道德的追求是追求崇高"。

不论是"道法自然"还是"追求崇高"，东西方哲人二千多年前都已给出了明确的界定，对建筑师们来说，其终极目标应该理解为能为城市创造经典。虽然我们身处以物质拥有量来评判成败的实用主义时代，"道"或"道德"概念已对常人们来说已显得有些若隐若现了，然而，在中国却始终有一部分人坚守着文化底线，就像孟子有三乐，建筑师应该有所"觉悟"并在求索中享受艺术之乐。

建筑设计之道在于探寻美的规律，探寻美之关键在于能沟通人们心灵深处所崇尚对生活的态度和对事物的理解，即文化。如今，"文化"概念虽泛，但不至于滥，作为文化载体的建筑始终是最直接的有形表达方式。那么，建筑是如何表现文化属性的呢？或者说，如何让人们鉴赏建筑之美呢？

空间

空间是指被围合或留出的供人类用于使用（包括居住、祭祀、会客、商品交换等活动）的空的地方。在中国的四合院中，空间概念表现得最为灵活、功效且蕴含"周孔"之精神，它既是中国人的文化之"器"，又是最符合自然采光与通风气风水要求的，尤其是天井更是妙不可言，其妙在于对不同人都有着不同的体悟和感受。在城市中，广场空间是供市民举行各种礼仪和公共活动的场所，它更多地体现城市管理与运行方式的功能要求，体现公共性和多样化，在城市中不可或缺。这种城市公共生活方式被大量引用到现代商业建筑规划设计理念中，就同样能让商业空间更加多样化、更加生动。如宁波天一广场就是一个成功案例，规划设计时我们就借鉴了布鲁塞尔市民广场及商业街巷模式并巧妙地应用于天一广场的空间设计中，让天一广场成为中国最具活力与魅力的城市步行街区广场之一，也成为我市的至尊名片！宁波诺丁汉大学的空间规划，其精髓在于表现英伦十七世纪田园风格的浪漫主义情调，同样取得不俗评价。

形式

形式之美首先在于隐喻或象征，其理论源自于文学，最典型的案例就是悉尼歌剧院，象征着"千舟竞帆"的滨海城市记忆特征。隐喻和象征是一种美学上的抽象创新，但不能具象，因此需要建筑师具有对形式非凡的抽象设计能力。如最近我们为西安市西北工大附属学校设计的幼儿园建筑就试图在象征"海螺"与隐喻"空间"等方面做出探索，希望能给小朋友们带来无限快乐与童趣。

其次在于表现历史文化，二千多年的中国木构建筑与砖瓦建筑，无论是经典的官式做法还是灵活的民居建筑，都是当代建筑师创作的无限源泉，如果我们又能在中国诗文绘画中体悟到"意境"的话，那么将更为精彩。从大唐贡茶院到梁祝公园，从月湖盛园到华龙韩岭商业会所的创作无不在于精研历史与地方建筑的基础上所作出的上佳设计，并获得广泛赞誉。最后才是美学的对比手法，如光与影、虚与实、韵律与变化等，也是建筑师的基本素养，在此不多赘述。

材质细部

任何建筑活动都离不开材料，材料的质感表达及其细部做法则体现出设计师对材料的理解力和把握力，否则就是平庸或"废话连篇"了。在古希腊、古罗马时期表现为建筑是石头的史书，在中国则表现为秦砖汉瓦和精湛的木构技术了，无论是西方还是东方，虽材料有异，但相同的是在材料使用上辅之以工艺，这是共同的求美之趋。时至今日，我依然认为工艺、匠艺仍然是建筑具有表现力的有效途径，并通过细部设计得以完美，通俗一点讲，建筑也就活了。如宁波华茂外国语学校、余姚行政中心以及月湖盛园等项目的设计，无不在材质细部方面作出了超凡的精彩设计，让这批建筑成为宁波城市之经典。

关于中鼎

文化苦旅
君子当上下而求索
但求先觉以改变我们的生活
古有孟子三乐庄子之美
已逾二千五百个春秋
今虽弥华尔街之风
从尼德兰到大不列颠到美利坚
浮云终将离去！
建筑之道
是文化？是艺术？是技术？
谁人曾道明？
可就有宁波的一群人在此道上，
中鼎！

罗巨光

罗巨光
Juguang Luo

浙江新中环建筑设计有限公司副董事长
国家一级注册建筑师、高级工程师
毕业于浙江工业大学
首批中港互认注册建筑师
2005年加入香港建筑师学会会员

工作业绩

1998	浙江师范大学附属中学扩建工程 85 000 m^2 项目负责人
2001	台州东港大厦工程 68 000 m^2 项目负责人
2002	浙江经贸职业技术学院迁建工程 100 000 m^2 项目负责人
2004	江山市交巡警办公大楼 60 000 m^2 项目负责人
2005	转塘象山农居工程 800 000 m^2 项目负责人
2008	新华广场二期工程 68 000 m^2 项目负责人

获奖情况

1、浙江经贸职业技术学院图书馆
获浙江省建设工程钱江杯奖
2、江山市巡警办公大楼
获浙江省建设工程钱江杯奖

发表论文

1、《诗意空间山水校园——浙江师范大学附属中学设计》浙江建筑2003年第6期

赵 荦

赵 荦
Luo Zhao

浙江新中环建筑设计有限公司总建筑师
国家一级注册建筑师、高级工程师

1996	毕业于浙江大学建筑系，获得建筑学学士学位
1996—2007	就职于杭州市建筑设计研究院有限公司，曾担任副总建筑师
2008	就职于浙江新中环建筑设计有限公司，担任总建筑师

工作业绩

2008	杭州市红会医院医疗综合楼 60 000 m^2 项目负责人
2009	杭州宝盛大厦 110 000 m^2 150米高 项目负责人
2009	浙江广播电视大学教工路校区新建工程 55 000 m^2 项目负责人
2010	浙江警察学院临安校区 50 000 m^2 项目负责人
2010	江东城市综合体 120 000 m^2 120米高 项目负责人

获奖情况

浙江省人大政协办公大楼
获2009年度浙江省建设工程钱江杯一等奖
获2009年度全国优秀工程勘察设计行业建筑工程三等奖
红星文化大厦
获2002年度全国第十届优秀工程设计铜质奖
义乌铁路新客站
获2008年浙江省建设工程钱江杯二等奖
杭州广电中心
获2011年浙江省建设工程钱江杯二等奖
杭州市红会医院医疗综合楼
获2011年浙江省建设工程钱江杯三等奖

发表论文

《功能与形式的契合——杭州广电中心方案设计》，发表于2005年第5期《时代建筑》
《政府办公建筑设计探讨》，发表于总第20期《建筑与文化》
《建筑与环境——杭州市红会医院创作心得》，发表于总第21期《建筑与文化》

The Well Known Design Institutions & the

Character's Profile

2011-2012 中国建筑设计作品年鉴

优秀设计机构·人物档案

主要建筑设计师

Main Architectural Designers

NITA 荷兰NITA设计集团 Netherlands NITA Design Group

安东尼

Anthony Thomas Johnson 安东尼博士 荷兰NITA设计集团创意总监 园林学博士
致力于城市建设低碳、生态、绿色可持续性研究，曾为澳大利亚、阿联酋迪拜、中国香港等城市主持过多项具有国际影响力的作品，在中国，上海、深圳、天津等多个城市提供了绿色低碳城市规划方面的有价值的建议，其中国作品济宁北湖旅游度假区获得了中国2011年人居规划金奖。

代表作品
香港湿地公园、2012 Floriade世界园艺博览会中国国家园、2013中国常州花卉博览会园区景观规划及设计、天津市生态城设计、广东省深圳市福田区城市更新设计、济宁北湖旅游度假区等。

方　盛

荷兰NITA设计集团亚洲区副总裁 荷兰中国花卉促进会秘书长
2010上海世博主创设计师，GREEN CITY（绿色城市）理念的倡导者和实践者。长期致力于绿色城市及绿色技术的系统性研究与应用，具有丰富的 “绿色城市”实践经验，方盛先生提倡在规划中充分植入绿色DNA因子，提倡通过“回归设计与绿色技术”建立“经济与环境”共生的绿色发展模式。提倡规划师、建筑师与景观师紧密合作，将植物与绿色技术应用在城市实践中，构建立体绿色城市以应对生态环境的日益恶化。方盛先生在世界不同国家积极倡导绿色城市理念，为包括美国华盛顿、荷兰鹿特丹、芬洛（Venlo）、中国上海、深圳等城市的建设和发展提供了有参考价值的建议，形成了NITA对城市更新发展独特的风格和理念，带领团队完成了多项具有挑战性与创新性的地标作品。

代表作品
2010上海世博系列作品2012荷兰世界园艺博览会中国国家展园2013第八届中国花卉博览会园区深圳城市更新、西安植物园、济宁北湖旅游度假区、扬州三湾城市公园等。

朱贵敏

现任职务
NITA董事　高级工程师

工作经历
从事设计行业多年，有着丰富的规划、景观设计经验，于2004年加入NITA，担任NITA董事一职，高级工程师。

代表作品
2012荷兰芬洛世界园艺博览会中国园、2010上海世博会—世博公园系列景观设计、上海2010世博项目宝山区生态专项规划总设计、中国第八届花博会总体规划设计、上海嘉定新城中心区远香湖景观设计、上海浦江郊野公园景观规划设计、陕西省西安市植物园新园区总体规划设计、杭州美高梅大酒店景观设计、杭州千岛湖润和建国度假酒店景观设计等。

郭　立

现任职务
NITA设计部经理

工作经历
从事设计行业多年，有着丰富的设计和实施经验，于2004年加入NITA，担任NITA设计部经理一职。

代表作品
2012荷兰芬洛世界园艺博览会中国园、白莲泾公园及世博村景观设计、上海2010世博项目宝山区生态专项规划、上海浦江郊野公园景观规划设计、西安沣河综合治理景观规划总设计、山东济宁北湖湿地总体规划设计、杭州美高梅大酒店景观设计、杭州千岛湖润和建国度假酒店景观设计等。

美国HOOP建筑设计有限公司
HOOP ARCHITECTURAL DESIGN CONSULTANTS.INC.

赵 恺

上海霍普建筑设计事务所有限公司　设计总监

一级注册建筑师
毕业于华中科技大学获建筑学硕士学位
先后就职于中船第九设计研究院、
新加坡新仕建筑设计公司

主持设计项目
哈尔滨群力文化广场
常州绿地世纪城
杭州保利东湾居住区
上海南汇区委党校
上海阳光欧洲城
湖北武汉爱家国际华城
辽宁鞍山爱家花园
南通奥特莱斯商业中心

Kai Zhao

First Grade Certificated Architect
Graduated as a Bachelor of Architecture from Huazhong University of Science and Technology.
Once worked in the Ninth Design Research Institute
for Shipbuilding Industry of China and the Xinshi Architecture Design Ltd. of Singapore one after another.

Designs Drojects
Harbin Qunli Culture Plaza
Changzhou Greenland Residence-Century City
Hangzhou Poly dongwan Residential Area
Shanghai The Communist Party Institute of Nanhui
District Committee
Shanghai Sunshine Euro Town
Wuhan Hubei Province Anshan Aijia Garden
Nantong Outlets Commercial Center

王晓泉

深圳市霍普建筑设计有限公司　副总建筑师

一级注册建筑师
毕业于天津大学获建筑学学士学位

主持设计项目
宁波都市森林
宁波核心居住区一号地块
湖州升华俞家漾住宅
慈溪东外环居住小区规划
湖州南浔城市设计
深圳市仙桐体育公园

Xiaoquan Wang

First Grade Certificated Architect
Graduated as a bachelor of architecture from Tianjing University.

Designs Projects
Ningbo Metropolitan Forest
The NO.1 Polt of Ningbo Core Residential Area
Huzhou Shenghua Yujiayang Residential Community
The Planning of Cixi East Outer Ring Residential Community
Huzhou Nanxun City Design
Shengzhen Xiantong Sports Park

J.A.O.Design International Architects & Planners Limited
美國龍安建築規劃設計顧問有限公司

Riccardo Minervini 明睿琪

北京龙安国际建筑规划设计咨询有限公司 RM 创作工作室 总监
毕业于意大利罗马 La Sapienza 大学，建筑与室内设计硕士，A 级建筑师执照；

2010年上海世博会中国铁道馆主创设计师。在多个种类的项目中担任过主创设计师，项目负责人，项目建筑师，项目设计师，项目经理等职务，负责建筑、规划及室内设计项目的协调、组织和执行。在住宅，酒店，综合体（办公、住宅、零售、酒店总体规划项目），公共建筑（博物馆、文化中心、展览馆）及室内设计项目中拥有丰富的经验，拥有优秀的概念设计及管理能力。在中国有五年工作经验，熟知中国市场。

Marco Vitali 韦马克

北京龙安国际建筑规划设计咨询有限公司 RM 创作工作室 可持续与环境设计经理
毕业于米兰理工大学建筑系、伦敦可持续与环境设计硕士学位、伦敦建筑联盟学院可持续与环境设计硕士学位

韦马克能够跟进项目的各个阶段，工作领域包括总体规划、城市规划与建筑设计（住宅、办公与综合体）。他参与的项目分布于意大利，中国，俄罗斯，约旦，荷兰等国家。
代表作：约旦阿曼中心区未来城市发展概念设计、与 Foster and Partners 合作的意大利米兰 Milano Santa Giulia 绿色社区、阿斯塔纳 Axis 总体规划、沈阳住宅项目总体规划、Ex Bassetti 厂区改造。

Andrea Bergonzini 白安德

北京龙安国际建筑规划设计咨询有限公司 RM 创作工作室 室内设计经理
毕业于米兰理工大学建筑系，A 级建筑师执照。

建筑师和室内设计师，拥有丰富的高端项目国际经验。曾与米兰、伦敦、和北京著名公司、客户合作过。他参与的、已建成的项目见于法国，意大利，中国，埃及，新加坡和俄罗斯。他的丰富经验使其能开发和运用新颖创意来表达著名客户的品牌形象，价值标准和宣传理念。他服务过的著名客户包括：法拉利，阿玛尼，意大利博斯克罗酒店集团，Purple Jade，HKE 集团，天津大学，博洛尼，Dap Yapi 与 Gemma Ceramics。
Andrea 是上海同济大学客座评审员，负责评审和终审设计单位作品。

J.A.O.Design International Architects & Planners Limited
美國龍安建築規劃設計顧問有限公司

陆 军

北京众拓建筑工程设计有限责任公司 院长 国家一级注册建筑师、高级建筑师
毕业于天津大学建筑系，接受了系统严谨的设计体系的训练，参与过一系列工业和民用建筑设计工作。

代表作品
重庆龙湖花园、重庆新东福花园、大连希望大厦、北京世纪风景、北京外交公寓别墅、华润翡翠城、万科东丽湖邻里中心、三里屯 soho、威海蔚蓝海岸培训中心等，重庆龙湖花园。

获奖情况
获得建设部优秀规划设计奖

秦 岭

北京众拓建筑工程设计有限责任公司 副院长 国家一级注册建筑师、资深建筑师

代表作品
新疆拉萨河建筑设计、拜城绿色家园、拜城天辰矿业综合楼、北奥集团北京希望家园小区、住总集团北京朝内危改小区、山东烟台南山世纪城、首开集团北京通州马驹桥住宅区、北京世纪风景小区、石家庄易水龙脉、北京大湖别墅等。

柳怀宇

北京众拓建筑工程设计有限责任公司 资深建筑师
2005 年毕业于哈尔滨工业大学建筑学院 建筑学学士学位

代表作品
辽宁省城市政府办公楼、法院办公楼、包头万达商业综合体、太原万科金域国际、太原万科紫台、世茂武清住宅等项目。

丁海茹

北京龙安国际建筑规划设计咨询有限公司 规划所所长 国家注册规划师
熟悉各种类型的规划项目，参与规划项目数几十项，具备优秀的各类型项目的方案创意能力和专业技能，且具备优秀的带领团队完成项目的能力。理解、掌握国家对城市发展的策略、规范、法规，积极实践将西方先进理念落户中国，所参与的项目多项获得国际及国内的奖励。

J.A.O.Design International Architects & Planners Limited
美國龍安建築規劃設計顧問有限公司 

王 迪

北京龙安国际建筑规划设计咨询有限公司 规划所副所长 城市规划硕士
参与众多规划项目，内容包括多层次、各类型的规划项目数十余项。对城市设计、空间布局方面有较为深入的研究，对设计项目解读、方案构思项目实施等方面有一定的见解，擅长手绘表达与计算机绘图相结合的设计流程，在工作中追求逻辑分析与感性思维相结合，发挥自己的创造力。

邓 毅

北京龙安国际建筑规划设计咨询有限公司 规划所副所长
2003 年 北京林业大学园林专业学士
在城市设计、社区规划、旅游度假区规划、风景旅游区规划领域，具备丰富的项目设计和管理经验，并为客户提供优质设计服务。在多年设计工作中所展现出的创造性能力和敬业精神得到客户的广泛好评。

代表作品

北京宋庄产业聚集区概念规划
云南昆明世博虹桥车城居住区修建性详细规划
昆明市五华区王家桥片区城市设计
江西共青城高尔夫别墅项目修建性详细规划
昆明主城区部分地段城市设计
昆明 CBD 地区概念性城市设计

宇 宁

北京龙安国际建筑规划设计咨询有限公司 景观所所长、高级景观设计师
主持设计的景观设计、规划设计项目 50 余个，项目类型涉及城市规划，房地产开发，市政道路、公园建设等。项目获得多个设计奖项，发表论文数篇。

代表作品

拉萨河景观规划设计、北京金泰城丽湾景观设计、北京通州梨园镇公园设计、天津武清生态小镇景观规划设计、昆明东风广场景观设计、绵阳仙海湖度假区景观规划设计、江苏盐城欧陆风情商业街景观设计、江西移动红角洲基地景观设计。

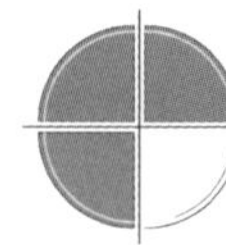

孙 宁

2001　　毕业于西北建筑工程学院建筑工程系
　　获建筑工程学士学位
2003 – 至今　　澳大利亚道克设计咨询（深圳）有限公司
　　担任建筑师 项目建筑师

主要作品
中山富合名都花园住宅项目 方案设计
泸州波士顿二期住宅项目 方案设计 获 2007 年中国城市新地标 10 大名盘
2007　　经典人居 10 大名盘
2008　　新加坡生态花园城 四平不夜城项目规划 方案设计
2009–2010　　江苏南通 · 海门市东恒盛国际大酒店（五星级）
2009–2010　　江苏南通 · 海门市国际公馆 方案设计
2011　　龙湖 · 成都牧马天堂悠山郡 方案设计

沈 颢

毕业于武汉华中科技大学建筑学专业
2002–2009　　澳大利亚道克设计咨询(深圳)有限公司 担任建筑师 副总经理

主要作品
2002–2003　　深圳沙头角警世钟亭
2003–2004　　深圳锦绣江南三期
2004–2005　　重庆御景天成商住小区
2005–2006　　中山东城住宅小区
2006–2007　　湖南望城县行政中心及斑马湖景区规划设计
2007–2008　　西安尚林苑住宅小区
2008–2009　　兰州薇乐花园别墅小区
2009–2010　　江苏南通海门市东恒盛国际大酒店（五星级）
2011　　龙湖·成都牧马天堂悠山郡

陈友发

2007　　毕业于长沙理工大学建筑与城市规划学院建筑学专业
2007 – 至今　　澳大利亚道克设计咨询(深圳）有限公司

主要作品
2007–2008　　临汾御景水城规划设计方案
2008–2009　　新加坡四平不夜城方案设计
2009–2010　　重庆中亿阳明山水二期方案设计
2010　　重庆华美御景盘龙规划设计
2011　　龙湖·成都牧马天堂悠山郡项目
　　贵阳花溪项目规划设计方案

美国James · 王建筑师事务所
James Wang Design Associates, Inc.
北京杰地亚建筑咨询有限公司
James Wang Design Associates

付 斌

天津大学 建筑学学士
英国诺丁汉大学 建筑学硕士
从事本专业：10 年
国家一级注册建筑师
设计师

参与作品
东莞“华南 MALL”，沈阳银河湾，天津梅江南别墅区，北京 9 号国际公寓，
上海环球滨江花园，成都“海韵广场”商业中心，北京财富公馆，北京山水宜家别墅区，北京天恒别墅山，北京世贸商业中心，日坛国际广场，山水文园E区别墅，中关村甲3# 地，北京永定华庭，上海长甲龙湖别墅，青岛海泉湾度假城，东单正和广场，昆明东部生态城，海口鲁能海蓝福源别墅区，烟台市民文化广场。

陈学松

美国洛杉矶加大（UCLA）建筑学硕士
从事本专业：23 年
设计师

参与作品
中建大观天下二期，重庆江南水岸新都，烟台南山养生谷，南山百达翡丽。

杨晓君

北京工业大学 建筑专业
从事本专业：7 年
设计师

参与作品
金海湖地区别墅，华翰净月公馆项目，重庆江南水岸新都。

王 会

西安建筑科技大学 建筑学
设计师

参与作品
华瀚威海项目，暖山国际城项目，海洋大凤项目，白马庄园项目。

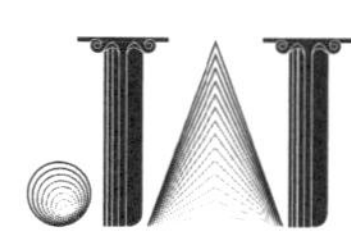

美国James · 王建筑师事务所
James Wang Design Associates, Inc.
北京杰地亚建筑咨询有限公司
James Wang Design Associates

王世刚

沈阳鲁迅美术学院本科 环境艺术专业
从事本专业：13 年
设计师

代表作品
北京昌平会馆酒店、北京世贸国际公寓样板间会所、北京塞纳维拉花园样板间、北京时代庄园样板间会所、北京辛康斯丹郡样板间会所 上海罗山绿洲会所、北京海润国际公寓样板间会所、北京山水文园公寓样板间售楼处会所、北京当代万国城样板间、北京碧水庄园别墅 北京通用时代售楼处、北京香山艺墅样板间、北京康馨园别墅样板间、北京未来假日花园别墅样板间、天津卡梅尔。

赵　波

沈阳航空工业学院 中央工艺美术学院进修 装潢设计专业
从事本专业：14 年
设计师

参与作品
中国人民银行营业管理部办公大楼 13 600 m^2；北京星明湖度假村 35 000 m^2；理想国际大厦 70 000 m^2；北京市委 1# 楼 12 000 m^2；山西临汾红金龙商务会馆 21 600 m^2；秦山核电科技报告厅 12 700 m^2；秦山核电办公大楼 30 000 m^2；世贸天阶 SPA 30 000 m^2；青岛海泉湾度假区酒店 100 000 m^2；民生金融中心泛海集团会所及办公 25 000 m^2；武汉泛海樱海园样板间 500 m^2；一渡新新小镇高铁会所 3 500 m^2；一渡新新小镇温泉 SPA 及酒店扩建。

陈永钢

天津建筑工程职工大学 室内外建筑装饰工程专业
从事本专业：10 年
设计师

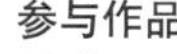

参与作品
乐成国际售楼处、样板间；朝阳区城市规划展；9# 国际公寓样板间；光彩国际公寓私宅两套；温哥华森林 A4\B5；东莞阳光山庄 DL-5 独栋；世贸天阶商场；乐成酒吧；沈阳华府天地 Shopping Mall；乐成酒窖；北京华联创新培训中心；鹏润时代广场售楼处；乐成会所；禧福汇样板间 R1.R2.R3；9# 公寓会所；世贸天阶 SPA-VIP 区；北京尊府售楼处、样板间（A 户型、H 户型）；内蒙乌海君正花园样板间 D-4；北京尊府 1#、2#、3# 楼所有户型精装；北京尊府 B1 会所。

王广宇

天津师范大学
设计师

参与作品
北京龙熙顺景二期度假酒店室内设计；北京山水铂宫酒店式公寓室内设计；北京金海湖度假酒店室内设计；北京日坛国际广场五星级商务酒店室内设计；北京世贸天阶商业部分室内设计；安邦保险北京总部室内设计；西柏坡五星级度假酒店室内设计；沈阳华锐华府天地商业部分室内设计；北京尊府会所室内设计；太阳公元会所及样板间室内设计。

李　鑫

天津师范大学
从事本专业时间：7 年
设计师

参与作品
北京龙熙顺景二期度假酒店室内设计；北京山水铂宫酒店式公寓室内设计；北京金海湖度假酒店室内设计；北京日坛国际广场五星级商务酒店室内设计；北京世贸天阶商业部分室内设计；安邦保险北京总部室内设计；西柏坡五星级度假酒店室内设计；沈阳华锐华府天地商业部分室内设计；北京尊府会所室内设计；太阳公元会所及样板间室内设计。

ÉTÉ 翌德国际设计机构

été lee et associés architectes urbanistes

■ 法国翌德国际设计机构　　■ 上海翌德建筑规划设计有限公司

于一凡
董事

王　渝
建筑部 主管

罗贤吉
规划部 主管

付　强
景观部 主管

宋铁成
建筑部 总建筑师

Cyrille Hugon
建筑部 设计总监

汪　毅
技术部 主管

HMD 汉米敦

汉米敦（中国）建筑设计有限公司
HMD(China) Architecture Design Co., Ltd.

Paul Rice

现任职务：设计总监（建筑）
国籍：英国
学历及资格：现任英国皇家建筑师学会会员
LEED认证专员
英国格拉斯大学建筑系
英国Bath大学获施工经济与管理硕士学位
曾经工作的国家和地区：中国、英国、新加坡、马来西亚、约旦、印度尼西亚
保罗.莱斯先生具有近二十年建筑及规划设计工作经验，曾在英国、新加坡、马来西亚、约旦、印度尼西亚等多个国家工作过，在城市设计、居住区规划、公共建筑、居住建筑设计等方面积累了丰富的经验，同时具备很强的项目协调与管理能力。

代表作品
成都西部国际金融中心 （希尔顿-康纳德酒店）
武汉沿海黄狮海酒店商业综合区（洲际皇冠会展酒店）
沈阳明华南方资本广场
宝龙上海曹路城市广场
中信青岛旅游区度假酒店及别墅
沈阳北中街"豫珑城"

Martin Jochman

现任职务：设计总监
资质：BA (Bristol), Dip Arch
专业协会：ARB, RIBA ，英国皇家建筑师学会
在HMD汉米敦担任设计总监，在建筑设计和施工有超过20年的工作经验，成果遍及英国，欧洲，中东和远东国家。
其丰富的经验包括诸多大型国际竞赛项目的总体规划，概念和扩初设计。马丁曾在同济大学演讲，并在马来西亚吉隆坡的国际建筑会议还有北京、重庆和上海的各种会议上演讲过其做过的项目。
马丁曾经作为阿特金斯公司设计团队的领导者和概念设计师。领导设计的项目如迪拜的朱美拉海滩度假酒店，英国普利茅斯海阳水族馆，希腊科莫蒂尼市的学生住宅还有英国空中客车的总体规划和办公设计。
马丁认为可持续设计在项目中占有重要地位，并致力于推广绿色能源概念在设计中的应用。
目前马丁在上海汉米敦担任设计总监，领导一个建筑工作室。

代表作品
朱美亚海滨七星级度假酒店，迪拜——岸上观光酒店和水上乐园
世茂新体验洲际酒店 ——五星级酒店和水族馆
武汉五星级地标酒店及住宅塔楼——中国 武汉
苏州金鸡湖大酒店
泰晤士小镇
天津泰达塔楼
松江深坑酒店
武汉嘉峪的卵石酒店
东莞酒店

李剑波

现任职务
设计总监、中国一级注册建筑师
教育背景：湖南大学建筑系学士；
工作经历：曾经工作的国家和地区：中国、英国
李剑波先生具有二十年的建筑设计及规划设计的工作经验。
作为资深规划师，在城市设计、大型综合居住社区及城市综合体的规划设计上具有丰富的经验和能力。
作为资深建筑师及项目经理，在居住、办公、酒店，教育、文化等各类建筑设计及项目管理方面也同时具备丰富的经验和能力。
作为建筑部门经理，也同时具备较强的团队组织及业务管理能力。

代表作品
万科-中航 贵阳十二滩综合开发城市设计
北京银泰世贸中心（国际方案竞赛）

HMD 汉米敦

汉米敦（中国）建筑设计有限公司
HMD(China) Architecture Design Co., Ltd.

戴磊涛（新加坡）

现任职务：北京公司总经理、高级建筑师、中国一级注册建筑师、英国皇家特许建造师
教育背景：1992年天津大学建筑系建筑学学士

工作经历
曾经工作的国家和地区：中国、俄罗斯、新加坡
具有十八年在新加坡、俄罗斯及中国从事房地产策划开发、建筑及景观规划设计的经历。曾主持及参与众多大型公共建筑设计、大型居住区规划设计、高科技产业园区等项目的设计。熟悉建设程序的各个环节及项目运作的全过程，具有全面的规划设计、项目管理、团队管理经验及市场拓展、沟通协调能力。从2004年开始，作为主要建筑师及项目总负责人先后主持并参加了多个中国机场的国际竞赛，中标5个。

代表作品
大连开发区甲级写字楼、五星级酒店超高层综合体设计
长沙黄花国际机场航站区总体规划设计和航站楼方案设计竞赛（在建）
石武铁路客运专线新郑州站概念设计方案竞赛
西安咸阳国际机场航站区总体规划和航站楼方案设计竞赛（在建）
乌鲁木齐地窝堡国际机场航站区总体规划和航站楼方案设计竞赛

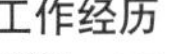

王咏梅

现任职务：主任景观设计师
国　　籍：中国
教育背景：北京林业大学风景园林系风景园林学士
具十多年景观规划、景观建筑设计和项目管理的经验，熟悉和了解中国的房地产开发与景观规划的相关背景，参与许多重大项目的设计，并具有很强的项目管理与项目协调能力。

工作经历

2009－至今	汉米敦中国	主任景观设计师
2006－2009	阿特金斯中国	主任景观设计师/团队负责人
2003－2004	加拿大泛太平洋建筑设计有限公司	景观所所长
2001－2003	上海意格环境设计咨询有限公司	资深景观设计师、规划师、景观部主管及技术总监
2000－2001	英国阿特金斯顾问有限公司	资深景观设计师及项目经理
1999－2000	北京土人景观规划设计研究中心	高级景观规划设计师
1997－1999	北京大学景观规划设计中心	任设计师
1993－1997	大连市政设计院	景观设计师及施工监理

近期完成的重大项目
乌海国宾馆景观设计
天津泰达现代产业园区MSD项目景观设计
无锡锡东新城九里河两侧景观规划
上海嘉定紫提湾住宅景观设计
郑州绿博园规划与设计方案

ATKINS

Our Design Leaders:

Over almost two decades years, Atkins has become one of China's most respected international architects, which is no mean feat in the light of stiff international competition. The secret to our success lies in the absolute commitment by our design leaders, towards our clients as well as towards our younger generation designers.

Atkins Architecture has its own unique culture. Whilst we enjoy a rich mix of internationalism in every Studio, we remain singular in our process and our client commitment. Our Design Leaders originating from England, USA, China, Holland, New Zealand, France and Hong Kong are at the forefront of this process, which results in great success despite the enormous time and cost challenges placed on us. We don't measure our success on the tallest, or largest building, but on the number of clients that come back to us for their next project. Atkins ambition is to continue to be China's most dependable architect well into the 21st century.

我们的设计领导者：

近二十年来，阿特金斯出色的业绩在激烈的国际竞争中脱颖而出，并铸就其成为中国顶级的知名国际设计公司。我们成功的秘笈在于设计领导者精益求精地为客户提供的专业服务，和有效地领导我们设计团队。

阿特金斯的建筑都赋予其独特的文化内涵。我们国际化的设计团队、专业化的服务，都是我们有效的完成每个设计项目的保证。我们设计领导者来自世界各地，英国，美国，中国，荷兰，新西兰，法国和香港，融合成一个国际大家庭，引领着阿特金斯走在建筑设计的领先地位，尽管花费大量的时间和成本，但这一切都是我们取得成功的法宝。我们衡量我们的成功不是通过我们设计了多少高楼大厦，完成了多大规模的项目，而是我们专业的服务、高水准的设计得到客户的一致的认同和绝对的信任，阿特金斯的目标是在21世纪继续成为最值得信赖的设计公司。

01 **Bertil de Kleynen**
Head of Architecture & Landscape, Asia Pacific
建筑与景观设计部总裁，中国及东南亚地区

02 **KY Cheung**
Designer Director
设计董事

03 **Ian Milne**
Designer Director
设计董事

04 **Lea Xu**
Designer Director
设计董事

05 **Peter Ridley**
Designer Director
设计董事

06 **Eric Seymour**
Designer Director
设计董事

07 **Jason Hutchings**
Designer Director
设计董事

澳大利亚HYN建筑设计顾问有限公司
HYN Architecture Design & Consulting Pty Ltd. Australia
深圳市汉方源建筑设计顾问有限公司
Shenzhen Hanfang Source Architectural Design Consulting Co., Ltd.

骆 清

现任职务
设计董事
中国一级建筑注册建筑师　　中国国际青年建筑师学术委员会会员
中国创作协会会员　　中国绿色建筑委员会会员

教育背景
毕业于深圳大学建筑系
澳大利亚新南威尔士大学（unsw）建筑学专业硕士

代表作品

2006—2010	成都戛纳湾总体规划、建筑及景观设计
2010	四川新津长秋山国际会议中心及旅游项目总体规划
2010	四川新津宝资山别墅区概念规划
2011	四川青白江区中国西南城（中国糖酒食品博览园）的规划
2011	四川青白江区中国西南城中国酒谷建筑与景观设计
2011	四川绵阳仙海湖别墅区景观设计
2011	海南屯昌观湖雅苑建筑景观设计
2011	海南文昌商业广场建筑与景观设计
2011	海南文昌 2300 亩旅游地产项目
2011	海南三亚萨拉酒店及别墅区建筑与景观设计
2011	深圳市宝安区城市综合体概念规划、建筑与景观概念方案设计

擅长城市综合体、建筑规划、低密度别墅建筑设计、高端复合型地产项目规划、建筑立面及景观设计。具备优异美术基础，擅长创意型建筑与景观设计。
从业 10 年，是中国最优秀的青年建筑设计师之一，也是国内少有的同时具备高水准规划、建筑与景观设计的跨界设计师。

蓝聪尧

现任职务
主任建筑师

教育背景
修读于惠州学院建筑学专业

工作经历

2010—至今	澳大利亚 HYN 建筑设计顾问有限公司
2004—2010	深圳市开朴建筑设计顾问有限公司

擅长城市商业综合体、高容积率社区、低密度别墅区、高端旅游度假区规划及建筑设计。从事建筑设计行业十余年，对总体规划和户型设计具有深刻的理解与较高的认知。所参与及主持的项目均能获得当地较高的评价，是一个经验丰富且具有一定建筑设计底蕴的实干型建筑师。

代表作品
深圳泰华—N7 地块项目海逸世家、水湾头酒店、成都蓝光地产－观岭国际社区二期、深圳侨香路、美丽大厦、合肥、合翔领域、深圳南山－中泰艺术公园 2,3,5 号地块、山东东营、香格里拉花园、深圳布吉大贸集团、中国饮食文化城二期。

唐 波

现任职务
副主任建筑师

教育背景
毕业于长沙理工大学建筑学专业

代表作品
中山大信新都汇商业综合体二期、大信山东临沂 A4 地块商业综合体、肇庆华生中心综合体项目、赣州 F50 地块商业综合体部分、中山大信海岸家园 HK 区规划项目、中山坦洲优越花园住宅项目。

唐波先生擅长于商业综合体及高档住宅的设计。他注重建筑立面细节及布局安排的合理性。执着于商业动线、业态分布最优化的研究。为了使方案更能突出其特点并尽可能地超越委托方的期望，唐波先生经常与委托方进行有效、细致的沟通，务求将每一点、面都能完美无缺地呈现。

承构建筑

Made & Make Architects

MADE MAKE

承构设计团队

柴晟 Sheng Chai

合伙人
董事总经理
Managing Director

许峰 Feng Xu

合伙人
合伙人 董事总监
Chief Design Director

魏壮 Zhuang Wei

上海承构副总经理 副总建筑师
Vice General Manager & Principal (Shanghai)

周颖新 Chris K.S.Chu

深圳承构副总经理 副总建筑师
Vice General Manager & Principal (Shenzhen)

唐聃 Dan Tang

上海承构副总建筑师
Principal (Shanghai)

康俊 Jun Kang

深圳承构副总建筑师
Principal (Shenzhen)

深圳市承构建筑咨询有限公司 地址：深圳市福田区深南大道2008号中国凤凰大厦1号楼20C 电话：+86-755-33067800
上海承构建筑设计咨询有限公司 地址：上海市虹口区四川北路888号海泰国际大厦6F 电话：+86-21-61437001

JWDA
TEAM
INTERNATIONAL FIRM OF OVER
200 ARCHITECTS AND DESIGNERS
超过200名中外建筑师及设计师组成的国际公司

亞合建築 ARCHOO
规划 建筑 景观 室内

美国亚合国际建筑设计事务所
Archoo International Design Inc. USA
上海亚合建筑设计有限公司
Shanghai Archoo Architectural Design Co., Ltd.

周晓源

现任职务
上海亚合建筑设计有限公司项目经理
国家注册规划师

教育背景
上海交通大学城市规划硕士

工作经历
加入上海亚合建筑设计有限公司前，于上海知名建筑设计事务所工作逾 10 年，在住宅及城市综合体项目方面具有丰富的经验。

主要作品
公共建筑
国家 4A 级景区普者黑古镇
昆明东门市场
武汉东湖公园综合片区
腾冲国家级体育训练基地
福建周宁南街一号商业综合体
上海曹安商贸城购物中心
住宅
万科宁波金域蓝湾
昆明吉祥大院

陆　遥

现任职务
上海亚合建筑设计有限公司项目经理

教育背景
苏州大学建筑学学士

工作经历
2003—2006　台湾台北联合建筑事务所建筑师
2006—2007　上海都林国际建筑设计有限公司主创建筑师
2007— 至今　任亚合建筑部项目经理

主要作品
公共建筑
昆明昆锐新天地商业综合体
普者黑游客服务中心
郑州中央特区四期
福州中庚高级会议中心
玉溪戛洒腾瑞大酒店
马鞍山朝辉首府商业
住宅
万科泉水湾别墅区
广州清远金保利综合社区
绿地牡丹江白桦原墅
武汉名都花园

田江林

现任职务
上海亚合建筑设计有限公司项目经理

教育背景
桂林工学院环境艺术学士

工作经历
2003—2008　同济大学建筑设计研究院景观艺术分院主任设计师
2008— 至今　任亚合景观部项目经理

主要作品
福建融侨“外滩一号”
南京南捕厅景观设计
成都静居寺路改造
武汉瀚城南二区公共景观
湖南“主塘河绿地公园”
北京工业大学新区景观
同济联合广场
扬州“扬子津生态休闲园”

MLAI

美国明创建筑咨询（上海）有限公司
Ming Lai Architects Inc

赖明志

现任职务
美国明创建筑设计咨询有限公司主持建筑师

教育背景
1997　获得美国美国伊利诺州理工学院硕士学位
1996　获芝加哥建筑师协会奖

工作经历
美国GP建筑设计公司资深建筑师及专案总监
2008年成立美国明创建筑设计咨询有限公司

代表作品
上海钻石大厦、苏州建屋大厦、成都明宇金融广场、南京国际广场、苏州凯悦酒店、苏州港华研发大楼、惠州凯悦酒店及天津万豪酒店等。

鞠馥宇

现任职务
美国明创建筑设计咨询有限公司项目经理

教育背景
2006　毕业于南京工业大学，获得建筑学学士学位

工作经历
上海颐通建筑设计事务所建筑设计师
明创建筑设计咨询（上海）有限公司项目经理

代表作品
衢州金融大厦、天津万豪酒店、苏州乐龄公寓、南充市江东新区滨江广场概念设计等。

谢国强

现任职务
美国明创建筑设计咨询有限公司项目经理

教育背景
1993　毕业于新加坡理工学院，建筑科技专业学历
2000　获得澳洲墨尔本皇家理工大学建筑学学士学位

工作经历
杰盟(新加坡)建筑设计有限公司建筑设计师
INIT国际（上海）有限公司建筑设计总监
美国明创建筑设计咨询有限公司项目经理

代表作品
苏州港华研发大楼、阆中戴斯酒店、长春明宇广场、成都10-3地块建筑概念设计等。

ARCHITECTURE

美国KLP建筑设计有限公司
KLP Keller HU Partnership Limited

拉里·凯勒

现任职务：美国凯勒建筑设计有限公司首席执行官 总设计师 NCARB美国国家注册建筑师 美国17州注册建筑师

教育背景

拉里·凯勒先生1965年毕业于美国哥伦比亚大学 获建筑学硕士等多项学位

工作经历

历任美国多所著名大学及设计研究机构研究员、教授、高级建筑师、总设计师等专业技术职务，至今已有四十年的建筑设计和规划经验。他以独具创意的建筑设计和室内设计而闻名。凯勒先生的设计创作涉猎广泛，主要包括航天航空、医疗卫生、文化教育、科技博览、图书档案、影院剧场、商业娱乐、星级酒店、科研办公、公寓住宅、小区规划、体育中心、交通枢纽、古建保护以及军事基地等各种类型。其作品在美国国家级建筑刊物及媒体上刊登三十余次。

获奖情况

多次荣获美国建筑师协会和美国工业设计师协会的设计奖，并因此荣获美国建筑师协会终身院士称号，美国建筑师协会评价他："能够把复杂的工程概念和建筑设计融为一体；利用简单自然的建筑材料创造出伟大的建筑艺术效果。"

代表作品

美国国家邮政中心、世界银行中心、圣何塞国际机场、五角大楼室内、蒙哥玛丽医疗中心、西南贝尔集团总部、美国航空航天地面观测中心、B-2轰炸机技术中心总部、SWB通讯中心、中国厦门文化艺术中心、中国厦门海关新办公大楼、中国厦门鼓浪屿风琴馆及音乐广场、中国中央音乐学院珠海校区、中国成都鹭岛国际社区三期、美国国家新闻中心总部等。

袁同斌

现任职务：美国凯勒建筑设计有限公司董事 总经理 总建筑师 高级建筑师

教育背景

袁同斌先生先后求学于国内外知名高等院校，分别获得了合肥工业大学建筑学硕士、英国伯明翰大学工商管理硕士（MBA）和美国北卡州立大学建筑学硕士学位。

工作经历

历任美国、新加坡知名设计企业高级建筑师、总建筑师、总经理等职。袁同斌先生同时具有在中国政府城市规划管理部门从事规划和建筑审批的管理和领导工作经验，并据此培养出全面和敏锐的专业洞察力，广泛的行业知识及经验，以及优秀的组织、协调、领导及沟通能力。在长期的创作实践中，袁同斌先生对城市规划及多种建筑类型包括办公、酒店、商业、文教、高科技园区建筑、住宅及大型居住社区的设计有独到的见解和有创意的设计解读，尤其是在充分体现绿色环保，追求自然以及与城市的关联和建筑文脉传承方面有着成功的实践。

郑顺琛

现任职务：美国凯勒建筑设计有限公司 资深项目经理 副总建筑师 高级建筑师

教育背景

郑顺琛女士毕业于厦门大学建筑系

工作经历

至今已有十几年的建筑设计和规划经验，历任建筑设计公司高级建筑师、副总建筑师等专业技术职务。在长期的工作实践中，积累了丰富的建筑设计，工程技术及建筑材料和构造方面的专业知识。

郑顺琛女士一贯秉承严谨的专业态度和细致的专业服务。参加过多种建筑类型的设计，包括科研办公、文化教育、科技博览、商业、住宅、居住小区规划等。

代表作品及获奖情况

厦门海关新办公大楼、厦门文化艺术中心、厦门机场查验业务用房、厦门鼓浪屿风琴馆及音乐广场、成都金沙鹭岛一期、宜兴国电太阳能产业链项目办公研发区、平潭对台小额商品贸易市场及水果批发市场等，其中厦门海关新办公大楼被《101世界最佳新建筑》刊登，成都金沙鹭岛一期荣获全国人居建筑金奖。

张　毅

现任职务：美国凯勒建筑设计有限公司资深项目经理 副总经理 高级设计师 美国注册建筑师 一级注册建筑师

教育背景

张毅先生具有中美双重教育与工作背景，求学期间分别获得厦门大学建筑学专业学士学位、美国俄克拉荷马大学建筑学硕士学位，历任中美知名建筑设计机构的设计总监、高级项目经理、公司联合人（ASSOCIATION）等设计与管理职位，并获得美国注册建筑师资格。

代表作品

洛阳龙门石窟北入口综合服务区、河南洛阳正骨医院传统疗法中心、中国厦门海关新办公楼、厦门海峡论坛、四川金沙鹭岛国际社区、福建浔兴翰林春天商住社区、厦门海峡国际社区中小学及幼儿园等。

获奖情况

主要参与或主持创作的设计作品荣获建设部鲁班奖、全国人居建筑金奖等多项国家级奖项，相关作品、论文、评论被《101世界最佳新建筑》、《建筑师》、《时代楼盘》、《A+A》（中国建筑学会会刊）、《新楼盘》、《中国医疗建筑与设备》等专业书籍、杂志多次录用刊登。

英国UK.LA太平洋远景国际设计机构

U.K PACIFIC LONG-RANGE PLANNING & DEVELOPING DESIGN CONSULTANT LTD.

张 凯

华中科技大学建筑学硕士学位
东南大学建筑学博士学位
英国UK.LA太平洋远景国际设计机构大中华区总裁
南京环洋远景建筑规划设计顾问有限公司董事长
南京泛奥建筑规划设计顾问有限公司董事长
黑龙江嘉达置业有限公司董事
宁夏久远置业有限公司董事 副总经理
杭州当代投资有限公司董事

先后被评为

中国房地产协会专家委员会委员
亚洲建筑规划师杰出100强
中国建筑规划设计突出贡献人物
江苏建筑规划十大影响力人物
亚洲建筑规划设计风云人物
法国建筑师协会会员（20090618）
中房商协城市规划与建筑设计专业委员会委员

主要作品

1、城市规划部分

苏州古城一、二号街坊保护性规划（76 hm^2）
郑州龙子湖湖心岛城市设计（99 hm^2）
新沂窑湾古镇规划（101 hm^2）
弘业国际无锡锡东大道城市设计（56 hm^2）

2、公共建筑部分

郑州意大利格拉姆中心（12万 m^2超高层）
南京金宁广场（18万 m^2综合建筑群）
连云港甬连再生资源加工园区（100万 m^2科技园区）
南京名爵汽车广场（26万 m^2）
徐州中山堂改造项目（6万 m^2高层）
南京金港创业园（76万 hm^2）

3、居住社区部分

南京华欧国际友好城（230万 hm^2）
南京旭日上城建筑设计（202万 hm^2）
郑州清华忆江南（86万 hm^2）
海南儋州双联滨海住区（88万 hm^2）
南京爱涛漪水园、爱涛天成（40万 hm^2）
郑州清华大溪地（260万 hm^2）
红太阳乌江新城（530万 hm^2）
郑州中南海知音（50万 hm^2）

4、景观设计部分

郑州西南绕城高速景观设计（全长52 km）
南京河西江东路景观设计（总长16.8 km）
南京徐庄软件园景观设计（设计面积12 hm^2）
信阳百花园景观设计（设计面积20 hm^2）

英国UK.LA太平洋远景国际设计机构

U.K PACIFIC LONG-RANGE PLANNING & DEVELOPING DESIGN CONSULTANT LTD.

崔晨旻

天津城市建设学院工学学士
英国UK.LA太平洋远景国际设计机构副总经理

近年主要作品

郑州市清华·忆江南五期规划建筑设计（9万 m^2）
郑州·张庄城中村改造项目规划建筑设计（39 hm^2）
新郑肖韩社区建筑规划设计（40万 m^2）
洛阳香榭里·定鼎广场项目建筑规划设计（41.8万 m^2）
洛阳香榭里·畔山兰溪居住项目建筑规划设计（39万 m^2）
郑州一生缘·翡翠谷综合旅游度假项目规划设计（77万 m^2）
平顶山湛河沿岸景观改造及城市设计（全长8 km）
河南唐河和美国际综合商业居住项目建筑设计（7万 m^2）
盱眙帝景国际居住项目规划设计（23.7万 m^2）
淮安国华·御翠园居住项目建筑规划设计（20万 m^2）
淮安七星水岸居住项目建筑规划设计（12万 m^2）
宿迁东紫园居住项目建筑规划设计（19万 m^2）
泗洪星河上城居住项目建筑规划设计（36万 m^2）
海南儋州塞维亚海岸建筑规划设计（88万 m^2）

钱洪杰

长沙理工大学工学学士
英国UK.LA太平洋远景国际设计机构设计部经理

近年主要作品

1、城市规划部分
郑州市清华·忆江南项目控制性详细规划（400 hm^2）
邓州市湍北新区及行政中心区城市设计（375 hm^2）
清华·大溪地项目控制性详细规划（249 hm^2）
清华·大溪地项目修建性详细规划（249 hm^2）
邓州市湍北社区空间发展规划与详细规划（167 hm^2）
郑州·张庄城中村改造项目控制性详细规划（39 hm^2）
马鞍山·荷包山西侧地块修建性详细规划（29 hm^2）
新郑肖韩社区修建性详细规划（15 hm^2）
成都新客站片区城市设计（750 hm^2）
杭州长睦—皋亭城市综合体城市设计（600 hm^2）

2、居住社区
洛阳道北A、C地块（100万 m^2）
海南儋州塞维亚海岸（88万 m^2）
蚌埠市沈圩村城中村改造项目（81万 m^2）
扶沟中汇国际城（35万 m^2）
漯河·螺湾小镇廉租房（34万 m^2）
漯河·螺湾小镇公租房（19万 m^2）
邓州皇马国际（25万 m^2）

STUDIO SāN

麦天渝建筑设计咨询(上海)有限公司

Jeremy T.Metz 麦天渝

现任职务：董事长

教育背景

1998—2001：Univ.of Oregon 俄勒冈州大学 B.Arch 建筑学学士

1995—1997：Vanguard University 科斯拉梅萨 先锋大 Costa Mesa,CA 加州学

LEED Accredited Professional 美国绿色建筑认证协会会员资格

代表作品及获奖情况

米兰世博会主题馆，2015 世博会

马来西亚吉隆坡吉隆坡河岸别墅

可口可乐馆，2008 奥运会

斯阔谷，加州斯阔湾滑雪—高尔夫度假酒店

中国山东济南商河温泉会议度假酒店

广州从化高尔夫温泉度假村

滑雪村度假酒店

哥伦比亚馆，2010 世博会

Jeremy Metz — 麦天渝，美国加州注册建筑师，擅长于度假酒店，居住建筑和体验类建筑的规划和设计。Jeremy Metz 基于项目基地的特殊性，及对建筑忠实表达的设计理念，在对任务书，气候条件，文脉等因素的考量下选择最为合适的建筑材料。Jeremy Metz 的这一理论，在他设计的 2015 年米兰世博会主题馆（The Main Theme Pavilion of 2015 Milan World Expo）中得到充分体现，Jeremy Metz 同时擅长于通过先进的技术手段，对自然的和人造的环境的及以保护以表达对建筑历史的尊重。作为一名绿色设计认证的建筑师，他将他在环境保护方面的知识运用到所有的项目中，不仅仅是建筑设计中，而且是建筑使用生命周期内的运营维护中。Jeremy Metz 在参与公司的项目设计和公司发展的同时，主要负责与业主的服务和与业主的交流。

注册建筑师

CA Architects License、加州 建筑师执照 C—29791、AIA San Francisco Member、美国建筑师协会会员（AIA）、旧金山分会

Ling Tang 唐玲

现任职务：Studio San 合伙创始人 设计主管

教育背景

1999—2001：Univ.of Oregon 俄勒冈州大学 M.Arch 硕士 Eugene,OR 尤金，美国俄勒冈州

1987—1991：Institute of Urban Construction& Environmental Protection 苏州科技学院 E.Arch. 建筑学学士

旧金山分会

代表作品及获奖情况

2008 年中国北京华北电网办公楼改建

1965 年中国华北电力指挥中心项目获 2000 年政府工程项目三等奖，

1996 年荣获首都建筑设计竞赛三等奖

中国天津南开大学人文楼 1997（获市政建筑工程杰出设计作品奖二等奖）

美国加州约翰米尔综合医院、中国无锡无锡新区社区医院 、中国成都四川省骨科医院住院楼室内设计及门诊楼改建

医院改造、奥克兰、加利福尼亚州、心脏病医学中心、信息中心、手术等候室、加利福尼亚大学旧金山分校急症室，旧金山、综合医院急诊楼、圣地亚哥。

唐玲是美国注册建筑师，有着在建筑设计领域内超过 20 年以上的经验。中国出生的她在中国取得了建筑学学位和 20 多年的工作经验，并在俄勒冈大学获得了建筑学硕士学位，在美国从事建筑设计工作多年。她参与并主持了不同规模不同类型的项目设计，包括商业建筑、教育建筑、医院建筑、高层办公建筑、少管所、酒店、规划项目和各类市政项目，其中二项荣获国家建筑工程设计奖。作为 Studio San 的主管设计的合伙人，她能捕捉到每个项目独特的最根本的要素，给甲方创造最大的价值。她的创造力和领导才能促使设计队伍抓住工作重点并富有成效。

注册建筑师

AZ Architects License、美国亚利桑那 建筑师执照、AIA San Francisco Member、美国建筑师协会会员（AIA）

Li Yang 杨丽

现任职务：设计师

教育背景

1999—2004

Institute of Urban Construction & Environ.Protection E.Arch.

苏州科技学院建筑学学士

工作经历

2008—Present

Studio San，Shanghai，China Designer

麦天渝建筑设计咨询（上海）有限公司 设计师

2006—2008

The Eleven Design & Research Institute of IT.CO.,LTD Designer、信息产业电子十一设计院有限公司、建筑设计师

代表作品

无锡太科园中介服务积聚区、中国无锡无锡新区体育中心、无锡市锡山区 V—PARK 服务外包园载体建筑设计、ABB（上海）办公楼、上海国家集成电路研发中心、四川省骨科医院住院楼室内设计、中国北京华北电网办公楼改建 、大连 INTEL 12 英寸晶圆厂。

有着建筑学学士背景的杨丽给 Studio San 带来近 8 年的工作经验。参与了诸多大型工程的设计，其中包括医院、办公楼、住宅，以及商店和酒店项目。在本地设计院的从事设计工作并熟悉政府主管部门的经历使杨丽在设计团队里有着不可估量的价值。杨丽将承担与技术和工程队伍的配合的任务及公司内建筑组的管理工作。

合艺国际（中国）
HIGH International (China)

王　刚

现任职务
澳洲合艺国际中国区 合伙人
杭州合艺建筑环境设计有限公司 董事 所长
国家一级注册建筑师

教育背景
澳大利亚新南威尔士大学建筑学院 建筑学硕士

工作经历
曾就职于澳大利亚Crawford Partners Architects

代表作品
澳大利亚国家航海博物馆七号展厅（ANMM）、悉尼科技园区办公楼（ATP）、悉尼大学生物系教学实验楼、悉尼Palm Bay住宅开发项目、Milson McGrath住宅项目、Caringbah RSL俱乐部、悉尼Illawarra Catholic俱乐部，Hurstville、博鳌亚洲湾度假酒店及度假房产、江西南昌凯亚阳光商业街、无锡檀溪湾别墅区、天津和平区世纪广场综合体。

设计理念
近二十年丰富的国内与国外专业教育背景与设计实践经历，使得王刚建筑师在提供大型综合性项目的设计解决方案上，有着更为超前的理念，宽广的眼界以及全面的思维方式，从而能为客户提供新颖但不脱离实际的设计视角，并将当今设计界的先进理念转化为符合实际需求的全方位设计服务。
凭借其在国内大型设计院的丰富工作经验与国外设计事物所多类型多地域工程项目的设计实践，王刚先生尤其擅长为复杂的大型综合性项目提供从项目定位策划，概念规划到建筑设计，以及多专业协调配合的全程设计服务。其服务的业主有国内知名的大型国营及私营企业，也有澳大利亚及美国等地的著名开发商及业主，包括宁波北仑电厂，卡森置业，澳大利亚国家航海博物馆，悉尼大学，悉尼Illawarra Catholic 俱乐部，澳大利亚Lend Lease，等等。

孙利强

现任职务
澳洲合艺国际中国区 合伙人
杭州合艺建筑环境设计有限公司 董事 所长
国家一级注册建筑师

代表作品
浙江亚厦·风和苑住宅区、浙江上虞锦绣四明住宅区、浙江上虞卧龙天香华庭住宅区、浙江上虞余姚商会大厦、浙江卧龙集团总部大院、桂林公馆·原乡墅、江苏宜兴逸品尚东、江苏镇江圣地亚哥住宅区、江苏苏州青剑湖科技园。

设计理念
精通城市设计及大型公共、商业、住宅建筑规划设计，以客户经济价值最大化为核心理念，通过定量与定性的市场研究，将产品的市场定位、经营理念、功能配置、规划设计、建筑设计、室内设计、景观设计等系统集中于建筑项目的设计过程。

沈仙明

现任职务
澳洲合艺国际中国区 合伙人
杭州合艺建筑环境设计有限公司 董事 所长
国家一级注册建筑师

教育背景
90年代毕业于同济大学

工作经历
沈仙明先生90年代毕业于同济大学，一直在甲级设计院工作。主持各种大型项目设计工作，包括高级住宅区、商业综合体、文化教育设施及娱乐、体育建筑等。基于多年的工作的积累，善于统筹解决复杂设计问题，以实现设计价值最大化。

代表作品
杭州第二邮政枢纽、江苏镇江蓝天幸福城住宅区、上虞农村合作银行、杭州师范大学仓前校区、桂林金融大厦、陕西汉中仕锦公馆、金宇海南椰风浪琴。

LU TANG LAI ARCHITECTS LTD.
吕邓黎建筑师有限公司

黎绍坚

现任职务
董事

教育背景
1979 香港大学建筑学（荣誉）文学士
1981 香港大学建筑学士

专业资格／公职
1983 香港建筑师学会会员
1984 英国皇家建筑师学会会员
1984 澳洲皇家建筑师学会会员
1984 香港政府屋宇署认可人仕（第一类别）
1990 香港注册建筑师
2002 香港建筑师学会资深会员
2003–2007 香港建筑师学会建筑物条例委员会会员
2003– 至今上诉审裁团（建筑物）成员
2004–2008 承建商注册事务委员（主席／后补主席）
2005 中国一级注册建筑师资格
2006–2009 专业测评委员会副主席
2009 香港中文大学建筑系兼任副教授
2010– 至今专业测评委员会主席
2010– 至今公共事务论坛（论坛）成员
2011 亚太经合建筑师
2011 香港建筑文物保护师学会专业会员
2011 绿建尊才
2012 认可人士注册事务委员

郭嘉辉

现任职务
董事

教育背景
1987 香港大学建筑学（荣誉）文学士
1989 香港大学建筑学士

专业资格
1991 香港建筑师学会会员
1992 香港注册建筑师
2004 中国一级注册建筑师资格
2010 绿建尊才

蔡振贤

现任职务
联席董事

教育背景
1989 香港大学建筑学（荣誉）文学士
1992 香港大学建筑学士

专业资格
1994 香港建筑师学会会士
1995 香港注册建筑师

荷　婷

教育背景
1986 爱丁堡大学（荣誉）文硕士
1987 爱丁堡大学建筑文凭

专业资格
1988 英国注册建筑师
1989 英国皇家建筑师学会会士
2004 香港建筑师学会会士
2004 香港注册建筑师
2011 绿建尊才

法博国际（香港）规划建筑设计有限公司
FABER INT'L (HK) Layout Construction Design Limited

王立平

现任职务：法博国际（香港）规划建筑设计有限公司　执行董事
教育背景：毕业于湖南城市学院　获得城市规划 学士学位

Liping Wang

Current Position: Executive director, Faber Int'l (HK) Layout Construction Design Limited
Education: Bachelor of Urban Planning, Hunan City University

赵　胜

现任职务：法博国际（香港）规划建筑设计有限公司　副总经理
教育背景
1989—1992　黄石高等专科学校 工民建
工作经历
2010—2011　法博国际（香港）规划建筑设计有限公司
2003—2010　珠海市建筑设计院
1992—2003　黄石市建筑设计院

Sheng Zhao

Current Position: Deputy GM Designer of Faber Int'l (HK) Layout Construction Design Union Company Limited
Educational
1989-1992: Huangshi Institute of Technology / Civil Engineering
Working experiences
2010-2011: Faber Int'l (HK) Layout Construction Design Union Company Limited
2003-2010: Zhuhai Architectural Design Institute
1992-2003: Huangshi Architectural Design Institute

王炜明

现任职务：法博国际（香港）规划建筑设计有限公司　副总经理 、建筑工程师
教育背景：1983 年毕业于武汉科技大学（原武汉城建学院）

Weiming Wang

Current Positions: Vice general manager & architect, Faber Int'l (HK) Layout Construction Design Limited
Education: Graduated from Wuhan University of Science and Technology
(preceded by Wuhan Urban Construction College) in 1983

蔡　敏

现任职务：法博国际（香港）规划建筑设计有限公司　主任建筑师
教育背景：本科毕业 湖南城建

Min Cai

Current Position: Faber Int'l (HK) Layout Construction Design Union Company Limited Chief Architect
Education: holder of bachelor's degree, Hunan Urban Construction College

法博国际（香港）规划建筑设计有限公司
FABER INT'L (HK) Layout Construction Design Limited

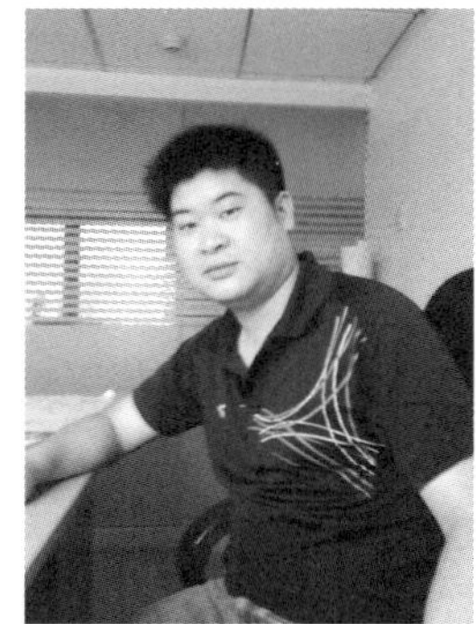

唐 麒

现任职务：法博国际（香港）规划建筑设计有限公司　设计部部长　建筑设计师
教育背景：2006 年毕业于湖南城建职业技术学院（原湘潭建筑学校学院）

Qi Tang

Current Positions: Design director & architect, Faber Int'l (HK) Layout Construction Design Limited
Education: Graduated from Hunan Urban Construction Technological College (preceded by Xiangtan Architecture College) in 2006

李 岚

现任职务：法博国际（香港）规划建筑设计有限公司　规划设计师
教育背景：毕业于湖南城市学院　城市规划专业
本科学历　获得城市规划学士学位

Lan Li

Current Position: Planner, Faber Int'l (HK) Layout Construction Design Limited
Education: Graduated from Hunan City University, and major in Urban Planning
Bachelor Degree of Urban Planning

叶 毅

现任职务：法博国际（香港）规划建筑设计有限公司　规划设计师
教育背景：毕业于湖南城市学院　城市规划专业　本科学历
获得城市规划学士学位

Yi Ye

Current Position: Planner, Faber Int'l (HK) Layout Construction Design Limited
Education: Graduated from Hunan City University, and major in Urban Planning
Obtaining a Bachelor's Degree of Urban Planning

香港华天国际建筑与城市设计有限公司
HongKong Witen International Limited

何旺林

广东石油化工学院土木工程专业　　设计经理
参加工作以来，一直从事城市规划、建筑工程设计工作。参与或主持完成的主要项目有：湖南永州鸿星帝景湾住宅小区（获2010年中国人居典范建筑规划设计——最佳建筑设计方案金奖）、遵义鹭园会馆、山东德州豪门庄园、南京竹山商贸城、广州天地花园等。

Wanglin He

Civil Engineering, Guangdong College of Petrochemical　　Design Manager
Since starting to work, He Wanglin has been engaged in urban planning, architectural engineering design work. He participated in or presided over numerous projects, including Hunan Yongzhou Hongxing Dijing Bay Residential Area (won the Best Architectural Design Program Gold Award of 2010 China's Habitat Model of Architectural Planning and Design), Zuiyi Heron Park Hall, Shandong Dezhou Wealthy Manor, Nanjing Zhushan Commerce City, Guangzhou World Garden.

王园园

湖南怀化职业技术学院工业与民用建筑专业毕业　　建筑师
参加工作以来，一直从事城市规划、建筑工程设计工作。参与或主持完成的主要项目有：湖南永州东涛明珠、福建龙岩台湾群创创意产业园、山东莱州前北流鸣玉泉规划（获2010年中国人居典范建筑规划设计－最佳建筑设计规划金奖）、霞涌海景公寓、昆明小水井核心区规划、遵义恒通御苑、深圳翠山豪苑等。

Yuanyuan Wang

Architect, graduated from Hunan Huaihua Vocational and Technical College majoring in Industrial and Civil Architecture Been engaged to the design of urban planning, architectural engineering since graduation. Major projects include: Dongtao Pearl in Yongzhou City, Hunan Province; Taiwan Qunchuang Creative Industry Park in Longyan City, Fujian Province; Jade Spring of Front Beiliu Village, Laizhou City, Shandong Province (Golden Prize of Best Architectural Design by China Habitat Model Architecture Design in 2010); Xiayong Sea-view Apartments; planning of Xiaoshuijing Core Zone in Kunming; Zunyi Hengtong Royal Cliff; and Shenzhen Emerald Grand Garden.

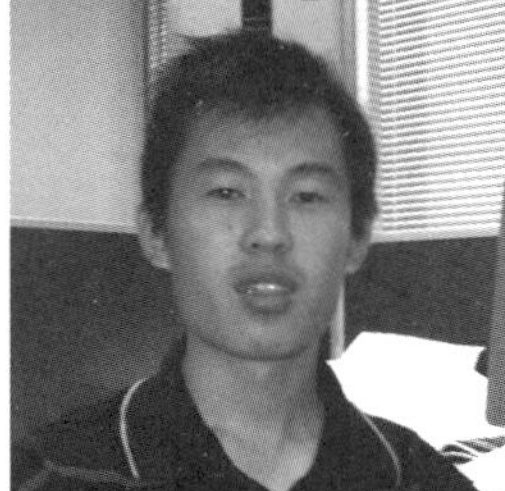

李　猛

黄淮学院建筑学专业　　建筑师
参加工作以来，一直从事城市规划、建筑工程设计工作。参与或主持完成的主要项目有：深圳市豪德翠山豪庭居住区、湖南永州鸿星帝景湾住宅小区（获2010年中国人居典范建筑规划设计——最佳建筑设计方案金奖）、福建龙岩台湾群创创意产业园、山东乳山市星辉大厦、深圳市霞涌海景公寓、山东蓬莱月亮湾广场等。

Meng Li

Department of Huanghuai College　Architect
Since starting to work, he has been engaged in urban planning, architectural engineering design. The Major projects that he participated or presided are Shenzhen Haude Greenfield Haoting Residential Area, Hunan Yongzhou Hongxing Dijing Bay Residential Area (won the Best Architectural Design Program Gold Award of 2010 China's Habitat Model of Architectural Planning and Design), Fujian Longyan Taiwan Group Creative Industrial Park, Shandong Rushan City Xinghui Building, Shenzhen Xiayong Sea View Apartments, Shandong Penglai Moon Bay Plaza.

苏东波

湖南省城建职业技术学院建筑系　　建筑师　总经理助理
参加工作以来，一直从事城市规划、建筑工程设计工作。参与或主持完成的主要项目有：江西赣州9号地块温馨家园居住区、南昌第十九中学、广州番禺莲花山旅游区仙境湖景观设计、深圳宝龙工业区锦绣佳园、山东蓬莱洄龙湾居住区、海南儋州市人民路解放路改造亮化工程、广西北海国际度假康复中心等。

Dongbo Su

Hunan Urban Construction Technological College, Department of Architecture　　Architect, General Manager Assistant
Since starting to work, Su Dongbo has been engaged in urban planning, architectural engineering design work. Major projects he participated or presided, include Jiangxi Ganzhou No. 9 Block Warm Home Residential Area, Nanchang No.19 School, Guangzhou Panyu Lotus Mountain Tourism District Wonderland Lake Landscape Design, Shenzhen Baolong Industrial Zone Fairview Garden, Shandong Penglai Huilong Bay Residential Area, Hainan Danzhou Renmin Road and Jiefang Road Reconstruction Lighting Project, Guangxi Beihai International Resort Rehabilitation Center.

中国建筑科学研究院建筑设计院
China Academy of Building Research Architectural Design Institute

薛 明

现任职务：国家一级注册建筑师、教授级高级建筑师、总建筑师
教育背景：1988　毕业于清华大学建筑系 建筑学专业 获建筑学学士学位
工作经历：1988—至今　中国建筑科学研究院建筑设计院
代表作品
北京燕莎中心/深圳华侨城东/西人行桥及东方花园服务楼/深圳鸿昌广场/深圳横岗工人活动中心/深圳南油粤海商住大厦/江西九江江山大厦/浙江兰溪山大厦/北京中国银行总部大厦/北京京西学校/牡丹江帅千广场/北京旧城25片历史文化保护规划西琉璃厂部分/华丽大厦/万柳亿城大厦/万柳商业中心/中青旅大厦/首旅华远大厦/远洋天地5号地/济南普利低能耗示范工程/建研院实验基地/李宁运营中心/隆盛大厦/嘉美风尚中心/中央美术学院美术馆/成都来福士广场/建研科研大楼/建研基地节能示范大楼/清华大学艺术博物馆/北京葛洲坝大厦/爱立信北京研发中心二期项目/泰康昌平生命科学园泰康健康管理研究中心总体规划及一期工程/乌兰察布科技城展馆
主要论文及研究成果
《可持续发展意识与高层建筑》
《都市空间新概念》
《追求完美、体现品质》
《寓艺术于技术》
《BedZED—综合利用生态策略的典范》
《低能耗建筑设计探索》

胡荣国

现任职务：副总建筑师、建筑所所长、教授级高级工程师、国家一级注册建筑师、中国建筑学会会员、北京勘察设计协会评标组专家
教育背景：1986　毕业于北京建筑工程学院 建筑学专业 获建筑学学士学位
工作经历：1986　加入北京市工业设计研究院
1990—至今　中国建筑科学研究院建筑设计院
代表作品
青海省公安厅办公楼/劲松口区文化中心/万春园园林别墅（仿清式）/七省市驻北京办事处综合楼/北京焦化厂住宅/山西晋城矿务局食堂/北京宣传教育中心金桥大厦/北京焦化厂小区规划及住宅/深圳外贸集团大厦/北京医院高干病房楼/北京怡海花园居住区/上海金岭戏水馆/深圳国都高尔夫花园/对外经济贸易大学外事教育中心及学生公寓/山东济南舜湖社区一区5地块投标方案/中关村理想大厦/中国人民解放军61046部队经济适用住房/望京K6小区A区住宅工程/岳各庄新村西区一期住宅工程“西府景园”/尚都国际中心（二、三期）/郑常庄新村一期住宅工程（西府兰庭）/郑常庄新村二期住宅工程/成都将军碑、东林村片区拆迁安置房项目(蓉华－上林)/天津大悦城工程/太阳宫新区C区工程/安徽合肥新地中心
规范及标准
《住宅建筑规范》编制组成员
《保障性住房建设标准》编制组成员
《住宅设计规范》修编组成员
《住宅性能评定技术标准》条文说明修改参加人
主要论文
《‘四节－环保’在中国城镇普通住宅设计中大有可为》
《与境外设计公司合作设计的经验》
《综合性能是住宅品质的核心》
《用‘生态节能’理念提高小户型性能品质》
《关于日照间距计算中几个问题的研究》
《大户型高层点式住宅设计初探》

王 双

现任职务：副总建筑师、建筑师、国家一级注册建筑师
教育背景：1992　毕业于清华大学建筑学院 建筑学专业 获建筑学学士学位
工作经历：1992—至今　中国建筑科学研究院建筑设计院
代表作品
泉州福华大厦/北京海鹰试验楼/北京航华科贸中心01楼/汕头林百欣国际会展中心/中国银行总部大厦/北京京西学校/北京大学物理楼装修改造/建设部办公楼装修改造/北京市东城区地方税务局征税大厅及业务用房/新源大厦二期/丽高花园/中国国家博物馆改扩建工程/橡树湾住宅及公建/珠海市博物馆和城市规划展览馆/达美中心广场/百度科技园
主要论文及科研专题：
《林百欣国际会议展览中心》

赖裕强

现任职务：副总建筑师、建筑所所长、建筑师、国家一级注册建筑师
教育背景：1996　毕业于重庆建筑大学建筑学专业 获建筑学学士学位
工作经历：1996—2000　北京安济兴建筑设计事务所
2000—至今　中国建筑科学研究院建筑设计院
代表作品
青岛国际会展中心二期/北京高尔夫国际公寓/远洋国际中心/朝外SOHO/韩国驻华使馆新建工程/光华路SOHO/隆盛工业园三期/博大俱乐部二期/将台商务中心/东莞篮球中心/中国寰球工程公司科研设计基地/安徽合肥新地中心

中国建筑科学研究院建筑设计院
China Academy of Building Research Architectural Design Institute

孔　庚

现任职务：副总建筑师、高级建筑师、国家一级注册建筑师
教育背景：1997　　毕业于北京建筑工程学院 获建筑学学士学位
工作经历：1997—至今　　中国建筑科学研究院建筑设计院
代表作品
中国银行总部大厦/北京丽高花园（丽高王府）/北京丽来花园（丽宫别墅）/北京华丽大厦/北京远洋国际中心/中关村商城管理服务中心/北京博大俱乐部二期工程/北京市东方时尚机动车驾驶学校/北京海淀区树村新村建设（二、三期）/北京中粮祥云总体规划及一期项目/北京前门大街及东片保护整治项目/中国银行信息中心（北京）二期/国家开发银行数据中心/大连老虎滩海洋公园大门及正门广场改造工程/北京市公安局房山公安分局教育训练基地项目/北京延庆颖泽州小区沿街商业综合楼及住宅工程-区段一、二、三/北京市顺义新城一号地安置房三期工程/北京鲁能顺新绿色家园商业综合项目/前门大街及东片保护整治项目B3，B6，B8地块/北京鲁能七号院总体规划及高级墅院项目/北京鲁能二号地总体规划及住宅工程/江西南昌博泰0728项目（超高层酒店式公寓）/山西省朔州宾馆改扩建工程设计/鄂尔多斯-璀璨之城超高层城市综合体/中国人寿温州办公大楼和温州鹿城农村商业银行
主要论文及科研专题
《住宅建筑施工图审查中若干问题的探讨》
《当前民用建筑施工图设计中的常见问题与思考》
《中国银行陕西省分行-中银大厦工程设计谈》
《追求完美 体现品质－中银大厦的节点设计给我们的一些启示》
实用新型专利《住宅新型壁炉及复合可变烟道系统》

刘　燕

现任职务：建筑创作室副主任、国家一级注册建筑师
教育背景：2001　　毕业于北京工业大学城建学院，获工学硕士学位
工作经历：2001—至今　　中国建筑科学研究院建筑设计院
代表作品：
北京经济技术开发区亦庄圣福华国际商务中心(中标)/中国疾病预防控制中心一期工程规划设计/朝外SOHO/中国美术馆二期工程方案（入围）/西安交通大学医学院第一附属医院门诊楼（中标）/大连高新技术产业园区龙头分园中部核心区修建性详细规划(中标)/武广铁路客运专线火车站/天津滨海湖A6、A7地块设计/中关村创新园C6-07、C6-09地块科研厂房/大庆市妇女儿童医院建设工程/国家开发银行数据中心设计/求是杂志社(图书馆)东平房改造

张江华

现任职务：建筑师
教育背景：1995　　毕业于清华大学建筑系，获建筑学学士学位
1997　　赴日本神户大学留学
2000　　获工学修士（硕士）学位
工作经历：2000　　进入日本竹中工务店大阪本店设计部任建筑师
2003　　回国
2004—至今　　中国建筑科学研究院建筑设计院
代表作品
天津田边制药有限公司/日本阿尔卑斯物流大阪营业所扩建/天津罗姆电子有限公司/日本国驻华大使馆/济南普利示范工程/中国建筑科学研究院研发基地/研发基地环能院实验楼/中粮祥云国际幼儿园
主要论文及研究成果
《既成市街地の復興住宅団地に関する研究》
《低能耗建筑设计探索》
《日本教育建筑中的绿色新思维》
《校园建筑的绿色改造模式——对日本文部科学省实施公立学校绿色改造的研究》
《民用建筑绿色设计规范》介绍
《绿色建筑的前世今生——从信仰到传统文化的传承》

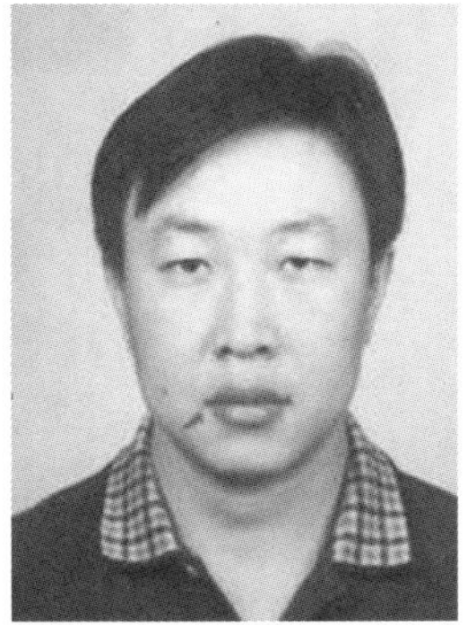

朱旭明

现任职务：建筑师
教育背景：1992　　毕业于长春建筑高等专科学校 建筑系
工作经历：1992　　进入甘肃省白银市中国有色二十一冶金设计院
2004—至今　　中国建筑科学研究院建筑设计院
代表作品
北京市疾病预防控制中心/中国疾病预防控制中心/深圳疾病预防控制中心/顺义区部分乡村规划/徐州市政中心/中星6B、中星9号卫星测控站/天津生物技术研发基地等项目/天津大悦城项目/天津铁三院研发基地项目/中粮后沙峪C-06商业办公项目

中科院建筑设计研究院有限公司
Institute of Architecture Design and Research, Chinese Academy of Sciences

刘 峰

现任职务
中科院建筑设计研究院有限公司院长 高级建筑师 国家一级注册建筑师

教育背景
1997年毕业于同济大学 获建筑学硕士学位

代表作品
中国农业大学生命科学楼 2008年建成
郑州隆福国际商住综合体 2010年建成
中科院地球化学所（贵阳）金阳新所园区 2013年建成
北京奥运周边科学园南里城市综合体 预计2015年建成
中科院电工研究所电气科学研究与测试平台 预计2014年建成
石家庄国际会展中心 国际竞标优秀方案奖

崔 彤

现任职务
中科院建筑设计研究院有限公司副院长 总建筑师

教育背景
清华大学建筑系毕业获建筑学硕士

代表作品
中国科学院图书馆、中国遥感卫星地面站科研楼、中国科学院研究生院教学楼、中国化工出版社办公楼、上地科实信息城、辉煌时代大厦、中国科学院动物研究所、中国人民银行重点库、中科院研究生院怀柔园区等。

获奖情况
2006 中国建筑学会优秀建筑创作奖
2005 全国优秀工程设计金质奖
2004 建设部优秀工程建筑设计一等奖
2004 北京市优秀工程建筑设计一等奖
首都建筑设计汇报展建筑创作优秀奖及十佳建筑奖

张 京

现任职务
中科院建筑设计研究院有限公司副院长兼总建筑师 国家一级注册建筑 高级建筑师

工作经历
多年来主持了近70项工程设计项目，包括国家重大科学工程LAMOST项目、中科院数学院、声学所、理论所、生物物理所科研建筑及公共建筑多项、上海万科、沈阳万科、北京保利等住宅区规划及单体、中科院研究生院研究生公寓等工程。累计完成建筑面积近百万平米，获省部级优秀设计奖五项。在建筑设计与规划、室内设计等方面有较好的专业素质及丰富的工程经验并对建筑节能及生态建筑有一定研究，发表论文多篇。

代表作品及获奖情况
1998 上海万科城市花园新十二区获上海市优秀规划设计二等奖
1998 上海万科城市花园“海棠苑”欧陆式多层住宅获上海市优秀住宅单体设计二等奖
1999 上海万科城市花园“海棠苑”中科院优秀设计一等奖
2007 沈阳万科城一期获詹天佑优秀住宅金奖
2008 沈阳万科城一期获科技部第五届精瑞住宅科学技术奖——住区规划设计优秀奖
2008 主编国家标准图集《实验室建筑设备》出版发行
2008 主持设计国家重大科学工程LAMOST天文望远镜项目通过国家验收
2009 国家重大科学工程LAMOST天文望远镜项目在天安门广场六十年国庆大典彩车上亮相
2010 中科院国家天文台LAMOST天文望远镜获北京市第十七届汇报展优秀方案奖

SKYLINE

天际线国际建筑设计事务所
SKYLINE International Architectural Design Firm

弗兰西克·哈利利

设计总监 建筑学硕士 美国建筑协会注册建筑师

弗兰西克，于1983年毕业于美国明尼苏达大学建筑学院，拥有超过三十年的职业建筑师生涯，曾任职于美国WATG建筑事务所的高级设计总监。WATG在度假酒店建筑行业中是全球排名第一的建筑设计事务所。作为WATG的设计总监，弗兰西克在世界各地完成了大量的作品，设计城市及度假酒店，大型城市综合体商业设施及大规模总体规划，无不体现他从项目的初步概念设计到工程设计中都充满了艺术天赋与创造性，能够敏锐的寻找到地域文化与项目本身最具价值的东西，带给项目极大的成功。
弗兰西克先生拥有众多的商业地产、高端酒店、高级休闲项目的获奖作品。他是亚特兰蒂斯酒店的原创设计师，他所设计的亚特兰蒂斯酒店系列已经成为全球主题奢华酒店领导者与最知名的品牌之一，在全球旅游地产界取得了巨大的成功，同时也是的弗兰西克先生成为这一领域的知名建筑师。
如今弗兰西克作为设计总监及董事一职效力于天际线，为中国的项目带来一种成熟的国际建筑设计语言，同时也在他的近期作品中读到了种东方元素的巧妙运用，并领导着公司的设计团队取得了系列的成功。

Francik Khalili

Principle Design Director   Master of Architecture   Member of American Institute of Architects

Francik,
graduated from The Minnesota University Architecture School in 1983, has over 30 years architectural Design experience. He worked for WATG, one of the leading worldwide firms inResort Hotel Architecture, as a project designer for various clients around the world with a focus on retail, residential and commercial projects.
Francik,
as a leading project designer, has worked on numerous urban and resort hotels, mixed-use, and large scale master planning projects around the globe. Francik is the original designer of Atlantis Hotel Series. His Atlantis projects had become a symbol of themed luxury hotel around the world, given a grand success to the international tourist real estate properties.

李 涛

董事长 总建筑师 建筑学硕士 国家一级注册建筑师

中国房地产协会城市规划委员会理事、专家
建设部康居示范工程专家组专家
北京建筑工程学院客座教授、硕士导师
北京市规委专家库专家
李涛先生在中国建筑设计领域具有近20年的设计经验，并在世界众多国家考察、访问，参加业内交流。 他在城市设计、大型区域规划、城市综合体、高端酒店、办公、商业及高端住宅区等方面成功作品众多，是国内具有先进理念、原创精神、能力全面、专业扎实、市场产品经验丰富的实力派建筑师。具有与英国、德国、美国建筑师合作经验。他作为主创总建筑师，率领公司在重大国际招标项目中屡创佳绩，并赢得诸多行业奖项。

Tao Li

Chairman   Chief Architect   Master of Architecture   National First-Class Registered Architect

Director & Council member of Municipal Commission of Urban Planning of China Real Estate Association
Member of experts group in Comfortable Housing Demonstration Project of Construction Ministry
Guest Professor and Master's Tutor of Beijing Institute of Civil Engineering and Architecture
Expert in think tank of Beijing Municipal Commission of Urban Planning
Mr. Li Tao has more than 20 years experience in the field of architectural design. He served as creative director of China Architecture Design Institute in the past and visited many countries as well as participated in trade exchanges. Many successful works had been made by him on urban design, large regional planning, urban complex, high-end hotelsand also business, commercial and residential areas. He is a strength domestic architect with advanced ideas, original spirit, comprehensive abilities, excellent professional knowledge and rich experience in marketing products. Through the participation and successful lead of many large projects which have cooperated with architects from Britain, Germany and the United States, Mr. Li shows his international perspective and leadership. As a chief architect, he has led the company to obtain lots of major achievements in international bidding projects and won many industry awards.

CRED 中房集团建筑设计有限公司

Architects&Engineers

布正伟

现任职务

资深总建筑师
一级注册建筑师
教授级高级建筑师

教育背景

1965　　毕业于天津大学建筑系

胡　罡

现任职务

项目经理

教育背景

2002　　毕业于北京大学建筑学研究中心 建筑学硕士

肖礼斌

现任职务

高级建筑师 项目经理

教育背景

1997　　毕业于清华大学建筑系 建筑学博士

王　阳

现任职务

高级建筑师 项目经理

教育背景

1992　　毕业于中央工艺美院环境艺术设计研究所 硕士

中国中建设计集团有限公司
China Construction Engineering Design Group Corporation Limited

赵中宇

中国中建设计集团（直营总部）　总建筑师
教授级高级建筑师
国家一级注册建筑师
建筑学专业硕士

主要建筑设计作品
辽宁省朝阳市博物馆、沈阳嘉里中心、辽宁省交通规划设计院长白岛科研设计中心、长沙芙蓉国豪廷大厦、北京奥体南区三号、四号、五号地块。

黄文龙

中国中建设计集团（直营总部）　副总建筑师
中国中建设计集团（直营总部）　建筑专业院执行院长
中国建筑青年联合会委员会委员
A2建筑工作室主持人
中国建筑学会会员
高级建筑师、国家一级注册建筑师

主要建筑设计作品
中国美术馆二期扩建工程、中国驻埃塞俄比亚大使馆、中国驻贝宁大使馆、中国科学院研究生院怀柔校区、北京开元国际广场（新中国建筑大厦）、北京歌华大厦、甘肃省科技馆、鄂尔多斯市委党校综合楼、化学工业出版社综合办公楼、鄂尔多斯家和天下高档住宅区。

李　波

中国中建设计集团（直营总部）　第一设计院副总建筑师
中国中建设计集团（直营总部）　第一设计院四所所长

主要建筑设计作品
沈阳银河湾八号公馆、九号花园（荣获联合国2006年全球人居环境建筑设计奖）、沈阳皇第龙邸综合项目、 遵化都市绿洲项目、太原南中环阳光大地项目、太原昌盛花园项目等。

阎福斌

中国中建设计集团（直营总部）　建筑原创中心主任
国家一级注册建筑师

主要建筑设计作品
沈阳嘉里中心T1/T4超高层办公楼、辽宁省交通规划设计院长白岛科研设计中心、房山新良乡组团02–07地块、长沙芙蓉国豪廷大厦、北京市门头沟区人保大厦。

中国中建设计集团有限公司
China Construction Engineering Design Group Corporation Limited

赵立伟

中国中建设计集团（直营总部）　　副总建筑师
中国中建设计集团　辽宁分公司　　副总经理

主要建筑设计作品
中国人民大学西北区教学楼群、沈阳华润中心、沈阳华润置地广场、沈阳全运会运行中心

李红建

中国中建设计集团（直营总部）　　总建筑师
中国中建设计集团　河南分公司　　总经理
高级建筑师

主要建筑设计作品
1990　沈丘留福新村住宅竞赛，建设部三等奖
2003　河南省体校、郑州大学体育学院综合教学楼，河南省优秀工程设计一等奖
2004　河南大学新校区12＃ 教学组团，04年中国勘察设计协会国际典范设计大赛三等奖等

崔小刚

中国中建设计集团（直营总部）　　副总建筑师
中国中建设计集团（直营总部）　　建筑专业院副院长
A5建筑工作室主持建筑师
高级建筑师

主要建筑设计作品
国际企业大厦、银枫家园、清华同方科技广场、未来假日花园、当代城市家园、国华黄骅沧东电厂厂前区、天秀花园D区（学风1911）、石家庄火炬大厦等。

北京正华建筑设计事务所
Beijing Genre Architects Associate

靳瞻宇

总建筑师
高级建筑师
国家一级注册建筑师
毕业于清华大学 学士学位

主要设计作品
北京航空饭店、北京新世纪酒店、北京金沟河小区、北京农学院图书馆、北京三里河清真寺 等

孙 倩

副总建筑师
高级建筑师
国家一级注册建筑师
1998年毕业于北京工业大学 建筑学学士

主要建筑设计作品
北京市朝阳区防病保健中心、北京富景花园 、徐州瑞龙-东方商贸城 、重庆规划产业基地 等

龚 辉

副总建筑师
高级建筑师
国家一级注册建筑师
毕业于西北工业大学 建筑学专业 工学学士

主要建筑设计作品
北京市十二中迁建工程、丰台区区政府办公楼、航天部三十三所 惯导楼、固安一中迁建工程 等

刘若禹

建筑创作室主任
高级工程师
国家一级注册建筑师
1999年毕业于北方工业大学 建筑学学士

主要建筑设计作品
北京市公安局刑侦科技大楼，中国工商银行北方数据中心，内蒙古大学满洲里分校主楼，华北所科技大厦 等

马晓光

结构室主任
高级工程师
国家一级注册
结构工程师
毕业于哈尔滨工业大学
结构工程专业硕士研究生

主要建筑设计作品
北京郁花园东区二期工程、北京朝阳区六里屯综合医院、北京朝阳区防病保健中心 等

www.**BHAD**.cc

北京奥思得建筑设计有限公司
Beijing Honest Architectural Design Co.,Ltd.

李新露

公司经理，首席建筑师

1994年毕业于华中科技大学建筑学专业并获得学士学位，其后就职于甲级专业建筑设计院，于2003年3月和黄勇等人共同组建了北京奥思得建筑设计有限公司西四环分中心。

在多年的工作实践中积累了丰富的经验，所参与设计并实施的项目从居住区规划到住宅单体、从综合商场到医院、从写字楼到酒店式公寓等众多类型，因其所具有的天赋和对设计不懈的努力和追求，所主持设计的工程多次或得包括首都优秀工程勘测设计奖、首都建筑设计汇报奖、优秀楼盘设计奖等在内的众多奖项。其领导的西四环分中心自创办以来始终秉承以为野战提供最佳的解决方案为首要目标，以富于创意、不懈追求的精神带动全体设计人员从项目的方案策划到施工图的设计始终保持着一流的高水准。公司也因此在短短几年内由最初的工作室成长为国内一流的专业建筑设计公司之一。

张海龙

国家一级注册建筑师

工作经历

2001—2003 东北建筑设计研究院深圳分院
2003—2004 北京六东国际工程咨询有限公司
2005—2008 北京中京惠建筑设计有限公司
2008—2009 中建国际北京公司
2009—至今 北京奥思得建筑设计有限公司

教育背景

1996—2001 清华大学建筑学院

参与工程项目

2000 北京兴涛居住小区、河北定州中学体育馆、天津商学院新校区等
2001 北师大珠海分校、平安保险培训中心等
2002 深圳会展中心等
2003 深圳机场候机楼改造、青岛崂山中心商务区规划、济南东部新城规划
2004 日照海滨灯塔广场规划、河北科技大学新校区中心区规划、达州南北干道规划、河北工业大学新校区中心区规划等
2005 北京绣江南小区二期、北京青年路居住小区、北京右安门外居住小区等、内蒙财政厅住宅小区等
2006 北京田清园居住小区、天津蓟县碧玉家园项目、北京冯村村民上楼项目、中原瑞盛延庆项目等、包头现代城项目等
2007 北京王佐镇新农村建设项目、淮北申鸿项目、达旗华夏龙住宅小区、河北农大综合开发项目、北京通州玉桥西里小区、呼和浩特秋实第一城项目等
2008 北京通州民俗生态文化观光园项目、杭州奥体中心、西安泾渭体育公园、天津西青第九十五中学、山西省体育中心体育馆等
2009 包头意城晶华项目、包头时代广场项目、包头番茄社区项目，北京小汤山老年人活动中心

都市意匠 | UDT

Urban Dtek Corp.
都市意匠城镇规划设计(北京)中心

朱 冰

现任职务
公司总裁、北京市特聘专家

教育背景
哈佛大学设计研究生院设计博士

作为具有十数年专业工作经验的城市设计师和建筑师，朱冰女士对城市规划决策、开发、保护，以及提倡可持续发展、生态敏感和社会完整性的城市规划、设计理论和方法有全面的理解，并对中国城市化过程中发生的问题及解决有着独特的见解。

代表作品
郭家沟旅游特色村提升改造工程
中关村数字电视产业园发展战略规划
秦皇岛豪华游轮游艇港城市设计
福灵旺岛金色联欢主题乐园
天津蓟县长城文化休闲功能区总体概念规划
内蒙古乌梁素海生态产业园总体概念规划
江苏创意文化产业基地总体概念规划
江苏创意文化产业基地产业片区城市设计
中华戏曲博览园详细设计
郑州国家经济技术开发区汽车产业园概念规划
三亚海棠湾C6片区发展概念策划
山东雪野湖旅游区概念规划等

路 易

现任职务
都市意匠城镇规划设计(北京)中心城市设计总监、资深城市设计师、建筑师

教育背景
宾西法尼亚大学建筑硕士

代表作品
三亚奥林匹克湾
天津泰达旧街改造
赤城京北国际休闲旅游水镇概念规划
桂林市叠彩区江东二环路两侧生态农业旅游观光区建设项目
赤城西山片区总体概念规划及一期详细规划设计
北京北部新城核心区规划调整
中关村数字电视产业园发展战略规划
秦皇岛豪华游轮游艇港城市设计
北京平谷区熊儿寨乡东长峪村概念规划

我非常高兴来到了都市意匠担任城市设计总监一职。对我来说，这是一次绝好的机会，能够与朱冰女士和她既优秀又敬业的团队一起，参与到激动人心的中国城市化的大潮当中去。
从2009年到2011年，我曾到中国许多大学及城市设计协会做过演讲，并在中国景观杂志上发表过关于交通引导开发（TOD模式）和保障性住房的文章。中国也逐渐成为了我的家。

北京炎黄联合国际工程设计有限公司
Beijing Yanhuang United International Engineering Co.,Ltd.

顾小军

现任职务
北京炎黄联合国际工程设计有限公司常务副总经理、院总工程师

教育背景
1988　　毕业于上海铁道学院工民建专业

工作经历
1988－1992　　铁道部电气化工程局设计院
1993－2001　　炎黄建筑事务所
2001－2010　　中外建设计与顾问有限公司
2010　　加入北京炎黄联合国际工程设计有限公司
顾小军先生拥有20多年建筑设计经验和项目管理经验，涉及办公、酒店、商业、住宅等各类项目。

代表作品
建国国际公寓、中煤大厦、大连亿阳信通软件园、石家庄东方明珠、邢台世贸中心、保利·紫薇郡、华普大厦、三亚美丽之冠、保利·公园2010（花园洋房、别墅）、世纪村项目、中科院国家天文台探月项目等。

安　晨

现任职务
方案设计总监

教育背景
2002　　毕业于西安建筑科技大学建筑学专业

工作经历
2007年进入北京炎黄联合国际工程设计有限公司工作，主要从事于建筑方案设计工作，现任方案设计总监。在公司五年的工作当中参加并完成了多种类型的建筑及规划方案工作。

代表作品
三亚美丽之冠七星级酒店项目、天津宝坻橄榄树住宅小区、营口"梦幻岛"旅游综合体规划、包头阳光尚品住宅小区、邢台世贸商住项目、苏丹五星级酒店项目立面改造、北京国际世纪艺术城等。

赵守林

现任职务
北京炎黄联合国际工程设计有限公司 深圳分公司总经理、副总建筑师、中国建筑学会会员、深圳市土木建筑学会会员

工作经历
2000　　毕业于郑州工业大学土建系，土木工程专业，获工学学士学位
2005　　毕业于昆明理工大学建筑系，建筑设计及其理论专业，获建筑学硕士学位
2010　　进入北京炎黄联合国际工程设计有限公司工作
赵守林先生具有十二年的建筑从业经验，擅长城市设计、大中型居住区规划、城市综合体、酒店、中小型公共建筑等，作品分布于国内外多个大中型城市，并屡获各类奖项，为客户创造了大量具有良好社会效益和经济效益的高端、精品式建筑。

代表作品
伊拉克 中石油"哈法亚油田二期项目"、合肥 融科"九重锦"、郑州 康桥"金域上郡"、滁州 发能"国际城"、深圳 中洲"香蜜湖 龙溪花园" 超高层居住区、深圳 汉森 后海湾超高层居住区、深圳 佳兆业"大官邸"、东莞 万科"翡丽山"、绥中 恒泰"时间海" 滨海综合性商业建筑群落、江阴 东亚"兰亭乐府"、汕头 林盛"金交椅" 滨海综合旅游、居住区、温岭 京汉"京汉豪庭"高端居住区、桂林 "桂林山水"五星级高尔夫度假酒店、成都 华侨城 欢乐谷"飞跃地中海"主题公园 建筑单体设计、成都 "339"成都电视塔 配套商业、成都 "曼哈顿二期" 城市综合体、青城山 "青城一览" 度假别墅。

北京炎黄联合国际工程设计有限公司
Beijing Yanhuang United International Engineering Co.,Ltd.

韩国柱

教育背景

2002　　甘肃工业大学建筑学学士毕业

工作经历

2002—2003　　工作于香港何显毅北京分公司
2003—2011　　工作于北京中天元工程设计有限责任贵司
2011　　加入北京炎黄联合国际工程设计有限公司
主要从事包括综合开发项目、办公、商业、住宅等各类工程项目的设计及工程项目管理工作。

代表作品

长沙鸿铭中心、北京鸿华高尔夫家园、北京大城小镇、北京搜宝国际中心、中山远洋城、海南恒泰阿奎利亚社区、辽宁绥中时间海项目、北京光华国际、首创天津宝翠花都、怀柔酒吧风情街、贵州遵义保利未来城市项目等。

杨　涛

教育背景

2002　　毕业于清华大学美术学院环境艺术设计专业

工作经历

2002—2010　　加拿大蔡德勒建筑师事务所（北京）
2010　　加入北京炎黄联合国际工程设计有限公司

代表作品

中科创新园、海南临高阿奎利亚国际社区、恒泰时间海项目、哈尔滨阳光国际城、哈尔滨港澳国际城等。

郭继娥

教育背景

2006　　毕业于山西大学 城市设计专业 获得学士学位

工作经历

2007年进入北京炎黄联合国际工程设计有限公司工作，主要从事规划设计工作。擅长居住区规划、旅游度假区规划、城市设计等工作。

代表作品

顺义融和广场沿街建筑立面改造与环境施工图、长春市文化创业广场小区规划设计、贵州东部新城国际度假城规划设计、宁夏银川大新北区地块修建性详细规划、海南香水湾规划及酒店方案设计、中国营口北海之星修建性详细规划、崇礼密苑生态旅游度假旅游示范区五道沟区域修建性详细规划等。

曾　洋

教育背景

2010　　毕业于昆明理工大学建筑系 建筑学专业 获建筑学学士学位

工作经历

2010年进入北京炎黄联合国际工程设计有限公司工作。主要从事建筑和城市规划设计工作

代表作品

保利贵阳箭道街片区商业综合体建筑规划概念设计、昆明时代人才广场建筑设计、桂林山水高尔夫球场改造建筑规划设计、昆明西山区52#地规划设计、北京中科创新园建筑设计等。

北京中联环建文建筑设计有限公司
United Architects & Engineers Co., Ltd.

孟伟康

现任职务：北京中联环建文建筑设计有限公司 董事、总经理
教育背景：清华大学建筑学学士、清华大学建筑学硕士；高级建筑师；国家一级注册建筑师

张 兵

现任职务：北京中联环建文建筑设计有限公司 董事
教育背景：天津大学建筑学学士、清华大学建筑学硕士；高级建筑师；国家一级注册建筑师

王 泉

现任职务：北京中联环建文建筑设计有限公司 董事
教育背景：大连理工大学建筑学学士、东南大学建筑研究所研究生、比利时鲁汶大学建筑学硕士

李晓光

现任职务：北京中联环建文建筑设计有限公司 董事
教育背景：东南大学建筑学学士；国家一级注册建筑师

北京中联环建文建筑设计有限公司
United Architects & Engineers Co., Ltd.

刘常青

现任职务：现北京中联环建文建筑设计有限公司 董事
教育背景：清华大学建筑学学士、清华大学建筑学硕士；国家一级注册建筑师

杨 杰

现任职务：北京中联环建文建筑设计有限公司 董事
教育背景：北京工业大学工学学士；高级结构工程师

赵成豪

现任职务：北京中联环建文建筑设计有限公司 董事
教育背景：华中科技大学工学学士

方 楠

现任职务：北京中联环建文建筑设计有限公司 建筑设计师
教育背景：清华大学建筑学学士、荷兰戴尔夫特工业大学（TU Delft ）建筑学博士

北京中联环建文建筑设计有限公司
United Architects & Engineers Co., Ltd.

曾宪丁

现任职务：北京中联环建文建筑设计有限公司 规划师
教育背景：天津大学建筑学院城市规划学士、北京大学环境学院景观设计硕士

宋 兵

现任职务：北京中联环建文建筑设计有限公司 设计师
教育背景：天津工业大学工学学士

张翠珍

现任职务：北京中联环建文建筑设计有限公司 建筑设计师
教育背景：哈尔滨建筑工程学院学士；国家一级注册建筑师

朱 昀

现任职务：北京中联环建文建筑设计有限公司 建筑设计师
教育背景：南京建筑工程学院；国家一级注册建筑师

北京市古代建築設計研究所

徐新伟

现任职务
北京市古代建筑设计研究所 副所长

教育背景

1987—1990　　北京市房地产管理局职工大学专科毕业，
1992　　西城夜大建筑学专科毕业

工作经历

1984— 至今　　一直从业于北京市古代建筑设计研究所
2004　　取得一级注册建筑师执业资格

代表作品

北京市西客站古建部分
北京八宝山告别大厅新建工程
北京古观象台抢险修复
老交通银行内外装饰
福佑寺修缮设计
辽宁鞍山玉佛苑玉器市场
德内大街御海王朝四合院等

张　越

现任职务
北京市古代建筑设计研究所 副所长

教育背景

1999　　毕业于中国矿业大学建筑学专业　本科学历

代表作品

澳门渔人码头中国城建筑设计
历代帝王庙修缮工程
中央戏剧学院外立面装修改造工程
中山公园西门改造设计
前门大街 A9—A13 新建和改造工程
三里河清真寺修缮工程等

张丽鲜

现任职务

北京市古代建筑设计研究所有限公司总工程师
一级注册建筑师、高级工程师
北京市评标专家库评标专家
北京市设计协会理事会理事

代表作品

中央电视台无锡影视基地《三国城》工程
《水浒城》工程
北京宛平城东西大街改造工程
北京大学国际数学中心工程
北京大学国家发展研究院工程
山东惠民府衙复原工程
浙江温州安福寺工程

CSA 中天伟业
做建筑设计专家

中天伟业（北京）建筑设计集团
China Sky (Beijing) Architecture Group

徐宗平

中天伟业（北京）建筑设计集团　副总建筑师
建筑学硕士
高级建筑师

主要建筑设计作品
秦皇岛北环路商业办公楼方案
烟台市北方水岸桃源
新疆库尔勒圣果名苑
鄂尔多斯朗园项目
唐海国睿 · 国际商务花园
公安部边防局基地

乔明策

中天伟业（北京）建筑设计集团　副总建筑师
建筑学硕士
高级建筑师

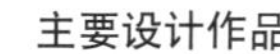

主要设计作品
天津武清区政府行政中心
北京金融街
社会主义农村建设-新农村住宅参考图样
北京通州马驹桥镇旧城改造
海南三亚美丽之冠大酒店
北京首都机场公安局办公楼
成都MAX中信企业园
上海南翔WISNATI数字艺术公园
霸州国际温泉新城

韩　宁

中天伟业（北京）建筑设计集团 主创建筑师
建筑学学士
建筑师

主要建筑设计作品
中冶时代北京办公中心
公安部北京边防局基地
四川省成都双流县彭镇中心区改造
山西梵王寺煤矿办公区建筑群

周忠美

中天伟业（北京）建筑设计集团　主创建筑师
建筑学工学学士

主要建筑设计作品
河北唐山滦南鼎盛花园小区项目
辽宁省建平县医院
辽宁省清原县医院
强佑清河新城住宅楼项目
新疆伊宁市万特广场规划项目
天津中企仓储有限公司新建工程项目
新疆永安世纪家园项目

卓创国际工程设计集团
ECD International Engineering Design Group

付　强

教育背景
昆明理工大学建筑学

代表作品
重庆首金美利山一期别墅工程
成都大陆希望·亚特兰帝斯别墅区
美利山三期
庆隆南山花园洋房
福建·芦镇详规
奥园5.6期规划
重庆奥林匹克花园8.11.6.15期
河南洛阳市西工区整体规划
北大资源·江山名门
中铁同景国际城

周　挺

现任职务
项目设计主创　副总建筑师　国家一级注册建筑师

教育背景
建筑学博士
1998—2003　重庆大学建筑与城规学院建筑学学士
2003—2006　重庆大学建筑与城规学院建筑学硕士
2008—2010　德累斯顿工业大学城市设计研究所博士研究生

代表作品
重庆融汇12期
无锡融科城市综合体项目
重庆奥林匹克花园小区二期
北京中铁丰台小区
重庆金科东方王榭
重庆同天二郎居住小区一二三期及商业街
同天1350人小学校园建筑
中电投远达脱硫公司办公
重庆同天二郎居住小区一二三期及商业街
昆明岗头村城市改造综合体项目

秦　渝

现任职务
建筑创作总监　方案一部负责人

教育背景
2006年毕业于华东交通大学建筑学专业 建筑学学士

代表作品
重庆融科城3期
涪陵美凯龙
东海假日花园
成都金马湖中央生活区
重庆东源·锦悦
昌昂·枫山绣景
福建贵人鸟酒店
厦门安踏营运中心
成都金马瑞城A1，A3地块
成都棠湖柏林城

卓创国际工程设计集团
ECD International Engineering Design Group

刘　锐

教育背景

1998—2003　　重庆大学建筑城规学院 建筑学学士
2003—2006　　重庆大学建筑城规学院 建筑学硕士
2007—至今　　重庆大学建筑城规学院 城市规划博士研究生

代表作品

重庆同天绿岸居住小区
重庆龙湖moco城市设计
重庆亚太商谷综合体三期
南宁中铁山语城
成都龙湖世纪城三期

郭　燚

教育背景

重庆大学建筑城规学院建筑学

代表作品

朗晴广场
中渝梧桐郡
天奇缙云天下
庆鸿药机厂
永川金科中央公园城
海南阳光城棋子湾高尔夫规划
美利山5.6期
奥林匹花园15—2期
北大江山名门
天江鼎城
两江国际广场

吴沅沅

教育背景

重庆大学建筑与城规学院建筑学

代表作品

成都肖邦
融汇半岛四、六期
天津万通上北新新家园四期
天津万通上北新新家园四期
贵州都匀五星级酒店
福州美凯龙商场
唐山凤城国际城市综合体
重庆涪陵美凯龙商场

获奖情况

成都棠湖温江项目　　第一名
重庆融汇半岛大四期项目　　第一名

重庆大学建筑设计研究院
Chongqing University Architectural Design & Research Institute

戴志中

二级教授
博士生导师
国家一级注册建筑师
重庆大学建筑设计研究院总建筑师

中美建筑师资格互认建筑师
中国当代百名建筑师
中国首批APEC建筑师
重庆市首批学术技术带头人
重庆市工程设计大师
中国建筑学会资深会员
重庆市规划委员会委员
建设部城镇化专家委员会委员

1996 获四川省“有突出贡献中青年专家”称号
2002 获得国务院政府特殊津贴
承担过国家自然科学基金和博士点基金等科研项目13项
建筑设计获市级及以上奖项28项
出版专著18本
发表学术论文110篇
指导博士研究生20人　硕士研究生88人

代表作品和获奖情况
1996 万县“百安花园小康住宅示范区”规划设计获国家科委、建设部“2000年城乡小康 住宅示范区规划设计”优秀奖
1995 重庆劳动人民文化宫“文体综合楼”设计一等奖中标
2001 重庆一中逸夫图书馆获逸夫基金会优秀设计奖及重庆市优秀工程设计二等奖
2003 重庆一中明善科技楼获重庆市优秀工程设计一等奖
2003 重庆万州二中逸夫科技楼获教育部优秀设计二等奖
2005 重庆一中艺术楼获重庆市优秀工程设计二等奖
2005 西南医院外科大楼获教育部优秀建筑设计三等奖 2名/15人
2007 万州江南新区管委会办公综合楼获重庆市优秀工程设计二等奖
2008 重庆南开中学学生宿舍与食堂获重庆市优秀工程设计二等奖
2008 浙江省诸暨市旧城改造核心区城市风貌及城市色彩规划获重庆市规划协会“优秀规划设计”二等奖
2009 浙江省诸暨市城东滨江片区城市风貌规划获重庆市规划协会“优秀规划设计”二等奖
2009 泸州医学院城北校区图书馆-教育部优秀建筑工程设计二等奖/第二名
2010 泸州医学院城北校区图书馆-国家勘协优秀建筑工程设计三等奖/第二名
2010 重庆市江北城中央公园基督教堂重庆市优秀工程设计一等奖
2010 “中国山地建筑设计基础理论研究”获教育部自然科学二等奖
2010 “辽宁省盘山县新县城总体城市设计”获重庆市规划协会一等奖

周智伟

副总建筑师、副院长
1986—1990　重庆建筑工程学院，本科，专业：建筑学

工作经历
1990—1991　四川省泸州市村镇建筑设计室，助理工程师
1991—2001　四川省泸州市规划设计院，工程师、建筑设计室主任、院长助理
2001—2005　四川省泸州市规划局，总工程师、国家一级注册建筑师、工程科科长。
2005—至今　重庆大学建筑设计研究院，高级工程师、设计一室主任、一级注册建筑师、副总建筑师、副院长

代表作品
重庆医科大学附属大学城医院建筑
成都中医药大学附医门诊及外科大楼
福建仙游行政中心组团
山西晋煤集团总医院门急诊及住院楼
重庆西南医院门急诊楼
泸州酒业集中发展区规划
中国人民银行泸州支行发行库办公楼
西南医疗康健城概念性方案
重庆新桥医院门急诊楼
成都军区总医院干部病房楼
泸州医学院城北校区图书馆
天府中学新校区项目
云南文山民族剧院及文化艺术中心
云南华宇世外桃源高尔夫社区

获奖情况
2009 泸州医学院城北校区图书馆　获2009年教育部优秀建筑设计二等奖
　　中国勘察设计协会“2009年度全国优秀工程勘察设计行业奖-建筑工程三等奖”
2007 泸州老窖营销网络指挥中心项目　2007年教育部优秀建筑设计三等奖
2009 天府中学新校区项目　2009年教育部优秀规划设计三等奖
2008 重庆西南医院门急诊楼　中国勘察设计协会、卫生部“2008年度全国医院建筑优秀设计一等奖”

合道设计集团 HORDOR DESIGN GROUP 

厦门合道工程设计集团有限公司
Xiamen Hordor Engineering Design Group

蔡维捷

现任职务：厦门合道设计集团建筑专业院院长助理
主任建筑师　A02工作室主创建筑师

工作业绩

1.泉舜豪生国际酒店；2.泉舜豪生国际商务中心；3.港基百汇商业物流中心；4.石狮国际纺织展贸中心；
5.即墨宝龙城市广场；6.海晟维多利亚

陈　林

现任职务：土建一院副主任建筑师　A101工作室副主任
教育背景：2005年毕业于湖北省三峡大学城市规划专业
工作经历：2005年至今就职于厦门合道工程设计集团有限公司
主要作品

1.厦门万科金域华府A-4地块；2.漳州市悠乐社区；3.建发海西首座；4.南平市规划展示馆；
5.武夷新区青少年活动中心；6.厦门火炬创业广场等项目

黄思达

现任职务：厦门合道工程设计集团主创建筑师
土建五院方案工作室主任
高级项目设计总监

主要作品

1.惠安禹州城市广场；2.东山马里兰酒店及度假区；3.昆明翠海雅筑花园；4.瑞丰雪梨国际；
5.长沙汇金国际；6.厦门联发杏林湾1号花园

黄哲威

现任职务：厦门合道设计集团总经理助理，
土建设计五院院长，集团副总建筑师
职　　称：国家一级注册建筑师、高级项目主创建筑师
中国建筑学会会员
国际室内及建筑师学会理事

主要作品

1.骏豪园博园温泉大酒店(与watg合作)；2.骏豪西班牙酒店（与西班牙 malvin Villarroel 合作）；
3.惠安禹州城市广场；4.安溪宝龙城市广场；5.滕王阁原石滩国际度假社区；6.东山马里兰酒店及度假区

林秋达

现任职务：厦门合道工程设计集团有限公司 建筑专业设计院　总建筑师，
LINKS工作室　首席建筑师，建筑研发中心　主任
教育背景：中国/厦门大学，　建筑学工学学士
美国/弗吉尼亚理工大学，建筑学硕士
美国/哈佛大学，建筑学硕士
中国/清华大学，博士生（在读）

工作经历

2004　史密斯集团
2006　马查岛.西尔沃提联合建筑师事务所
2007-至今　厦门合道工程设计集团有限公司

获奖情况

2012　"五大战役"重点工程建设功臣，并由市总工会授予"厦门市五一劳动奖章"
2012　厦门市2011年度十佳建筑师
2010　福建省土木建筑学会"第五届优秀建筑创作奖一等奖"等七个奖项

厦门合道工程设计集团有限公司
Xiamen Hordor Engineering Design Group

潘 建

现任职务：2005年至今在厦门合道工程设计集团工作
现担任土建三院主任建筑师
教育背景：毕业于国立华侨大学建筑学院　获建筑学硕士学位
代表作品
1.圆博新天地；2.世贸集美北站；3.李沧宝龙；4.盐城宝龙

任继远

教育背景：2008年毕业于合肥工业大学建筑学
工作经历：2008至今就职于厦门合道工程设计集团有限公司
主要作品
1.厦门水晶湖郡A区（II标段）；2.厦门水晶湖郡B区；3.厦门集美同集路集美段旧城改造安置房（南段）
4.古龙山语汀溪立面方案改造方案设计；5. 集美轻工业方案设计

魏 伟

现任职务：厦门合道工程设计集团
副总建筑师
土建一院院长
国家一级注册建筑师
工作经历
1990　　毕业于苏州城建环保学院　建筑学专业
1990—2007 就职厦门市建筑设计院
2007—至今 工作于厦门合道工程设计集团有限公司(原公司改制更名)
代表作品
1.厦门国家会计学院；2.福州大学新校区第三学科群；3.厦门国际物流中心；4.南平江南第一城
5.厦门国建优山美地；6.漳州特房锦绣一方
获奖情况
1.厦门国家会计学院　省优秀工程设计一等奖
2.厦门国建优山美地　福建省优秀设计二等奖
3.厦门国际物流中心　省优秀工程勘察设计二等奖

张 正

现任职务：厦门合道工程设计集团有限公司
建筑专业院总建筑师　A06工作室主任
主要作品
1.厦门国家会计学院项目，2.福建中医学院图书馆项目，3.漳州城市规划展示厅项目，4.中国科学院城市环境研究所项目，
5.福隆国际项目，6.天竺山接待中心项目
获奖情况
厦门市2010建筑设计作品个人展“十佳年度推荐优秀建筑师”

广州市纬纶建筑设计有限公司
Win-land Architecture Design Co.,Ltd

设计无限可能

陈玉慧

一级注册建筑师
华南建设学院　建筑学

主要设计作品
美林海岸，合景泰富瑜翠园，东莞世纪滨江豪园，佛山奥园，南京苏宁天润城

黄光宙

资深建筑师
1998年毕业于广东工业大学　城市规划

主要建筑设计作品
能兴怡翠馨园一二期，能兴怡翠宏璟一二期，佛奥棕榈园，佛奥康桥水岸
广州花都天逸花园，广州春岗中瑜翠园，广州花都紫薇花园二期

许佐锐

资深建筑师
1990毕业于华中理工大学　建筑学系

主要建筑设计作品
美林湖畔，佛山奥园，佛奥棕榈园，南宁八桂绿城二期，贵港商业街
肇庆海骏达商业街，贵港酒店，韶关银山高尔夫项目，广州美林湖湾区

聂新广

包头钢铁学院　建筑系

主要建筑设计作品
惠州仲凯创业广场，佛奥星光广场，万科·新光城市花园，合景泰富·科汇发展中心
苏宁·天润城，天伦·林和村改造

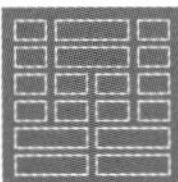

广东华方工程设计有限公司
GuangDong Huafang Architects & Engineers Co., Ltd.

伍志勇

设计总监
城市规划学士
主要经历
1999–2003　　中南大学规划建筑学院　城市规划专业
2003–至今　　广东华方工程设计有限公司　设计总监
主要作品
东莞市宏远江南雅筑；东莞市高田阳光海岸；东莞市光大盛世桃源；东莞市联华星河传说・威斯顿联邦广场；东莞市松山湖北部工业城商业中心；东莞市达鑫龙庭；东莞市联华皇马郦宫；赣州市于都锦绣家园；天津市塘沽区河北路小区；海南三亚市清水湾香香假日酒店；咸宁市通山东山国际；烟台市九州温泉疗养中心；烟台市桃源一品；长沙市中建・芙蓉和苑齐齐哈尔锦湖雅居 ——纯水岸居住社区

Zhiyong Wu

Chief Design Officer
Bachelor's Degree of Urban Planning
Main Experiences
1999-2003 Planning and Architecture Department of Central South University – Majoring in Urban Planning
2003 till now Guangdong Huafang Architects & Engineers Co., Ltd. – Chief Design Officer
Main Works
Hongyuan Jiangnan Yazhu, Dongguan; Gaotian Sunshine Seashore, Dongguan; Guangda Shengshi Taoyuan, Dongguan; Lianhua Milky Way Fairytale - Weston Union Square, Dongguan; Business Center of Industrial Town on the North of Songshan Lake, Dongguan; Daxin Longting, Dongguan; Lianhua Huangma Palace, Dongguan; Yudu Jinxiu Homeland, Ganzhou; Hebei Road Community, Tanggu, Tianjin; Qingshui Bay Xiangxiang Resort Hotel, Sanya, Hainan; Tongshan Dongshan International, Xianning; Hot Spring Rest Center, Jiuzhou, Yantai; Taoyuan Yipin, Yantai
CSCEC–Furong Heyuan Qiqihar Jinhu Lake Yaju – Waterscape Residential Community, Changsha

杨锦棠

设计总监
建筑学硕士
主要经历
2004–2007　　华南理工大学建筑学院　建筑设计及其理论专业
2007–至今　　广东华方工程设计有限公司　设计总监
主要作品
中山大东裕国际中心；东莞星河传世・威斯顿联邦广场；佛山恒福国际二期；东莞江南第一城三期；东莞松山湖宏远研发大厦；烟台山水龙城北地块项目（公务员小区）；东莞市创意产业中心园区（厂区改造）；贵阳市青云路商业步行街及南明河商圈设计

Jintang Yang

Chief Design Officer
Master's Degree of Architecture
Main Experiences
2004-2007 Architecture Department of South China University of Technology – Majoring in Architectural Design and Theory
2007 till now Guangdong Huafang Architects & Engineers Co., Ltd. – Chief Design Officer
Main Works
Dadongyu International Center, Zhongshan; Milky Way Fairytale – Weston Union Square, Dongguan; Hengfu International Phase II, Foshan; South China Town No.1 Phase III, Dongguan; Songshan Lake Hongyuan Research & Development Building, Dongguan; Landscape Dragon Town North Land Lot (Community of Civil Servants), Yantai; Creation Industrial Central Park (Reconstruction of Factory), Dongguan; Design of Qingyun Road Commercial Pedestrian Street and Nanming River Trading Area, Guiyang

广州市天任建筑设计顾问有限公司
Guangzhou Talent Architectural Design Co., Ltd.

任炳勋

现任职务

总经理 博士　　高级工程师

一级注册建筑师　　注册规划师

执业逾20年，专研城市规划和建筑单体设计，具有扎实的理论基础和丰富的实践经验，主张设计的原创性和领先性，强调文化和商业的有机整合。在居住、酒店、文化、办公、大型商业、大型城市综合体等设计方面有独特的理念，从设计角度为客户创造价值。

背景资料

1986—1990　华南工学院，建筑学系，本科

1996—1999　华南理工大学，建筑学院，硕士

2009—至今　中山大学，博士研究生

代表作品

广州花都区政府广场（城市广场，占地30 hm^2）
佛山三水商业广场（大型商业，12万 m^2）
广东省消防中心（办公，5万 m^2）
韶关丹霞山大酒店（酒店，6万 m^2）
广州花都档案馆（办公，2万 m^2）
东莞民间艺术馆（展览，1万 m^2）
鄂尔多斯东胜区文化中心（展览、办公，5万 m^2）
肇庆濠江明庭住宅小区（住宅区，10万 m^2）
烟台苏家村小区（住宅区，20万 m^2）
桂林山水凤凰城（大型山水社区，60万 m^2）
广州岭南文化城概念方案（住宅、写字楼、商业，20万 m^2）
广州威创视讯中心（办公、厂区，10万 m^2）
广州民营科技园863三期（科研办公，5万 m^2）
惠州大亚湾海滨新城（住宅区，12万 m^2）
华南农业大学北校区建筑设计（30万 m^2）
武汉碧湖半岛（大型社区，50万 m^2）
江西希尔顿时尚广场（住宅、商业，12万 m^2）
广东社会科学中心（办公、展览，4万 m^2）
中国人民银行广元中心支行（银行、办公，3万 m^2）
佛山纵横大酒店（酒店，5万 m^2）
广州市白云机场改扩建（大型商业，13万 m^2）
佛山西南街道办公大楼（政府办公，2万 m^2）
广州86中体育馆（体育建筑，1万 m^2）
鄂尔多斯核心区超高层建筑群（超高层写字楼，12万 m^2）
广州大塘安置区（住宅，8万m^2）
广州白天鹅流溪河度假中心（别墅、会所，8万 m^2）
玉林江南区概念规划（城市中心区，5 000 m^2）
烟台华信家园（住宅、办公、酒店，10万 m^2）
肇庆侨兴别墅区（独幢别墅，70幢）
惠州大亚湾凯南广场（住宅区，20万 m^2）
广州仲恺学院文化活动中心（学生宿舍、活动中心，6万 m^2）
佛山壁玉豪庭（住宅区，10万 m^2）
增城新塘群星小区（住宅、学校，20万 m^2）
连运港滨海广场（写字楼，4万 m^2）

贵州省建筑设计研究院
Guizhou Provincial Architectural Design & Research Institute

许　彤

现任职务：贵州省建筑设计研究院副总建筑师　国家一级注册建筑师

教育背景：1989年毕业于贵州建筑专科学校

工作经历

1989年进入贵州省建筑设计研究院二所，1998年取得国家一级注册建筑师执业资格，2002年任贵州省建筑设计研究院一所主任建筑师，2011年任贵州省建筑设计研究院副总建筑师兼山地建筑研究所主任建筑师，主要从事山地建筑空间的设计与研究及住区规划和居住建筑设计与研究。

代表作品及获奖情况

贵州遵义仁怀国酒新城居住区
贵州兴义富康国际大酒店
贵州贵阳三十二中新校区
贵州贵阳白云行政中心等项目（获得贵州省优秀工程勘察设计二等奖）

贵州省建筑设计研究院
Guizhou Provincial Architectural Design & Research Institute

程 鹏

现任职务：贵州省建筑设计研究院副总建筑师 国家一级注册建筑师 副所长
教育背景：1992年毕业于南京东南大学（原南京工学院）建筑系建筑学本科

工作经历
毕业后在贵州省建筑设计研究院工作至今。
出于对建筑专业的热爱和专注，自毕业以来，虚心学习，努力实践，于2001年考取国家一级注册建筑师资格，2002年评为高级建筑师（副高），2003年担任院设计二所副主任建筑师并于次年担任设计二所副所长，分管建筑及方案创作，2011年担任院副总建筑师。

代表作品及获奖情况
贵阳市供电局能辉大厦、能辉酒店
省政府大院5号办公楼（获2002年贵州省优秀勘查项目设计二等奖）
省政府大院7号办公楼
贵阳市供电局生产管理中心
茅台酒厂“十一五”总体发展规划（获2011年贵州省优秀城乡规划设计一等奖）
贵阳中医学院花溪新校区修建性详细规划及单体

张 翼

现任职务：贵州省建筑设计研究院副总建筑师 国家一级注册建筑师 副所长
教育背景：1991年毕业于贵州工学院建筑系建筑学专业

工作经历
毕业后分配至贵州省建筑设计院，先后在深圳分院、厦门分院、山地建筑研究所和七所等部门工作，从事建筑方案的设计与研究和施工图设计审核工作，从助理建筑师干起，历任建筑师、副主任建筑师、主任建筑师、副总建筑师等技术职务，参与和主持过很多大型设计项目，特别在近几年，乘西部大开发东风，贵州省后发赶超，建设脚步逐渐加快，主持参与的项目更多投资更大

代表作品及获奖情况
贵阳市公安局云岩分局业务及技术用房工程建设项目
贵阳职业技术学院（2011年贵州省优秀城乡规划设计三等奖）
花溪区青岩中小学
花溪区溪南高中（清华中学分校）
美的——林城时代

陈 楚

现任职务：贵州省建筑设计研究院副总规划师 国家注册城市规划师 所长
教育背景：1996年毕业于武汉城市建设学院建建筑学专业

工作经历
毕业后分配至贵州省建筑设计研究院，历任建筑师、副所长、所长、副总规划师等职务，参与和主持过多项大型设计项目

代表作品及获奖情况
茅台香格里拉大酒店及峰会国际
中环观山湖一号
青少年活动中心
贵州烟草科学研究所科研大楼
“龙洞堡G（10）20、21、22”地块项目
贵州饭店
贵阳市大南门地块

贵州省建筑设计研究院
Guizhou Provincial Architectural Design & Research Institute

张　舜

现任职务：贵州省建筑设计研究院副总建筑师　国家一级注册建筑师
教育背景：1998年西安建筑科技大学建筑学本科毕业

工作经历
1998年8月在贵州省建筑设计研究院五所开始从事建筑设计工作，13年的工作中共主持和参加大小项目一百多项，独立主持万方以上项目14个

代表作品及获奖情况
贵州省遵义烟草公司桐梓复烤厂打叶复烤生产线工程，（获2000年贵州省城乡建设系统优秀建筑设计项目二等奖）
云岩区政府办公大楼（获2008年省优秀工程勘察设计二等奖）
剑河县新县城搬迁的供电局，烟草局办公楼
宏泰檀溪谷小区（一期）（获2008中国十大绿色住宅杰出项目和宜居住宅杰出项目）
贵州省"十一五"乡镇综合文化站建设规划标准图（获2010年省优秀工程勘察设计三等奖）
大方县贵州宣慰府恢复重建工程
第九届全国少数民族传统体育运动会赛马场

在工作学习中除以上的工作实践外，也根据实践经验进行理论总结，并于在国内刊物上发表论文：
2003年于《贵州建筑》杂志发表《关于山地建筑的刍论—从云岩区政府办公大楼设计谈起》，探讨行政办公建筑在山地中的设计方法。
2010年8月于《建筑知识》上发表《从重建贵州宣慰使府谈贵州彝族建筑特点》，分析探讨贵州彝族建筑的建筑形制，营造方法。
2010年9月于《中国科技博览》上发表《第九届全国少数民族传统体育运动会赛马场设计》，第一以论文的形式讨论南方地区设置草坪赛马场的方法。

西线建筑规划设计研究院
West-line architectural planning & design institute

周　令

现任职务：西线建筑规划设计研究院执行副总监　建筑师
教育背景：毕业于同济大学　学士学位

代表作品
贵阳白云区档案馆图书馆综合体、贵州铜仁民族体育中心、贵州赤水五柱峰旅游游客接待中心、贵州赤水丙安红一军团纪念馆、贵州省凤冈县会展中心、贵州省黔西南州民族文化中心、南方电网贵阳超高压业务大楼等。

米格·杰特力

现任职务：西线建筑规划设计研究院核心研究机构—WB国际联合工作站站长
教育背景：西班牙塞维利亚大学可持续城市设计和建筑专业硕士研究生
曾在维也纳大学（2000–2001年）和"弗雷柏林"大学学习深造

代表作品
西班牙塞维利亚"河滨公园"景观设计、西班牙巴埃纳JM坎普学校改造设计、西班牙科尔多瓦日间护理中心设计、贵州独山大学城（10平方公里）城市设计

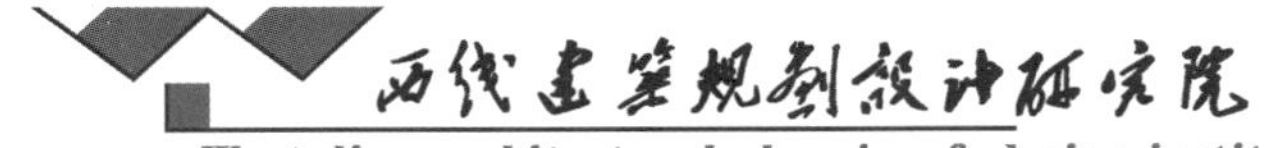

欧明华

现任职务：西线建筑规划设计研究院执行总监　艺术指导　建筑师
教育背景：毕业于重庆建筑大学

代表作品
贵州独山大学城城市设计+修建性详细规划、贵阳梦溪笔谈山地居住群、贵州金海雪山度假酒店、贵阳大十字广场、贵阳东山广场、贵州赤水东门及北门古城改造项目等。

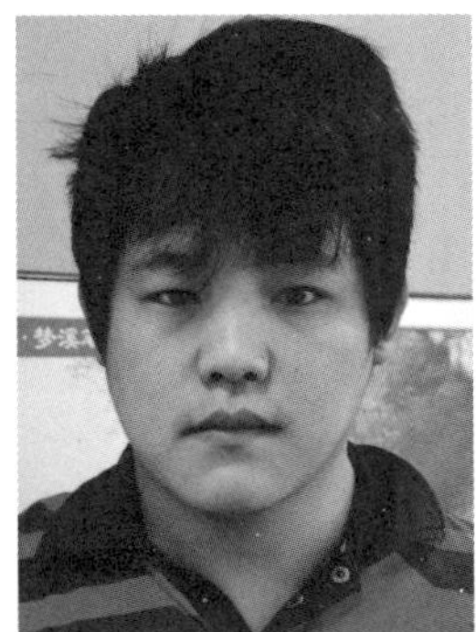

曹　严

现任职务：西线建筑规划设计研究院核心研究机构—西线工作室主任　建筑师
教育背景：毕业于贵州工业大学　学士学位

代表作品
贵州省黔西南州民族文化中心、贵州省独山县图书馆、贵州省赤水市游客接待中心、贵州省独山县第四小学、贵州省独山大学城城市设计、贵阳青岩堡二期及北门广场设计、贵州省印江县行政中心等。

海南华磊建筑设计咨询有限公司
Hainan Hualei Architectural Design Consulting Co., Ltd.

黄　惟

现任职务：建筑师
教育背景：1990年毕业于武汉城市建设学院

代表作品
海航新国宾馆一期、二期、三亚亚龙湾天鸿度假村二期、巴彦淖尔华澳五星级酒店、三亚海航国际会议中心、海南海口金盘雅苑、海南省旅游学校实训楼、海南嘉源海韵等。

杜召辉

现任职务：主创建筑师
教育背景：2005年毕业于西安建筑科技大学

代表作品
海阔天空国兴城一期、宝信小区四季春城三期、和信广场主持人、海口海蓝椰风、澄迈四季春城、文昌红树湾国际公馆、文昌同创碧海城等。
获奖情况：revit全国3等奖

海南华磊建筑设计咨询有限公司
Hainan Hualei Architectural Design Consulting Co., Ltd.

高　葵

现任职务：主创建筑师
教育背景：2001年毕业于长春工程学院建筑系
代表作品
澄迈中学体育馆、儋州中南西海岸一期、宝信小区四季春城三期、海阔天空国兴城一期等。

吴远劲

现任职务：结构设计师
教育背景：1995年毕业于成都科技大学城环学院城镇建设系结构工程专业
代表作品
海口喜来登酒店、琼海博鳌福川旅游度假村、海口海蓝椰风、海口水岸银湾、海口海南之心、万宁山泉海、屯昌大酒店、海口药监药检综合大楼、澄迈四季春城、海航东方牧歌、儋州中南西海岸一期、海口海航国兴城一期、保亭海南"天惠　仙岭郡"度假村等。

陈　鹏

现任职务：助理工程师
工作经历：2004年8月至今在海南华磊建筑设计咨询有限公司从事总图设计工作，熟悉和具备相关设计业务能力。

代表作品及获奖情况
海口喜来登大酒店（海南省优秀设计一等奖）；海口市钻石水岸小区；博鳌福川温泉度假酒店；海南省健身中心；海南省保障性住房建筑设计方案竞赛（海南省建筑设计方案三等奖）；海南省廉租住房建筑设计方案竞赛（省建筑设计方案优秀奖）。

陈　磊

现任职务：主创建筑师
教育背景：2005年毕业于西安建筑科技大学
代表作品
海口白沙门海上盛世、海航日月广场节能评估、海航海口塔节能评估、儋州银杏雅苑、海南嘉源海韵、碧海轩旅游度假村等。

王开卫

现任职务：建筑设计师
教育背景：2010年毕业于黑龙江建筑学院建筑系建筑设计专业
代表作品
东方牧歌高级会所、海口旅游学校教学楼、保亭中学教学楼、嘉源海韵酒店、海航国兴城住宅楼、海口武警滨海大道住宅楼等

海南华磊建筑设计咨询有限公司
Hainan Hualei Architectural Design Consulting Co., Ltd.

吴海珍

现任职务：建筑设计师
教育背景：2009年毕业于河南城建学院规建系建筑学专业
代表作品
红平公寓联排住宅、文昌市立面改造、在水一方宿舍楼、保亭天惠仙岭郡会所、海航国兴城住宅楼等。

石家庄市建筑设计院
ShiJiazhuang Architectural Design Institute

狄洪涛

现任职务
石家庄市建筑设计院
设计二所副所长、建筑室主任工程师、建筑专业主任
职　　称：工程师、国家二级注册建筑师
教育背景：毕业于河北建筑科技学院（现名河北工程大学）
代表作品
信诚大厦、金利来家俱广场（现米氏家具城）、古文化茶城、清凉山滑雪场、河北省明德小学（100所）、中铁电气化五段办公大楼、邢台威县图书馆档案馆、沧州·东光城投曦园住宅小区、果岭湾住宅小区。

赵 欢

现任职务
石家庄市建筑设计院设计三所建筑专业负责人
教育背景
河北师范大学艺术设计学院　艺术设计学专业
代表作品
河北体育学院综合服务楼、石家庄市三环生态主题公园的湿地科普馆和高尔夫会所、石家庄学院东大门方案竞标、河北省省粮食局办公楼、北翟营亚龙花园二、三期、龙港新村一期、东鑫花园西区
获奖情况
2007年5月设计石家庄学院东大门投标方案，获三等奖

石家庄市建筑设计院
ShiJiazhuang Architectural Design Institute

王红侃

现任职务
石家庄市建筑设计院设计一所所长　国家一级注册建筑师
教育背景
1987年毕业于河北工学院土木建筑工程系建筑学专业

代表作品
石家庄高级技工学校、石家庄天山工业园C区B座、燕南商务广场、盛泽果岭湾、晶龙公寓楼、桃园旧村改造规划项目、石家庄市优抚医院、承德交通指挥中心、河北日报报业集团报业大厦。

王志洁

现任职务
石家庄市建筑设计院副总建筑师　副高级建筑师
教育背景
1987年毕业于河北工业大学土木工程系建筑学专业，学士学位
代表作品
河北日报社高层住宅楼、河北省高级人民法院综合审判楼、丰辉大厦
获奖情况

河北日报社高层住宅楼	获市二等奖、省三等奖
河北省新农村居民建筑设计大赛	获市三等奖、省优秀设计方案
河北省高级人民法院综合审判楼	获省优秀工程勘察设计二等奖、市二等奖
丰辉大厦	获省优秀工程勘察设计二等奖、市一等奖

张明宪

现任职务：国家一级注册建筑师
教育背景：1999年毕业于河北工业大学建筑系建筑学专业

代表作品
武警学校教学楼、正定一中教学楼、燕南商务广场、新源发小商品批发市场一期、河北盛泽果岭湾二期、雅园小区、平山西贾壁村改造规划项目、桃园旧村改造规划项目、石家庄市优抚医院、河北日报报业集团报业大厦。

纪晓松

现任职务：设计师
教育背景：河北建筑工程学院建筑系工业设计专业

代表作品
海兴住宅小区规划、柏乡住宅小区规划、元氏住宅小区前期规划、石家庄深泽县村庄环境整治规划、石家庄深泽县村庄环境整治规划、石家庄景福房地产住宅小区前期规划。

唐山市规划建筑设计研究院
Tangshan City Planning and Architectural Design & Research Institute

吴晓坤

现任职务：唐山市规划建筑设计研究院副院长　副总建筑师　高级建筑师　国家一级建筑师
教育背景：1989年　毕业于河北工业大学建筑学专业
工作经历：建筑设计三所副所长、唐山市规划建筑设计研究院北京分院负责人、建筑设计五所副所长、院副总建筑师

代表作品及获奖情况
唐山新区11＃小区（建设部第二批试点小区，建设部银牌奖，本人获部规划设计二等奖）；唐山新区11＃小区幼儿园（获市优秀设计二等奖）；滦南保险公司综合楼（获省优秀设计二等奖）；唐山家万佳超市（获省优秀设计三等奖）；唐山市天元小区二、三期工程；唐山市长宁小区工程；北京滨河小区临镜苑工程；北京南横街住宅工程。

李志铮

现任职务：副总建筑师、国家一级注册建筑师
教育背景：1992年　毕业于河北建筑工程学院
2011年　清华大学建筑学院获工学硕士学位
工作经历：1992年至今　唐山市规划建筑设计研究院工作，现任副总建筑师

代表作品
唐山市曙光大厦项目；唐山一中体育馆；玉田县帅府华阁项目；唐山市新华步行街；唐山市建设大厦；中德合作既有建筑节能改造项目；潘家峪惨案纪念馆等。

李双来

工作经历：唐山市规划建筑设计研究院院长助理　一所副所长　建筑师
教育背景：1999年，毕业于华北水利水电学院

代表作品：
丰润县人民医院、妇幼医院病房楼、东港龙城、唐山万达广场、唐山市委党校、硅谷大厦、世纪龙庭住宅小区、唐山南湖西北片区震后危旧平房改造安置小区。

孙军成

现任职务：唐山市规划建筑设计研究院　设计五所所长　高级建筑师
教育背景：毕业于河北建筑工程学院

代表作品及获奖情况
唐山市盛安.金景小区设计；滦南东城地产商住小区；唐山开滦大酒店（省优秀设计二等奖）；唐山市疾病控制中心；唐山市眼科医院；四川南坝镇江油关（省优秀设计二等奖）。

高建成

现任职务：唐山市规划建筑设计研究院　设计三所所长
教育背景：毕业于西安交通大学

代表作品
凤城盛世、唐山市国土局综合楼、唐山市国土局综合楼、盛和花苑、盛和鑫苑、石家庄唐山大厦、秦皇岛玻璃厂改造项目、孙家庄保障性住房项目、唐山教育学院、唐山市公安局、万达回迁办公楼等。

唐山市规划建筑设计研究院
Tangshan City Planning and Architectural Design & Research Institute

白晓航

现任职务：副所长、国家一级注册建筑师
教育背景：毕业于天津城市建设学院
建筑理念：设计的过程就是营造或者尝试营造一种生活方式

王亚生

现任职务：设计六所副所长
教育背景：1999年7月毕业于西安交通大学建筑系，获学士学位
工作经历：1999年进入唐山市规划建筑设计研究院工作至今，完成近百项大中型项目的设计工作，现任设计六所副所长

代表作品
滦县金源经典住宅小区、遵化天之润住宅小区、唐山市国家安全局海港分局、唐山市万达广场规划及前期总负则、唐山市现代水泥工业博物馆负责、唐山市丰润大唐鼎旺住宅小区、唐山紫微星会馆等。

富　松

现任职务：设计四所副所长
教育背景：1999年毕业于天津大学建筑系

代表作品
万达广场C，D区住宅楼、马家屯居住区改造工程、乐亭一中体育馆、唐山美食城、乐亭检法两院办公楼、玉田师专体育馆、滦县公安局及滦县消防支队办公楼等。

张东峰

现任职务：设计一所副所长
教育背景：1998年毕业于河北理工学院建筑工程专业
工作经历：1998年至今在唐山市规划建筑设计研究院工作

代表作品
唐山海港中学教学楼、遵化燕山一集小区项目、唐山市路南试验二小科技楼、唐山市新华步行街、参加标准图集05J的编制工作、玉田帅府高层住宅小区、唐山市南湖美食广场。

UDC [建築·規劃·景觀·室內] 大成國際

河北大成建筑设计咨询有限公司
Hebei Dacheng Architectural Design Consulting Co., Ltd.

庞海军

现任职务
河北大成建筑设计咨询有限公司副总经理兼总建筑师

教育背景
1990　毕业于合肥工业大学建筑学系　学士学位
2000　通过国家一级注册建筑师考试

工作经历
1990—2007　在北方设计研究院工作，先后担任高级工程师、建筑室主任、所副总建筑师等职
2007—至今　在河北大成建筑设计咨询有限公司工作，担任副总经理兼总建筑师，主持建筑设计工作
先后完成数十项大型建筑工程的可行性研究报告、方案设计、初步设计、施工图设计。具有丰富的设计实践经验和较强的创新能力。

代表作品
石家庄市人民会堂
东华理工学院南昌校区
河北北方学院新校区
徐州工业职业技术学院新校区二期工程
石家庄市和平路红星美凯龙装饰建材广场
平顶山市国税局干部培训中心综合楼等

获奖情况
获部级二等奖一项、三等奖一项

王小文

现任职务
河北大成建筑设计咨询有限公司副总建筑师

教育背景
1991　毕业于大连理工大学建筑学系　学士学位
2011　通过国家一级注册建筑师考试

工作经历
1991—2011　在北方设计研究院工作，先后担任高级工程师、建筑室主任等职
2011—至今　在河北大成建筑设计咨询有限公司工作，担任副总建筑师
先后担任设计人、专业负责人和项目总师，具有丰富的设计实践经验，主持完成多项工业与民用建筑项目的设计与审校工作

代表作品
邢台红星美凯龙世博家居广场
石家庄运管处办公楼
河北省烟草公司高层住宅小区
河北农业大学教学楼
泉州射击馆等

包昌亮

现任职务：机械工业第六设计研究院有限公司研究员级高级工程师　院副总工程师
国家一级注册建筑师　享受国家政府特殊津贴
教育背景：毕业于扬州大学工学院

代表作品
河南省人大办公楼、郑州市人大办公楼、世界客属文化中心、郑州国际会展中心、郑东新区大厦、郑州温哥华大厦、郑州海联国际交流中心大厦等。

龙文新

现任职务：机械工业第六设计研究院有限公司研究员级高级工程师　院副总工程师
教育背景：1989年毕业于合肥工业大学建筑学专业　建筑学学士　国家一级注册建筑师

代表作品
郑州国际会展中心 、郑州英协路东地块高层住宅小区 、郑州市华亚科技广场、郑州市中医院高层病房楼、河南省新华书店中原图书城、河南科技市场数码港、河南建业联盟新城、郑州森林半岛等。

毛卫东

现任职务：机械工业第六设计研究院有限公司院长助理　高级工程师
国家注册建筑师　方案主创建筑师
教育背景：1994年6月毕业于合肥工业大学建筑系　建筑学学士

代表作品
周口市中心医院新建病房大楼、中州大学新校区学生活动中心、河南永达国际大厦、河南省郑东试验学校新校区、河南省农科院综合实验楼、郑州中原区白庄城中村整体改造项目、郑东新区王鼎国际大厦、安阳市中医药学校新校区、飘安住宅小区等。

张海燕

现任职务：机械工业第六设计研究院有限公司高级工程师　院副总工程师
国家一级注册建筑师　郑州市首届优秀建筑师
教育背景：1993年毕业于郑州大学建筑学专业　建筑学学士

代表作品
郑州国际会展中心、中义·阿卡迪亚 、郑州大上海城商业步行街一期 、富田·太阳城居住区、顺弛中央特区一、二期、青岛百丽广场、青岛颐和国际等。

武浩杰

现任职务：机械工业第六设计研究院有限公司研究员级高级工程师　院副总工程师　国家一级注册建筑师
教育背景：1998年6月毕业于西安冶金建筑学院（现西安建筑科技大学）建筑系　建筑学学士

代表作品
湖北中烟工业园区总体规划及武汉卷烟厂易地技改项目、杭州卷烟厂"十一五"易地技术改造项目、厦门卷烟厂"十五"技术改造项目 、呼和浩特卷烟厂易地技术改造项目 、深圳卷烟厂易地技术改造工程、宝鸡烟厂"十五"技术改造项目、北京卷烟厂易地技术改造项目、中华人民共和国郑州海关、中华人民共和国商丘海关、郑州光大银行、鹤壁夏威夷俱乐部等。

郭芳慧

现任职务：机械工业第六设计研究院有限公司高级工程师　副总建筑师　国家一级注册建筑师
教育背景：1996年毕业于郑州工业大学建筑学专业　建筑学硕士

代表作品
兰州移动通信枢纽楼工程、拉萨移动通信枢纽及调度指挥中心、吉林市电信枢纽工程、河南济源市电信综合生产楼、河南移动信阳分公司生产楼、长春卷烟厂"十一五"易地技术改造项目、清水苑住宅小区 、观屿国际住宅小区、郑州市档案馆等。

牛　飚

现任职务：机械工业第六设计研究院有限公司教授级高级工程师　院副总工程师　国家一级注册建筑师
教育背景：1985年毕业于湖南大学建筑系　建筑学学士

代表作品
盛润国际空间、郑东新区金融大厦、河南省中级人民法院、郑州凯旋门工程、运河上郡、四季花城、河南科技大学新校区、黄河科技大学图书馆、郑州友谊医院等。

李文东

现任职务：机械工业第六设计研究院有限公司高级工程师　院长助理　国家注册规划师
教育背景：1996年6月毕业于西安冶金建筑学院（现西安建筑科技大学）建筑系　建筑学学士

代表作品
郑州国际会展中心、郑州紫荆广场、郑州市人大办公楼、郑州烟草研究院异地建院工程科研实验楼、沈阳机床银丰铸造有限公司、龙腾盛世苑小区、河南检察职业学院新校建设工程、濮阳建业城项目、新乡金龙建业森林半岛、河南源升香榭丽舍住宅小区、郑州鑫苑名家住宅小区等。

哈尔滨方舟建筑设计有限公司
Harbin Fangzhou Architectural Design Co., Ltd.

刘远孝

1990年毕业于哈尔滨工业大学建筑系
教授级高级建筑师　一级注册建筑师
享受省政府特殊津贴专家
总经理　法定代表人
主要作品
哈尔滨工程大学办公教学主楼、哈尔滨工程大学逸夫科技馆、吉林电力丰满职工培训中心、哈尔滨理工大学教学主楼、黑龙江中医药大学综合楼、大庆实验中学、东北农业大学北区教学楼、哈尔滨工程大学第二学生食堂、哈尔滨医科大学公共卫生学院综合楼、大庆市建行营业大楼、双鸭山市第一百货商店、黑龙江八一农大教学主楼、大庆祥阁学校新校区、大庆奥林匹克公园体育中心。

Yuanxiao Liu

Graduated from the Department of Architecture of Harbin Institute of Technology in 1990
Senior architect with professor level, First-class registered architect
Expert enjoying provincial government special benefits
General Manager, Legal Representative
Major Projects
Main teaching building of Harbin Engineering University, The Yifu Science and Technology Hall of Harbin Engineering University, Jilin electric Fengman staff training centre, Main teaching building of Harbin University of Science and Engineering, Complex building of Heilongjiang University of Chinese Medicine, Daqing experimental middle school, The teaching building in north area of North east Agricultural University, The second students' dinning hall of Harbin Engineering University, Complex building of school of public health in Harbin medical university, Business building of Daqing Construction Bank, The first department store in Shuangyashan city, Main teaching building of Heilongjiang Bayi Agricultural University, New campus of Daqing Xiangge School, Daqing Olympic Park Stadium.

王俊库

1980年毕业于黑龙江省建筑职业技术学院建筑系
高级建筑师　一级注册建筑师
副总经理　　副总建筑师
主要作品
哈尔滨第一百货大楼、哈尔滨国贸大厦、哈尔滨深业大厦、哈威广场、黑龙江八一农垦大学教学主楼、齐齐哈尔昊方名苑居住小区、时代大厦、哈尔滨通信枢纽楼、上海浦江幼儿园、北亚集团生产厂房、俄罗斯阿摩尔州剧场改造工程、大庆铁人广场景观规划、黑龙江八一农垦大学景观规划设计、盟科汇大厦。

Junku Wang

Graduated from the Department of Architecture of Heilongjiang Institute of Architectural Technology in1980
Senior architect, First-class registered architect
Vice general manager, Vice general architect
Major Projects
Harbin first department store, Harbin trade centre building, Harbin Shengye building, Hawei Square, Main teaching building of Heilongjiang Bayi Agricultural University, Qiqihar Haofang Mingyuan residential area, Time Building, Harbin communication center building, Shanghai Pujiang kindergarten, Manufacturing plant of Beiya Group, Modification project of the theatre in Siamor state in Russia, Landscape project for Daqing Iron Man Square, Landscape project for Heilongjiang Bayi Agricultural University, Mengkehui Building.

哈尔滨方舟建筑设计有限公司
Harbin Fangzhou Architectural Design Co., Ltd.

李 韬

1993 年毕业于重庆大学建筑系
高级建筑师 一级注册建筑师
副总工程师
主要作品
黑龙江省委党校学员公寓、哈尔滨医科大学图书馆、哈尔滨商业大学德强商务学院教学主楼、哈尔滨商业大学德强商务学院图书馆、东北农业大学北区教学主楼、大庆新玛特商城、黑龙江抚远国宾馆、大庆五星酒店、黑龙江农垦农业职业技术学院图书馆、立汇 · 美罗湾居住小区 A.B.C 区、荣耀上城居住小区、哈尔滨金融高等专科学校图书馆。

Tao Li

Graduated from the Department of Architecture of Chongqing University in1993
Senior architect, First-class registered architect
Vice general engineer
Major Projects
Heilongjiang provincial Party school students' apartment, Library of Harbin Medical University, Main building of Deqiang business school, Harbin Business University, The library of Deqiang business school, Harbin Business University, Main teaching building in north area of North east Agriculture University, Daqing Xinmate Shopping Mall, Heilongjiang Fuyuan State Hotel, Daqing Five star hotel, Library of Heilongjiang Agricultural Reclamation Professional Technology Institute, A.B.C districts of Lihui · Meiluo Bay residential area, Glorious top town residential district, Library of Harbin financial college.

闫春雷

1997 年毕业于太原理工大学建筑系
高级建筑师 一级注册建筑师
副总建筑师 闫春雷工作室负责人
主要作品：
大庆实验中学教学主楼、哈尔滨医科大学公共卫生学院、哈尔滨工程大学 21b 教学实验楼、黑龙江省疾病控制中心、东北农业大学游泳馆、黑龙江八一农垦大学体育馆、哈尔滨医科大学体育馆、哈尔滨德强商务学院体育馆、双城市文化会展中心、黑龙江农垦职业技术学院教学主楼、哈尔滨理工大学远东学院图书馆。

Chunlei Yan

Graduated from the Department of Architecture of Taiyuan University of Science and Engineering in1997
Senior architect, First-class registered architect
Vice general architect, Principal of Yan Chunlei Office
Major Projects
Main Teaching Building of Daqing Experimental Middle School, Public Health School of Harbin Medical University, 21b Teaching experiment building of Harbin Engineering University, Disease Control Center in Heilongjiang province, Indoor swimming pool of North east Agricultural University, Stadium of Heilongjiang Bayi Agricultural University, Stadium of Harbin Medical University, Stadium of Harbin Deqiang Business School, Cultural Exhibition Centre in Shuangcheng City, Main Teaching Building of Heilongjiang Agricultural Reclamation Professional Technology Institute, Library in Yuandong School of Harbin University of Science and Engineering.

于钦国

1995 年毕业于东南大学建筑系
高级建筑师 一级注册建筑师 工学硕士
副总经理 第二设计所所长
主要作品
哈尔滨市疾病预防控制中心、哈尔滨市儿童医院、海伦市第一人民医院、省委党校教学楼、黑龙江建筑职业技术学院教学主楼、哈尔滨理工大学国际关系学院、双龙绿色家园、哈尔滨市第一医院门诊、住院部大楼、英伦名邸居住小区、龙山国际居住小区。

Qinguo Yu

Graduated from the Department of Architecture of Southeast University in1995
Senior architect, First-class registered architect, Master of Engineering
Vice general manager, Director-General of 2nd designing institute
Major Projects
Harbin Disease Control and Prevention Center, Harbin Children's Hospital, The First People Hospital in Hailun City, Teaching Building of Provincial Party School, Teaching Building of Heilongjiang College of Construction, International Relationship School of Harbin University of Since and Engineering, Double Dragon Green Home World, Outpatient and Inpatient Department Building of Harbin First People's Hospital, Yinglun Famous Residential District, Dragon Mountain International Residential District.

哈尔滨方舟建筑设计有限公司
Harbin Fangzhou Architectural Design Co., Ltd.

宋 琦

1991 年毕业于武汉工业大学建筑系
高级建筑师　一级注册建筑师
副总建筑师　宋琦工作室负责人
主要作品
牡丹江市建行供销大厦、哈尔滨电视台演播厅、哈尔滨报业大厦、鹤岗市第一中学、大庆实验中学新校区、深圳哈飞集团分厂生活区、北京用友软件园、哈尔滨荣耀上城商住小区、大庆红岗第十六中学、黑龙江东方学院平房新校区。

Qi Song

Graduated from the Department of Architecture of Wuhan University in 1995
Senior architect, First-class registered architect
Vice general manager, principal of Song Qi Office
Major Projects
Construction Bank Supply and Marketing Building in Mudanjiang City, Studio of Harbin TV Station, Harbin Newspaper Building, No.1 Middle School in Hegang city, New campus of Daqing Experimental Middle School, Living Section of subsidiary plant of Shenzhen Hafei Group, Beijing UF Software Park, Business–living building of Harbin Glorious Top Town, Honggang No.16th Middle School in Daqing city, New campus with one-storey house of Heilongjiang Oriental School.

刘清君

1995 年毕业于哈尔滨工业大学建筑系
高级建筑师　一级注册建筑师　工学硕士
副总经理　第三设计所所长
主要作品
哈尔滨黄河小区、哈尔滨医科大学学生食堂、东北农业大学农学院教学楼、东北农业大学工程中心、黑龙江八一农垦大学学生食堂、黑龙江红星农场幼儿园、盟科视界居住小区、哈尔滨道外二十道街 1、2、3 号地块居住小区。

Qingjun Liu

Graduated from the Department of Architecture of Harbin Institute of Technology in 1995
Senior architect, First-class registered architect, Master of Engineering
Vice General Manager, Director-General of Third Designing Institute
Major Projects
Harbin Yellow River Residential District, Students' Dining Hall of Harbin Medical University, Teaching Building of the Agriculture School of Northeast Agricultural University, Engineering Centre of Northeast Agricultural University, Students' Dining Hall of Bayi Agricultural University, Heilongjiang Red Star Farm Kindergarten, Mengke Shijie Residential Area, No.1. 2. 3 Residential Areas in Harbin Twentieth Street.

赵 慧

1997 年毕业于哈尔滨工业大学建筑系
高级建筑师　一级注册建筑师　工学硕士
副总经理　第一设计所所长
主要作品
大庆实验中学体育馆、大庆实验中学实验楼 A、B 栋、哈尔滨理工大学国际关系学院、平山试验林场东北森林生态科研基地工程、海伦市人民医院改建工程、哈尔滨儿童医院改扩建工程、大庆电信枢纽楼、黑龙江省经济管理干部学院体育馆、荣耀上城住宅小区 B 区 C 座 E 座。

Hui Zhao

Graduated from the Department of Architecture of Harbin Institute of Technology in1997
Senior architect, First-class registered architect, Master of Engineering
Vice General Manager, Director-General of Designing Institute
Major Projects
Stadium of Daqing Experimental Middle School, Tower A and B of laboratory building of Daqing Experimental Middle School, International Relationship School of Harbin University of Science and Engineering, Project for the Pingshan Test Forest in Northeast Forest ecological research base, Modification Project of People's Hospital in Hailun City, Modification and Expansion Project of Harbin Children's Hospital, Daqing Telecommunication Centre Building, Stadium of Heilongjiang Economic Management Cadre College, C and E Towers of B Section in the Glorious Top Residential Area.

建筑 规划 景观 装饰 勘察 咨询 工程管理

黑龙江省建筑设计研究院
Heilongjiang Provincial Institute of Architectural Design and Research

陈力岩

现任职务
黑龙江省建筑设计研究院总建筑师　研究员级高级建筑师
国家一级注册建筑师
中国建筑师学会会员
中国建筑师学会建筑理论与创作委员会会员
黑龙江省建筑安全委员会建筑专业委员
黑龙江省消防审查委员会建筑专业委员
教育背景：毕业于黑龙江省建筑工程学校
于1980年进入黑龙江省建筑设计研究院工作，1994至1995年在日本日建北海道设计株式会社工作研修
工作经历：建筑专业从业32年

代表作品及获奖情况
哈尔滨国际会展体育中心〔2006年全国优秀勘察设计银奖、住建部优秀设计一等奖
2005年黑龙江省优秀工程勘察设计一等奖、哈尔滨新世纪十佳建筑〕
哈尔滨市第十四中学高级示范中学〔2006年全国优秀勘察设计银奖、住建部优秀设计一等奖，
2005年黑龙江省优秀工程勘察设计一等奖〕
哈尔滨工程大学逸夫楼〔2001年住建部优秀设计二等奖，2000年黑龙江省优秀工程勘察设计一等奖〕
哈尔滨机场生产综合用房〔2012年黑龙江省优秀工程勘察设计二等奖〕
哈尔滨市松雷中学校〔2012年黑龙江省优秀工程勘察设计二等奖〕
伊春鹿鸣钼矿中心林场生活区详细规划设计〔2011年度黑龙江省城市规划设计二等奖〕
内蒙古科右前旗居住区〔2010年黑龙江省优秀规划设计三等奖〕
哈尔滨麦凯乐休闲购物中心〔2009年黑龙江省优秀工程勘察设计三等奖〕
黑龙江省绥芬河中俄互贸商业中心〔2006年黑龙江省优秀工程勘察设计二等奖〕
哈尔滨利民新湖别墅区〔2003年黑龙江省优秀规划设计二等奖〕
哈尔滨香格里拉大饭店〔1998年黑龙江省优秀工程勘察设计一等奖〕
哈尔滨秋林商厦〔1997年黑龙江省优秀工程勘察设计二等奖〕

蒋春辉

现任职务
黑龙江省建筑设计研究院副总建筑师　研究员级高级建筑师
国家一级注册建筑师
中国土木建筑协会黑龙江分会会员
全国工程建设标准设计专家委员会建筑专业委员
黑龙江省建材行业协会防水材料专业委员会委员
教育背景：毕业于哈尔滨建筑工程学院
工作经历：建筑专业从业34年

代表作品及获奖情况
哈尔滨国际会展体育中心〔2006年全国优秀勘察设计银奖、住建部优秀设计一等奖、2005年黑龙江省优秀工程勘察设计一等奖、哈尔滨新世纪十佳建筑〕
齐齐哈尔市第一医院门急诊综合楼〔2009年黑龙江省优秀工程勘察设计一等奖〕（三级甲等医院）
黑龙江省电力调度信息中心〔2005年黑龙江省优秀工程勘察设计一等奖〕
华融饭店〔2001年黑龙江省优秀工程勘察设计一等奖〕
哈尔滨市国家税务局办公楼〔2001年黑龙江省优秀工程勘察设计一等奖〕
哈尔滨市财政局培训中心〔2000年黑龙江省优秀工程设计一等奖〕
大连长兴岛开发区中心医院(大型三级甲等医院)
呼伦贝尔市人民医院(大型三级甲等医院)
乌兰浩特市人民医院(大型三级医院)

参编黑龙江省地方标准《公共建筑节能设计标准黑龙江省实施细则》，获黑龙江省城乡建设科学技术进步三等奖
参编行业规范《托儿所、幼儿园建筑设计规范》
参编黑龙江省社会主义新农村住宅设计图集

建筑 规划 景观 装饰 勘察 咨询 工程管理

黑龙江省建筑设计研究院
Heilongjiang Provincial Institute of Architectural Design and Research

荆 涛

现任职务：黑龙江省建筑设计研究院副总建筑师，研究员级高级建筑师
国家一级注册建筑师
教育背景：毕业于西安冶金建筑学院
工作经历：建筑专业从业25年

代表作品及获奖情况
北京华联哈尔滨购物中心〔2012年黑龙江省优秀工程勘察设计二等奖〕
黑龙江省公安厅特警训练中心一期〔2012年黑龙江省优秀工程勘察设计二等奖〕
大连医科大学新校区工程-体育馆〔2010年度黑龙江省优秀工程勘察设计二等奖〕
大连医科大学新校区工程-第一食堂〔2010年度黑龙江省优秀工程勘察设计二等奖〕
哈尔滨工业大学建筑科技大厦〔2009年度黑龙江省优秀工程勘察设计二等奖〕
延边大学综合教学楼〔2002年度黑龙江省优秀工程勘察设计三等奖〕
黑龙江省农业发展银行综合楼〔2000年度黑龙江省优秀工程勘察设计二等奖〕
2008年度哈尔滨市棚户区改造安居住宅设计竞赛 普通商品房类 二等奖
2008年度哈尔滨市棚户区改造安居住宅设计竞赛 保障类 二等奖
中央大街环境整治建筑立面改造设计竞赛二等奖
参编黑龙江省地方标准《公共建筑节能设计标准黑龙江省实施细则》，获黑龙江省城乡建设科学技术进步三等奖。
参编行业规范《托儿所、幼儿园建筑设计规范》
参编行业规范《坡地民用建筑设计防火规范》

李弘范

现任职务：院副总建筑师 第二设计所总工程师 研究员级高级建筑师
国家一级注册建筑师
教育背景：毕业于重庆建筑工程学院 哈尔滨工业大学建筑与土木工程工程硕士
工作经历：建筑专业从业25年

代表作品及获奖情况
哈尔滨市第十四中学综合教学楼〔2006年度全国优秀工程设计银奖、2005年度建设部城乡优秀勘察设计一等奖、2005年度黑龙江省“优秀工程设计”一等奖、2000—2004年度哈尔滨市新世纪初十佳建筑奖〕
萧红纪念馆〔2012年黑龙江省优秀工程勘察设计一等奖〕
中俄绥-波互市贸易区五星级酒店工程〔2008年度黑龙江省优秀工程勘察设计二等奖〕
哈尔滨公路主枢纽道外客运站工程〔2008年度黑龙江省优秀工程勘察设计二等奖〕
吉林保险公司办公楼工程〔1997年度黑龙江省“四优”设计二等奖〕

唐聪颖

现任职务：院副总建筑师 研究员级高级建筑师
国家一级注册建筑师
教育背景：1980年毕业黑龙江省建筑工程学校
工作经历：建筑专业从业32年

代表作品及获奖情况
黑龙江省肿瘤医院放疗楼、外科楼、阳光厅〔获2011年黑龙江省优秀工程勘察设计一等奖〕
哈尔滨国际会展体育中心—展览中心建筑面积(综合建筑)〔获2004年省优秀工程勘察设计一等奖，哈尔滨十佳建筑〕
新绿农超市〔获2003年省优秀工程勘察设计二等奖〕
黑龙江省民族饭店（主要设计人）〔获1999年黑龙江省优秀工程勘察设计一等奖〕
哈尔滨太平国际机场航站楼（主要设计人）〔获1999年黑龙江省优秀工程勘察设计一等奖〕
秋林商厦（主要设计人）〔获1997年黑龙江省优秀工程勘察设计二等奖〕
黑龙江省游泳馆（主要设计人）
恒运大厦(高层一类)
大庆新潮丽水华城二期、四期住宅工程（高层一类、二类）
哈尔滨公路货运主枢纽站总图工程
盘锦地方大学理科教学实验楼、教学主楼
鹿鸣中心林场生活区（集住宅、公建、基础配套设施为一体的林区小镇）
鲁商·松江新城（七地块项目、高层一类、二类）

中国轻工业武汉设计工程有限责任公司
China National Light Industry Wuhan Design Engineering Co.,Ltd.

祝文波

中国轻工业武汉设计工程有限责任公司第一设计所所长
高级工程师
国家一级注册建筑师

主要建筑设计作品
武汉新城水木清华、苏州东湖大郡五期、武汉美林青城、武汉美加总部基地、赤道几内亚石油部大楼、武汉百步亭花园华庭商业综合体等。

王　进

中国轻工业武汉设计工程有限责任公司第三设计所所长
高级工程师
国家一级注册建筑师

主要建筑设计作品
华中师大一附中新校区、武汉万科高尔夫城市花园三——五期、武汉万科金域蓝湾、万景国际广场、航天双城等。

吴笃文

中国轻工业武汉设计工程有限责任公司第四设计所副所长
高级工程师
国家一级注册建筑师

主要建筑设计作品:
武汉市总工会办公大楼、尚隆地球村、武汉工业职业技术学院校区、东龙世纪花园、同馨花园、武汉警察训练基地等。

曾益海工作室
Zeng YiHai Studio

中铝国际长沙有色冶金设计研究院有限公司
Changsha Engineering and Research Institute Ltd. of Nonferrous Metallurgy of CHINALCO

曾益海

国家一级注册建筑师/国家注册规划师/教授级高级工程师/中国建筑学会会员/香港建筑师学会会员/湖南省建筑师学会副理事长/中铝国际长沙有色冶金设计研究院有限公司总建筑师

Yihai Zeng

Class 1 Registered Architect (PRC) / State Registered Urban Planner / senior Engineer (Professor Level) / Member of Architectural Society of China (ASC) / Member of the Hong Kong Institute of Architects (HKIA) / Deputy Director of Hunan Province Architect Association / General Engineer of Changsha Engineering and Research / Institute Ltd. of Nonferrous Metallurgy OF CHINALCO

土木風設計
TUMUFENG DESIGN

李桂新

现任职务
吉林土木风建筑工程设计有限公司　副总经理　高级建筑师　国家一级注册建筑师　吉林省建设工程勘察设计专家
代表作品
鸿源广场、万科上东区、中海水岸馨都、万晟现代城、高新怡众名城一期、力旺格林春天、力旺康城。

初成全

现任职务
吉林土木风建筑工程设计有限公司　总建筑师　高级建筑师　国家一级注册建筑师
代表作品
吉林省农业科技东北创新中心、新华社吉林分社办公楼改造、长春市养正中学、吉林四六五医院、吉林省中医药大学附属医院、动画学院图书馆。

李东林

现任职务
吉林土木风建筑工程设计有限公司　建筑设计部部长　主创设计师
代表作品
长春市南湖假日、长春市高新中小学、吉林九台碧水尚城居住小区、长春北阳金地居住小区、北凯旋路九号地块项目、恒力七彩阳光居住小区、倚澜观邸居住小区。

崔云鹏

现任职务
吉林土木风环境艺术设计有限公司　总经理　高级建筑师　国家一级注册建筑师
代表作品
吉林苏宁天润城景观、长春中信城景观、长春市国信 美邑景观、长春复地 净月国际景观、长春华瀚 四季花园景观、万科潭溪别墅景观。

刘　强

现任职务
吉林土木风设计集团　生产计划部部长　高级规划师　国家一级注册建筑师
代表作品
鲁辉国际城、天伦地产大马路项目、倚澜观邸、长春市锦江花园二期、绿地上海城。

赵　东

现任职务
吉林土木风建筑工程设计有限公司　总工程师　高级工程师　国家一级注册结构工程师
吉林省土木建筑学会加固专业委员会　主任
代表作品
吉林省广电中心、光明大厦、力旺弗朗明哥、中海水岸馨都、吉林省中医药大学附属医院、高新北区兴华学校、敦化市渤海体育馆。

张晓斌

现任职务
吉林土木风建筑工程设计有限公司　机电设计部部长　高级工程师　暖通注册设备工程师　国家注册咨询工程师
代表作品
天地十二坊天地大厦、北方市场综合楼、新世纪小学、君地天城、武夷花园、长春医学高专图书馆、实验楼。

王向光

现任职务
吉林土木风建筑工程设计有限公司　副总工程师　高级工程师　国家注册电气工程师
代表作品
光明大厦、湖畔诚品小区、吉林省质检院办公楼、长春市汇华大厦写字楼、东湾半岛小区、创新花园小区、吉林省中医药大学附属医院。

吉林省光大建筑设计有限公司
Jilin Guangda Architetural Design Co., Ltd.

李海军

现任职务：吉林省光大建筑设计有限公司　主创建筑师
教育背景：毕业于吉林建筑工程学院　建筑学学士

代表作品
延吉香山国际社区、南湖假日、珲春国际饭店、松原前郭尔罗斯大酒店。

吉林省光大建筑设计有限公司
Jilin Guangda Architetural Design Co., Ltd.

刘冬华

现任职务：吉林省光大建筑设计有限公司　建筑专业部长　主创建筑师
教育背景：毕业于长春工程学院

代表作品
吉林市天下江山小区、东南湖大路综合楼、延吉客运北站综合集资楼二期工程、中海国际社区C区、乌兰察布农牧局办公楼。
获奖情况：吉林省优秀设计第一名

于　斌

现任职务：吉林省光大建筑设计有限公司　主创建筑师
教育背景：毕业于吉林建筑工程学院　建筑学学士

代表作品：珲春市世代·第一城小区整体规划、长春市市直机关事务管理局综合办公楼

张成会

现任职务：吉林省光大建筑设计有限公司建筑规划景观方案所所长
教育背景：毕业于长春工程学院

代表作品：
郭尔罗斯大饭店、华荣泰商业综合体、郭尔罗斯公安局办公楼、心田上城、经纬国际工程、长春市恒大城项目的规划、建筑方案及施工图设计、乌兰浩特恒大绿洲项目的规划、建筑方案及施工图设计等。

KAD 金宸建筑設計
KINGDOM ARCHITECTURE DESIGN

丁　奂

现任职务：第二建筑设计事业部总经理　国家一级注册建筑师　高级建筑师
教育背景：1991年毕业于南京建工学院

代表作品
四季仁恒双塔楼、香樟华苹别墅区、大华–锦绣·华城（A、B地块）、融桥中央花园、金浦·海德北岸、泗洪文化大世、安徽金辉中央天骏、海德·名城世家花园、淮安恒大名都、仙林G81地块（别墅项目）、洋口港海逸国际社区等

潘可可

现任职务：第二建筑设计事业部总建筑师　国家一级注册建筑师
教育背景：2000年毕业于南京建工学院

代表作品
天都芳庭居住小区、玛斯兰德别墅区、金陵世纪花园居住小区、连云港一品苑（高层部分）、大华一锦绣·华城（商业部分）、宿州天鹅湾滨水社区、陆军指挥学院生活用房等。

李亚伟

现任职务：城市商业综合体设计研究院创作二部设计总监
教育背景：毕业于南京大学建筑学院　建筑学硕士
代表作品及获奖情况

江苏盐城亭湖区行政中心	获竞赛第一名
安徽巢湖市某区行政中心	获竞赛第一名
南京中电集团华电科技园规划设计	获投标第一名
安徽宁安铁路 马鞍山站 站房规划设计	获投标第一名
安徽宁安铁路 当涂站 站房规划设计	获投标第一名
江苏宁安铁路 江宁站 站房规划设计	获投标第一名
江苏无锡新区新城中学规划建筑设计	获投标第一名

王 铠

现任职务：城市商业综合体设计研究院创作二部设计副总监　国家一级注册建筑师
教育背景：东南大学建筑设计及其理论博士生

代表作品
河南大学风雨操场设计、郑州中学规划及单体建筑设计、郑州工业大学教学楼建筑设计、郑州大学新区总体规划设计、南京市玄武看守所建筑设计、上海青浦区财税局建筑设计、江西省井冈山市笔架山风景区规划及建筑设计、南京大学仙林校区图书馆建筑设计、南京秦淮区教敷巷地块改建概念设计、天津于家堡金融起步区Y-20地块方案设计等。

陈跃伍

现任职务：第三建筑设计事业部总建筑师　国家一级注册建筑师
教育背景：2003年毕业于南京工业大学建筑学专业

代表作品
仁恒国际公寓、常熟恒隆中心、南京水游城、苏宁河西滨江公寓、金鹰盐城内港湖A1地块A2地块、山东菏泽国贸中心、常熟中南世纪城、南京金地自在城六期.八期、宿迁用世水韵城、新疆澳龙广场等。

游少秋

现任职务：研究院创作一部创作总监　一级注册建筑师
教育背景：2004年毕业于南京大学　获建筑学硕士学位

代表作品
合肥融侨金辉中央天骏小区、南外仙林分校小学、南京鼓楼区社区文体活动中心、芜湖师范学校新校区、汉中门凤凰街2号商务楼、镇江市京口区东风村2号地块、南京城市照明设施应急抢修节能服务中心、荣嘉秋园项目、高力沈阳新行政中心、高力连云港汽博园 山东临沂水游城、南京大华二期、万辰观澜东郡、高力盐城嘉城住宅、同曦东三角地块、宁杭高铁安置房、 君泰总部园工程、苏农国际广场等。

辽宁省建筑设计研究院
LIAONING PROVINCIAL BUILDING DESIGN & RESEARCH INSTITUTE

郭 昊

现任职务
辽宁省建筑设计研究院第一设计研究所　所总建筑师
高级建筑师　国家一级注册建筑师

教育背景
1998　　毕业于沈阳建筑工程学院建筑系

代表作品
北方国际传媒中心、宁波市科技园区1－3号地块国际广场和住宅项目、辽宁体育训练中心（柏叶基地）射击馆、援助四川安县地震灾后重建工程、沈阳商业城改建和新建工程、德商国际花园、丹东汇侨商场和希尔顿酒店、沈阳铁路机械学校新校区、新建朝阳县人民医院、营口金泰海景珑悦府及海岸线项目等；
获奖情况
从事建筑设计工作中，获得省优秀设计一等奖一项；省优秀设计二等奖二项；省优秀设计三等奖一项；沈阳市优秀设计二等奖两项，其中"北方国际传媒中心"工程获得"中国建筑工程鲁班奖"；
建筑设计中着重关注建筑的比例、尺度、细部、材料，通过对建筑空间和场所的营造，探讨人与环境的关系，表达建筑的文化内涵。

王 维

现任职务
辽宁省建筑设计研究院第三设计研究所　所总建筑师

教育背景
2002　　毕业于包头钢铁学院建筑系；

代表作品
本溪银泽家园住宅小区、沈阳亿达房地产开发公司·唯美品格住宅、抚顺大自然开发有限公司·抚顺大自然家园住宅小区，朝鲜族第六高级中学规划及设计、中海房地产开发有限公司·中海国际社区一期工程，沈阳大地房地产开发有限公司·唯美十方(别墅)、兴城市第一高级中学，兴城市文涛苑住宅小区,四川省安县文化活动中兴以，安县职业技术中专学校,中海城02A.02B地块，东北金融大厦,新世界花园二期B区,辽宁省人民医院等规划及设计。
工作经历
从事建筑设计工作10年，完成工程设计几十项。近年设计作品获得省、市级优秀设计多项。
获奖情况
2002年"辽宁省经济适用住宅设计方案竞赛"一等奖，中国建筑学会佳作奖。〔中海城〕项目02A地块荣获2012年中国土木工程詹天佑奖住宅小区优秀建筑奖。"沈阳亿达唯美品格小区"荣获辽宁省优秀工程勘察设计一等奖。"朝鲜族第六高级中学"荣获辽宁省优秀工程勘察设计二等奖，"安县文化和职工活动中心项目"；"安县职业中专学校"荣获2010年度工程勘察设计四优二等奖。"中海国际社区地下人防"荣获辽宁省人防设计三等奖。"沈阳艾特置业有限公司艾特国际花园"；"本溪银泽家园住宅小区"等荣获辽宁省优秀工程勘察设计三等奖。

张 剑

现任职务
辽宁省建筑设计研究院　第二设计研究所副所长　院副总建筑师

教育背景
2000　　毕业于沈阳建筑工程学院建筑系

代表作品
海润国际、营口经济技术开发区中心医院、辽宁省金秋医院老年医疗康复中心一期、沈阳市骨科医院门诊病房楼、辽宁医学院附属第一医院病房楼、葫芦岛连山医院门诊病房楼、安县第二人民医院门诊病房楼、灯塔市中心医院门诊病房楼、锦州中心医院滨海医院、中电投蒙东能源生产调度指挥中心、本溪市中级人民法院审判综合楼、本溪市明山区人民法院审判综合楼。

辽宁省建筑设计研究院
LIAONING PROVINCIAL BUILDING DESIGN & RESEARCH INSTITUTE

陈立永

现任职务
辽宁省建筑设计研究院第四设计研究所　所长
国家一级注册建筑师

教育背景
2002　　毕业于包头钢铁学院建筑工程系建筑学专业；

代表作品及获奖情况
2002年辽宁省经济适用住宅设计竞赛二等奖、本溪转山棚户区改造新家源小区（荣获全国双节双优杯住宅竞赛金奖）、沈阳泰盈·九如溪谷、调兵山兀术花园小区、沈阳国际纺织服装城、辽宁省援建四川安县43个民生项目、中海·寰宇天下、大洼县广播电视技术业务用房、辽宁省残疾人中等职业技术学校、辽宁省图书馆。
建筑感悟：建筑源于生活，对待建筑如同对待生活一样，脚踏实地，用心去建筑！

周志广

现任职务
辽宁省建筑设计研究院第三设计研究所　所总建筑师
国家一级注册建筑师

教育背景
2002　　毕业于吉林建筑工程学院

代表作品
沈阳市河畔公馆、沈阳河畔新城、辽阳市中级人民法院综合审判楼、沈阳市养老院、中海国际社区、中国医科大学第二临床学院综合办公楼、辽阳襄平蓝庭小区等。
获奖情况
近年设计作品获得2005年中国土木工程学会双节双优杯住宅方案竞赛金奖，2011年中国土木工程学会詹天佑奖住宅小区优秀建筑奖，2005–2006辽宁省优秀工程勘察设计奖一等奖、2009–2010辽宁省优秀工程勘察设计奖一等奖。
一直在从事建筑设计工作过程中探寻如何做出美的建筑。目前理解为：创造生活，感悟生活，在生活中发现美，体验美，并将这种美用建筑表达出来，让用户从建筑中感受到美，通过建筑享受生活，就是美的建筑。

安法立

现任职务
辽宁省建筑设计研究院第一设计研究所　副所长
国家一级注册建筑师
教育背景
1996　　毕业于沈阳建筑工程学院建筑学专业

代表作品
沈阳市城市规划展示馆、沈阳医学院国际护理综合楼、辽宁援助四川安县地震灾后重建工程、安县地质公园游客接待中心、东北传媒大厦、沈阳【中海·寰宇天下】项目、沈阳国际纺织服装城景星花园、阜新【西山·九郡】、铁岭综合开发项目等。
获奖情况
省优秀设计一等奖一项；省优秀设计二等奖一项；省优秀设计三等奖三项；作为项目负责人的沈阳【中海·寰宇天下】A区工程获得“2012中国土木工程詹天佑奖优秀住宅小区金奖”。

沈阳万宸建筑规划设计有限公司
Shenyang Wanchen Architecture & Plan Design Co.,Ltd.

郑 重

现任职务

沈阳万宸建筑规划设计有限公司任副总经理　副总经理
首席建筑师

教育背景

1998　　毕业于沈阳建筑大学

工作经历：

1998—2005　　工作于中国建筑东北设计研究院
2005—至今　　工作于沈阳万宸建筑规划设计有限公司任副总经理

代表作品

辽宁省本溪市建设大厦、工会大厦及规划展示馆、辽宁省政府办公楼、辽宁省盘锦市广厦新城、辽宁省鞍山兴隆摩尔、辽宁省盘锦市辽河左岸。

张干阳

现任职务

沈阳万宸建筑规划设计有限公司　副总建筑师
国家一级注册建筑师
高级建筑师

工作经历

1992—1997　　工作于辽宁省轻工设计院
1998—2004　　工作于沈阳大象建筑设计有限公司
2004—2005　　工作于沈阳今晨建筑设计有限公司
2006—至今　　工作于沈阳万宸建筑规划设计有限公司

代表作品

辽宁省沈阳房地产交易大厦、辽宁省沈阳七彩阳光楼盘、辽宁省委党校高层公寓、辽宁省盘锦水木清华、辽宁省阜新会展中心。

吕 静

现任职务

沈阳万宸建筑规划设计有限公司副总建筑师
国家一级注册建筑师
高级建筑师

工作经历

1988—2009　　工作于辽宁省城乡建设规划设计院
2009—至今　　工作于沈阳万宸建筑规划设计有限公司

代表作品

辽宁省沈阳金穗大厦、辽宁省阜新客运站、辽宁省沈阳维康医院病房楼、辽宁省鞍山东景美林、辽宁省阜新凯隆康桥水郡。

沈阳万宸建筑规划设计有限公司
Shenyang Wanchen Architecture & Plan Design Co.,Ltd.

王晓蓓

现任职务
沈阳万宸建筑规划设计有限公司 副总建筑师
国家一级注册建筑师
教育背景
1994 毕业于沈阳建筑大学建筑学专业
工作经历
1994—2007 工作于辽宁省建筑设计研究院
2007—2010 工作于广东博意建筑设计有限公司
2011—至今 工作于沈阳万宸建筑设计有限公司
代表作品
中国家具城三期、沈阳中润国际大厦、辽宁省葫芦岛市客运大厦、辽宁省喀左大成国际酒店。

张 涛

现任职务
沈阳万宸建筑规划设计有限公司 主创建筑师
教育背景
2000 毕业于沈阳鲁迅美术学院
工作经历
2000—2006 工作于中国建筑东北设计研究院期间在法国学习生活三年
2007—至今 工作于沈阳万宸建筑规划设计有限公司
代表作品
辽宁省阜新海州矿地质博物馆、辽宁省本溪平山区人民法院、辽宁省葫芦岛山城露园、辽宁省葫芦岛金域华城、辽宁省沈阳鑫丰西海岸。

杨 旭

现任职务
沈阳万宸建筑规划设计有限公司 主创建筑师
工作经历
2002—2006 工作于沈阳卓越设计院
2007—至今 工作于沈阳万宸建筑规划设计有限公司
代表作品
辽宁省本溪和谐家园、辽宁省葫芦岛山城露园、辽宁省鞍山东景美林、辽宁省盘锦香堤水岸、辽宁省阜新兴隆百货。

沈阳都市建筑设计有限公司
Shenyang Urban Architecture Design Co., Ltd.

张立峰

现任职务

沈阳都市建筑设计有限公司　总经理　副总建筑师　高级建筑师
国家一级注册建筑师　中国建筑学会会员　省注册建筑师考前培训授课专家

教育背景

1990　毕业于上海同济大学建筑学专业　硕士学位

工作经历

2001－至今　沈阳都市建筑设计有限公司
1997－2001　沈阳新大陆建筑设计有限公司
1990－1997　中国建筑东北设计研究院

代表作品

国家审计署驻沈办公楼、和平家园、慧缘馨村、自动化所现代装备中心、沈阳大华水岸福邸、沈阳宏发国际名城、本溪碧水云天、唐山丽景荣城、中科院计算所数码基地、蓝英工业园综合楼、沈阳明城盛都、承德兴盛丽水·琴园、水调歌城、北市·兰庭、承德汇水湾、葫芦岛CBD滨海金融中心、沈阳蓝英装备产业园新园区等。

获奖情况

2001　东北育才信息中心　获市优秀设计二等奖
2003　东北育才外国语学校体育馆　获市优秀设计二等奖
2009　格林SOHO　获辽宁省优秀设计三等奖及市优秀设计二等奖
2009　蓝英工业园综合楼　获建设部优秀设计三等奖及辽宁省优秀设计二等奖
2010　临床医学研究中心　获建设部优秀设计三等奖及省市优秀设计一等奖
2010　明城嘉苑　获辽宁省人民防空工程优秀设计二等奖及辽宁省优秀设计三等奖
2012　保利心语花园　获沈阳市优秀设计三等奖

荣誉目录

2004　获"沈阳市十大优秀中青年建筑师"称号
2005　获"辽宁省建设行业优秀工程技术人才"称号
2009　获"辽宁省优秀勘察设计院院长"称号
2010　获"全国勘察设计行业优秀民营企业家"称号

尹旭东

现任职务

沈阳都市建筑设计有限公司副总经理 总建筑师 高级建筑师
国家一级注册建筑师　中国建筑师学会会员　辽宁省土木建筑学会建筑师分会常务理事

教育背景

1987　毕业于沈阳建筑大学　建筑学专业

工作经历

2001－至今　沈阳都市建筑设计有限公司
1998－2001　沈阳新大陆建筑设计有限公司
1987－1998　中国建筑东北设计研究院

代表作品

沈阳新港澳国际大厦、辽宁省高级人民法院、沈阳未来城、辽宁省劳模敬老院、沈阳衡颐陶瓷城、沈阳正大新上海广场、沈阳清华同方信息港、钻石大厦、其仕亚美利加、东方欧博城、瑞安·沈阳天地、步阳国际、千缘新财富大厦、营口万隆广场、千缘商汇、沈阳千缘铁西金谷等。

获奖情况

2000　沈阳格林豪森花园　获沈阳市最佳住宅立面造型一等奖
2000　沈阳万科紫金苑　获沈阳市最佳立面设计一等奖
2002　沈阳二十一世纪大厦　获辽宁省及沈阳市优秀设计一等奖
2008　成都东软信息技术学院一期工程 获辽宁省优秀设计一等奖
2009　沈阳千缘爱都国际B座　获沈阳市优秀设计三等奖
2010　钓鱼台7号　获辽宁省优秀设计二等奖
2012　沈阳钻石大厦　获沈阳市优秀设计二等奖
2012　其仕亚美利加　获沈阳市优秀设计三等奖

荣誉目录

1991　被评为沈阳市优秀团员
1994　被授予"沈阳市青年岗位能手"称号
1994　被授予"沈阳市优秀青年科技工作者"称号
1997　被评为沈阳市劳动模范
2004　获"沈阳市十大优秀中青年建筑师"称号
2009　获"辽宁省优秀青年建筑师"称号

沈阳都市建筑设计有限公司
Shenyang Urban Architecture Design Co., Ltd.

荆延武

现任职务
沈阳都市建筑设计有限公司建筑与规划设计所所长　副总建筑师
高级建筑师　国家一级注册建筑师
教育背景
1987　毕业于浙江大学　建筑学专业　学士学位
工作经历
2005—至今　沈阳都市建筑设计有限公司
1987—2005　中国建筑东北设计研究院
代表作品
金地商业九期、盘锦天力五星级酒店、盘锦天力大厦、润景朗琴湾、华府丹郡、雅典新城、沈阳三盛颐景园、明城　北市兰庭、丽水金阳、绿地新里　摩尔公馆、沈阳明城盛都、保利上林湾、慧缘馨村三期、格林生活坊、沈阳香江大市场、沈阳市图书馆等。
获奖情况
2009　大连东软信息技术学校　获辽宁省土木建筑学会优秀建筑创作奖
2009　大连东软国际软件园中心园　获辽宁省土木建筑学会优秀建筑创作奖
2009　辽河美术馆　获辽宁省土木建筑学会优秀建筑创作奖
2010　临床医学研究中心　获建设部优秀设计三等奖及省市优秀设计一等奖
2010　格林生活坊　获辽宁省优秀设计三等奖

顾全衡

现任职务
沈阳都市建筑设计有限公司　主创建筑师　国家一级注册建筑师
教育背景
1987　毕业于沈阳建筑大学　建筑学专业　学士学位
代表作品
成都东软软件园三期 、沈阳蓝英装备产业园综合楼、沈阳千缘爱都国际公寓B座 、大连东软软件园办公楼、沈阳钻石大厦、盘锦天力国际酒店（五星级）、沈阳三好街东软电脑城改扩建、沈阳千缘铁西金谷、沈阳蓝英装备产业园新园区等
获奖情况
2009　蓝英工业园综合楼　获建设部优秀设计三等奖及辽宁省优秀设计二等奖
2009　沈阳千缘爱都国际B座　获沈阳市优秀设计三等奖
2012　沈阳钻石大厦　获沈阳市优秀设计二等奖
设计哲学：设计之外寻找灵感，设计之中寻找乐趣！

山东省华都建筑设计院有限公司
Huadu Architectural Design Institute Co.,Ltd.

张传学

现任职务

山东省华都建筑设计院有限公司院长　总建筑师

国家一级注册建筑师　高级建筑工程师

代表作品

青岛颐中假日酒店、聊城公安办公大楼、泰安新湖绿园、泰安化工学校、聊城公安学校综合训练馆、青岛维多利亚广场、济南南郊宾馆蓝色大厅政务接待中心、济南历山名郡、家乐福济南解放桥店、德州公安技术大楼、北京阜外医院齐鲁分院、济南皇亭体育馆等。

王艳萍

现任职务

政协委员　注册建筑师　高级工程师

现任山东省华都建筑设计院有限公司常务副院长

山东省建筑工程评标专家

女企业家协会副会长

参与项目

济南西客站中学、清河社区时代新城、华森大厦、原山九号、巨野瑞麟大饭店、齐鲁软件园、东方石化园、金冠花园、利豪大厦、青州法院、嘉馨-现代逸居、济南军区空军银河花园。

刘　夏

现任职务

副总建筑师　一所所长

教育背景

2002　　长安大学建筑系毕业

代表作品

山东教育电视台演播中心、宁津电梯观光塔北京阜外医院齐鲁分院、莱芜会展中心、青岛环联职业学院新校区、聊城棕蓝海小区、德州看守所、山东华艺公司办公楼、济南市历城区国税局办公楼。

山东省华都建筑设计院有限公司
Huadu Architectural Design Institute Co.,Ltd.

黄　森

现任职务
创研所所长
教育背景
2006　　毕业于四川大学建筑学专业
代表作品
山东金宇老年公寓、济南原山九号高档别墅区、济南公路局检测检验中心、济南历山名郡三、四期、诸城市南外环A1—A4片区规、齐鲁鞋城二期工程、邹平金融中心及创新家园、邹平新城中央小区、德州市公安局技术大楼。

曹洪刚

教育背景
2008　　毕业于南华大学建筑学专业
代表作品
济南清河时代新城、北京阜外医院齐鲁分院、南郊宾馆蓝色大厅　、济南西客站中学、山东大众4S旗舰店、信发集团新疆生活区。

青岛中景建筑设计有限公司
Qingdao ZhongJing Architectural Design Co.,Ltd.

李　硕

现任职务
中景建筑设计有限公司总经理　高级建筑师
中国建筑学会建筑师分会环境艺术专业委员会副秘书长
教育背景
毕业于同济大学
从事设计及设计管理工作十余年，在建设项目项目策划、规划设计等方面积累了大量经验，并在城市景观规划设计方面拥有专长，在公共艺术与城市建设的结合与应用方面有一定的研究。
代表作品
青岛世纪广场规划设计、中国海洋大学崂山校区景观环境规划设计、青岛台东三路步行街改造及大型公共艺术壁画工程、银川市北京路景观规划设计、青岛四方奥林匹克体育公园规划设计及公共艺术设计、青岛中景设计创意中心。
发表论文
《公共艺术在旧城改造中的应用》　建筑学报；《青岛景观环境的塑造》　北京规划建设

田蔚元

现任职务
中景建筑设计有限公司副总经理　设计总监　高级工程师
教育背景
毕业于中央工艺美术学院
从事景观、室内设计16年。在多年的设计创作中形成了自己独特的风格，设计项目精细大气，擅长大型市政及地产项目景观及室内设计。
代表作品
青岛市东海路景观改造项目、青岛流亭国际机场国际航站楼室内设计、青岛城建竹韵山色花园小区景观设计、青岛城建桃源山色住宅小区景观设计、青岛国际航海俱乐部景观设计、青岛中景创意中心室内及景观设计。

青岛中景建筑设计有限公司
Qingdao ZhongJing Architectural Design Co.,Ltd.

张海滨

现任职务

中景建筑设计有限公司副总经理　设计总监　国家一级注册建筑师　高级工程师

教育背景

毕业于重庆建工学院

山东省散文学会会员

青岛市作家协会会员

从事建筑设计20多年，对项目定位决策有独到见解，对住宅的户型研究深入，尤其擅长大型公建及城市综合体设计。

代表作品

青岛市新政府大楼、青岛市老干部活动中心、北京青岛嘉园、乌兰巴托天地泉国际温泉大酒店、青岛南京路一号五星级酒店综合体、交运集团莱西市客运总站枢纽工程等。

李建锋

现任职务

青岛中景建筑设计有限公司建筑所所长　国家一级注册建筑师

教育背景

毕业于四川大学。从事建筑设计10多年，在建筑方案及施工图设计上积累了丰富的经验，尤其在公共建筑设计方面有所专长，作品多次在各类竞赛中获奖。

代表作品

波尔亚太（青岛）有限公司厂区整体设计、首创空港国际中心、青岛新兴体育馆、青岛国际建材市场、风和日丽居住小区、青岛洛阳路片区保障房。

李冠华

现任职务

青岛中景建筑设计有限公司规创所副所长

教育背景

毕业于山东建筑工程学院

从事建筑设计近10年，建筑方案及施工图设计上积累了大量的经验，尤其在住宅的创作设计方面有所专长，作品多次在各类竞赛中获奖。

代表作品

石嘴山市大武口汽车客运站、特易购淄博“乐都汇”购物中心、青岛市洛阳路片区保障性住房集中建设项目、青岛鹏利南华商业中心、交运集团莱西市汽车客运总站枢纽工程、黄河湿地公园

晋敦见

现任职务

青岛中景建筑设计有限公司规创所副所长　工程师

教育背景

毕业于山东理工大学

从事规划设计8年，擅长住宅区、城市重点地段及大型公建场地的规划设计。

代表作品

青岛风和日丽居住小区详细规划、蓬莱海景苑居住小区详细规划、青岛国棉一厂改造概念性规划、青岛新兴体育馆场地设计、青岛空港花苑居住小区详细规划、银川紫云华庭居住小区详细规划。

山东大卫国际建筑设计有限公司
Shandong David International Architectural Design Co., Ltd.

张　冰

1994—1999　　　毕业于山东建筑工程学院建筑专业
1999—至今　　　任山东大卫国际建筑设计有限公司　副总经理

Bing Zhang

1994-1998, studied architecture in Shandong Architecture Engineering College
From 1999 to now, Deputy General Manager of Shandong Dawei International Architecture Design Co., Ltd.

邱英林

国家一级注册建筑师　高级建筑师
1995　　　毕业于山东建筑工程学院建筑系　建筑学专业
现任山东大卫国际建筑设计有限公司一分院院长　建筑专业总工

Yinglin Qiu

Class-1 Registered Architect of China, Senior Architect
Graduated from Architecture of Shandong Architecture Engineering College, in July, 1995
At present, Chief Engineer of Architecture, President of No.1 Branch Institute of Shandong Dawei International Architecture Design Co., Ltd.

肖艳萍

现任职务：山东大卫国际建筑设计有限公司二分院　副院长
教育背景：毕业于建筑学专业
获奖情况
2003　　　山东省优秀设计一等奖、中小户型设计竞赛优秀作品奖、
2007　　　山东省优秀勘察设计二等奖
2007　　　山东省优秀勘察设计三等奖
2011　　　全国勘察设计行业优秀工程设计三等奖
2011　　　山东省优秀工程勘察设计一等奖
2011　　　首届全国保障房设计竞赛二等奖

Yanping Xiao

Current Position: Vice director, Second Institute of Shandong Dawei International Architecture Design Co., Ltd.
Educational Background: Graduated from Architecture Specialty
Awards
2003: Won the first prize of Excellent Design in Shandong Province, the Excellence prize of Small – Medium Unit Design Competition
2007: Won the second prize of Excellent Survey Design in Shandong Province
2007: The third prize of Excellent Survey Design in Shandong Province
2011: The third prize of Excellent Engineering Design of National Survey Design Industry
2011: The first prize of Excellent Engineering Survey Design in Shandong Province
2011: The second prize of the first National Security Housing Design Competition

山东大卫国际建筑设计有限公司
Shandong David International Architectural Design Co., Ltd.

王 妍

国家一级注册建筑师 建筑师
1999 毕业于山东建筑工程学院建筑系建筑学专业
现任山东大卫国际建筑设计有限公司三分院副院长

Yan Wang

First Grade Registered Architect of China, Architect
Graduated from Architecture of Shandong Architecture Engineering College, in 1999
At present, served as vice president of No.3 Branch Institute of Shandong Dawei International Architecture Design Co., Ltd.

丁成贺

国家一级注册规划师 规划师
1998–2002 毕业于山东建筑工程学院城市规划专业
2003–至今 任山东大卫国际建筑设计有限公司规划分院院长

Chenghe Ding

National Class-1 Registered Planner, Planner
1998-2002: Graduated fro Urban Planning Specialty, Shandong Jianzhu University (preceded by Shandong Institute of Architecture & Engineering)
2003-now: Acting as Director, Planning Institute of Shandong Dawei International Architecture Design Co., Ltd.

赵晓东

工程师，建筑师，室内设计师
2001 毕业于山东工艺美术学院，环境艺术设计学专业
现任山东大卫国际建筑设计有限公司创研室主任

Xiaodong Zhao

Engineering, Architect, Interior Designer
Graduated from Environmental Art Design of Shandong University of Art & Design, in 2001
At present, Director of innovation studio in Shandong Dawei International Architecture Design Co., Ltd.

山东景城建筑规划设计有限公司
Shandong King City Architecture & Design

刘红波

汉族，1974年6月出生于山东省安丘市，全国一级注册建筑师，建筑装饰工程学士、建筑工程专业学士。
现任山东景城建筑规划设计有限公司副院长。

工作经历：

1995—1996	潍坊市建筑装饰总公司工作
1996—至今	潍坊市奎文区建筑设计研究院（现改制为山东景城建筑规划设计有限公司）主持规划绿化设计建筑方案及建筑设计工作

设计成果

从业期间先后独立或主持完成了各类设计项目210余项，800多个单体工程。迄今参与并完成了亿丰时代广场、梨园 豪门御景小区、玫瑰苑、香颂湾、唐宁府、广饶亿丰国际时代广场、滨州阳信国际大酒店、滨州现代城商业广场、滨海开发区欣泰商业街、中华茶博苑、新华国际、昌乐·盛唐御园小区、安丘·御景福邸、昌邑山前御景园、昌邑佳乐家等多个项目。

孙俊杰

汉族，1964年1月出生于山东省昌邑市，1987年7月毕业于青岛建筑工程学院，获工业与民用建筑学士。
二级注册建筑师、高级工程师。现任山东景城建筑规划设计有限公司副院长。

工作经历

1987—1994	泰安新汶矿务局工作；
1995—2000	潍坊民用建筑设计院工作；
2000—至今	潍坊市奎文区建筑设计研究院（现改制为山东景城建筑规划设计有限公司）工作

设计成果

2000年至今于山东景城建筑规划设计有限公司主持建筑方案及建筑设计工作。迄今参与并完成了亿丰时代广场、梨园豪门御景小区、玫瑰苑、香颂湾、唐宁府、广饶亿丰国际时代广场、滨州阳信国际大酒店、滨州现代城商业广场、滨海开发区欣泰商业街、中华茶博苑、新华国际、昌乐·盛唐御园小区、安丘·御景福邸、昌邑山前御景园、昌邑佳乐家等多个项目。

迟　强

汉族，1978年10月出生于山东省昌邑市，2001年7月毕业于青岛建筑工程学院。工业与民用建筑学士、工程师。
现任山东景城建筑规划设计有限公司副院长。

设计成果

2001年7月至今于潍坊市奎文区建筑设计研究院（现改制为山东景城建筑规划设计有限公司）从事建筑工程设计工作。迄今独立或主持完成了各类设计项目100余项，240多个单体工程。其中，公共建筑方面主要有：潍坊市同济门步行街工程、奎文区房地产综合开发中心综合楼、昌乐火车站广场（假日广场）地下商场、鑫海源大酒店、潍坊医学院新校区餐厅、山东丽波日化年产25万吨洗剂搬迁扩建项目喷粉、包装车间等项目；住宅建筑方面主要有：名门世家小区、潍坊“三友·华锦苑”小区、东营市大王镇“新世界”小区、国大“东方天韵”小区等项目。

青岛原创工程设计有限公司
Qingdao Yuanchuang Engineering Design Co., Ltd.

王学军

现任职务：青岛原创工程设计有限公司总工程师　结构专业负责人
国家一级注册结构工程师　高级工程师
教育背景：1990年同济大学工业与民用建筑专业毕业

代表作品及获奖情况
山东医科大学科研楼
青岛佳世客黄岛购物中心
山东外贸职业学院
青岛国货城阳购物中心
济南不夜城一期工程
北京电影学院黄岛校区
肥城文广大厦
长江国际广场
山东鑫旺金融中心等

王秋涛

现任职务：青岛原创工程设计有限公司副总经理　高级建筑师
教育背景：1993年毕业于武汉工业大学建筑学系

代表作品及获奖情况
青岛市香港路规划改造工程（山东省优一等奖）
青岛泛海名人大酒店（青岛市优一等奖）
青岛加信氏厂房加建工程（山东省优三等奖）
青岛市开发区城市桂冠大厦（青岛市优一等奖）
北京电影学院青岛创意媒体学院（第四届威海人居节优秀奖）
青岛崂山区CBD汉典商务中心大厦
青岛御景峰高尚社区
天泰奥林匹克花园二期
天泰阳光海岸三期等

隋少琴

现任职务：青岛原创工程设计有限公司济南分院院长
国家一级注册结构师　二级注册建筑师　高级工程师
2006年度、2007年度、2008年度青岛市勘察设计咨询业先进工作者
教育背景：1986年毕业于山东建筑大学　工民建专业

代表作品及获奖情况
青岛佳世客黄岛购物中心项目
被评为2005年度青岛市优秀规划建筑方案规划公建类三等奖，青岛市2006年度优秀建设工程勘察设计二等奖
青岛开发区石油大学（科研楼、四星级宾馆、专家公寓、研究生公寓）项目
被评为青岛市2006年度优秀建设工程勘察设计二等奖，2007年度山东省优秀工程勘察设计三等奖
山东外贸职业学院（图书馆、教学楼、学生公寓、食堂）项目
2005年度青岛市优秀规划建筑方案规划公建类三等奖，
青岛市2006年度优秀建设工程勘察设计二等奖，
2007年度山东省优秀工程勘察设计二等奖；
肥城市城东小学
被评为"2008年度青岛市优秀建设工程勘察设计"三等奖
中国石油大学学术交流中心
山东大学齐鲁软件学院
山东经济学院（科研楼、图书馆、教师公寓）
山东泰安国华经典住宅小区等

TONTSEN 方大設計

TONTSEN 建筑设计事务所（美国）
上海方大建筑设计事务所
TONTSEN Architects Associate(USA)
Shanghai Fangda Architects Associate

魏　禧　副总经理　副总建筑师

建筑学学士　同济大学EMBA　高级工商管理　硕士

2001-至今　任上海方大建筑设计事务所副总建筑师　高级建筑师

设计理念：设计细节决定作品优劣

从业十几年，涉及大型综合社区，高端住宅，商业综合体等大量工程项目设计工作。擅长于项目从前期定位到后期实施的一体化设计与管理，精细化运作。在为项目赢得表现力与口碑的同时，更注重对其地产价值地挖掘与提升。多次被公司派往国内外进行考察和学习交流，具备开阔的设计视野，擅长于对公司许多项目实施阶段的细节把控，参与公司的全面管理，是一位多元化专业管理人才。在公司的众多项目实施中充分展现出统筹兼顾的专业和技术管理才能。

设计作品：杭州耀江文鼎院、杭州学军小学、上海耀江花园、绿地东上海、南昌恒茂国际华城 、南昌世纪中央城、南昌海航白金酒店、南昌恒茂溪霞别墅区、重庆国际家纺城 、南通绿墅湾、南通工业博览城 、温州假日花园 、温州中央公馆、温州华亮办公楼、镇江优山美地、无锡奥林匹克花园、苏州东城世纪广场、苏州亿象城等。

季　良　副总建筑师

毕业于上海同济大学建筑系　建筑学学士

同济大学EMBA　高级工商管理　硕士

2001-至今　任上海方大建筑设计事务所副总建筑师　高级建筑师

设计理念：设计不仅仅是一门艺术，更是艺术和责任的结合体。

　　　　　建筑不仅仅是一个作品，更是作品与商品的结合体。

擅长现代高端住宅设计，大型综合类开发项目策划和规划。侧重于大型房地产项目的前期规划及新经济开发区的规划，高档别墅区、高档住宅区、高档现代酒店等项目综合统筹设计及顾问。参加多次国际著名设计事务所的交流访问，拥有对各类建筑项目的创新视野和全面项目管理运作能力，入行以来作品遍布全国，精品迭出，凭借丰厚的设计经验和创新手法为投资开发者带来巨大商业经济效益。

设计作品

中梁首府、上海佘山月湖山庄、上海佘山银湖别墅、上海耀江国际广场、温州香缇半岛、南昌红谷凯旋、南昌世纪风情、恒茂国际华城、恒茂国际都会、中梁滨江首府、常熟中南世纪城、盐城中南世纪城、苏州香缇华府、上海紫园、北京国花园、北京京贸国际城、南昌红谷第一街区、宁波日湖花园、九江奥林匹克花园、南昌红谷新城、温州置信雁荡山度假山庄酒店等。

周俊杰　设计总监

毕业于上海同济大学建筑系

2002-至今　任上海方大建筑设计事务所　设计总监

设计理念：设计赋予建筑生命、设计创造建筑价值

从业十余年，主持并参与了很多与TONTSEN长期合作的房地产开发公司的规划与建筑方案设计项目，他凭借创新的能力，设计出众多高容积率社区及低密度别墅高端豪宅、别墅类等高端社区的项目，成为国内实践经验较为丰富的住宅户型专家。他多次被公司派往国内外进行考察和学习交流，具备广阔的国际设计视野和多元化商业运营技巧，在项目实施中充分展现出一名具有很强专业背景的建筑师色彩。

设计作品

上海耀江花园、上海耀江国际广场、上海白金府邸、上海月湖山庄、绿地东上海、温州中梁香缇半岛、温州中梁银座、温州润地·九墅、 宁德东湖一品、杭州萧山空港国际、 南昌幸福时光、苏州吴中桃花源、无锡奥林匹克花园、南通优山美地、南昌红谷凯旋等。

王许丰　设计总监

毕业于上海同济大学建筑系　建筑学　学士

2001-2004 曾任冯庆延建筑师事务所（香港）有限公司　建筑师

2004-至今 上海方大建筑设计事务所 设计总监

设计理念：设计创造价值，设计承载责任。

十几年专业设计经验，拥有清晰的市场视野及丰富的国内实际项目经验，精于住宅户型的差异化设计，具备高水准规划、市场经济的头脑。从事多年项目规划和设计以来，惯以遵循“低成本，高溢价”的原则，充分将地块的价值挖掘到最大化。凭借优秀的沟通能力和市场敏锐度，不断创新出“叫好又叫座”的作品，如辽宁鞍山大德御庭、南昌恒茂英伦国际、嘉兴香缇世家、 苏州观澜丽宫、连云港恒润郁洲府、 南通濠银优山美地、上海香缇公馆、长沙东湖一号项目、鞍山半山溪谷等。

李志彬

董事 · 总经理
国家一级注册建筑师
浙江大学建筑学学士
上海交通大学EMBA

杨　锋

董事 · 建筑设计总监
重庆大学城市规划学士
北京大学EDP

邱利明

董事 · 副总经理
国家一级注册结构工程师
同济大学建筑工程学士
同济大学工程管理硕士
美国项目管理协会（PMP）会员

齐丹丹

董事 · 副总经理
重庆大学建筑学学士

卢霞虹

董事 · 财务总监
国家注册造价工程师
同济大学建筑工程学士

刘　念

运营总监
重庆大学建筑学学士
上海交通大学MBA

罗　晟

销售总监
上海交通大学MBA

WITH·唯士国际

蒋靖生

建筑设计总顾问
国家一级注册建筑师
东南大学建筑学士

胡浩进

建筑技术总监
国家一级注册建筑师
安徽建筑工程学院建筑学学士

刘宏斌

建筑设计总监
国家一级注册建筑师
河北工程大学建筑学学士

戴旭谦

结构设计总监
国家一级注册结构工程师

宋小超

建筑设计副总监
重庆大学建筑学学士
荷兰贝尔拉格建筑学院建筑学硕士

牛　雨

景观设计总监
国家一级注册建筑师
中国矿业大学建筑学学士
上海交通大学EMBA

上海大椽建筑设计事务所
Shanghai Dachuan Architectural Design Office

洪东涛

现任职务
总经理 国家一级注册建筑师

毕业于重庆建筑大学，在广东省建筑设计研究院工作多年，作为项目负责人掌握了扎实的大型项目全过程设计控制能力，后服务于上海著名外资公司及绿城东方建筑设计有限公司，担任设计总监及副总建筑师职务，主持了数十个重要项目，对大型商业综合体及高端住宅产品有了系统专注的实践研究。并成为房产开发企业专业的商业咨询顾问，给予众多项目清晰的专业支持。

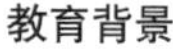

教育背景

1993—1998	重庆建筑大学建筑城规学院	建筑学学士

工作经历

1998—2002	广东省建筑设计研究院	建筑师
2003—2007	上海思纳史密斯建筑设计咨询有限公司	设计总监
2008—2010	上海绿城东方建筑设计有限公司	副总建筑师
2010—至今	上海大椽建筑设计事务所	总经理

代表作品
深圳清华信息港、绿地嘉定万豪酒店、绿地昆山家世界商业综合体、绿地石库门公元1860项目、沈阳棋盘山国宾馆、武汉国际金融城A04高层住宅。

Dongtao Hong

Current Position: General Manager , National Level 1 registered architect
Hong was graduated from Chongqing Architecture University. He has worked a number of years at Guangdong Architectural Design & Research Institute. As project principal, he has strong ability to control the whole design process of large project. Hong later worked in well-known foreign design firm in Shanghai and Green City Oriental Architectural Design Company. As team director and deputy chief architect, he has been responsible for over 10 important projects, making special and systematic study on large commercial complex project and high end residential building.

Educational Background
Chongqing Architecture University, Architecture Urban Planning Institute Bachelor of architecture

Professional Experience

1998-2002	Guangdong Architectural Design & Research Institute	Architect
2003-2007	Shanghai Smith Architectural Design Co., Ltd.	Design director
2008-2010	Shanghai Green City Oriental Architectural Design Company	Deputy chief architect
2010-Present	Shanghai Dachuan Architectural Design Office	General Manager

Major Design Works
Shengzheng Qinhua Information Port, Green Land Jiading Marriott Hotel, Green Land Kunshan Family World Commercial Complex, Green Land Shikumen 1860, Shenyang Qipanshan Hotel, Wuhan International Financial City A04 High Residential Building

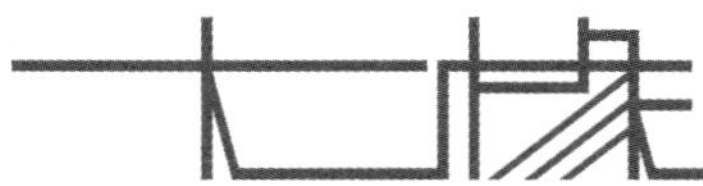

上海大椽建筑设计事务所
Shanghai Dachuan Architectural Design Office

宋 俊

现任职务

副总经理　设计总监　注册规划师

同济大学城市规划专业背景，后服务于上海多家外资、民营大型设计机构，担任规划部主管，在十多年的设计工作中主要从事大型居住区的规划设计工作，对居住类产品的空间组团尺度空间的营造，有丰富的控制经验和认识。对不同类型的居住产品定位及特征能准确的把握和实施，并注重建筑细部的感受和刻画。对高端物业的全程把控有着独到心得。

教育背景：

1994–1998	同济大学 城市规划	学士

工作经历

1998–2000	南昌市城市规划设计研究院	工程师
2000–2002	上海大德规划建筑设计公司	规划主管
2002–2003	法国翌德国际设计机构	规划主管
2003–2005	复旦规划建筑设计研究院	规划副所长
2005–2007	上海思纳史密斯建筑设计咨询有限公司	设计主管
2008–2010	上海绿城东方建筑设计有限公司	高级建筑师

代表作品

长春绿地中央墅项目、大众置业吉林通化住宅区、虹桥吉盛伟邦立面改造、新疆骑马山高尔夫别墅、绿地石库门公元1860项目、常州金凯悦住宅。

Jun Song

Current Position: Deputy General Manager Design Director Registered Planner

Song was graduated from Tongji University, urban planning discipline. He has worked for several foreign or private large design companies. As chief of the planning department, he has specialized in planning of large residential project for over 10 years, accumulating rich knowledge and experience in controlling space and group arrangement for residential building. He is good at grasping the positioning and feature of different residential project and concern architectural detail feeling and depiction. Song has special understanding of controlling the whole process of high standard residential building

Educational Background

Tongji University, urban planning Bachelor

Professional Experience

1998-2000	Nanchang Urban Planning Design & Research Institute	Planner
2000-2002	Shanghai Dade Planning & Architectural Design Company	Chief Planner
2002-2003	Yide International Design Office (French)	Chief Planner
2003-2005	Fudan Planning & Architectural Design Research Institute	Vice Director of Planning
2005-2007	Shanghai Smith Architectural Design Co., Ltd.	Design Chief
2008-2010	Shanghai Green City Oriental Architectural Design Company	Senior Architect

Major Works

Changchun Green Land Central Villa, Dazhong Jilin Tonghua Residential Zone, Hongqiao JSWB Façade Renovation, Xinjiang Horse Hill Golf Villa, Green Land Shikumen 1860, Changzhou Jinkaiyue Residence.

上海经纬建筑规划设计研究院有限公司

Shanghai LongiLat Architectural Design & Research Institute Co., Ltd.

魏铁侃

现任职务

上海经纬建筑规划设计研究院有限公司　副院长　建筑师

教育背景

1988—1992　青岛建筑工程学院　建筑学专业

工作经历

1992—2001　上海冶金设计研究院　建筑室主任

2001—2003　泛华工程有限公司上海分公司　设计部经理

代表作品

青岛北胶州湾规划建筑设计、菲律宾马尼拉国际会议中心、上海国际体操中心、迎世博600天重点区域建筑整治城市设计、芜湖市第二人民医院、海南海口外滩中心、中国新农村规划建设（福建泉州南安市康美镇兰田村新农村策划）。

张　榜

现任职务

上海经纬建筑规划设计研究院有限公司　副院长　党支部书记　规划师

教育背景

2000—2004　浙江工业大学　城市规划专业

上海市"民生工程"配套商品房周浦、塘桥、江桥、浦江、顾村大基地规划设计、迎世博600天重点区域建筑整治城市设计、江都滨江新城沪陕以北片区控制性详细规划及城市设计、长沙大河西先导区枫林路两厢城市设计

个人荣誉

2008　荣获杨浦区"两新"组织优秀共产党员称号

2009　被评为2008—2009年度杨浦区"青年岗位能手"、杨浦区"新长征突击手"

2010　荣获"上海市劳动模范"称号

2012　被授予全国五一劳动奖章

参编著作

2011　《城市规划设计与管理常备手册》

2011　《城市风貌规划方法及研究》

陈铁峰

现任职务

上海经纬建筑规划设计研究院有限公司　副院长　建筑师

上海市绿色建筑促进会理事

国家《保障性住房标准设计样图》编委

教育背景

1988—1992　上海工程技术大学

2006—2008　同济大学　建筑学原理专业　研究生

代表作品

上海市配套商品房基地建筑设计、张江高科技开发园区创新园建筑设计、中国普天贵阳野鸭塘城市综合项目建筑方案设计、上海锦江饭店锦南楼五星级酒店建筑设计、保时捷总部大楼建筑设计、黑龙江漠河观音山和采金小镇旅游度假区旅游总体规划建筑设计、上海美兰湖别墅建筑设计。

丁文涛

现任职务

上海经纬建筑规划设计研究院有限公司　副总建筑师　国家一级注册建筑师

教育背景

1985—1988　淮南联合大学　工民建专业

1997—1988　同济大学　建筑学专业

工作经历

1988—2000　安徽省淮南市电信公司工程部　土建项目部主任

2002—2004　上海广申建筑设计有限公司　建筑师

2004—2009　上海对外建设建筑设计有限公司　主任建筑设计师　设计室主任

代表作品

上海音乐学院贺鲁汀音乐厅、东方航空公司培训中心、安徽省淮南市一品龙庭高档住宅区规划方案、四川内江嵩山公园地块项目规划设计方案、四川成都婺商总部大厦建筑设计、上海张江高科技园区产业区创新园。

MOD
德中建筑·摩德

摩德工程咨询（上海）有限公司
MOD Engineering Consulting (Shanghai) Co., Ltd.

陈 冰 法人代表 总经理

现任职务：摩德工程咨询（上海）有限公司总经理、德国注册建筑师、德中建筑协会主席

教育背景

1981—1986 同济大学建筑系学士

1986—1988 赴德进修室内设计

1988—1992 德国多特蒙德大学建筑及规划系硕士

代表作品及获奖情况

1995	德国柏林联邦政府司法部办公大楼	
1996	上海2000年住宅设计国际竞赛	方案佳作奖
2008	秦皇岛金海湾森林逸城	国际竞赛一等奖
2009	上海市绿地汇创国际广场	建设部首批公布的"绿色建筑评价标识"的6个项目中的其中之一，获得二星标识认证
2010	杭州钱江新城波浪文化城及城市阳台	2011年度上海市优秀工程设计二等奖
2012	秦皇岛金屋·秦皇半岛项目	国际竞赛一等奖

专业特长

有10年德国职业经验，10年中国职业经验的建筑设计师和城市规划专家

过去8年来在中国的杰出的设计和规划业绩

城市发展规划、住宅、行政、商业和工业建筑的设计及景观园林设计

石远清 Stone 合伙人

现任职务：摩德工程咨询（上海）有限公司 设计总监

教育背景

同济大学建筑学学士 天津大学建筑学硕士

代表作品及获奖情况

UA城平民建筑创作奖概念设计 国际竞赛佳作奖；

苏州中翔国际家居广场建筑规划设计 中国建筑工程优秀方案二等奖

合肥北部组团规划及城市设计 安徽（国际竞赛二等奖）

上海市绿地汇创国际广场 建设部首批公布的"绿色建筑评价标识"的6个项目中的其中之一，获得二星标识认证

秦皇岛金屋·秦皇半岛项目 国际竞赛一等奖

专业特长

建筑方案设计及工程设计管理，长期担任设计总监，具有10年以上担任多种类型楼宇项目的设计和管理经验。作为很多奖项获得者，其作品获得了社会的广泛认可。

赛宾娜·澳兹尔夫 Sabine Wutzlhofer 博士建筑师

教育背景：（博士工程师）

1993—2001 意大利佛罗伦萨大学建筑与规划学博士

代表作品及获奖情况：

杭州钱江新城核心区地下空间概念性规划	国际竞赛一等奖
杭州钱江新城波浪文化城及城市阳台	国际竞赛一等奖
哈尔滨国际会展体育中心	国际竞赛一等奖
大连软件园二期规划	国际竞赛一等奖

专业特长

有9年职业经验的建筑设计师和城市规划专家

过去5年来在中国的杰出的设计和规划业绩

城市发展规划，历史城市中心的修复

住宅、行政、商业和工业建筑的设计

上海筑誉设计及工程集团
Shanghai Zhuyu Architectural Design & Engineering Group

王伟晋

现任职务： 上海筑誉设计及工程集团董事长　高级建筑师
教育背景： 1986 毕业于同济大学建筑系城市规划专业
1993 年毕业于浙江大学工程硕士
工作经历： 曾工作于上海现代建筑设计集团及英国 L&O 设计公司、现为上海勘察设计行业协会理事、同济大学客座教授，具有丰富的建筑、规划设计及工程实践经验。

林良伟

现任职务： 上海筑誉设计及工程集团董事、Integrated Design & Associates，LLC（美国 IDA 建筑设计有限公司）总裁，美国注册建筑师
教育背景： 1982 毕业于同济大学建筑系城市规划专业
1993 毕业于美国 University OF Memphis，硕士
工作经历： 曾工作于上海现代建筑设计集团及美国 callison 设计公司，具有丰富的建筑、规划、工程设计经验。

姚　斌

现任职务： 上海筑誉设计及工程集团董事　设计总监
教育背景： 1989 毕业于东南大学建筑系建筑学专业
工作经历： 曾工作于上海现代建筑设计集团及中建北京设计院，具有丰富的建筑、规划设计经验

王　飞

现任职务： 上海筑誉设计及工程集团董事　高级景观设计师
教育背景： 1998 毕业于同济大学建筑城规学院风景园林专业获硕士学位
工作经历： 曾工作于英国阿特金斯设计公司，具有丰富的景观设计及工程实践经验。目前主持集团景观设计及工程方面的工作。

上海筑誉设计及工程集团
Shanghai Zhuyu Architectural Design & Engineering Group

陆培岳

现任职务：上海筑誉设计及工程集团董事　高级工程师
教育背景：1989 毕业于上海大学管理系
工作经历：曾工作于上海市建筑装饰工程有限公司，具有丰富的工程实践经验。目前主持集团室内精装修设计及工程方面的工作。

王向阳

现任职务：上海筑誉设计及工程集团董事　高级工程师
教育背景：1997 毕业于暨南大学土木工程系
工作经历：曾工作于上海建工集团，具有丰富的工程实践经验，目前主持集团幕墙设计及工程方面的工作。

曹兴儒

现任职务：上海筑誉设计及工程集团总建筑师　国家一级注册建筑师
教育背景：1966 年毕业于上海同济大学建筑系建筑学
1982 年毕业于东南大学建筑学硕士
工作经历：曾三十三年工作于江苏省建筑设计研究院并担任院总建筑师职务。现为教授级高级建筑师、国家一级注册建筑师、中美国家互换注册建筑师，具有相当丰富的规划设计经验。

赵　鹏

现任职务：设计所所长　国家一级注册建筑师
教育背景：2001 年毕业于西安建筑科技大学获建筑设计及理论硕士学位
工作经历：曾工作于上海现代建筑设计集团担任设计负责人。作为具有 10 年以上经验的资深设计师，具有从方案、施工图至现场配合的丰富经验。

上海筑誉设计及工程集团
Shanghai Zhuyu Architectural Design & Engineering Group

姜山英

现任职务：主创设计师　国家一级注册建筑师
教育背景：2002 毕业于同济大学获建筑设计及理论硕士学位
工作经历：曾执教于沈阳建筑工程学院建筑系及工作于加拿大泛太平洋设计集团担任项目设计负责人。具有精湛的方案创作能力，从规划设计到建筑设计乃至项目实施都具有丰富的实践经验。

郭晓军

现任职务：主创建筑师
教育背景：2005 年毕业于江南大学 – 建筑学专业
工作经历：曾先后供职于上海天华、中建北京院担任项目设计负责人工作，作为具有 8 年设计经验的建筑师，具有从方案到施工图设计及项目管理的丰富经验。

卢思海

现任职务：设计师
教育背景：2007 毕业于上海同济大学建筑系
工作经历：曾工作于上海现代设计集团担任设计师，作为具有 8 年工作经验的设计师，具有从方案、施工图至现场配合的丰富经验。

吴　骏

现任职务：设计师
教育背景：2000 毕业于西安电子科技大学
工作经历：曾工作于中国建筑设计院担任设计负责人。作为具有 10 年经验的资深设计师，具有从方案、施工图至现场配合的丰富经验。

上海广万东建筑设计咨询有限公司
HMA Architects & Designers

广川成一 (Seiichi Hlirokawa)

现任职务：
HMA Architects & Designers 董事长
教育背景
1983　中国同济大学建筑系 城市规划专业毕业
1990　日本东京艺术大学美术系部建筑科硕士毕业
工作经历
2002　上海广川建筑设计咨询有限公司　合伙改组日本 HMA 建筑设计事务所 任董事长　KKS 海外上海代表
2004　世界华人建筑师会 理事
2007　上海商业房地产联合发展专业委员会高级顾问
代表作品
上海浦东香格里拉、上海复旦大学正大发展管理中心旅馆新楼、上海建国中路八号桥创意园区、南京水游城、盘锦水游城、大宁中心广场、上海世博 EXPO 城市最佳实践区中部系列 B4 展馆

东英树 (Hideki Azuma)

现任职务
HMA Architects & Designers 董事 设计总监
教育背景
1996　近畿大学理工学部建筑系毕业
工作经历
2003　日本 HMA 建筑设计事务所合伙人创始人，设计总监
2010　上海世博会城市最佳实践区 B4 馆 2010 日本 GOODDESIGN 奖 获奖
2011　UIA 第 24 回世界建筑会议东京大会 演讲
代表作品
上海建国中路 8 号桥创意园区、上海世博 EXPO 城市最佳实践区中部系列 B4 展馆、南京水游城、天津水游城、徐州和信广场、梅州梅塘文化休闲区、北京日产设计中心

友寄隆仁 (Takahito Tomoyose)

现任职务
HMA Architects & Designers 董事 设计总监
教育背景
1999　冲绳 Sai Tec College 建筑系毕业
1999　空间设计 VOYAGER
2003　同济大学国际交流学院
工作经历
2004　日本 HMA 建筑设计事务所
2007　日本 HMA 建筑设计事务所　董事
代表作品
上海建国路 8 号桥创意园区、局门路 550、436 创意园、盘锦水游城、武汉水游城、大宁中心广场、杨浦四季广场、成都时代广场

BDI 上海柏创建筑设计有限公司 Boarch Design International

李 超

主创设计师　工程师　国家一级注册建筑师

代表作品

虹桥信息广场ED座、 虹欣实业公司nikos大厦、 浦东新区四季雅苑别墅翻新改造项目、青岛科达天意华苑项目、廊坊华夏幸福城等。

刘次圣

执行总经理　华中科技大学　建筑学学士学位

代表作品

郑州电子商贸城、银川宝丰小商品城、安吉商会大厦、青岛科达天意华苑、固安华夏幸福基业、华夏幸福城朗园、无锡金太湖商业综合体、郑州华润东景项目、环科药业项目、东营科英北院项目、开封东方今典等。

祝 坚

华中科技大学毕业　建筑学学士

代表作品

合肥华侨广场、郑州鑫苑现代城项目、河南焦作龙源湖国际广场、郑州商都电子商贸城、海南动漫产业基地动漫城等。

中国建筑西南设计研究院有限公司

CHINA SOUTHWEST ARCHITECTURAL DESIGN AND RESEARCH INSTITUTE CORP.LTD.

钱 方

中国建筑西南设计研究院有限公司总建筑师
中国建筑学会建筑师分会副理事长、中国建筑学会建筑师分会建筑理论与创作学组副主任、四川省建筑师学会常务理事、四川省土木建筑学会常务理事、四川省学术和技术带头人、四川省工程设计大师

代表作品
都江堰拉法基古窑博物馆、重庆袁家岗游泳跳水馆、成都高新商务广场、成都天府科技园、成都高新西区技术创新组团、成都天府国际金融中心、四川省广电中心等
获奖情况：设计作品获奖39项

邱小勇

中国建筑西南设计研究院有限公司副总建筑师
香港建筑师学会会员（资格）、四川省建筑师学会理事、四川省工程设计大师

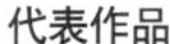

代表作品
四川省展览馆改造工程（四川省科技馆）、湖北十堰市博物馆、四川音乐学院新校区琴房大楼、教学楼、舞蹈演艺楼、西藏大学艺术楼、IT大楼、华西温江永宁医院、成都双流国际机场T2航站楼、重庆江北国际机场T3航站楼、成都高新区云端项目、天府VILLAGE。
成都市棕北住宅小区、成都锦城苑小康住宅示范小区、成都天府科技园B地块（天府软件园一期）、天府软件园二期、中国建筑西南设计研究院有限公司第二办公区。

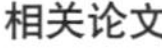

相关论文
《建筑与城市共生》
《解读现代地域建筑的特征元素——以西藏大学新校区艺术楼设计为例》
《“安全适用、经济与人文关怀”原则下的中小学灾后重建设计措施》
《新邛崃二中灾后重建工程绿色学校设计尝试》
《传承历史，引领科技创新—记四川省展览馆改造为四川科技馆》

郑 勇

中国建筑西南设计研究院有限公司副总建筑师
中国建筑学会人居环境专业委员会副主任委员、四川省工程设计大师、四川省有突出贡献的优秀专家称号、四川省企业青年联合会第一届委员会委员、成都市勘协建筑设计专委会副主任委员

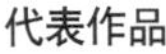

代表作品
中国重庆三峡博物馆、四川大学博物馆、甘孜州藏族博物馆、成都高新皇冠假日酒店、东旭锦江酒店、成都仁恒置地广场、昆明七彩云南第一城、西南交通大学犀浦校区规划及图书馆、成都火车东站、赤道几内亚国际会议中心、成都龙湖长桥郡

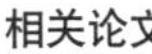

相关论文
《融生》
《历史的持续和发展—成都船棺遗址博物馆》
《和平的橄榄枝—非盟会议中心方案设计》

中国建筑西南设计研究院有限公司

CHINA SOUTHWEST ARCHITECTURAL DESIGN AND RESEARCH INSTITUTE CORP.LTD.

李雄伟

中国建筑西南设计研究院有限公司副总建筑师、中国建筑学会资深会员、中国建筑学会建筑防火综合技术分会理事
主持过各类大中型民用建筑设计数十项。尤其在城市商业综合体、医疗建筑、文教建筑、写字楼（酒店）、大型住宅小区、山（坡）地建筑等领域有丰富的设计创作能力和实践经验。

代表作品

成都万达广场锦华城、成都信息工程学院、上海海丽花园、重庆龙湖时代天街、重庆医科大学江南医院、重庆松藻五星级酒店、遵义市科技馆、遵义市青少年宫

相关论文

《城市商住综合体设计思辨》

刘　艺

中国建筑西南设计研究院有限公司副总建筑师　　中国建筑学会建筑师分会第五届理事会理事
四川省建筑师学会理事兼副秘书长

代表作品

国电大渡河流域梯级调度中心、成都市行政中心、四川广电中心、四川华电办公大楼、成都七中新校区、四川新华社办公楼、四川省图书馆、成都金沙艺术剧院

获奖情况

2003　获中国建筑学会颁发的青年建筑师奖“设计竞赛优秀奖”
2006　获中国建筑学会颁发的第六届“中国青年建筑师奖”
2007　获中国建筑总公司“中国建筑青年才俊”称号
2008　获四川省国资委“十大杰出青年”提名奖

张远平

中国建筑西南设计研究院副总建筑师

代表作品

成都市公安局227信箱工程、达州市市政中心 、省政府机关事务管理局 、四川省财政学校新校区、双流体育中心、资阳文体中心、汉中运达市场、新都文广大厦、中国民航飞行学院模拟培训中心、中国民航飞行学院空管实验楼等

获奖情况

四川省人民医院住院楼	获2000年度四川省优秀工程设计一等奖
成都市公安局227信箱工程	获2002年度四川省优秀工程设计二等奖
中国民航飞行学院模拟培训中心	获2007年度第六届上海国际青年建筑师作品建筑类三等奖
中国民航飞行学院模拟培训中心	获2009年度四川省优秀工程设计二等奖
江油市中医院整体建设项目	获2012年度全国优秀医院建设项目

相关论文

医院净化手术室工程资料汇编
专利：医疗建筑剪刀梯布置图获图形作品国家专利
（登记日期：2011年08月08日作品登记号：21—2011—J（8174）—038）

刘　刚

中国建筑西南设计研究院有限公司副总建筑师、国家一级注册建筑师
高级建筑师、高级规划师
成都市城市设计研究中心总建筑师

代表作品

锦江大礼堂省人大常委会议厅装修工程、三六三医院建设工程、四川省锦江宾馆新馆、雅砻江流域集控中心大楼、成都市人民南路城市设计、成都市东大街城市设计、成都市青羊区文家场镇城市设计、东部新城文化创意产业功能区南岛片区城市设计、新川创新科技园项目规划设计、金牛区茶店子街区城市设计

相关论文

医院建筑中的交通组织和空间营造	《四川建筑》2003年第6期
医院建筑原址改扩建的探索实践	《建筑意匠》2010年第2期

成都基准方中建筑设计事务所
Chengdu Jizhunfangzhong Architectural Design Associates

钟 明

现任职务
首席执行官　执行合伙人　高级建筑师
教育背景
1982　毕业于同济大学建筑系建筑学专业　工学学士
工作经历
1982—1995　先后在中国建筑西北设计研究院和中国建筑西南设计研究院从事建筑设计工作，先后任助理建筑师、建筑师、高级建筑师；
1999　创办四川基准建筑设计有限公司；
2001　发起创办成都基准方中建筑设计事务所，现任首席执行官、执行合伙人

周 飚

现任职务
总建筑师、总经理、高级合伙人、四川省土木建筑学会常务理事、高级建筑师、国家一级注册建筑师
教育背景
1989　毕业于东南大学建筑系建筑学专业　工学学士
工作经历
1989—2002　在中国建筑西南设计研究院从事建筑设计工作
2002　加入成都基准方中建筑设计事务所

龚 进

现任职务
首席总建筑师　高级合伙人　高级建筑师
教育背景
1982　毕业于重庆建筑工程学院建筑系　工学学士
工作经历
1982—2002　在中国建筑西南设计研究院从事建筑设计工作
2002　加入成都基准方中建筑设计事务所

章玉华

现任职务
总经理兼业务经营室主任　高级合伙人高级工程师　国家一级注册结构工程师
教育背景
1994　毕业于同济大学工业与民用建筑专业　工学学士
工作经历
1994—2002　在中国建筑西南设计研究院从事结构设计工作
2002　加入成都基准方中建筑设计事务所

VTR(美国)国际设计研究有限公司（中国机构）
VTR (USA) International Design Institute Ltd. (Chinese Organization)
四川中维工程设计有限公司
Sichuan Zhongwei Design Engineering Co.,Ltd.

陈启明

方案创作中心总监
一级注册建筑师

主要设计作品
贵阳金阳新区“碧海花园”15组团项目、广西兴六高速公路附属土建工程项目、宁江机床厂新厂区办公楼及生活区项目、米易县“攀西国际大酒店”、资阳“领地坐标”、成都军区战旗文工团“西南剧院”等。

张世勇

方案创作中心副总监

主要建筑设计作品
重庆双桥 壹号公馆项目、泰丰新加坡花园、元象领郡、荣威云岭、龙郡66号等。

刘栩维

方案创作中心主任

主要建筑设计作品
成都九龙国际城、德阳东方电机公司技术办公大楼、四川省革命伤残医院、威远中医院迁建工程、安岳人民医院急诊大楼、四川省革命伤残军人大邑休养院疗养大楼、彭山巨梁半岛住宅区、阿坝烟草公司办公楼、成都温江区国防动员委员会办公大楼等。

罗　旭

主创设计师

主要建筑设计作品
隆昌西湖逸品、成都金堂职高项目。

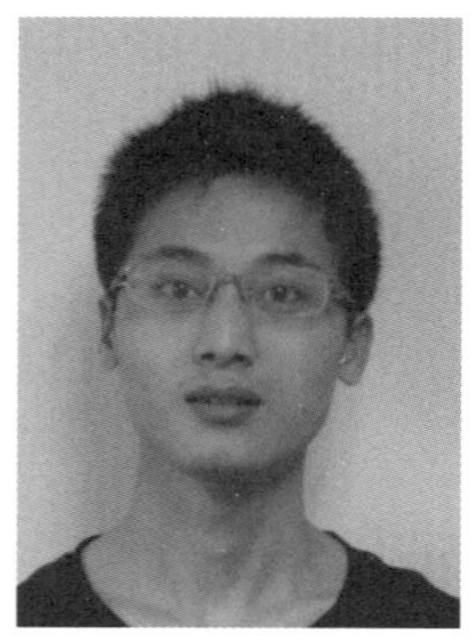

罗　实

主创设计师

主要建筑设计作品
隆昌都英新世纪广场、成都精城国际、西藏某军区项目、阿坝烟草局灾后重建项目、南湖国际项目、成都经开区科研及生产、服务中心配套设施二期等。

四川国鼎建筑设计有限公司
SICHUAN GUODING ARCHITECTURE DESIGN CO.,LTD.

刘　洪

现任职务：四川国鼎建筑设计有限公司方案负责人
教育背景：毕业于昆明理工大学建筑学专业
工作经历：有着10年建筑设计工作经验，从事各类居住、公共建筑的方案设计

代表作品
同聚和润国际、青羊总部基地、武侯科技创业城、华晟龙潭成都天地等项目。

罗永春

现任职务：四川国鼎建筑设计有限公司方案负责人
教育背景：毕业于四川大校建筑学专业
工作经历：从事各类居住、公共建筑的方案设计

代表作品
泰逸酒店、牡丹酒店、逸岭滨江、科创岳池酒店D区、新鹿医药产业园等项目

获奖情况
在高原村灾后重建整体规划设计项目中担任规划设计主创人/建筑单体设计主创人，并在全国优秀村镇规划设计评选活动中获成都市灾后重建一等奖。

天津大学建筑设计规划研究总院

Tianjin University Research Institute of Architectural Design & Urban Planning

01

02

01 于敬海

党委书记
副总工程师
研究员
硕士生导师
国家一级注册结构工程师
工学博士
天津市超限高层建筑工程抗震设防审查专家委员会委员
天津工程评标专家
天津市建筑学会建筑专业委员会主任
天津市钢结构学会副理事长

主要作品

混凝土异性柱结构构造——天津市2009年度"海河杯"优秀设计评选一等奖、2009年度全国优秀工程勘察设计行业奖三等奖
《天津市民用建筑施工图审查要点》结构篇——天津市2010年度"海河杯"优秀设计评选一等奖
天津工业大学行政中心——2012年天津市"海河杯"优秀设计一等奖
天津广东会馆修缮设计——2012年天津市"海河杯"优秀设计一等奖
颐和园清外务部公所修缮工程——2012年天津市"海河杯"优秀设计二等奖
塘沽区残疾人综合服务中心——2012年天津市"海河杯"优秀设计二等奖
天津信邦瑞景14号地块——2012年天津市"海河杯"优秀设计二等奖
天津万科东丽湖滑水会馆——天津市2008年度"海河杯"优秀设计评选二等奖
黄骅港开发区实验小学——天津市2009年度"海河杯"优秀设计评选二等奖、2009年度全国优秀工程勘察设计行业奖三等奖
天津市大港区津滨大厦——天津市2010年度"海河杯"优秀设计评选二等奖
河北理工大学行政综合楼——天津市2011年度"海河杯"优秀设计评选二等奖
天津大学体育馆结构设计新技术应用——天津市2011年度"海河杯"优秀设计评选二等奖
涿州物探局办公楼分离式外套框架-剪力墙结构设计——教育部2007年度优秀勘察设计评选三等奖
天津工程师范学院综合教学楼——天津市2009年度"海河杯"优秀设计评选三等奖
天津空港物流加工区司法中心——天津市2009年度"海河杯"优秀设计评选三等奖
承德高等石油专科学院图书馆——天津市2011年度"海河杯"优秀设计评选三等奖
辽宁省交通高等专科学校机加中心——2012年天津市"海河杯"优秀设计三等奖
泰山文化大厦——2012年天津市"海河杯"优秀设计三等奖
中国五矿商务大厦——2012年天津市"海河杯"优秀设计三等奖
中国五矿商务大厦（结构）——2012年天津市"海河杯"优秀设计三等奖
编制汶川震后学校重建设计导则及参考图集——教育部汶川地震抗震救灾表彰突出贡献奖

Jinghai Yu

Secretary of the Party Committee
Deputy Chief Engineer
Researcher
Tutor for Graduates
National First Grade Registered Structure Engineer
Doctor of Technology
Member of Tianjin Seismic Review Expert Committee for Tall Buildings beyond Limits
Tianjin Project Evaluation expert
Director of Architecture Committee, Architectural Society of Tianjin
Vice Chairman of Tianjin Steel Structure Society

Major Works

"Concrete Special-Shaped Column Structure" - First Prize of Tianjin 2009 Annual Haihe Cup Excellent Design Award/Third Prize of China 2009 Annual Excellent Engineering Survey and Design Award
"Review Points of Tianjin Civil Building Construction Drawing, Structure Volume" - First Prize of Tianjin 2009 Annual Haihe Cup Excellent Design Award
Administration Center of Tianjin Polytechnic University, 1st Prize of Excellent Design Award for Tianjin "Haihe Cup" in 2012
Renovation Design for Guangdong Guild Hall in Tianjin, 1st Prize of Excellent Design Award for Tianjin "Haihe Cup" in 2012
Public Buildings Renovation Project for Qing Dynasty External Affairs Ministry of Summer Palace, 2nd Prize of Excellent Design Award for Tianjin "Haihe Cup" in 2012
Handicapped Integrated Service Center in Tanggu District, 2nd Prize of Excellent Design Award for Tianjin "Haihe Cup" in 2012
Plot No. 14 of Tianjin Xin Bang Rui Jing, 2nd Prize of Excellent Design Award for Tianjin "Haihe Cup" in 2012
"Water Ski Club of Tianjin Vanker Dongli Lake" - Second Prize of Tianjin 2008 Annual Haihe Cup Excellent Design Award
"Experimental Primary School of Huanghua Development Zone"- Second Prize of Tianjin 2009 Annual Haihe Cup Excellent Design Award/Third Prize of China 2009 Annual Excellent Engineering Survey and Design Award
"Jinbin Plaza in Dagang District,Tianjin"-Second Prize of Tianjin 2010 Annual Haihe Cup Excellent Design Award
"Hebei Polytechnic University Administrative Building"-Second Prize of Tianjin 2011 Annual Haihe Cup Excellent Design Award
"New Technology Application in Structure Design for Tianjin University Gymnasium"- Second Prize of Tianjin 2011 Annual Haihe Cup Excellent Design Award
"Separated External Frame Shear Wall Structure Design of Zhuzhou Geophysical Exploration Bureau Building" - Third Prize of the Ministry of Education 2007 Annual Excellent Survey and Design Award
"Tianjin College of Technology and Education Comprehensive Teaching Building" - Third Prize of Tianjin 2009 Annual Haihe Cup Excellent Design Award
"The Justice Center Tianjin Airport Logistic and Industrial Park" - Third Prize of Tianjin 2009 Annual Haihe Cup Excellent Design Award
"Chengde Petroleum College Library" - Third Prize of Tianjin 2011 Annual Haihe Cup Excellent Design Award
"Compiled the Design guidelines and Reference Atlas for Reconstruction of Wenchuan School"-Outstanding Contribution Award for Wenchuan Earthquake relief by the Ministry of Education
Machining Center of Liaoning Provincial College of Communications, 3rd Prize of Excellent Design Award for Tianjin "Haihe Cup" in 2012
Taishan Culture Building, 3rd Prize of Excellent Design Award for Tianjin "Haihe Cup" in 2012
China Minmetals Business Building, 3rd Prize of Excellent Design Award for Tianjin "Haihe Cup" in 2012
China Minmetals Business Building (structure), 3rd Prize of Excellent Design Award for Tianjin "Haihe Cup" in 2012

02 蔡 节

执行总建筑师
研究员
国家一级注册建筑师

主要作品

天津市西青区文化中心——天津市2009年度"海河杯"优秀设计评选一等奖
《天津市无障碍设施改造构造图集》——天津市2011年度"海河杯"优秀设计评选一等奖
天津工业大学行政中心——2012年天津市"海河杯"优秀设计一等奖
天津广东会馆修缮设计——2012年天津市"海河杯"优秀设计一等奖
颐和园清外务部公所修缮工程——2012年天津市"海河杯"优秀设计二等奖
塘沽区残疾人综合服务中心——2012年天津市"海河杯"优秀设计二等奖
邢台职业技术学院主楼——天津市2003年优秀设计评选二等奖
邢台职业技术学院文体活动中心——天津市2004年优秀设计评选二等奖、建设部2005年度优秀设计评选三等奖
东方地球物理公司职工活动中心——天津市2008年度"海河杯"优秀设计评选二等奖
大港区文化艺术中心——天津市2011年度"海河杯"优秀设计评选二等奖
中国天然气总公司物探楼——天津市2002年度优秀设计评选三等奖
华中师范大学西区学生食堂——教育部2003年度优秀勘察设计评选三等奖
郑州高新技术孵化器——教育部2007年度优秀勘察设计评选三等奖
天津市电力公司供用电综合楼——优秀工程勘察设计行业奖（智能化）三等奖
天津医科大学留学生综合楼——天津市2009年度"海河杯"优秀设计评选三等奖
天津市电力公司供用电综合楼——天津市2009年度"海河杯"优秀设计评选三等奖
河南农业大学农业工程教学实验楼——天津市2010年度"海河杯"优秀设计评选三等奖
辽宁省交通高等专科学校图书馆——2012年天津市"海河杯"优秀设计三等奖

Jie Cai

Executive Chief Architect
Researcher
National First Grade Registered Architect

Major Works

"Tianjin Xiqing District Culture Center" - First Prize of Tianjin 2009 Annual Haihe Cup Excellent Design Award;
"Tianjin Barrier Free Facilities Improvement Structure Atlas" - First Prize of Tianjin 2011 Annual Haihe Cup Excellent Design Award;
Administration Center of Tianjin Polytechnic University, 1st Prize of Excellent Design Award for Tianjin "Haihe Cup" in 2012
Renovation Design for Guangdong Guild Hall in Tianjin, 1st Prize of Excellent Design Award for Tianjin "Haihe Cup" in 2012
Public Buildings Renovation Project for Qing Dynasty External Affairs Ministry of Summer Palace, 2nd Prize of Excellent Design Award for Tianjin "Haihe Cup" in 2012
Handicapped Integrated Service Center in Tanggu District, 2nd Prize of Excellent Design Award for Tianjin "Haihe Cup" in 2012
"Xingtai Polytechnic College Main Building" - Second Prize of Tianjin Excellent Design Award in 2003;
"Xingtai Polytechnic College Culture and Sports Center" - Second Prize of Tianjin Excellent Design Award in 2004/Third Prize of Excellent Design Award by the Ministry of Construction in 2005;
"Employees Activity Center of Oriental Geophysics Corporation" - Second Prize of Tianjin 2008 Annual Haihe Cup
Dagang District Culture and Art Center/Second Prize of Tianjin 2011 Annual Haihe Cup Excellent Design Award;
"China National Petroleum Corporation Geophysical Exploration Building" - Third Prize of Tianjin Excellent Design Award in 2003;
"Central China Normal University West Area Cafeteria" - Third Prize of the Ministry of Education 2003 Annual Excellent Survey and Design Award;
"Zhengzhou High-tech Business Incubator" - Third Prize of the Ministry of Education 2007 Annual Excellent Survey and Design Award;
"Tianjin Electric Power Company Power Supply Building" - Third Prize of Excellent Engineering in Survey and Design Industry (Intelligentization) Award;
"Tianjin Medical University International students Building" - Third Prize of Tianjin 2009 Annual Haihe Cup Excellent Design Award;
"Tianjin Electric Power Company Power Supply Building" - Third Prize of Tianjin 2009 Annual Haihe Cup Excellent Design Award;
"Henan Agricultural University Agricultural Engineering Laboratory Teaching Building" - Third Prize of Tianjin 2009 Annual Haihe Cup Excellent Design Award.
Library of Liaoning Provincial College of Communications, 3rd Prize of Excellent Design Award for Tianjin "Haihe Cup" in 2012

天津大学建筑设计规划研究总院
Tianjin University Research Institute of Architectural Design & Urban Planning

03 谌　谦

副院长
副总建筑师
高级工程师
国家一级注册建筑师
建筑学硕士

主要作品

天津工业大学行政中心——2012年天津市“海河杯”优秀设计一等奖
天津广东会馆修缮设计——2012年天津市“海河杯”优秀设计一等奖
天津职业技术师范学院主楼——国家2005年优质工程审定银奖
华中师范大学十号教学楼——天津市2010年度“海河杯”优秀设计评选二等奖
颐和园清外务部公所修缮工程——2012年天津市“海河杯”优秀设计二等奖
塘沽区残疾人综合服务中心——2012年天津市“海河杯”优秀设计二等奖
天津大学七里台学生宿食堂——教育部2003年度优秀勘察设计评选三等奖
天津大学第53学生公寓——天津市2003年优秀设计评选三等奖
天津工程师范学院综合服务中心——天津市2004年优秀设计评选三等奖
天津工程师范学院学生公寓——天津市2004年优秀设计评选三等奖
天津工程师范学院教学主楼——天津市2004年优秀设计评选三等奖
吉林大学综合实验楼——建设部2005年度优秀设计评选三等奖
吉林大学无机合成与超分子实验楼——教育部2009年度优秀勘察设计评选（建筑类）三等奖
泰山文化大厦——2012年天津市“海河杯”优秀设计三等奖
中国五矿商务大厦——2012年天津市“海河杯”优秀设计三等奖

Qian Chen

Vice President
Deputy Chief Architect
Senior Engineer
First Grade Registered Architect of China
Master of Architecture

Major Works

Administration Center of Tianjin Polytechnic University, 1st Prize of Excellent Design Award for Tianjin "Haihe Cup" in 2012
Renovation Design for Guangdong Guild Hall in Tianjin, 1st Prize of Excellent Design Award for Tianjin "Haihe Cup" in 2012
" "Tianjin College of Technology and Education Main Building" - Silver Prize for Quality engineering validation of China, 2005
"Central China Normal University No.10 Teaching Building" - Second Prize of Tianjin 2010 Annual Haihe Cup Excellent Design Award
Public Buildings Renovation Project for Qing Dynasty External Affairs Ministry of Summer Palace, 2nd Prize of Excellent Design Award for Tianjin "Haihe Cup" in 2012
Handicapped Integrated Service Center in Tanggu District, 2nd Prize of Excellent Design Award for Tianjin "Haihe Cup" in 2012
"Tianjin University Qilitai Students Cafeteria" - Third Prize of the Ministry of Education 2003 Annual Excellent Survey and Design Award
"Tianjin University No.53 Students Apartment" - Third Prize of Tianjin Excellent Design Award in 2003
"Tianjin College of Technology and Education Comprehensive Service Building" - Third Prize of Tianjin Excellent Design Award in 2004
"Tianjin College of Technology and Education Students Apartments" - Third Prize of Tianjin Excellent Design Award in 2004
"Tianjin College of Technology and Education Main Building" - Third Prize of Tianjin Excellent Design Award in 2004
"Jilin University Comprehensive Laboratory Building" - Third Prize of the Ministry of Education 2005 Annual Excellent Design Award
"Jilin University Inorganic Synthesis and Supramolecular Laboratory Building" - Third Prize of the Ministry of Education 2009 Annual Excellent Survey and Design Award in Architecture
Taishan Culture Building, 3rd Prize of Excellent Design Award for Tianjin "Haihe Cup" in 2012
China Minmetals Business Building, 3rd Prize of Excellent Design Award for Tianjin "Haihe Cup" in 2012

04 张繁维

执行总建筑师
研究员
国家一级注册建筑师

主要作品

天津大学第25教学楼——2008年度全国优秀工程勘察设计评选铜奖、教育部2007年度优秀勘察设计评选一等奖、优秀工程勘察设计行业奖（建筑工程）二等奖
吉林大学麦克德尔米德实验室——教育部2003年度优秀勘察设计评选一等奖
鄂尔多斯第一中学图文信息中心——天津市2011年度“海河杯”优秀设计评选一等奖
天津工业大学行政中心——2012年天津市“海河杯”优秀设计一等奖
天津大学第24教学楼——天津市2003年优秀设计评选二等奖
吉林大学计算机大楼——天津市2005年优秀设计评选二等奖
吉林大学外语楼——教育部2000年度优秀设计评选三等奖
吉林大学体育馆——教育部2000年度优秀设计评选三等奖
吉林大学综合实验楼——建设部2005年度优秀设计评选三等奖
天津大学仁爱学院学生活动中心——教育部2009年度优秀勘察设计评选三等奖

Fanwei Zhang

Executive Chief Architect
Researcher
First Grade Registered Architect of China

Major Works

"Tianjin University No.25 Teaching Building"-Bronze Medal of China 2003 Annual Excellent Survey and Design Award/First Prize of the Ministry of Education 2007 Annual Excellent Survey and Design Award/Second Prize of Excellent Survey and Design Award in Architectural Engineering
Jilin University AlanG. Mac Diarmid Laboratory Building" - First Prize of the Ministry of Education 2003 Annual Excellent Survey and Design Award
"Erdos No.1 Middle School Information Center" - First Prize of Tianjin 2011 Annual Haihe Cup Excellent Design Award
Administration Center of Tianjin Polytechnic University, 1st Prize of Excellent Design Award for Tianjin "Haihe Cup" in 2012
"Tianjin University No.24 Teaching Building" - Second Prize of Tianjin 2003 Annual Excellent Design Award
"Jilin University Computer Building" - Second Prize of Tianjin 2005 Annual Excellent Design Award
"Jilin University Foreign Language Building" - Third Prize of Tianjin 2000 Annual Excellent Design Award
"Jilin University Gymnasium" - Third Prize of Tianjin 2000 Annual Excellent Design Award
"Jilin University Comprehensive Laboratory Building" - Third Prize of the Ministry of Construction 2005 Annual Excellent Design Award
"Tianjin University Charity College Students Activity Center" - Third Prize of the Ministry of Education 2009 Annual Excellent Survey and Design Award

天津大学建筑设计规划研究总院
Tianjin University Research Institute of Architectural Design & Urban Planning

05 吴 放

设计四所所长
副总建筑师
高级工程师
国家一级注册建筑师
建筑学硕士

主要作品

郑州大学工科园——天津市2008年度"海河杯"优秀设计评选一等奖
天津利顺德大饭店修缮改造工程——天津市2010年度"海河杯"优秀设计评选 一等奖
南安烈士纪念碑——教育部2011年度优秀设计评选一等奖
天津美术学院美术馆——2008年度全国优秀工程勘察设计评选银奖、天津市2006年优秀设计评选一等奖、优秀工程勘察设计行业奖二等奖
塘沽区残疾人综合服务中心——2012年天津市"海河杯"优秀设计二等奖
塘沽区残疾人综合服务中心（暖通）——2012年天津市"海河杯"优秀设计二等奖
青岛高新区创业中心——2012年天津市"海河杯"优秀设计三等奖
天津大学新园村二期住宅——天津市2006年优秀设计评选三等奖

Fang Wu

Director of No.4 Institute
Deputy Chief Architect
Senior Engineer
First Grade Registered Architect of China
Master of Architecture

Major Works

Zhengzhou University Industry Park
First Prize of Tianjin 2008 Annual Haihe Cup Excellent Design Award
Tianjin Lishunde Hotel Renovation Project
First Prize of Tianjin 2010 Annual Haihe Cup Excellent Design Award
Nan'an Martyrs Monument
First Prize of the Ministry of Education 2011 Annual Excellent Design Award
Art Gallery of Tianjin Academy of Fine Arts
Silver Medal of China 2008 Annual Excellent Survey and Design Award
First Prize of Tianjin 2006 Annual Excellent Design Award
Second Prize of Excellent Survey and Design Award
Handicapped Integrated Service Center in Tanggu District, 2nd Prize of Excellent Design Award for Tianjin "Haihe Cup" in 2012
Handicapped Integrated Service Center in Tanggu District (HVAC), 2nd Prize of Excellent Design Award for Tianjin "Haihe Cup" in 2012
Qingdao Hi-tech Zone Pioneer Park, 3rd Prize of Excellent Design Award for Tianjin "Haihe Cup" in 2012
Tianjin University Xinyuan Village Phrase 2 Residence
Third Prize of Tianjin 2006 Annual Excellent Design Award

06 张 华

教授创作室主任
副总建筑师
研究员
国家一级注册建筑师
建筑学硕士

主要作品

天津大学游泳馆——天津市2000年度优秀勘察设计评选一等奖
宝鸡青铜器博物馆——教育部2011年度优秀勘察设计评选一等奖
天津蓟县国家地质博物馆——教育部2009年度优秀勘察设计评选（建筑类）一等奖、2009年度全国优秀工程勘察设计行业奖二等奖
威海甲午海战馆——全国第九届优秀工程设计评选铜奖、中国建筑学会建筑设计60年优秀设计评选建筑大奖、建设部2000年度优秀勘察设计评选二等奖
天津市红桥区工商银行大厦——天津市2000年度优秀勘察设计评选二等奖
南昌大学逸夫科学馆——教育部2001年度优秀设计评选三等奖
泰山文化大厦——2012年天津市"海河杯"优秀设计三等奖

Hua Zhang

Director of Professors Design Studio
Deputy Chief Architect
Researcher
First Grade Registered Architect of China
Master of Architecture

Major Works

Tianjin University Natatorium
First Prize of Tianjin 2000 Annual Excellent Survey and Design Award
Baoji Bronze Museum
First Prize of the Ministry of Education 2011 Annual Excellent Survey and Design Award
Tianjin Ji County National Geological Museum
First Prize of the Ministry of Education 2009 Annual Excellent Survey and Design Award
Second Prize of China 2009 Annual Excellent Survey and Design Award
Weihai Jiawu Naval Battle Museum
Bronze Medal of China the Ninth Excellent Engineering Design Award
Tianjin Hongqiao District Industrial and Commercial Bank of China Building
Second Prize of Tianjin 2000 Annual Excellent Survey and Design Award
Nanchang University Yifu Science Building
Third Prize of the Ministry of Education 2001 Annual Excellent Design Award
Taishan Culture Building, 3rd Prize of Excellent Design Award for Tianjin "Haihe Cup" in 2012

元正（天津）建筑设计有限公司
Yuanzheng (Tianjin) Architectural Design Co., Ltd.

季玉忠

1979–1983　就读于天津大学工民建专业　工学学士
1983–1984　就读于天津大学建筑学专业　进修结业
2002–2004　就读于天津大学建筑学院　城市规划与设计专业　在职研究生
1983–1998　在天津市建筑设计院一所　任主任建筑师
1998–2001　在天津市建筑设计院重庆分院　任副院长　总建筑师
2002–2005　在天津市建筑设计院七所　任党支部书记　副所长　主任建筑师
2006–至今　就职于元正（天津）建筑设计有限公司　任副总经理　总建筑师

刘宇驰

2000–2005　就读于河北工业大学建筑学院　工学学士
2005–2009　在天津市建筑设计院工作
2009–2010　在天津大学建筑设计研究院工作
2010–至今　就职于元正（天津）建筑设计有限公司　任主创及方案一部部长

代表作品

独立完成国内二十余个项目的建筑单体设计，小区规划及景观设计，包括比较大型的商业综合体项目，写字楼项目和住宅小区项目以及酒店旅游区的方案设计，如：武清区规划展览馆(院优秀设计三等奖)、汉沽区人民法院、大沽路欧式办公楼、水西庄商业规划及单体设计、东丽示范小学(院优秀设计三等奖)、天津海事局综合楼(中标)、天津市芥园道水处理厂(院建筑单项奖)、东丽湖度假酒店方案、电力院科研基地规划设计、哈尔滨七十一中学方案、道桥三所综合楼规划设计、海河五公里中段部分规划设计、构件二厂住宅项目、双港新家园社区中小学方案、承德营子区小学、西安农产业园区规划单体设计、天津西站旧站台改造项目、天津北达电缆综合办公区规划单体设计、华新泰公寓项目规划单体设计、河工大商业街规划单体设计、潭建科技园规划单体设计、新加坡美食城规划单体设计、顺义道酒店规划单体设计、秦皇岛北城一号住宅小区项目、廊坊市大中广场商业办公项目、廊坊市种苗站科技楼、新朝阳广场城市综合体项目、廊坊市管道人办公楼项目。

闫　恺

2003–2008　就读于河北工业大学建筑与艺术设计学院　城市规划专业　工学学士
2008–2010　在华汇环境规划设计顾问有限公司　任助理规划建筑师
2010–2011　在天津法奥建筑设计有限公司　任建筑规划师
2011–至今　就职于元正（天津）建筑设计有限公司　任方案一部部长助理

代表作品

天津于家堡城市设计、重庆钓鱼城整体设计、天津陈塘工业园区设计，天津铅笔厂地块办公楼建筑方案设计、松江东丽湖项目小区规划设计、秦皇岛北城一号住宅小区项目、廊坊市大中广场商业办公项目、廊坊市种苗站科技楼、新朝阳广场城市综合体项目、廊坊市管道人办公楼项目等。

高　杨

2000–2005　就读于河北工业大学建筑系　工学学士
2005–2005　上海东方建筑设计院　任设计师
2005–至今　就职于元正（天津）建筑设计有限公司　任设计师

代表作品

北戴河东经路宾馆规划建筑设计、天津瑞景三号地规划建筑设计、北戴河东山宾馆规划建筑设计、邯郸颐景蓝湾规划建筑设计、海南小洲岛规划设计、承德茅荆坝度假村规划建筑设计、南戴河金域蓝湾规划建筑设计、廊坊龙河中心区规划设计、廊坊北昌安置区规划设计、燕山大学小区别墅区规划建筑设计、廊坊土地集约节约实验基地规划建筑设计等。

范羽珍

2004–2008　就读于黑龙江工程学院　城市规划专业　学士
2008–2009　在加拿大CUN（加尚）国际建筑设计公司　任方案设计师
2009–至今　就职于元正（天津）建筑设计有限公司　任设计师

代表作品

秦皇岛开滦路商业街区项目、秦皇岛道南片区改造项目、邯郸市和桥巷家属院改造项目、廊坊市北昌回迁安置区5、6、9号地块项目、廊坊市华远银河领域居住区项目、廊坊中房馨视界一花城项目、邯郸市柳林桥国粹嘉苑项目、廊坊望京华府居住小区项目、廊坊市麦洼村城中村改造项目、秦皇岛北城一号居住小区项目等。

天津市城市规划设计研究院
Tianjin Urban Planning & Design Institute

侯勇军

国家一级注册建筑师　高级建筑师　建筑分院副院长
1992—1997　就读于重庆建筑大学建筑学专业　建筑学学士
1997—至今　就职于天津市城市规划设计研究院
代表作品
天津文化中心总体设计、天津文化中心图书馆、天津文化中心博美图地下空间、天津文化中心管控中心、天津体育学院综合训练馆、天津市市政一公司测试中心综合楼、天津公馆（自来水综合楼）、天津市安定医院、天津市妇女儿童保健中心、天津文化中心修建性详细规划、宁强县天津高级中学修建性详细规划、天津市入市口道路周边地区城市设计等。

王连顺

国家一级注册建筑师　高级建筑师　总建筑师
1992—1997　就读于浙江大学建筑系建筑学专业　建筑学士
1997—至今　就职于天津市城市规划设计研究院
代表作品
天津市城市规划设计研究院科研楼工程、国资委国鑫大厦工程、秋怡家园住宅工程、人民医院二、三期扩建工程、和苑起步区B\C地块住宅、天津市人口与家庭服务中心工程、蓟县官庄社会主义新农村建设工程、静海县大邱庄示范小城镇详细规划、安置住宅工程等。

张润兴

国家一级注册建筑师　高级建筑师　总建筑师
1992—1997　就读于同济大学建筑系建筑学专业，建筑学学士
1997—至今　就职于天津市城市规划设计研究院
代表作品
天津市东丽区新立示范镇B区、天津市滨海新区区委党校、天津泰安道五大院工程（贰号院综合楼和肆号院五星级酒店）、新建天津电子信息职业技术学院、海河后五公里天津市天钢柳林城市设计、天津市大沽北路城投大厦、天津市南京路配套公建楼（建投公司办公楼）等。

董天杰

国家一级注册建筑师　总建筑师
1998—2003　就读于陕西省长安大学建筑学院建筑学专业　建筑学学士
2003—至今　就职于于天津市城市规划设计研究院
代表作品
天津市第一热电厂地块城市设计、新建天津青年职业学院、大寺新家园公租房B、F地块、新建天津电子信息职业技术学院、河东区人民法院审判综合楼、天津市蓟县商贸街、新疆伽师县文化活动中心、天津市秋怡家园、天津公馆（自来水综合楼）、天津理工大学国际交流中心等。

陆伟伟

国家一级注册建筑师　高级建筑师　总建筑师
1996—2001　就读于河北工业大学建筑学专业　工学学士
2002—至今　就职于天津市城市规划设计研究院
代表作品
天津文化中心图书馆、天津市东丽区新立示范小城镇农民安置（A区）用房、河北唐山·阳新城2、4地块住宅工程、天津市和苑居住区起步区C区定向安置经济适用房、天津市人口与家庭服务中心工程、宁强县燕子砭镇木槽沟村民安置点、宁强县天津中学、西青区杨柳青示范小城镇等。

天津市城市规划设计研究院
Tianjin Urban Planning & Design Institute

韩　宁

国家一级注册结构工程师　正高级工程师　结构总工程师
1981–1985　就读于天津大学土木系建筑结构专业
1985–至今　就职于天津市城市规划设计研究院
2010–至今　任天津市规划局系统技术专业带头人

代表作品
天津文化中心图书馆、天津文化中心博美图地下空间、新建天津电子信息职业技术学院、新建天津市人民医院、宁强县天津中学、南京路配套公建楼、城投大厦、天津市妇女儿童保健中心、天津市安定医院、天津市烈士陵园等。

安志红

国家注册公用设备工程师　高级工程师　设备总工程师
1981–1985　就读于天津城建学院暖通专业　工学学士
1985–至今　就职于天津市城市规划设计研究院

代表作品
天津文化中心图书馆、天津文化中心博美图地下空间、北辰区淮河道南侧（A地块）经济适用房、新建天津青年职业学院、大寺新家园公租房B、F地块、新建天津电子信息职业技术学院、宁强县天津中学、天津市妇女儿童保健中心、新建天津市人民医院等。

田　垠

建筑师
1998–2003　就读于天津市城建学院建筑学专业　工学学士
2003–至今　就职于天津市城市规划设计研究院

代表作品
天津市滨海新区区委党校、天津泰安道五大院工程（贰号院综合楼和肆号院五星级酒店）、新建天津电子信息职业技术学院、新建天津市人民医院、宁强县天津中学、天津市安定医院、今晚传媒大厦、杨楼经济适用房、天津市妇女儿童保健中心等。

吴书驰

规划师
2000–2004　就读于武汉大学城市规划专业　工学学士
2006–2008　就读于法国斯特拉斯堡大学城市规划专业　工学硕士
2011–至今　就职于天津市城市规划设计研究院

代表作品
天津入市口区域城市设计、天津开发区未来科技城规划提升项目、2010年上海世博会阿尔萨斯案例馆、天津解放南路地区商品安置房、印度孟买Armstrong公司Hexcity&Hexworld地产综合项目、武汉新区四新生态城市方岛区域城市设计、烟台西海岸人工群岛总体设计等。

天津市城市规划设计研究院
Tianjin Urban Planning & Design Institute

张胜强

建筑师

2001–2006　就读于山东大学建筑学专业　工学学士
2006–2008　就读于天津大学建筑学专业　建筑学硕士
2008–至今　就职于天津市城市规划设计研究院

代表作品

天津市和苑A、D地块公租房方案、大寺新家园公租房B、F地块、天津泰安道五大院工程（肆号院五星级酒店）、天津文化中心图书馆、天津文化中心博美图地下空间、天津市人口与家庭服务中心工程、天津市蓟县商贸街、天津市文瑞家园地块公租房方案、天津市河东区法院审判综合楼等。

李津澜

建筑师

2002–2007　就读于天津城建学院建筑学专业　工学学士
2007–2010　就读于天津城建学院城市规划专业　工学硕士
2010–至今　就职于天津市城市规划设计研究院

代表作品

天津泰安道五大院工程（贰号院综合楼和肆号院五星级酒店）、新建天津青年职业学院、新建天津电子信息职业技术学院、河北路314号近代天津历史博物馆、海河后五公里天津市天钢柳林城市设计等。

阳建华

建筑师

2005–2007　就读于天津大学建筑设计专业　建筑学学士
2010–至今　就读于天津城市建设学院建筑学专业　建筑学硕士
2005–至今　就职于天津市城市规划设计研究院

代表作品

天津市滨海新区区委党校、新建天津青年职业学院、和田天津高级中学、天津泰安道五大院工程（贰号院综合楼和肆号院五星级酒店）、新建天津电子信息职业技术学院、天津迎宾馆地区接待中心城市设计、宁强县天津中学、城投大厦等。

陈　旭

规划师

2000–2004　就读于哈尔滨工业大学结构专业　工学学士
2007–2009　就读于哥伦比亚大学城市规划专业　理学硕士
2010–至今　就职于天津市城市规划设计研究院

代表作品

2011年与扎哈工作室合作滨海文化中心、双青新家园、美国供应方住房政策研究、美国纽约哈林区城市设计、美国康州东斯坦福大街TOD规划、团泊新城概念规划、阿联酋萨蒂亚岛概念规划、呼和浩特成吉思汗大街规划等。

天津市港建建筑设计有限责任公司
Tianjin GangJian Architectural Design Co.,Ltd.

兰成静

现任职务：董事长兼总经理
天津市港建建筑设计有限责任公司董事长兼总经理兰成静女士，1986年参加工作，从事建筑设计工作，2001年取得高级工程师资格，先后担任天津市建工设计院三所所长助理；二所、五所副所长、所长、支部书记等工作，后由建工集团一建设计所改建，资金重组后改制为有限责任公司。兰成静女士一直引领大家，经过不懈的努力，港建设计院已经由昔日的丙级升至今日的甲级设计院。她做人诚恳，做事严谨，对工作力求完美，在多年的工作中有很多优秀的项目获奖，得到广大客户的一致认可，也成为设计行业的领军人。

人生格言：既然我选择了建筑设计，那么我就只有风雨兼程。

胡　南

现任职务：总建筑师
教育背景：毕业于长春工程学院
代表作品
双街新邨住宅小区、天津市北辰区人民法院审判综合楼、韩家墅农产品批发市场办公综合楼、北辰区建设开发公司商业用房B座（横店影业）、宝能创业中心、上河花园、盛世华府综合商业楼。

孙汉宗

现任职务：结构总工程师　副经理
教育背景：毕业于哈尔滨工业大学　建筑工程专业　学士学位
代表作品
天津市北辰区人民法院综合审判楼、天津市北辰区人民检察院办案和专业技术楼、浩地实业有限公司A/B厂房、华瑞高新科技产业园科研大厦D、E座、北辰建设开发公司商业楼、天津市宝能创业中心、盛世华府综合商业楼、张湾还迁住宅。

杨　丽

现任职务：建筑师　总经理助理
教育背景：毕业于天津大学
代表作品
城际美景小区、天津市北辰区人民检察院办案和专业技术楼、秀水馨苑住宅小区二期、天津市公安局北辰分局看守所、天津市公安局北辰分局应急指挥中心、警训基地、刑事科学研究所。

天津港津建筑设计工程有限公司
Tianjin GangJin Architecture Design & Engineering Co.,Ltd.

孟　力

现任职务：副总经理　项目负责人
教育背景：天津城市建设学院　建筑学毕业
工作经历
具有20年专业设计经验，擅长协调从规划建筑方案设计到施工图设计以及后期服务各阶段相关部门、专业之间的协作。设计项目主要包括居住区、写字楼、学校、高级宾馆等。
代表作品
包头日月天地广场、贻正嘉合、天津塘沽贻港城三期施工图设计、天津塘沽贻成·豪庭住宅小区等。
获奖情况
天津市塘沽区首届住宅设计邀请赛中荣获三等奖
海军后勤学院图书馆及文化中心荣获中建总公司2001-2002年度优秀方案设计二等奖
海军后勤学院图书馆及文化中心荣获中建总公司2005年优秀工程设计三等奖
天津金达房地产美韵家园项目荣获中建总公司2005年优秀住宅设计二等奖
营口迎宾馆规划与设计方案荣获2010中国人居典范◆最佳建筑设计方案金奖

王连文

现任职务：设计总监　项目负责人
教育背景：天津大学　建筑设计及其理论专业毕业
工作经历
具有多项大型项目的方案和施工图的设计及管理经验，项目主要包括高校校园规划和教育建筑设计、历史风貌建筑保护、大型公共建筑、高档居住社区、中小学校等类型。
代表作品
包头校园南路项目、天津市津河壹号花园项目设计、营口鹏发熊岳河城市广场项目规划方案设计、
大连新火车站城市综合体项目规划方案设计、观音寺大雄宝殿、锦湖轮胎天津研发中心等。
获奖情况
天津市津河壹号花园设计获2008年中国人居环境方案 最佳规划和景观设计金奖
河北工业大学南院主楼获河北省2007年优秀勘察设计二等奖
河北工业大学燕赵学术交流中心获河北省1998年优秀勘察设计二等奖

张　英

现任职务：总建筑师　一级注册建筑师　项目负责人
教育背景：河北工业大学　建筑学毕业
工作经历
从事规划建筑方案设计和施工图设计，20年主持过多项大型综合性工程的方案和施工图设计，设计项目主要包括大型公建、高档居住社区、学校、高级酒店等。
代表作品
河北省沙河华沙大酒店、邢台市国贸大厦、邢台市交警指挥中心、邢台市关桥大酒店、邢台市蓝天双语小学、天津天宝金海岸D-D3地块小学、营口御景山温泉山庄等。
获奖情况
1994　河北省"安康杯"住宅设计方案竞赛中获河北省三等奖
1995　河北省农村小康住宅设计竞赛中获河北省二等奖
1998　模块住宅方案获建设部"跨二十一世纪住宅方案竞赛"邢台市一等奖
1999　沙河华沙大酒店工程获河北省优秀设计二等奖
2000　邢台市国贸大厦工程获河北省优秀设计三等奖
2002　邢台市交警指挥中心工程河北省优秀设计三等奖
2003　邢台市中心汽车站工程获邢台市优秀设计一等奖
营口龙港花园二期设计方案获"2010第七届中国人居典范建筑规划设计方案竞赛"金奖
天津塘沽工农村九年一贯制学校规划方案获"2010第七届中国人居典范建筑规划设计方案竞赛"金奖

天津宏筑建筑设计有限公司
Tianjin Hongzhu Architectural Design Co., Ltd.

王 骁

现任职务：天津宏筑建筑设计有限公司　总经理　主创设计师
教育背景
2005　毕业于天津大学　环境景观设计专业
2008　毕业于天津城市建设学院　建筑设计专业
工作经历
2005—2010　就职于天津市金厦规划建筑设计有限公司 专业负责人
2010—2011　就职于天津市建筑设计院 所主创设计师
2012　任天津市宏筑建筑设计有限公司总经理
代表作品
天津金康房地产团开发有限公司金德园项目施工图设计、天津市招胜地产钻石山项目一期施工图设计、山东省济宁市南风花园住宅小区规划方案设计、天津泰榕置业有限公司东疆海景度假酒店项目（五星级）规划方案设计、天津市官港胡森林公园住宅小区项目规划方案设计施工图设计、呼和浩特市鄂尔多斯广场项目规划方案设计、内蒙古乌兰察布市盛世新城住宅小区规划方案设计、施工图设计、天津市李公楼地块规划方案设计方案。

薛 锋

现任职务：天津宏筑景鸿景观规划设计有限公司　总经理　景观技术总监
教育背景：
2002　毕业于沈阳农业大学园林专业
代表作品
天津海河景观改造项目起步段景观工程、香港新世界集团新世界花园居住区景观工程、天津市人民医院景观工程、天津市快速路东南半环景观工程、天津市迎奥运市容环境综合整治"135"工程、天津滨海新区"三迎"市容环境整治工程、内蒙古乌兰察布市集宁区沙河景观改造工程、内蒙古乌兰察布市盛世新城居住区规划及景观项目、天津滨海新区中新生态城清净湖桥梁及附属景观工程投标、河北邯郸市南外环立交景观工程。

张 彬

现任职务：天津宏筑景鸿景观规划设计有限公司　副总经理　规划技术总监
教育背景
2000　毕业于天津大港石油管理学院计算机科学与应用
工作经历
2000—2003　毕业于北京林业大学继续教育学院园林规划专业
2003—2008　就职于天津市建筑设计院景观所 规划设计师 专业负责人
2010年任职天津宏筑景鸿景观规划设计有限公司 副总经理 规划技术总监
代表作品
参与大同市御东新区控制性详细规划设计与编制、参与设计天津市西站地区城市设计规划、天津市六纬路神州花园居住小区修建性详细规划、参与设计天津市河东区城市规划设计。

郭成杰

现任职务：天津鸿腾装饰设计有限公司 总经理 主创设计师
教育背景
毕业于天津职业大学 环境艺术设计专业
工作经历
2004—2006　天津峰尚室内装饰设计有限公司　担任室内设计师工做
2006—2008　天津宇宏广告传媒有限公司　担任展览展示设计总监工作
2008—2010　新西兰诺达纳斯景观设计有限公司（中国天津分公司）　担任内设计师工做
2010—2012　天津怡东室内装饰工程有限公司 担任室内设计师工做
2012—至今　天津宏筑建筑设计集团　鸿腾装饰设计有限公司　总经理职务
代表作品
天津空港经济技术开发区金融街室内装饰设计工程、天津临港办公楼室内装饰设计工程、2010年世界杯天津赛区场地标识标志工程、美国格瑞德机械工程有限公司（天津开发区）办公楼及厂房室内装饰设计工程、天津新宝悦大酒店室内装饰设计工程、天津龙吧演绎会所室内装饰设计工程、赤道几内亚港口司令部及后宫楼室内装饰设计工程、天津社会科学院办公楼室内装饰设计工程、天津职业技术工程师范大学接待餐厅室内装饰设计工程等。

新疆四方建築設計院有限公司

XINJIANG SIFANG INSTITUTE OF ARCHITECTURAL DESIGN co.,Ltd

朱 飞

现任职务

新疆四方建筑设计院有限公司院长　高级建筑师　国家一级注册建筑师

教育背景

新疆八一农学院水利系水工建筑专业
苏州城建环保学院建筑系建筑学专业

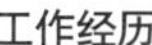

工作经历

1982–1992	新疆兵团设计院建筑分院任科员　室主任
1993–1997	乌鲁木齐经济技术开发区建筑设计院有限公司任院长　董事长
1997–2001	乌鲁木齐经济技术开发区管委会土地规划局任局长　管委会助理
2001–2009	乌鲁木齐建筑设计院有限公司任院长
2009– 至今	新疆四方建筑设计院有限公司任院长

代表作品

自治区人民广场综合办公楼（万年 101 大厦）、屯河大厦、达坂城幼儿园、独山子大酒店、水清木华住宅小区、新疆军区总医院门诊、病房楼、华源博瑞新村住宅小区等。

获奖情况

自治区人民广场综合办公楼获建设部优秀设计三等奖，自治区优秀设计一等奖。
石化花展厅获省级优秀设计二等奖。
"湖南省对口援建吐鲁番市二堡乡高昌民居项目"荣获 2011 年度自治区优秀城乡规划设计一等奖。

担任其他相应职务

《城市环境设计》杂志常务理事、《时代建筑》杂志理事、《建筑技艺》杂志理事、新疆勘察设计协会理事、新疆勘察设计协会建筑委员会委员

付 晨

现任职务

总建筑师

教育背景

1983	新疆大学工民建毕业

工作经历：

1983	进入新疆建筑设计研究院工作
1986–1987	在西安建筑科技大学建筑学专业学习
2002–2004	在同济大学特培
2004	任新疆建筑设计研究院副总工
2005	调入乌鲁木齐建筑设计研究院任副院长、副总建筑师
2009	到新疆四方建筑设计院工作任总建筑师

代表作品及获奖情况

新疆医科大学一附院门诊楼（自治区二等奖）
巴州急救中心（自治区二等奖）
新疆师范大学体育馆（自治区二等奖）
喀什人民医院门诊楼
喀什人民医院急救中心
新疆维吾尔医院综合楼
库车县市民服务中心

新疆四方建築設計院有限公司
XINJIANG SIFANG INSTITUTE OF ARCHITECTURAL DESIGN co.,Ltd

张永毅

现任职务
院副总建筑师
乌鲁木齐市建委建设工程交易中心　　专家
新世纪建设工程交易中心　　专家

教育背景
毕业于新疆广播电视大学

工作经历

1988—2002	在新疆城乡规划设计院工作
2002—2009	在乌鲁木齐建筑设计研究院有限责任公司工作
2009— 至今	在新疆四方建筑设计院有限公司工作 现从事专业研究方向和技术专长 建筑设计及城市规划设计

代表作品及获奖情况

1992	由新疆城市规划学会及中房集团组织的乌鲁木齐市旧市区片区规划设计方案邀请赛中建筑设计荣获一、二等奖
1995	获自治区城镇优秀住宅设计竞赛三等奖
1999	参加昆明世界园艺博览会 - 新疆园设计 获国际大奖、民居工程获金奖、2004 年自治区第十二届优秀工程设计项目一等奖
2001	获自治区优秀工程设计二等奖
2001	获自治区住宅工程质量年，优秀住宅设计方案竞赛一等奖、二等奖
2002	获乌鲁木齐优秀工程设计二等奖
2002	获自治区城镇优秀住宅设计竞赛一等奖，二等奖
2004	获乌鲁木齐优秀工程设计（公建类）优秀奖
2009	获自治区廉租房设计竞赛二等奖

邱　戈

现任职务
新疆四方建筑设计院有限公司高级建筑师，院副总建筑师

教育背景

1989	毕业于西安建筑科技大学建筑系　建筑学专业

工作经历

1992—2003	新疆建筑设计研究院任建筑师　高级建筑师
2003—2009	乌鲁木齐建筑设计研究院任高级建筑师　一所总建筑师
2009— 至今	新疆四方建筑设计院有限公司任院副总建筑师

代表作品
人民广场联合大厦
库尔勒康达集团康都花园小区规划设计
米东天颂沃德阳光国际小区
新疆耀和荣裕花园小区
新疆东方之光房地产开发公司天和广场大厦

获奖情况
自治区人民广场联合大厦
获建筑部优秀设计三等奖
自治区优秀设计一等奖

普立策设计

PLCDESIGN

杭州普立策建筑设计有限公司
Hangzhou PLC Architectural Design Co.,Ltd.

王 巍

现任职务：杭州普立策建筑设计有限公司　方案部经理　方案设计总监
教育背景：建筑学硕士

代表作品及获奖情况
苏州在水一方别墅区
杭州北城天地商业中心
嘉兴中共一大南湖革命纪念馆
上海泥岗新城城市设计
舟山朱家尖集散中心宾馆
华人建筑师协会居住类设计优秀奖
杭州城市综合体规划建筑设计优秀蓝本
无锡晴山蓝城居住区
台州东方美地综合居住园区

陈滋达

现任职务：杭州普立策建筑设计有限公司　设计一部经理　国家一级注册建筑师
教育背景：2001　毕业于浙江工业大学获建筑学学士学位
工作经历：2001—2009　浙江省建筑设计研究院
　　　　　2009—2012　杭州普立策建筑设计有限公司
代表作品及获奖情况：
上海第二工业大学浦东新校区（钱江杯一等奖）
浙江工业大学屏风校区教学楼西组团（西湖杯三等奖）
萧山新世界财富中心（浙江省院优秀设计创作一等奖）
浙江省委党校新校区（钱江杯一等奖/浙江省住建厅优秀勘察设计一等奖）
石家庄西山御园别墅区二期
台州东方美地休闲度假中心及运动场馆
上海新湖明珠城住宅小区
上海对外贸易学院（钱江杯一等奖）
桐庐县客运中心（西湖杯三等奖）
杭州北城天地商业中心
南京九月森林别墅区三期

黄 森

现任职务：杭州普立策建筑设计有限公司　设计二部经理　国家一级注册建筑师
教育背景：2002年获得浙江大学建筑学学士学位
工作经历：
2002年进入浙江省建筑设计研究院工作、2011年作为公司重要成员加入普立策，负责设计二部的日常设计工作。主要擅长大型商业综合体设计、大学校园、办公建筑及高端居住区规划及建筑设计等。

代表作品及获奖情况：
浙江师范大学图书馆（浙江省钱江杯优秀设计二等奖）
上海广播大厦二期
宁波雷迪森五星级酒店
杭州下沙晓城天地综合体
绍兴会稽山五星级度假酒店
上海电影博物馆
云南曲靖农业学校整体规划

胡建宏

现任职务：杭州普立策建筑设计有限公司　设计三部经理　国家一级注册建筑师

代表作品及获奖情况
杭州市宋江村科技中心
舟山市洞桥中学（浙江省教委优秀校园规划二等奖）
青田阳光华庭酒店及小区
黄山区中医院
合肥市合肥晚报中心（钱江杯二等奖）
浙江茅盾学院（钱江杯三等奖）
黄山区凤凰城
乌鲁木齐蓝领公寓

宁波中鼎建筑设计研究院
Ningbo Zhongding Architecture Design & Research Institute

陈　安

现任职务：宁波中鼎建筑设计研究院 院长、高级建筑师、国家一级注册建筑师
教育背景：1985 年 7 月毕业于南京工学院（现东南大学）建筑系
工作经历：
1985—2001　安徽省建筑设计研究院设计三所所长，安徽省建筑设计研究院宁波分院院长，安徽省建筑设计研究院上海分院副院长，安徽省建筑设计研究院建筑创作室主任
2001—2003　宁波新城建筑设计有限公司　总建筑师
2003—2006　宁波高专建筑设计研究院有限公司　副院长
2007- 至今　宁波中鼎建筑设计研究院院长
设计理念：建筑一如生命，有其生长的缘起，也有其生长的规律，建筑师的工作就是发现这个缘起和把握这个规律。
代表作品
合肥市七桂糖商业中心
宁波开发区小港邮电大楼
宁波洛兹商业广场
宁波富豪星河晨光居住小区
宁波金辉国际酒店办公楼
宁波杭州湾新区五星级酒店及公寓

郭建军

现任职务：宁波中鼎建筑设计研究院　副院长　副总建筑师　国家一级注册建筑师
教育背景：1993 年 6 月毕业于宁波大学建筑学专业
工作经历：
1993—2002　宁波市建筑设计研究院
2003—2006　宁波中鼎建筑设计研究院　所长
2007—至今　宁波中鼎建筑设计研究院　副院长　副总建筑师
设计理念：单纯追求建筑艺术不是解决问题的办法，没有社会任务就无法产生伟大的建筑艺术。
代表作品：
南苑“新城名苑”酒店
宁波诺丁汉大学
江苏丹阳中心商业综合体
雅戈尔长岛花园住宅区
宁波南部商务区核心区整体地下工程
嘉兴南苑一品综合体

童　辉

现任职务：宁波中鼎建筑设计研究院 副院长、高级建筑师、国家一级注册建筑师
教育背景：1994 年 6 月毕业于宁波大学建筑学专业
工作经历
1994—2000　宁波市工业建筑设计院
2001—2003　宁波市天一建筑设计院 主任建筑师
2003—至今　宁波中鼎建筑设计研究院 副院长
设计理念：从事建筑设计 18 年，设计的意义在于用可控的成本发掘建筑的价值。
代表作品
宁波农业银行科技大楼
新洲银座
鄞州区金贸中心
银亿时代广场
银亿上上城
发表论文：《浅谈机械车位在设计中的应用》
《关于建筑外墙保温设计规范之外的几个问题》

宁波中鼎建筑设计研究院
Ningbo Zhongding Architecture Design & Research Institute

厉 罕

现任职务
宁波中鼎建筑设计研究院创作所所长　高级建筑师
教育背景
1996　　　　　毕业于东南大学建筑学专业　获建筑学硕士学位
工作经历
1996–2006　　　宁波市建筑设计院
2007—至今　　　宁波中鼎建筑设计研究院创作所所长
设计理念：因地制宜，去繁就简，达到美学营造与综合技术的成功结合
代表作品
宁波职业技术学校
江西蓝天学院
水尚阑珊住宅区
滨江国际广场
科技园朱一村安置小区

张策栋

现任职务
宁波中鼎建筑设计研究院 副所长
教育背景
2005　　　　　毕业于浙江树人大学城市规划系
工作经历：
2005—至今　　　宁波中鼎建筑设计研究院 副所长
设计理念：认真现实，创新锐进，不盲目跟风，探索属于自己的创新之路。
代表作品
湖州长兴大唐贡茶院
湖州长兴陈武帝故宫
宁波梁祝文化产业园
宁波莲桥街项目
宁波梁祝公园博物馆
发表论文：《老街区里的〝新味儿〞——宁波郁家巷项目为例》

王国权

现任职务
宁波中鼎建筑设计研究院　副主任工程师
教育背景
2005　　　　　毕业于宁波大学建筑系
工作经历
2005—至今　　　宁波中鼎建筑设计研究院副主任工程师
设计理念：世上本无建筑，因为有了生活，才产生了建筑。
代表作品
宁波市高新区科贸中心
宁波 LEXUS 3S 店
宁波洛兹大厦
宁波海尚商业广场
宁波东部新城门户区
发表论文：《浅谈标志性建筑的意义》

杭州友慧润城建筑设计有限公司
Hangzhou Youhui Runcheng Architectural Design Co., Ltd.

茅中华

2007　　毕业于中国美术学院环境艺术系
现任友慧润城规划一所所长
咸宁贺胜路地块方案设计主创设计师

主要参与项目
湖北荆州沿江居住区规划设计
湖北荆门锦辉广场商住综合体概念设计
威海·海岸明珠居住区规划设计

汪　东

2007　　毕业于黑龙江工程大学城市规划专业
现任友慧润城规划二所所长
荆门尚海明珠主创设计师

主要参与项目
东方巴黎都市居住区规划设计
富阳九龙一号居住区规划设计
新邵城市花园居住区规划设计

裴会艳

2007　　毕业于中南林业科技大学城市规划专业
现任友慧润城设计总监职务
长阳清江画廊旅游服务中心主创设计师

主要参与项目
湖南宁乡东城组团概念规划投标项目（中标）
江山城北新城客运枢纽城市设计
海南三亚“八爪鱼”七星级酒店概念设计

徐 堃

现任职务

华东勘测设计研究院建筑工程院副总建筑师　国家一级注册建筑师　教授级高级工程师

代表作品

苏州友联经贸大厦、湖州龙溪港项目、福建省厦门市天铜山综合性度假区酒店、福建省厦门市天铜山综合性度假区别墅区、苏州市金阊区人民检察院、华东勘测设计研究院闲林办公楼项目、浙江华东工程科技发展有限公司办公楼项目、上海奉贤嘉业海悦项目、杭州百货大楼二期工程、杭州万安南苑、杭州耀江发展中心。

获奖情况

浙江省钱江杯二等奖、浙江省钱江杯三等奖

陈 楠

现任职务

国家一级注册建筑师　教授级高级工程师　PMP 项目经理

工作经历

从 1991 年至今一直从事建筑设计及管理工作，现任建筑二室主任。二十年间一直执着于建筑设计领域，从项目的承接，到方案设计，施工图设计，到施工配合、交付使用，全过程的服务。以公共建筑为主，同时涉及居住建筑、交通建筑、工业建筑等，拥有丰富的建筑设计和实践经验。

代表作品

桐乡市濮院国际贸易中心、杭州城东新城 0901 人防工程、杭州钱江创新创业产业园、杭州印象西湖、某部队业务及办公用房、杭州市大兜路历史街区 D 区块国家厂丝仓库、杭州经济技术开发区市民公园地下空间、建德长途客运中心、华东院闲林基地－溪上鼎园住宅区 B 组团　成都市青白江凤凰湖二期工程水上舞台、浙江省建德国信、新安明珠住宅小区。

获奖情况

2011 年钱江杯工程设计三等奖；2010 年集团公司优秀工程设计二等奖；2010 年获院级工程咨询一等奖；2009 年钱江杯工程设计三等奖；2008 年解放军总后勤部一等奖；2011 年院优工程设计二等奖；2007 年钱江杯工程设计三等奖。

吴登国

现任职务

华东勘测设计研究院建筑一室副主任　国家一级注册建筑师　高级建筑师

代表作品

杭州市市民中心方案、杭甬运河管理区、桐乡电力调度大楼、福建省档案馆新馆、晋江市档案馆、莆田市档案馆、浙商国际中心、昆明胜意嘉园

获奖情况

获得西湖杯、获得西湖杯、获得南湖杯、获得闽江杯

主要论文和科研专题

《淡如菊－桐乡电力调度大楼》、《章法天成－福建省档案馆新馆》、《福建省县市级综合档案馆规划建设》

王晓庆

现任职务

华东勘测设计研究院建筑与地下工程院总规划师　注册城市规划师　高级工程师

教育背景

毕业于中南工业大学资源环境与建筑工程学院

代表作品

杭州北国之春住宅小区、中恒世纪科技园、富阳现代肖邦住宅小区、丽水滨江公园（丽水市青少年科技活动中心、丽水市城市规划展示馆、丽水市博物馆）、西昌一环路历史风貌核心区、江西万载县龙湖公园及花爆燃放国际赛事中心、西双版纳州景洪市流沙河片区规划。

获奖情况

浙江省钱江杯三等奖、浙江省钱江杯三等奖

The Well Known Design Institutions & the Character's Profile

2011-2012 中国建筑设计作品年鉴
优秀设计机构·人物档案

设计机构
Design Institutions

扫描查看更多信息

NITA

荷兰NITA设计集团
Netherlands NITA Design Group

关于NITA

荷兰NITA（尼塔）设计集团是由欧洲顶级设计团队联合而成的国际综合设计机构，总部设在荷兰阿姆斯特丹，欧洲共设有六个专项事业部。在大型综合空间、城市环境及主题公园、居住社区、旅游度假与娱乐项目的规划设计方面所展现出的无与伦比的创造能力得到了广泛的认可。NITA汇集了近千名专业设计人员，包括资深景观师、管理顾问、规划师、建筑师、工程师及在交通、能源、生态等领域的众多国际专家。

自1999年NITA着于中国昆明园艺博览会的荷兰园设计后，NITA开始在中国境内开展设计业务；2002年设立中国总部，并为高速发展的中国，提供国际领先的景观、规划、建筑、旅游和生态策略的设计服务。

在2010上海世博，NITA通过国际竞赛，先后承接了“世博公园、白莲泾公园、世博村景观、江南公园及滨江绿地”等多个世博核心绿地项目，紧接着在中国船舶馆（园区最大企业馆）的国际邀请中也成功脱颖而出。设计总绿地面积超过120公顷，沿黄埔江岸线长度超过12公里。基于在上海世博项目中的突出表现，NITA被上海市世博事务协调局聘为“上海世博园区（浦东、浦西）景观总体设计及管理单位”和“上海世博园区景观环境工程实施技术总顾问”。在营造世博园区期间，NITA在中国与荷兰政府的大力支持下，在5.28平方公里的世博园区积极推进“GREEN CITY”理念，实施绿色世博计划，引进数十项国际先进的绿色生态技术并得以成功实施，视察的中国领导人与到访的各国高层给予了高度评价。

伴随着NITA在中国最为精彩的上海世博系列作品的逐步建成，NITA正以其国际级的创意设计和解决多学科复杂设计的能力为全球及中国树立起行业榜样。为了与中国更多城市分享NITA国际前瞻性设计与“GREEN CITY”先进理念，NITA相继在上海、南京、宁波和杭州设立了五个分支机构以及工程技术管理、生态科技研发、植物繁殖培育等多个专项事业部，汇聚了各个专业领域500多名技术人才，我们力求为中国业主提供优质全面、一体化的服务。

About NITA

The Netherlands is known as the kingdom of flowers and has some of the world's most beautiful landscapes. The Netherlands has also been responsible in providing new and innovative urban design concepts, which advocates its strong relationship and affinity for its environment and natural landscapes. The Dutch emphasis on both the ecological and cultural perception of urban landscapes has inspired and improved landscape design through out the world.

Numerous Dutch landscape design companies and designers work hard to promote the Netherlands as a successful world model for the urban environment. NITA Design Group is among these companies along with another six top Dutch design companies lead by NIEK ROOZEN. NITA adopts concepts of Dutch design which promote flexibility and adaptability as part of being environmentally aware. This has made NITA Design Group one of the most important and progressive companies in landscape design in China. Now NITA's projects can be found in some of China's most famous cities, metamorphosing: towns, parks, plazas, buildings, bridges, municipal projects etc.

The rapid growth of the Chinese economy has meant that urbanization is faster than ever. The fastest urbanization the world has ever seen. NITA Design Group has showed their interests in the Chinese market, and after its successful participation in the Expo Park of Kunming Expo 99 China, NITA has entered into the Chinese market with enthusiasm.

Since 2002 NITA has presented a series of notable projects in Beijing, Shanghai, Suzhou, Ningbo, Wuxi, Wuhu, and other cities across China. NITA's advanced design concepts are based on principles of sociology, zoology and ecology. The naturalistic style focuses on environmental and human amenities. The ambition of NITA is to make nature and the urban environment as one integrated mass, where people can live together in harmony. NITA builds their reputation on technical force, faith, and commitment to its strong philosophy.

NITA would like to cooperate with friends and partners sharing the same philosophy to make a better future.

地址：上海市徐汇区田林路142号G楼4楼
电话：+86-21-31278900
传真：+86-21-31278901
邮箱：lego@nitagroup.com
网址：www.nitagroup.com

Add: 4/F, Tower G, 142 Tianlin Road, Xuhui District, Shanghai, P.R.China
Tel: +86-21-31278900
Fax: +86-21-31278901
Email: lego@nitagroup.com
Web: www.nitagroup.com

美国HOOP建筑设计有限公司
HOOP ARCHITECTURAL DESIGN CONSULTANTS.INC.

上海霍普建筑设计事务所有限公司

上海霍普建筑设计事务所有限公司创立于2003年，前身为美国HOOP建筑设计有限公司在上海设立的分支机构。拥有建筑设计甲级资质，办公地址设于中国上海浦东新区嘉里城，办公面积约2500 m²，现有建筑专业设计人员约120人。公司拥有一支经验丰富、精益求精的高水准、国际化专业设计团队，致力于建筑设计、城市设计等领域的发展，在高端住宅和城市综合体设计领域表现得尤为突出。凭借雄厚的设计实力、国际化的设计理念，霍普建筑在中国境内已完成大量优秀设计作品并付诸实施，在业内取得了较高的知名度和良好的声誉。

地址：上海浦东新区芳甸路1155号浦东嘉里城办公楼4201
邮编：201204
电话：+86-21-58783137/58781808/68590505
传真：+86-21-58782763
邮箱：info@hyparchi.com
网址：www.hyparchi.com

深圳市霍普建筑设计有限公司

深圳市霍普建筑设计有限公司创立于2002年，前身为美国HOOP建筑设计有限公司在深圳设立的分支机构。在中国上海、深圳、天津、浙江、江苏、山东等地参与了多个项目的规划及建筑设计工作，并多次获得国家、地区及行业协会授予的设计奖项。

深圳市霍普建筑设计有限公司强调设计理念的创新，以最优的策略解决项目中的审美问题、技术问题和经济问题。公司重视团队精神和员工的职业责任感，将客户的信赖视为企业的生命。全新的设计理念、高水准的服务水平，以及不断自我超越的信心，是公司提供高质量设计服务的保证。

地址：深圳市南山区高新南六道6号迈科龙大厦301室
邮编：518057
电话：+86-755-83458622
传真：+86-755-83468633
邮箱：szhoop@vip.163.com
网址：www.hoop-archi.com

扫描查看更多信息

CENTALAND 森拓设计机构

森拓设计机构
CENTALAND Design Consultants Co.,Ltd.

森拓设计机构(CENTALAND)近年来致力于内地高端建筑产品设计。森拓除在加拿大温哥华及中国香港设立分支机构外，还在中国上海、重庆、杭州三地分别注册成立了分公司。
森拓设计擅长将优秀的建筑设计理念、技术及设计手法融为一体，积极地理解业主及市场的要求，正确分析地域环境条件及文化背景，同时关注项目的投资成本与经济因素。森拓设计在多种建筑类型上均有实践，其中特别擅长于：高端别墅类、大型综合居住区、高尔夫及旅游休闲度假区、酒店、复合型商业建筑等。
机构的代表作品有：

·别墅及休闲度假类

上海城开·万源城御溪、上海保利·十二橡树、北京保利·垄上、重庆常青藤人文别墅、重庆龙湖·香樟林、重庆保利·国际高尔夫花园、重庆金科·太阳海岸、重庆中渝·梧桐郡、成都龙湖·长桥郡、广州保利·林语山庄别墅居住区、杭州绿城·桃花源、杭州新湖·香格里拉、南京瑞基·山河水、南京鸿信·云深处、南京华隆·紫金七号、包头保利·南海高尔夫庄园、安吉恒励·龙王溪谷等。

·大型综合居住区

重庆庆鸿·郁金香国际公寓、重庆武夷滨江、重庆天骄·美茵河谷、成都朗基·欧城、成都朗基·望今缘、成都远洋·朗郡、成都龙湖·弗莱明戈、昆明俊发·滇池华府、昆明俊发·滨江俊园、杭州万科·魅力之城、郑州建业·森林半岛、石家庄路劲·蓝郡、常州莱蒙水榭花都国际城、许昌建业·帕拉迪奥等。

·商业办公综合体

重庆帝景摩尔、重庆龙湖·蓝湖郡商业街、重庆旭阳·朗晴广场、重庆金科·太阳海岸时代广场、成都朗基·和芯科技楼、山东蓬莱酒庄、漯河建业·福朋酒店、常州莱蒙国际城假日酒店Holiday inn、绍兴县行政中心等。

Centaland Design Consultants CO., LTD (CENTALAND) is dedicated to high-end architectural design in mainland in recent years. In addition to Vancouver, Canada and Hong Kong, China, it set up three independent branches respectively in Shanghai, Chongqing and Hangzhou.
Centaland Design is good at integrating excellent architectural design concepts, technologies and design techniques, can actively and correctly understand the owners and market, regional environmental conditions and cultural background, at the same time concerned about the project's investment cost and economic factors, and strive to combine perfectly the owners' pursuit of building material products with the artistic value. Centaland Design have practice in a variety of building types, particularly good at high-end villas, large-scale integrated residential, golf and tourism and leisure categories, hotels, commercial complex buildings and so on.
Representative works:

• Villas and Leisure

Shanghai Urban Development·Wanyuan City Yuxi, Shanghai Poly·Twelve Oaks,Beijing Poly·Longshang, Chongqing Lvy humanities Villa,Chongqing Longfor·Fragrant Forest,Chongqing Poly·International Golf Garden,Chongqing Jinke·Sun Coast Villa,Chongqing Zhongyu·Phoenix County,Chengdu Longfor·Bridge County,Guangzhou Poly·Linyu Mountain Villa, Hangzhou Greentown·Tao Hua Yuan,Hangzhou Xinhu ·Shangri-la,Nanjin Ruiji·Romanvision,Nanjin Hongxin·Invisible Class,Nanjin Hualong·Zijin Qihao,Baotou Poly·South-sea Golf Manor,Anji Handnice·King Valley,etc.

• Large-scale Integrated Residential

Chongqing Qing Hong·Tulip International Apartments,Chongqing Wuyi·Riverside,Chongqing Tianjiao·Meiyin River Valley,Chengdu Langji·Europe City,Chengdu Langji·Wang-jin-yuan,Chengdu Ocean·LangJun,Chengdu Longfor·FlamencoSpain,Kunming Junfa·Dianchi Huafu,Kunming Junfa·Binjiang Junyuan,Hangzhou Vanke·Glamorous City,Zhengzhou Jianye·Forest Peninsula,Shijiazhuang RoadKing·Blue County,Changzhou Le Leman City,Xuchang Jianye·Palladio,etc.

• Commercial Office Complex

Chongqing Dijing Mell,Chongqing Longfor·Blue Lake County Commercial Street,Chongqing Xuyang·Langqing Place,Chongqing Jinke·Sun Coast Times Square,Chengdu Langji·Science And Technology Page,Shandong Penglai Winery,Luohe Jianye·Fupeng Hotel, Changzhou Le Leman City Holiday inn,Shaoxing Country Adminstration Center,etc.

上海公司
地址：虹口区吴淞路297号甲5楼
邮编：200080
电话：+86-21-63831225(26)(27)
传真：+86-21-63831622
邮箱：centaland-sh@163.com

Shanghai Branch
Add: Fifth floor, No.297 Wusong Road, Hongkou District, Shanghai
P.C.: 200080
Tel: +86-21-63831225(26)(27)
Fax: +86-21-63831622
E-mail: centaland-sh@163.com

重庆公司
地址：重庆市渝中区双钢路3号科协大厦7楼
邮编：400013
电话：+86-23-89065518(28)(38)
传真：+86-23-89065516/+86-23-63659826
邮箱：centaland-cq@163.com

Chongqing Branch
Add: Seventh floor, Kexie Building, No.3 Shuanggang Road, Yuzhong District, Chongqing
P.C.: 400013
Tel: +86-23-89065518(28)(38)
Fax: +86-23-89065516/+86-23-63659826
E-mail: centaland-cq@163.com

杭州公司
地址：杭州市西湖区天目山路176号11号楼二层
编码：310012
电话：+86-571-88270595(96)(97)(98)
传真：+86-571-88270593
邮箱：centaland-hz@163.com

Hangzhou Branch
Add: Second floor, No.11 Building, No.176 Tianmushan Road, West Lake District, Hangzhou
P.C.: 310012
Tel: +86-571-88270595(96)(97)(98)
Fax: +86-571-88270593
E-mail: centaland-hz@163.com

PEDDLE THORP ARCHITECTS
澳大利亚柏涛(墨尔本)建筑设计有限公司

澳大利亚柏涛（墨尔本）建筑设计有限公司是澳大利亚最大的建筑设计公司之一。柏涛的历史可以追溯到1889年，一个多世纪以来，柏涛一直走在世界建筑设计行业的前列。
杰出、实用和经济是柏涛公司设计的原则；设计上的创新和技术上的更新是公司的宗旨；技术上的可靠和设计上的独特，更是公司长期的声誉之所系。庞大的技术资源、丰富的经验，使柏涛公司能够承担各种规模、各种类型的区域规划设计和各类建筑的设计。
柏涛建筑设计集团除在澳大利亚几个大城市有设计公司外，还在东南亚、欧洲和美国设有分支机构，设计业务遍布世界各地。柏涛墨尔本公司集中了一大批优秀的建筑师和相关专业人员，除开展一般的建筑设计业务之外，还对体育、医疗、住宅建筑设有专门的研究机构。主要作品有澳大利亚国家网球中心、澳大利亚墨尔本奥林匹克公园、自行车赛馆、ESSO澳洲总部、墨尔本水底世界水族馆、马来西亚运动中心，以及众多建于澳洲本地与国外的酒店、商业大厦、政府大厦、写字楼工程、居住区建筑、医疗设施等。
1998年2月，柏涛墨尔本公司在中国成立办事处，随即设立柏涛亚洲公司，发展中国及周边地区的建筑设计业务，其设计业务范围包括城市规划、建筑设计及景观园林设计。经过澳中建筑师几年来的共同努力，如今已成功设计完成了许多令人瞩目的优秀工程项目，并多次获得中国权威机构颁发的奖项。同时，与中国的政府、著名的开发企业及设计机构建立了良好、深入的合作关系。
柏涛墨尔本公司在中国的设计机构拥有众多高素质的中外建筑师，国际化的先进设计理念、本地化的优秀团队服务，使公司业务发展迅速。到目前为止，业务范围已覆盖中国境内26个省、市、自治区，并在上海常设实力雄厚的设计机构。在澳洲本部的支持下，我们有能力在大规模的城市区域规划设计、大型公共建筑设计（包括办公楼、商业中心、酒店、教育行政文化设施、运动娱乐设施、医疗设施等），以及住宅区规划设计、园林景观设计等方面，以独特的设计手法、先进的技术和丰富的经验，活跃在国际建筑设计舞台上，并始终如一地为客户提供一流的服务。

Founded in 1889, Peddle Thorp Pty Ltd. has been one of the largest architectural design firms in Australia. For over one hundred years, Peddle Thorp has always been at the forefront of the architectural world.
Pre-eminent, practical and efficient design works are the principles; design innovation and technical renovation are treated tenets; established reputation has been based on technical reliability and unique design. With superior technical resources, advanced computer skills and comprehensive experiences, Peddle Thorp has been specializing in regional planning and architectural design in various scales and categories.
Peddle Thorp Group has practices worldwide with offices in Australia, South East Asia, Europe and America. Supported by a number of outstanding architects and experts, Peddle Thorp provides professional design service for sports, health and various residential projects. Major works are Australian National Tennis Centre, Melbourne Olympic Park and Velodrome, ESSO Headquarters, Melbourne Underwater World Aquarium, Malaysia Sports Centre, and a series of hotels, retail projects, offices, residences, and health facilities both in Australia and internationally.
Peddle Thorp Asia has established business in 26 provinces, autonomous regions and cities throughout China and a branch office in Shanghai, to accommodate a quality team of both Foreign and Chinese architects, introducing an internationally advanced design philosophy. In collaboration with the Melbourne Office, Peddle Thorp Shenzhen is able to provide a wide range of professional planning, architectural design, residential design, and landscape design by utilizing a unique approach. Advanced skills and comprehensive experience commit Peddle Thorp to provide a specialized service for our clients worldwide.

澳大利亚柏涛（墨尔本）建筑设计有限公司亚洲分公司
PEDDLE THORP ARCHITECTS ASIA

地址：深圳市南山区华侨城生态广场A栋302
总机：+86-755-26928866
项目洽谈：+86-755-26919391/26919576
传真：+86-755-26905186
邮箱：main@ptma.com.cn
网址：www.ptma.com.cn

Add: Room 302, Building A, Ecological Square,OCT, Shenzhen
Tel: +86-755-26928866
Business: +86-755-26919391/26919576
Fax: +86-755-26905186
E-mail: main@ptma.com.cn
Web: www.ptma.com.cn

扫描查看更多信息

AIM International
[加拿大]
亚瑞建筑|景观
[中国甲级]

2011'DRIVING FORCE AWARD ON CHINA SUSTAINABLE URBAN DEVELOPMENT
2011年'中国城市可持续发展'最佳国际设计机构
2009-2011 CHINA'S MOST INFLUENTIAL OVERSEAS DESIGN AGENCY
2009-2011 中国最具影响力境外设计机构

加拿大 AIM [亚瑞] 国际设计集团
Canada AIM International Design Group

地址：广州体育西路173号天河大厦综合楼
二、四、五楼
电话：+86-20-38819168
传真：+86-20-38812825
邮箱：a@aimgi.com
网址：www.AIMgi.com

中国建筑景观部：
T +86-20-38819168
+86-20-38811627
+86-20-38848126
F +86-20-38812825
E A@AIMgi.com(建筑)
La@AIMgi.com(景观)
Q 1626792038

中国室内部：
T +86-20-38813815
+86-20-38813785
+86-20-38864882
F +86-20-38811267
+86-20-34387365（广美）
E M@AIMgi.com
Q 491240981

中国商业地产策划
T +86-20-38848831
+86-20-38848832
+86-20-38848823
F +86-20-38809480
E I@AIMgi.com
Q 49448826

国际部(加拿大)
T +416-4919988
F +416-5677803
国际部(香港)
T +852-24116631
F +852-89497386

扫描查看更多信息

AIM International是在加拿大和中国香港注册的跨国品牌，是中国、瑞士、加拿大合资设立的甲级建筑设计单位。广州总部聚集了近300名国内外专业人才，形成涵盖商业地产策划、城市规划、建筑设计、室内设计、景观设计、广告设计、项目管理、工程施工（室内、景观）八大领域的全程服务产业链。项目覆盖美国、澳洲、加拿大、泰国、加纳等国家和中国香港、北京、上海、广州等城市，项目达数百个。

AIM亚瑞建筑景观设计引进先进的国际项目管理模式，开放、包容、激情的公司文化吸引了众多才华横溢的明星建筑师，在"优秀的设计、优质的服务"理念指导下，已经为近百个项目提供了专业的服务。AIM伴随客户业主们的成功而迅速成长，同时，多元化的集团模式使AIM亚瑞在策划设计理念和技术手段上也引领着市场方向，逐步在国际上赢得了良好的口碑。

部分合作伙伴（排名不分先后）

中信地产、恒大地产、万达地产、保利地产、联华国际、龙光集团、广晟地产、粤丰投资、佛奥集团、光大地产、中南恒展集团、中力集团、吉林大学、龙华地产、集安投资、建南集团。

荣誉

2011年获"中国城市可持续发展"最佳国际设计机构
2009—2011年获"中国最具影响力境外设计机构"

AIM International is a multi-disciplinary design firm originally formed in Canada. We have offices in Canada, Hong Kong and Guangzhou. The department in Guangzhou has nearly 300 staffs including employees from Canada, Britain and Hong Kong. We service projects are all over the world and mainland China. We cross the boundaries of Architecture, Interiors, Landscapes and Urban design, Modeling, Graphic design and Project management. AIM consists of three departments which are ARUR, Idea and M-team.

AIM ARUR Architectural Design keeps our management method openness and flexible to encourage staff to be creative and competitive in a growing firm. With involvement in hundreds of projects across the field of Commercial, residential and public buildings around the world and we have gained trust form clients and continue to win a world reputation.

CDG 国际设计机构
CONCORD Design Group

CDG 国际设计机构于 2001 年在加拿大 BC 省首府维多利亚市注册成立，其宗旨为针对中国市场整合设计组合和服务。机构成立至今，历经十几年耕耘，CDG 已成为在中国业界受人尊敬的知名设计品牌。多年来，CDG 国际设计机构在商业娱乐、办公、酒店、别墅及综合居住区等专业领域完成了大量优秀作品，并荣获多种奖项。

CDG 一贯倡导客户至上的理念和开放创新的精神。目前机构在北京设立了分公司，在京设计人员包括规划建筑及景观设计专业共 100 余人。设计人员包括许多 CDG 多年培养起来的及陆续加盟 CDG 团队的极具天分和才华的优秀人才。

CDG 国际设计机构在加拿大参与当地多个项目的投资开发及规划设计。对中西方不同的生活文化及市场的了解，使 CDG 为中国客户提供服务时更有针对性和前瞻性。以商业的头脑帮客户提高利润，以国际的视野为客户创作精品，成为多年来 CDG 每一个设计项目的成功关键，也成为与每一位客户长期合作的基础。多年来，CDG 国际设计机构与万科、中海、远洋、中建、世茂、中铁、富华、华夏、亚泰等知名企业形成了长期合作伙伴关系。

2012 年，CDG 国际设计机构推出其中文品牌——“西迪国际”，也正是对公司文化的本土化注解。希望更有亲和力的中文名称，伴随着西迪国际每一个成功作品的面世，能够更加深入人心。

CDG International Design Ltd., established in 2001 Victoria BC, Canada, targets the Chinese market with aim to achieve integration of outstanding design and renowned service. With over ten years of excellence, CDG has become a well-known and respected brand in the field. Throughout the years, they have completed projects in areas of entertainment,office, accommodation,and residential, many of which have been awarded or prized for outstanding design.

Their team has always treasured a customer-first theory and an open, innovative approach. Today CDG has a branch office in Beijing, consisting of about 100 members in the fields of planning, architecture, and landscape design. Some are brought up in the company over the years while others have joined more recently, but all team members are greatly prized for their unique talent and extensive contribution.

CDG has taken part in many projects in Canada involving investment, development, and planning architecture. Their understanding of the unique Western culture and market has enabled them to serve their clients with a greater sense of aim and prediction. They prosper to accomplish excellence in their work with an international view and a business mindset. Over the years, They have established strong relations with their clients, including Vanke, China Overseas, Sino-Ocean,CSC-Land, Shimao, Zhongtie, Fuhah, CFLD and Yatai.

In 2012, CDG International Design Ltd, launches its Chinese Brand—“Xidi International” , It is also the localization comment of the company, the more affinity Chinese name. Along with every successful available work of Xidi International, it can be more deeply.

www.cdgcanada.com

地址：北京市海淀区长春桥路11号万柳亿城中心A座13层
邮编：100089
电话：+86-10-58815603/58815633
传真：+86-10-58815637
邮箱：cdg@cdgcanada.com

Add: F13 in Block A, Wanliu Billion City Center No.11, Changchun Bridge Road, Haidian District, Beijing
P.C.: 100089
Tel: +86-10-58815603/58815633
Fax: +86-10-58815637
E-mail: cdg@cdgcanada.com

美国开朴建筑设计顾问（深圳）有限公司
CAPA Architecture Designing Consultant Ltd.USA

深圳艺洲建筑工程设计有限公司
ShenZhen Yizhou Architecture & Engineers Co.,Ltd.

开朴设计

CAPA建筑设计总部设在美国马里兰州，2003年进入中国深圳并注册了亚洲分支机构。CAPA是具有先进的国际视野，熟悉中国本土文化，能进行设计研发，具有思想文化影响力的创新型方案设计企业。CAPA设计业务包括项目前期策划研究、建筑设计、城市设计。设计项目的类型涉及各类大型居住区、别墅和高档公寓、旧城改造、商务办公、购物中心、商务酒店、城市综合体建筑及旅游休闲度假区等。
CAPA设计以"建筑让生活更加美好"为设计的源动力，执着于为城市发展提供建筑解决方案，持续为社会和客户创造更多、更新的价值。CAPA致力于零距离贴近市场和时代发展趋势，服务于高端客户，融汇东西方文化精髓，创立多行业跨界合作的工作模式，推动专业技术的发展；并融入项目前期市场策划，协助业主明确项目定位及其开发经营理念，强调产品研发创新，为中国一流品牌地产企业提供富有创意的方案设计及艺术化的个性设计，持续为合作客户提供项目开发的增值服务。

艺洲设计

深圳艺洲建筑工程设计有限公司是1993年由中华人民共和国建设部、深圳市建设局批准成立的全国首批民营建筑师事务所之一，国家甲级设计机构，通过了ISO9001质量认证。
公司拥有多名国家一级注册建筑师和一级注册结构工程师，以及一批实践经验丰富的高级建筑师、高级工程师、规划师、设备工程师，专业配套齐全，技术设备先进。
公司的业务范围包括建筑与工程规划设计、室内装修设计、结构工程、给排水、空调通风、建筑电气、工程管理及技术咨询等。

地址：深圳市深南大道4005号联通大厦9楼
邮编：518046
电话：+86-755-33068600
传真：+86-755-33068610
邮箱：capa2000@vip.sina.com
网址：www.capa-yizhou.com

Add: 9th Floor, Liantong Building, Shennan Street No.4005, Shenzhen
P.C.: 518046
Tel: +86-755-33068600
Fax: +86-755-33068610
E-mail: capa2000@vip.sina.com
Website: www.capa-yizhou.com

扫描查看更多信息

J.A.O.Design International Architects & Planners Limited

美國龍安建築規劃設計顧問有限公司

美国龙安集团成立于1984年，由美籍华人，前纽约市规划局委员、局长，国际著名建筑规划专家，中国国家外专局美籍规划建筑专家饶及人创建。遵循“以城市规划为切入点参与城市运营、为中国百姓提供世界一流的绿色低碳建筑”的发展理念，广泛参与中国城市化进程中的城市规划、建设与城市运营，成为中国城市规划设计领域的领军企业之一。

作为成功打入中国市场的外资企业，美国龙安集团将中西合璧的理念完善结合，在中国获奖最多，拥有“中国最具影响力的国际设计事务所”的称号；由于充分了解与熟悉中国的体制与管理，能和中国各城市主管领导进行无障碍沟通，美国龙安集团结合自身的国际资源优势与当地实际情况，通过集团总裁饶及人先生的全面整合，集中调动国际基金资源，介绍与引进投资，促使项目得以落地执行。进入中国发展的十几年来，美国龙安集团在中外交流、文化传承、城市规划、建筑设计、城市运营等方面参与了中国的发展，做出了卓越贡献，取得了辉煌成就，得到中国政府、社会各界以及客户的充分肯定和认可。

龙安集团广泛吸纳整合优质资源，力求使社会优质资源效益最大化发挥。集团旗下拥有诸多核心品牌公司，包括美国龙安设计纽约构思中心、美国龙安建筑规划设计顾问有限公司、北京众拓建筑工程设计有限责任公司、龙安基金 、北京龙安国际建筑规划设计咨询有限公司、艾普克中国投资有限公司（美国龙安集团控股）、翰诺城市（北京）投资顾问有限公司（美国龙安集团控股）、中国城市资源投资有限公司（香港）（美国龙安集团控股）、美中城市规划建设基金会、北京光酷照明工程有限公司，并有众多国内外顶尖建筑规划设计人才加入。

迄今为止，城市规划总面积2877平方公里 （约47个纽约曼哈顿岛）；住宅区规划设计总建筑面积约为2257万 m^2（约为22万个家庭房）；公建设计总建筑面积1219万 m^2（约相当于75个国家大剧院）；旧城改建街道总长度11，300米（相当于6条半法国香榭丽舍大道）；景观设计总面积1，107公顷（约3个纽约曼哈顿中央公园面积）；室内设计总面积15万 m^2（约514个样板间）。

“JAO Design International Architects and Planners Limited” was established in 1984 in New York and relocated offices Hong Kong in 1996. In 1998'a branch office was established in Beijing and the company was officially relocated to Beijing in 2001. As Wholly Owned Foreign Enterprise (WOFE), “J.A.O. Design International” has made great strides in forging close partnerships with the government and business community in China. They pride themselves on being a leader in innovative, internationally celebrated architecture and planning services.

Core Business

There are five(5) categories of professional services offered by our company:

1.Planning: Urban and city planning, urban re-development, new urban planning concepts, tourism development planning and community planning.

2.Architecture Design: Commercial and Residential design (including shopping malls, high rise office buildings and residential communities), museums, exhibition and convention centers, schools (from kindergarten to tertiary education) and high level hotel developments.

3.Landscape Architecture: Gardens, parks and outdoor recreation facilities, residential community landscapes and plazas.

4.Interior Design: High end hotels, offices, showrooms, villas and clubhouse.

5.Construction Drawings: Class A licensed design institute partly owned by the Ministry of Construction capable of producing working drawings for all scale projects.

About Us

“J.A.O. Design International” also provides strong support to our clients in the areas of construction management, feasibility, finance, investment and consulting services. Our design team consists of American, European and Chinese professionals who are able to create innovative and unique designs by mixing cultures and techniques. 85% of our projects are built to our original design. We pride ourselves on being able to handle projects from conceptualization to construction. In other words, planning, architectural design, construction drawings, landscape architecture and construction.

To date They have planned more than 2877 km^2 of new cities, over 22.5 million m^2 of new residential buildings, over 12.1 million m^2 of commercial buildings, over 11 million m^2 of landscape design, 11 km^2 of street front renovation. They have won over 120 design awards and since 2004 has been rated one of the top ten design firms in China.

地址：北京市朝阳区光华路5号世纪财富中心东座20层
邮编：100020
电话：+86-10-85875222
传真：+86-10-85875922
邮箱：jaobj@jaodesign.com
网址：www.jaodesign.com

Add: 20th Floor, East Tower, Century Fortune Plaza, Guanghua Road No.5, Chaoyang District, Beijing
P.C.: 100020
Tel: +86-10-85875222
Fax: +86-10-85875922
E-mail: jaobj@jaodesign.com
Web: www.jaodesign.com

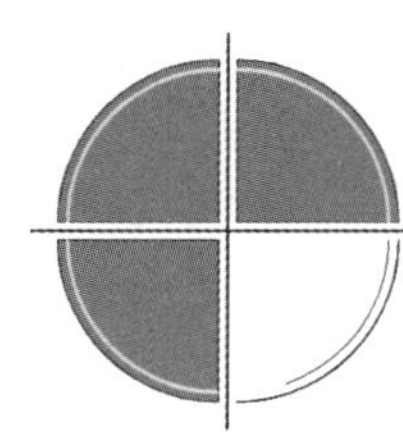

澳大利亚道克设计咨询有限公司

DECO-LAND DESIGNING CONSULTANTS (AUSTRALIA)

澳大利亚道克设计咨询有限公司 (DECO-LAND DESIGNING CONSULTANTS, AUSTRALIA) 于 21 世纪初在澳大利亚悉尼创建。自道克设计 (DECO-LAND) 进入中国以来，已分别在深圳与北京设立了分公司，在成都与西安设立了办事处，迅速成为国内颇具影响力的设计机构；至今公司的分支机构在中国的设计师已超过 80 人，在中国市场的设计面积已累计超过了 2000万m^2。

道克设计的核心团队吸纳了来自澳洲、欧美与亚太地区的众多优秀设计师，对土地利用、投资咨询、规划设计、建筑设计、景观园林、室内设计以及施工管理方面都具有丰富的经验。公司的设计服务涵盖了规划与城市设计、城市标志性建筑设计、文化与商业建筑设计、住宅设计、城市景观设计、室内设计等诸多领域。公司依托国际化背景，拥有国际及本土的多元化的专业设计团队，形成了独具一格的创作和服务特色。公司致力于为客户提供便捷、高效，更具成本效益的专业服务。道克设计力图为新世纪城市和建筑所面临的新问题提供新的解决办法，从广阔的城市视角和特定的城市体验中解读建筑的内涵。

道克设计的主旨是：从理想把握现实，在现实中调整思想；能在每一个项目中发现其中关键性的问题，然后提出一整套创造性的解决问题的方案，同时秉承了现代主义先驱的设计理念，认为建筑是使生活变得更加美好的动力之一。公司力图通过广泛的实践来发展和完善其理念，每个成员都在以主动参与的心态加入到项目设计中，坚信团队合作的精神将产生最佳的作品，最终以完善的设计成果展示给业主。道克的设计成果不仅是一种完善的建筑形式和风格，更是一种对项目完善的解决方案，使普通的开发产生诗意的生活和富有内涵的文化意念，借国际视野，以中国哲学思想精髓内涵服务中国地产，使项目在先进的思想、信念、技术和材料等组织设计中而提升价值。

近年来，道克设计积极参与国内多项重要的建设项目和规划设计，从 2001 年至今，公司多次在大型项目的国际招标里中标，近年来更荣获多项国际国内大奖，并担任多个开发机构和建筑媒体的顾问理事单位。

DECO-LAND DESIGNING CONSULTANTS, AUSTRALIA was established in Australia Sydney at the turn of the century. Since DECO-LAND entered into China, the branch companies have been established in Shenzhen and Beijing, and the branch offices have been established in Chengdu and Xi'an, which have become the most influential design organizations in China promptly; up to the present, there are more than 80 designers in the branch organizations of the company in China and the design area on Chinese market are accumulated to exceed 20 million m^2.

The core team of DECO-LAND has recruited outstanding designers who come from Australia, EU and America as well as Asian and Pacific regions and have rich experience in land utilization, investment consultation, planning & design, architectural design, landscape design, interior design as well as construction management. The design services of DECO-LAND cover many fields, such as planning & urban design, design of urban landmark building, cultural and commercial architectural design, design of dwelling houses, urban landscape design and interior design, etc. Relying on internationalization background, we have international and national diversifying professional design team, which has formed distinctive creation and service feature, and the company devotes itself to supplying convenient, efficient and cost-effective professional services for customers.

DECO-LAND tries to supply new solutions for the new problems which are faced by architecture and cities in the new century and tries to read the meaning of architecture from the extensive urban visual angle and given urban experience.

The major idea of DECO-LAND is: grasping the reality from the ideal and adjusting thinking in reality; being able to find out critical problems in every project, and then being able to propose a whole set of creating solution proposals, and at the same time taking orders of pioneers of Modernism design philosophy, considering that architecture is one of the power which make life become finer. The company tries to develop and perfect its philosophy through extensive practice, every member is taking part in project design with the mentality of active participation, and firmly believing that spirit will produce the best works and will show the perfect design achievements to owners at last. Our design achievements are not only a kind of perfect building type and style but also a kind of solution to perfect project, which make common development generate poetical life and connotative cultural idea, and based on global vision, it serves China Property with the connotation of Chinese philosophic thought essence, making the project improve its value in the design of advanced thinking, conception, belief, technique and materials, etc.

In recent years, DECO-LAND has actively taken part in many important construction projects and planning & designing in China. From 2001 to now, the company has won bids in the international bidding of many large-scale projects, has been honored many international and national big prizes in recent years, and has worked as the consultation & direction unit of many development organizations and architectural medias.

● Sydney
Barker Street Kingsford NSW2032, Australia
Tel: +61-2-93983753
Fax: +61-2-93266818

● 深圳 Shenzhen
深圳市天安数码城天吉大厦 A 座
Tel: +86-755-83869932
Fax: +86-755-83869959

● 北京 Beijing
北京市朝阳区远洋国际中心 C 座
Tel: +86-10-58081092
Fax: +86-10-59081094

扫描查看更多信息

AN ARCADIS COMPANY

RTKL国际有限公司
RTKL International Ltd.

RTKL成立于1946年，是全球最大的创意企业之一，于2007年加入ARCADIS全球网络。RTKL以创造独特场所和持久价值为目的，专长于为建设项目提供全程的综合性的设计服务，范围涵盖城市规划、建筑设计、室内设计、机电系统、结构工程、通信、安保、视听系统、环境标志、景观设计等领域。设计作品包括企业总部、学术、商业、混合业态、零售、政府、文化、酒店、娱乐、医疗设施以及交通枢纽项目等。

RTKL总部位于美国马里兰州巴尔的摩，各设计公司分布于华盛顿、芝加哥、洛杉矶、达拉斯、迈阿密、伦敦、阿布扎比、迪拜、吉达等地。继2003年在上海设立首个中国办公室之后，北京办公室于2010年隆重成立。

地址：北京市朝阳区东三环北路27号嘉铭中心B座9层
电话：+86-10-57756800
传真：+86-10-57756801
邮箱：pliu@rtkl.com
网址：www.rtkl.com

Add: 9 Floor, Jiaming Center block B, Dongsanhuan North Road No. 27, Chaoyang District, Beijing
Tel: +86-10-57756800
Fax: +86-10-57756801
E-mail: pliu@rtkl.com
Web: www.rtkl.com

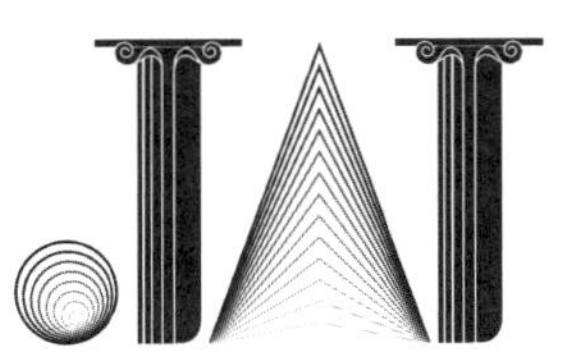

美国James·王建筑师事务所
James Wang Design Associates, Inc.
北京杰地亚建筑咨询有限公司
James Wang Design Associates

James·王建筑师事务所创办人James Wang是美籍华人，1949年出生于台北市，1974年获得台湾淡江大学建筑学士，1977—1978年美国伊利诺理工大学建筑系研究所研究生，1979年获得美国伊利诺州立大学建筑系研究所建筑硕士，是美国建筑师协会会员。1987年在洛杉矶创立James Wang Design Associates，2000年在北京成立北京杰地亚建筑咨询有限公司，设计人员近100人。

James·王建筑师事务所下设规划建筑设计部和室内装潢设计部，业务从规划到建筑单体乃至室内设计都具多元化设计经验，我们每一个设计作品都有各自独特的理念，并领先于本行业。事务所很善于根据业主的需求将产品做到温馨、舒适、豪华、低碳、环保。

James·王建筑师事务所工作的方针及服务宗旨：与客户充分沟通，了解客户所需，设计出客户最满意的作品，在提供舒适的使用空间同时达到综合投入回报最佳组合。

下设两个部门的设计业务涉及：住宅地产、商业地产、旅游地产及综合类地产等行业。产品细分为：高层住宅及公寓、私人会所、豪华别墅、度假酒店、大型商业区及高层办公楼等。

James·王建筑师事务所个性化的设计特点是预算分析与设计方案相结合，所做的每一个项目，都经过仔细的预算及估价分析。在整个设计过程中，事务所会提供不同的设计构思，检讨可行性，并确定工程造价及持久性同设计目标吻合。事务所通常会同业主及估价师审核所有系统及每一个细部环节。此作法，在政府机构及私人企业项目上，已证明非常成功。事务所所努力的方向是在不牺牲设计目标的情况下，保证绝对能在预定时间、指定预算内设计出理想的作品。十多年的经营，已经设计创造作品数千件，覆盖全国多个省市地区。

James Wang Design Associates, Inc. (JWDA) is created by James Wang, a Chinese American born in Taiwan. He is Bachelor of Architecture from Tamkang University (Taiwan), Master of Architecture from Illinois University (USA), and member of American Institute of Architects. In 1987, he set up JWDA in Los Angeles; in 2000, he set up Beijing JWDA Architectural Consulting Co., Ltd. in Beijing, with nearly 100 designers.

JWDA sets up architectural planning design division and interior decorative design division. We have diverse design experiences from planning to single building or even to interior design. Every design work has its own unique philosophy, leading the industry. We are good at making warm, comfortable, luxury, low-carbon, and environment-friendly product's according to owners' demand.

Our working guideline and service purpose are: to fully communicate with customers, to understand what customers need, and to design the most satisfactory works, with the best overall ROI in providing comfortable space for use.

The two subordinate divisions operate businesses involving: residential property, commercial property, tourism property and comprehensive property, etc. The products include: high-rise residence & apartment, private club, luxury villa, resort hotel and large commercial community and high-rise office building etc.

Our design is featured by the combination of budget analysis and design scheme. Every project has gone through careful budget and evaluation analysis. In the whole process of design, we will provide different conceptions, discuss the feasibility, and determine the engineering cost and whether the endurance agrees with the design target. We usually review all systems and every detailed process with owners and evaluators. This practice has proven very successful in the projects of governmental agencies and private enterprises. We are committed to designing ideal works within budget and schedule, without prejudicing the design target. With more than 10 years' operation in China, we have designed thousands of design works, covering many provinces and municipalities of China.

地址：北京市朝阳区新源里16号琨莎中心2座1101
电话：+86-10-88510711
传真：+86-10-88510892
邮箱：jwda@vip.163.com

Add: Suite 1101, Tower 2, Kunsha Building, 16 Xinyuanli, Chaoyang District, Beijing
Tel: +86-10-88510711
Fax: +86-10-88510892
E-mail: jwda@vip.163.com

扫描查看更多信息

Gensler

Gensler是一家全球建筑、设计、规划和战略咨询公司，专业从事各企业、机构和公共组织所拥有或使用的各种建筑及设施的设计咨询。Gensler提供全方位的建筑服务，从初始策划到设计、实施和管理。坚持客户至上的理念，深入了解客户目标和策略，力求通过其的工作和服务显著增加客户的企业价值。
Gensler于1965年成立于美国旧金山。通过与客户密切互动，公司从一间办公室成长为一家拥有42个办公室的全球顶尖设计公司，人员超过3200人。
Gensler获得著名的美国《商业周刊》设计大奖评选出的多项荣誉，该奖项旨在评选出以战略性商业目的为导向的、创新设计解决方案。2000年，美国建筑师学会授予Gensler“年度最佳事务所”荣誉，是其授予合作事务所的最高奖项，并将Gensler列为“21世纪设计事务所典范”。《工程新闻记录（Engineering News-Record）》《世界建筑（World Architecture）》《建筑实录（Architectural Record）》等杂志将Gensler列为全球顶级建筑事务所。2006年，美国绿色建筑商会(US Green Building Council)授予Gensler“领袖奖”。

Gensler is a global architecture, design, planning, and strategic consulting firm that specializes in a wide range of building and facilities owned or used by businesses, institutions, and public agencies. Our services engage the full building cycle from initial planning through design, implementation, and management. We focus on our clients, understand their goals and strategies, and seek to add substantial value to their enterprise through our work and services.
Gensler was founded in San Francisco in 1965. To ensure close interaction with its clients, the firm has grown from one office to a broad-based organization with 42 locations and a professional resource in excess of 3,200 people.
Gensler received the Year 2000 Architecture Firm Award, the AIA's highest honor to a firm that has consistently produced distinguished architecture. Michael J. Stanton, FAIA, then President of the AIA, said in his announcement, “Gensler is America's foremost collaborative practice. The firm exemplifies how the creative mix of disciplines, all with ‘place’ as their focus, adds richness and value to buildings and their settings... Year 2000 is an appropriate time to honor a firm that has consistently pushed the boundaries of architecture.”

地址：上海市卢湾区湖滨路222号企业天地1号楼908室
电话：+86-21-6135 1900
传真：+86-21-6135 1999
网址：www.gensler.com/shanghai

Add: Room 908, Qiye TianDi No.1 Building, Hubin Road 222, Luwan District Shanghai
Tel: +86-21-6135 1900
Fax: +86-21-6135 1999
Web: www.gensler.com/shanghai

ÉTÉ 翌德国际设计机构

été lee et associés architectes urbanistes

■ 法国翌德国际设计机构　　■ 上海翌德建筑规划设计有限公司

来自法国的翌德国际设计机构（été Lee et Associés architectes urbanistes）是城市规划、建筑与景观设计领域的实践先锋、思想先行者，机构项目遍布法国、西班牙、美国、韩国等国家。近10年来，在中国的50余座大中城市主持完成了300余项设计实践。其中，上海2010年世博水门、上海市南外滩地区、上海市张家浜楔形绿地、上海芦潮港海滨国际花城、上海市外高桥商务别墅区，以及应用绿色建筑技术的北京鼎嘉恒苑（The House）、上海市金地·格林郡、成都市华新锦绣尚郡、宁波盛世天城等项目的建成和投入使用，充分体现了翌德国际设计机构"适用·和谐·动人"的创作理念和对自然、文化、经济环境的高度责任感与洞察力，以及在新技术、新材料的运用方面的领先地位。

迄今为止，机构荣膺国家、省部级奖励30余项，并先后获得了由联合国人居署、中国建筑学会颁发的集体与个人国际贡献嘉奖。翌德国际设计机构拥有完善的项目管理体系，健康、活跃的企业文化和创作氛围，多年来，致力于将欧洲先进的设计理念与中国的实际情况充分结合，为中国的城市建设提供高质量的专业服务和可持续发展的技术方案。其国际化的专业协作团队将对社会、经济、环境的综合考虑融入创作过程，为每个项目带来超凡的品质和长远的效益。全方位的效益评估和缜密的设计思路，使翌德国际设计机构成为众多地方政府、投资集团的理想合作伙伴。

été lee et associés Architectes Urbanistes, discovered in Paris, and includes a collection of first-class designers,engineers and planning consultants. It also has an excellent reputation in planning, architecture and landscape design areas. Many outstanding achievements have already been acquired by été lee et associés Architectes Urbanistes from the year of entering the market of mainland China in 2000. They achieved this designing and implementing many projects in more than 50 large or medium-sized cities in China. été lee et associés Architectes Urbanistes also won more than 30 national provincial and ministerial level awards, this includes the international contribution awards in group and individual. At the same time many projects were highly evaluated in industry after being put into use, such as the Shanghai Waigaoqiao Business Villa, Shanghai Gold land Green County residential district, Beijing WangJing residential district (class: High class construction which was built on a Golf Green), Shanghai TianYaoQiao Business Center, Ningxia Colorcast Center and Business Bank. Other major projects include the general city plan for Qingpu district, urban design for the South Bund in Shanghai, Water Gate designing and implementing the Shanghai Expo. To finish été lee et associés Architectes Urbanistes also designed the urban green land in Zhangjiabang and to gain été lee et associés Architectes Urbanistes good business and social reputation.

In the purpose of providing high-quality professional services and technical solutions for sustainable development for urban constructions in China, été lee et associés Architectes Urbanistes are always working on the way to sufficiently combine the actual situation of China with the advanced design ideas of Europe. And a well co-operated professional team will always put their time into thinking about social, economic and environmental creations of each project, for the excellent quality and long-term benefit. Comprehensive assessment of the benefits and rigorous design ideas always make été lee et associés Architectes Urbanistes the ideal partners for many local governments and investment groups.

巴黎
地址：98, rue Quincampoix, Paris, France
邮编：75003
电话：0033(0)142760104
传真：0033(0)142067867

上海
地址：上海市静安区乌鲁木齐北路480号万泰国际21楼
邮编：200040
电话：+86-21-53082775
传真：+86-21-53082776
邮箱：etelee@163.com

成都
地址：四川省成都市高新区府城大道西段399号
天府新谷5号楼1206
邮编：610041
电话：+86-28-85358788
传真：+86-28-55358788
邮箱：etechengdu@163.com

Paris
98, rue Quincampoix, 75003 Paris, France
Tel: 0033(0)142760104
Fax: 0033(0)142067867

Shanghai
21th floor WanTai Mansion No.480 North Urumqi Road. Jing an District Shanghai P.R.China 200040
Tel: +86-21-53082775
Faxl: +86-21-53082776
E-mail: etelee@163.com

Chengdu
Rm.1206 Bldg.5, No.399, Fu Cheng Road. Cheng Du P.R.China 610041
Tell: +86-28-85358788
Faxl: +86-28-55358788
E-maill: etechengdu@163.com

HMD 汉米敦

汉米敦（中国）建筑设计有限公司

HMD(China) Architecture Design Co., Ltd.

汉米敦注册于英国伦敦，是一家提供多专业工程咨询服务的设计公司。为了更高效地为中国城市化建设提供专业服务，我们分别在上海、北京、深圳、重庆设立了中国公司及办事处。HMD中国的业务范围涵盖了从城市总体规划、城市设计、建筑设计、景观环境设计到室内设计的专业内容。通过不懈的努力，HMD在星级酒店、城市综合体、商业地产、旅游地产以及大型房地产项目上获得了不菲的业绩。
汉米敦的专家们所追求的是将国际先进的设计理念，高端的建筑科技应用到城市发展中，并使之与中国的市场及传统文化相融合，进而创造出具有独特文化价值及建筑语言的设计作品。公司推崇开放及创新、荣誉及责任、品质及卓越的核心价值观。提倡一个多元化的、共同创作的工作氛围。并时刻要求我们的设计师们注重对社会、对环境、对客户的责任和义务。
汉米敦的发展目标是将多专业的技术资源有效地整合，进而全方位、多角度的为客户提供尽可能完整的解决方案。同时在保证设计创新及先进理念的前提下，使设计的工作更加高效，使工作的成果更加完善并具有高度的可实施性。汉米敦的团队将不懈努力，以在专业发展上获得更高更远的成就。

HMD is an international multidisciplinary design consultancy with offices in Shanghai, Beijing, Shenzhen and Chongqing. HMD China's business scope covers Planning, Urban Design, Architectural Design, Landscape Design and Interior Design. HMD's work is focused on hotel, commercial, retail development, tourism and large-scale residential projects. The three directors Mr. Jeff Xu (Managing Director), Mr. Paul Rice (Design Director) and Mr. Lee Jianbo (Partner and Senior Architect) with the core team of HMD staff have all worked together in China for many years. The HMD China team, now numbers more that one hundred professional staff.
HMD's goal is to form a socially responsible professional business model, integrating international best practice and Chinese cultural values. It is the aim of the company to create design work of long term value, practicality and elegance.

HMD上海：
地址：中国上海市常德路800号A4号楼2楼
电话：+86-21-32553266
传真：+86-21-32553298

HMD Shanghai
Add: 2F, Building A4, No.800 Chang De Rd Shanghai, China
Tel: +86-21-32553266
Fax: +86-21-32553298

HMD深圳：
地址：深圳市福田区益田路6009号新世界中心2606室
电话：+86-755-83216996
传真：+86-755-22211820

HMD Shenzhen
Add: Room 2606, New World Centre, No.6009 Yitian Rd, Futian District, Shenzhen
Tel: +86-755-83216996
Fax: +86-755-22211820

HMD北京：
地址：北京市朝阳区建国路乙118号招商局京汇大厦1002室
电话：+86-10-65677929
传真：+86-10-65677929

HMD Beijing
Add: Room 1002, No.B-118, The Exchang Beijing, Jianguo Avenue, Chaoyang District, Beijing
Tel: +86-10-65677929
Fax: +86-10-65677929

HMD重庆：
地址：重庆市江北区洋河一路68号1号楼22-5室
电话：+86-23-67796071
传真：+86-23-67796072

HMD Chongqing
Add: Unit 22-5, Building 1, No.68 Yanghe Yi Rd, Jiangbei District, Chongqing
Tel: +86-23-67796071
Fax: +86-23-67796072

ATKINS

扫描查看更多信息

ATKINS

ATKINS是世界上著名的设计顾问公司之一。设计师均具备渊博的专业知识，能有效应对最具技术挑战性和最紧迫的项目，并促进低碳经济的过渡和发展。公司的终极目标是成为世界上最优秀的设计顾问。

无论是以建筑学理念来打造全新的摩天大厦，还是升级铁路网，总体规划一座新城市，或改善管理流程，公司都在孜孜不倦地计划、设计并找出解决方案。

ATKINS拥有75年的辉煌历史，在全球有17 700名员工和超过200个办公室。在过去的14年中，ATKINS是世界上第13大设计公司（ENR2011），世界上最大的建筑公司，欧洲最大的多学科顾问公司和英国最大的工程顾问公司。此外，Atkins还是伦敦股票交易市场的上市公司和FTSE250指数的构成要素。

1994年，ATKINS在中国香港建立了在亚洲的第一个办公室，其后又于1996年在新加坡成立办公室。今天，公司在中国香港、北京、上海、成都、重庆以及越南的胡志明市和悉尼都成立了办公室。这个一体化网络完成了一个个创新性的多学科项目，在从中国到东南亚和澳大利亚的整个广袤区域雇佣了约1000名优秀员工。

Atkins is one of the world's leading design consultancies. Designers have the breadth and depth of expertise to respond to the most technically challenging and time-critical projects and to facilitate the urgent transition to a low carbon economy. Its vision is to be the world's best design consultant.

Whether it's architectural concept for a new supertall tower, the upgrade of a rail network, master planning a new city or the improvement of a management process, They plan, design and enable solutions.

With 75 years of history, 17,700 employees and over 200 offices worldwide, Atkins is the world's 13th largest global design firm (ENR 2011), the largest global architecture firm, the largest multidisciplinary consultancy in Europe and UK's largest engineering consultancy for the last 14 years. Atkins is listed on the London Stock Exchange and is a constituent of the FTSE 250 Index.

In 1994, Atkins established its first Asian office in Hong Kong, followed by Singapore in 1996. Today It also has offices in Hong Kong, Beijing, Shanghai, Chengdu, Chongqing and Ho Chi Minh and Sydney, all part of an integrated network that deliver innovative multidisciplinary projects and employees approximately 1,000 staffs across the region from China to South East Asia and Australia.

Contacts 联系方式：
www.atkinsglobal.com
www.atkins.com.cn

地址：上海市南京西路388号仙乐斯广场22楼
邮编：200003
电话：+86-21-60802100
传真：+86-21-60802101

Add: 22/F. Ciro's Plaza Office Tower, No. 388 West Nanjing Road, Shanghai, China
P.C.: 200003
Tel: +86-21-60802100
Fax: +86-21-60802101

地址：香港九龙尖沙咀海港城港威大厦1座1901-1905室
电话：+86-852-29721188
传真：+86-852-29563112

Add: Suite 1901-1905, The Gateway Tower 1, Harbour City, Tsim Sha Tsui, Kowloon, Hong Kong, China
Tel: +86-852-29721188
Fax: +86-852-29563112

地址：北京市朝阳区建国路91号金地中心A座10层
邮编：100022
电话：+86-10-59651000
传真：+86-10-59651001

Add: 10F, Tower A, Gemdale Plaza, No.91, Jianguo Road Chaoyang District Beijing, China
P.C.: 100022
Tel: +86-10-59651000
Fax: +86-10-59651001

地址：深圳市深南东路5002号信兴广场地王商业中心写字楼53层8-16室
邮编：518008
电话：+86-755-82462109
传真：+86-755-25882563

Add: Unit 8-16, 53/F Shun Hing Square Di Wang Commercial Center 5002 Shen Nan Dong Road, Shenzhen, China
P.C.: 518008
Tel:+86-755-82462109
Fax: +86-755-25882563

扫描查看更多信息

美国A+K建筑师事务所

ATTA+K INTERNATIONAL ARCHITECTURE & PLANNING

A+K INTERNATIONAL 20年来以领先的姿态在中国设计了了无数的优秀建筑作品，尤其在住宅项目中拥有杰出精彩的表现。本公司设计服务范围广泛，从订制别墅、高档多层洋房、高层建筑、商业、酒店会所及综合规划设计，A+K设计团队在中国各地不仅创造了许多怡人舒适的居住环境及高水准的城市风景，更带动了地方的繁荣。A+K INTERNATIONAL设计手法上融合了西方的现代概念和中国的人文色彩，运用商业建筑的手法，创新的将古典式住宅做一个完美的结合，并巧妙的让自然环境与建筑融合一体，创造更高层次的视觉享受。从功能上满足了现代居住的功能要求，从手法上使用现代材料结合古典工法，在居住环境上则回归人性尺度，提供给居民一个温馨的居住环境及生活情趣。
作为一个专业的国外建筑事务所，A+K强调与客户沟通的重要性，透过定期与客户以视频面对面沟通，将最正确讯息零时差的传递至客户端，以确保项目的顺利进行。在品质控管上，本公司坚持只提供最高素质的设计服务，每一个细节大样、色彩及材料都是透过多年来的经验累积与艺术美感结合而成。以人为本的建筑设计不只是科技的呈现，更涵盖许多人文的内涵及美学文化的素养。创造永续美好生活是本公司设计主旨，建筑既是有生命的并具延续性的，唯有具生命力的建筑才经得起时间的考验，让人忍不住多看一眼，甚至停下脚步，拍照留念。

A+K INTERNATIONAL has presented numerous excellent architectural works in China in two decades with a leading attitude, and especially outstanding in residential projects. It has a wide range of design services, covering tailor-made villas, hi-end multi-story houses, high-rise buildings, commercial buildings, hotels & clubs and integrated plan & design. A+K design team has not only created lots of comfortable inhabitable conditions and high standard cityscapes but also boomed local economy all over China. It integrates western modern concepts and Chinese cultural elements in design approach, and its commercial buildings perfectly combine with the classic style of residence in an innovative way and skillfully integrate the natural environment with the buildings to create higher visual enjoyment. Its functions meet modern living requirements, its classical workmanship combines with modern materials, and its humanized habitat conditions provide residents with cozy living environment and enjoyment.
As a professional foreign architectural firm, A+K emphasizes the importance of communications with the clients, transmitting the most accurate information to the client end in real time, through regular face-to-face video communications to ensure the smooth progress of the project. On quality control & management, The company persists in providing highest quality of design service and every piece of detail sample, color and materials are profits of combining years of experience and sense of beauty in arts. The human-based architectural design is not only the presentation of science and technology, but further contains lots of cultural meanings and appreciation in aesthetic culture. We have a design principle of creating enduring & beautiful life, as architectures have a living and continuing quality and only those with vitality can stand the test of time, attract the passersby who will behold and shoot pictures.

Add:14738 Pipeline Avenue,#E Chino Hills,CA91709 USA
Tel:001-909-597-9988
Fax: 001-909-597-9987
Cell:626/827-8177US
13681758955CN
E-mail:twang@akintl.com
Web:www.akintl.com

澳大利亚HYN建筑设计顾问有限公司

HYN Architecture Design & Consulting Pty Ltd. Australia

深圳市汉方源建筑设计顾问有限公司

Shenzhen Hanfang Source Architectural Design Consulting Co., Ltd.

澳大利亚 HYN 建筑设计顾问（深圳）有限公司总部设在澳大利亚新南威尔士，近年来在深圳设立亚洲办事处。境内办事处为深圳市汉方源建筑设计顾问有限公司。其业务范围包括项目前期策划研究和建筑设计。项目类型涉及住宅区、别墅、办公、学校、商业、酒店、城市综合体建筑及旅游地产等。

HYN 坚持充分理解业主和市场的需求，在方案前期同步融入项目策划研究工作，协助业主明确项目定位及经营开发理念。公司坚持产品研发创新，最大化地挖掘提升项目价值，力争为业主创造出高素质、高附加值、艺术化的个性产品。

HYN 以"敬业、诚信、创新"为企业理念，将国外设计工程全程服务机制引进中国，在国内与知名结构水电设计、景观设计等专业公司长期紧密配合，创建多行业互动合作的工作模式。HYN 在设计过程中与客户保持快速有效的沟通和反馈，注重项目后期服务，特别是材料选型及施工制作工艺，增强项目实际运作的可操作性。

HYN 愿景

我们将以诚意的作品打动世界，力求使的一帜帆旗能够飘扬在国际顶级建筑设计行业的海洋里。

HYN 使命宣言

站在高度思考问题，为的是以专业及超前的视角为客户提高产品收益、扩大产品附加值及获得联动业务。

长年伏案努力耕耘，为的是以创意及授予灵魂的作品赋予城市生命，表彰人类的进步，社会的繁华。

面对寸土与之对话，为的是慎用每一寸资源，减少人类发展给自然带来的破坏，平衡人与自然的关系。

HYN is a progressive, multi-disciplinary, design-led architecture and structural engineering practice. The company takes a holistic approach with an integrated focus to create inspirational, environmentally sustainable solutions.

HYN recently set up an Asian branch（Shenzhen Hanfang Source Architectural Design Consulting Co., Ltd） in Shenzhen, China., to cater to the local socio-economical conditions. With our local team, we are able to fully understand and accurately reinterpret client's requirements, transforming ideas into reality, which encompasses maximized return for the client, comfort for the users, and positive contribution to the local community.

In HYN, we value "professionalism, credibility, creativity". We put a lot of emphasis on materiality and building technique, extending our services and expertise throughout the project's implementation process. From our well-established collaboration with local E&M firms、landscaping and interior design firms, we have created an efficient communication channel which enables us to give timely feedback to our clients, and deliver desirable results on time.

HYN Vision

HYN will provide exciting and high profile architectural results to move the world and strive to make HYN to be one of worldwide top brand architecture companies.

HYN Mission Statement

We adhere to create our design in high standard, to achieve maximum value, extend the extra value and get perpetual investment returns through our professional knowledge and forecasted thinking for our clients.

We work diligently to present creative and living designs for city renewal, express our feelings on the development of human being and the prosperity of society.

We analyze each project site to use natural resources carefully, implement sustainable design, and minimize development impact to create a harmonious and balanced relationship with the environment.

地址：深圳市南山区华侨城东方花园别墅 F28 栋
电话：+86-755-26004743
传真：+86-755-26943969
邮箱：hynsz@sina.cn
网址：www.hyndesign.com

Add: 28F, Oriental Garden OCT, Nanshan District, Shenzhen
Tel: +86-755-26004743
Fax: +86-755-26943969
E-mail: hynsz@sina.cn
Web: www.hyndesign.com

承构建筑

美国承构建筑师事务所
深圳市承构建筑咨询有限公司
上海承构建筑设计咨询有限公司
Made & Make Architects

承构建筑最早成立于2008年，现有建筑设计师130余人。在美国纽约开设办公室并在中国深圳与上海都拥有自己的设计机构。作为一个有实力的设计机构，承构建筑的作品覆盖全国，服务于不同类型的客户。
承构建筑自成立以来，已完成超千万平方米的建筑设计项目，建筑类型包括住宅类建筑、教育类建筑、商业建筑、办公综合体建筑、城市设计等，客户包括香港置地、龙湖地产、中海地产、万科地产、招商地产、华润置地、金地地产、保利地产、中冶集团、创维集团、世贸集团、泰达建设、大唐电力集团、奥林匹克花园、佳兆业、协信地产等众多知名企业，并完成了许多学术价值及市场口碑俱佳的建筑作品。承构建筑的作品主要集中在京津地区、长三角、珠三角以及西南地区（重庆与成都）这四个中国最受瞩目的区域和武汉、沈阳、西安等重要城市。
承构建筑的实践包括建筑单体设计、城市设计、城市规划等相关领域。我们认为建筑实践是一种承接的行为，建筑实践与现存的城市地理环境、社会经济条件息息相关。成功的建筑实践不仅满足建筑功能及美学的需求，还应根植于市场，而且通过构造新的空间，延续城市和文化的整体记忆，并提供新的生活体验。

承构建筑的设计宗旨——关注市场　关注客户　关注设计　关注建造

Made&Make Architects is founded in 2008 in New York, U.S and now it has over 130 architectural designers. Shenzhen and Shanghai Made & Make Architects are the branch offices in China. Made&Make Architects provides service to various clients, and our projects spread across whole country.
Since its establishment, Made&Make Architects completed numerous projects, the overall area accounts to 10 million sqm. Our project types vary from residential, academic, commercial complex to urban design. Made & Make Architects serves clients with different background, such as Hongkong Land Holdings Limited, Longfor Properties Co. Ltd., China Overseas Land & Investment Ltd., Vanke Estate, China Merchants Property Development Co., Ltd, China Resources Land Ltd., Gemdale Group, Poly Group, China Metallurgical Group Corp, Skyworth Group, Shimao Group, Teda Construction, China Datang Corporation, Olympic Garden, Kaisa Group, Sincere Group. Made & Make Architects has designed many buildings with market success as well as academic value. The projects of Made&Make are located mainly in four areas with most economic growth in China, such as Beijing and Tianjin Area, Yangtze river delta region, Pearl river delta region and Southwest region (Chongqing and Chengdu).
Our practice covers architectural design, urban design, landscape planning, and other relevant areas. We consider architectural practice as a way of sustentation; architectural practice is closely related to our physical environment and social economical conditions. Successful architectural design practice should not only meet the functional and market requirement, but also carry aesthetic consideration. By the construction of physical space, we help to sustain the collective memory of city and culture, and provide new living experience as well.

Design Approach——Focus on market　Focus on clients　Focus on design　Focus on construction

深圳市承构建筑咨询有限公司
地址：深圳市福田区深南大道2008号
　　　中国凤凰大厦1号楼20C
电话：+86-755-33067800
传真：+86-755-33067801

上海承构建筑设计咨询有限公司
地址：上海市虹口区四川北路888号
　　　海泰国际大厦6F
电话：+86-21-61437001
传真：+86-21-33067021

公司网站：www.mademake.com
公司邮箱：made_make@126.com

Shenzhen
Add: 2008 Shennan Road, Phoenix Building No.1, 20C,
Futian District, Shenzhen, China
Tel: +86-755-33067800
Fax: +86-755-33067801

Shanghai
Add: 888 Sichuanbei Road, HITIME International Tower 6F,
Hongkou District, Shanghai, China
Tel: +86-21-61437001
Fax: +86-21-33067021

Web: www.mademake.com
E-mail: made_make@126.com

ARCH
PLAN
INTERIORS

美国JWDA建筑设计事务所

美国JWDA建筑设计事务所（全称Joseph Wong Design Associates），成立于1977年，注册地为美国加利福尼亚州。JWDA于1993年设立中国事务部，进入中国市场，并以一流的设计与服务，在中国赢得了客户与市场的认可。1997年在上海设立代表处，为中国客户提供优质的设计服务。2005年11月，正式注册成立了上海骏地建筑设计咨询有限公司，2007年成立了深圳骏地建筑设计有限公司。

Joseph wong design associates, inc. (Jwda) is a firm that has provided outstanding architecture and planning since its formation in 1977.

As a firm, we are proud of our reputation for on-time and on-budget delivery of architectural services and believe budget delivery of architectural services and believe that our client's success is the key to our success. Evidence of this commitment is the fact that most of our projects in the last ten years have been with repeat clients.

美国 USA
www.jwdainc.com

中国 CHINA
www.jwdainc.com.cn

AS YOUR TRUSTED PARTNER,WE TRANSFORM YOUR VISION INTO REALITY THROUGH INSIGHTS AND PASSION.

彼此信赖的伙伴，我们以热诚与独特的洞察力将您的梦想付诸现实。

扫描查看更多信息

扫描查看更多信息

美国WFA建筑规划设计事务所
上海文飞建筑规划设计咨询有限公司
WFA DESIGN INC USA

WFA DESIGN INC.是一所国际型的建筑规划设计公司，总部位于美国加州洛杉矶市，并于上海设立分公司——上海文飞建筑规划设计咨询有限公司。公司专精豪宅、高档别墅和豪华会所项目，特别擅长西方新古典主义、欧式、地中海和新中式古典主义风格的建筑设计。公司的使命是提供原创性、卓越品质和切合实际的设计。专心致力于别墅社区的建设、优美社区环境的打造。提供满足功能和基地要求，尊重物质、生态和人文环境的最高质量的创新设计。WFA DESIGN由冯文飞先生领衔，荟萃了国内外知名建筑、规划和景观设计师，同心协力为中国的业主提供高品质专业化服务。公司凭借雄厚的设计实力、先进的设计理念和符合国际标准的专业化服务，在短时期内就在中国的高档别墅建筑设计领域取得了显著的成绩，成为豪宅、高档别墅和豪华会所的顶级设计公司。
WFA DESIGN INC公司主要提供高档别墅区、高尔夫社区的规划设计，高级会所、豪宅及别墅的建筑设计，以及设计视觉化、手绘建筑表现等全方位的专业性服务。

WFA DESIGN INC. is an international architecture and planing design firm based in Los Angeles, California, with branch office in Shanghai China. The firm specializes in the planning and design of single and multi-family homes, luxury villa, custom estate home, and clubhouses in high end residential, golf and resort communities. WFA iscommitted to provide original, high quality, and cost-effective design sensitive to project's function, site, context and its sustainability.
WFA creates distinctive architecture with a respect for classical forms and offers a high degree of personalized, professional service and meticulous attention to detail. Our signature style draws upon English, French, Italian and Mediterranean as well as traditional Chinese influences to reflect authentic details and a sophisticated sense of place .
Founded and lead by Mr. Wenfei Feng, WFA has a group of highly talented design and planning professionals, who has worked on some of the most renowned high end residential projects for top developers in China. FWA's highly successful architectural design, meticulous attention to detail, and deep understanding of both Chinese and Western culture maintain a distinctive blend of art, history, creativity, and technology. WFA is dedicated to provide highest quality professional services to Chinese Clients and developers, and has become one of the top design firms for luxury residential projects today.
WFA Design Inc. mainly provides high-grade villas planning & design, golf community planning & design, high-level club, mansion and villa architectural design, and design visualization, hand-drawing architectural expressions and other seamless professional services.

中国分公司

地址：上海市徐汇区桂平路391号B1502室
电话：+86-21-64957326
传真：+86-21-64957327
邮箱：wfa_design@qq.com
网址：www.wfa-design.com

美国总部

地址：10806 Ayres Avenue Los Angeles CA 90064 USA
电话：001 310 6942616
传真：001 310 6942616

扫描查看更多信息

美国亚合国际建筑设计事务所
Archoo International Design Inc. USA
上海亚合建筑设计有限公司
Shanghai Archoo Architectural Design Co., Ltd.

美国亚合国际建筑设计事务所是美国的知名建筑设计公司之一，专业从事全方位的建筑设计服务，并在中国上海设有实力雄厚的分支机构，拥有众多高素质的设计师。
亚合国际客户群由万科、绿地、中庚等中国地产百强企业组成。迄今为止，业务范围已覆盖了中国境内 18 个省、市、自治区，总计超过 400 万 m^2 的总体规划项目、250 hm^2 的建筑设计项目和 100 hm^2 以上的景观设计项目。
亚合国际始终以谨慎的态度来对待建筑，我们试图用极具国际化的现代形式和材料语言，来表达对中国现代生活理想的追求，我们特别注重设计作品的高完成度，并在此过程中实现我们的建筑理想。公司秉承"设计创造价值"的理念，以创新、实用和经济为设计原则；设计创新和技术更新为公司宗旨；技术可靠和专业保障为公司声誉之所系。
亚合国际始终以谨慎的态度来对待建筑，特别注重设计作品的高完成度。未来发展，公司将规划更具竞争力、全方位、全过程的设计服务，为客户提供优质、创新、负责任的设计作品。

Archoo International Design Inc. is one of the well-known architectural design companies in the USA, dedicated to comprehensive architectural design services; it has a powerful branch office in Shanghai, China with numerous designers of high proffession quality.
Archoo International has a client base comprising Vanke, Greenland, Zhonggeng, and other top 100 real estate developers in China. It is operating across 18 provinces, cities and regions of China, and has completed general plans over 4,000,000m², architectural designs 2,500,000m² and landscape designs over 1,000,000m².
Archoo International makes design consistently in prudence, and we try to present the pursuit for the ideal of Chinese modern life with international modern style and materials, particularly focus on the high completion of designs, and realize our architectural dream in the process. This company carries the concept of "design creating value", persists in innovative, practical and economical design principle, aims at design innovation & technology upgrading, and maintains our reputation by reliable technology & professional support.
Archoo International sees architectures consistently in a prudential manner, and particularly focuses on the high level of completion of the design works. For future development, the company will plan for comprehensive, full process design services with better competitive strength, providing good quality, innovative and conscientious designs for the clients.

地址：上海市普陀区曹杨路 450 号绿地和创大厦 7F
电话：+86-21-62222700
传真：+86-21-61170255
邮箱：archoosh@163.com
网址：www.archoo.cn

Add: 7th Floor, Lvdi Hechuang Office Building, Caoyang Road No.450, Putuo District, Shanghai
Tel: +86-21-62222700
Fax: +86-21-61170255
E-mail: archoosh@163.com
Web: www.archoo.cn

扫描查看更多信息

MLAI
美国明创建筑设计咨询(上海)有限公司
Ming Lai Architects Inc.

美国明创建筑设计咨询(上海)有限公司(Ming Lai Architects Inc.)成立于2008年。主持建筑师赖明志过去12年来，在美国GP建筑设计公司以资深建筑师及专案总监的角色，参与过许多国内外项目的设计规划及协调工作。

在国内主导及参与的项目超过10个，地点涵盖上海、北京、苏州、南京及天津等地。项目包括上海钻石大厦、苏州建屋大厦、南京国际广场、苏州凯悦酒店、苏州万怡酒店、惠州凯悦酒店及天津万豪酒店等。多年来的理念实践，不仅使他对于办公、酒店及综合体等的设计及需求有深层的了解，其专业能力与丰富经验更广受业界及客户的肯定。

MLAI公司的设计服务范围包括大型综合开发项目、办公大楼、星级旅馆、服务公寓、集团总部等。其独特的风格承袭现代建筑大师密斯凡德罗的设计理念，以合理性及经济性为前提，尊重并融合当地的文化特性及社会传统，运用新科技及可持续建筑的理念，创造简洁、优雅的建筑作品。

Ming Lai Architects Inc. (Shanghai) was established in 2008. This fledging architectural company is headed by Ming C. Lai, who brings with him a distinguished international portfolio. Prior to founding Ming Lai Architects Inc., he spent 12 years with GP, an established American architecture company as senior architect and project leader, playing a pivotal role as the designer and project manager for many large international projects.

In China, Ming Lai has led and involved in more than ten projects in Shanghai, Beijing, Suzhou, Nanjing, Tianjin and many other cities. His projects include the Shanghai Lujiazui Diamond Tower, Suzhou Genway Tower, Nanjing International Center Suzhou Hyatt Regency Hotel, Suzhou Courtyard Hotel, Huizhou Grand Hyatt Hotel and Tianjin Marriott Hotel, to name just a few. His profound understanding of the design and needs of offices, hotels and mix-use development is based on his years of a combination of theory and practice. Thus, he wins the unqualified approval of his clients about his professional capacities and rich experiences.

Ming Lai Architects Inc. provides service to large-scale mix-use development projects, office buildings, star hotels, service apartments, corporation headquarters and many more. Its distinctive style hints of the design philosophy of architect master Mies Van der Rohe. To the premise of rationality and economics, it is able to incorporate local culture and traditions with the use of technological advances and ideas of sustainable construction to create simple, but elegant architecture.

地址：上海市徐汇区建国西路283号1111室
电话：+86-21-54651707
传真：+86-21-54641929
邮箱：contact@mlai-architects.com
网址：www.mlai-architects.com

Add: Room 1111, No. 283 Jianguo West Road, Xuhui District, Shanghai
Tel: +86-21-54651707
Fax: +86-21-54641929
E-mail: contact@mlai-architects.com
Web: www.mlai-architects.com

意大利诺思国际建筑事务所
NOESI GROUP INT.

意大利诺思建筑事务所总部位于罗马，其主创设计师均来自罗马大学，具有很高的设计素养、丰富的经验及极高的国际知名度，多次参加国际设计竞赛并获奖。进入中国市场以后，联合设计实力雄厚的上海设计公司，在上海成立了“诺思国际建筑事务所”，吸收了诸多上海同济大学的设计精英，兼有国内外著名专家、学者作为技术顾问，以国际先进设计理念为指导，熟练把握中国行业环境和本土文化。公司凭借在规划、设计及工程管理方面的坚实基础和强大实力，在行业中独树一帜。

诺思建筑事务所以创新设计激发项目潜能，融合贯通中西文化，以跨国跨地区项目合作的经验，适合于市场的建筑技术加上富有创造力的设计师所饱含的激情，打造我们的核心优势。追求理想，营造令人愉悦的生活方式和人居环境，将再生与不可再生的资源进行最优配置，不仅以现在人为本，更要以后人为本，是诺思建筑事务所的最终目的。

Italy North architectural firm headquarter is in Rome, its chief designer from Rome University with high design quality and rich experience and a high international reputation, participated in the international design competitions and won awards. After entering the Chinese market, the joint design of the strength of the Shanghai design company, was set up in Shanghai, " North international architectural firm ", absorb a lot of Tongji University of Shanghai design elite, with well-known domestic and foreign experts, scholars as technical advisers, with the international advanced design idea as the instruction, master of Chinese industry environment and local culture. The company by virtue of the planning, design and construction management of the solid foundation and strength, in the industry to become an independent school.

Nuosi Architects Office initiates project potential with creative design, integrating Chinese and western cultures. It has multinational experience in project cooperation. Its marketable architectural technology and creative passions of designers have built into its core competence. In pursuit of dreams, it tries to create pleasant lifestyle and habitable environment, in optimal allocation of resources renewable or not, human-based and descendent-based, which is also its ultimate purpose.

地址：上海市铁岭路32号同叶大厦703室
电话：+86-21-35120362
传真：+86-21-35120361
网址：www.noesi.net.cn

Add: R/703, Tongye Building, 32 Tieling Road, Shanghai
Tel: +86-21-35120362
Fax: +86-21-35120361
Web: www.noesi.net.cn

美国飞大建筑设计咨询（上海）有限公司
FIDA Architecture International Co.,Ltd.

美国飞大国际建筑设计公司（FIDA Experience & Architecture International CO.）于2000年在纽约成立，飞大公司是一家既有独特创造性又注重实用功能性的建筑设计和主题策划公司。其主要设计领域在区域性规划、主题游乐园、商业环境、休闲旅游度假基地、地产住宅等项目的总体策划设计。近期在国内的作品如2005年深圳东部华桥城茶溪谷的茶翁古镇的总体策划、总体设计和项目监理；2006年参与周庄今后五十年的规划和发展；2007年广州番禺长隆欢乐世界大巡游主题花车的概念设计和实际制作；以及山西主题馆在2010年上海世博会的成功策划，同年策划了成都西岭雪山国际旅游度假区；2011年编制了约2800平方公里的大秦岭保护及利用上位策划，同年策划和设计了1.5公里长的西安九市商业娱乐步行街并获得2011年建设部颁发的人居经典最高奖综合大奖；2012年北京五星级酒店/办公项目等都是近几年具有代表性的优秀作品。
FIDA将中国事业总部设在上海，北京设有分部。 FIDA的主要设计部门包含"主题公园设计部"、"商业环境设计部"、"建筑&室内设计部"、"景观环境设计部"、"品牌策划部&平面设计"、"工业产品设计部" "城市规划&旅游策划部"等。特别是在主题策划和设计上在国际和国内都一直保持最先进的设计水平。 FIDA自从成立后在包括美国、日本、韩国、波兰、法国、英国、南非、迪拜、菲律宾等成功的规划和设计了众多不同风格的项目。

公司理念——我们为你的梦想而存在
在建筑设计上主张——先有灵魂后有躯壳

FIDA Experience & Architecture International CO., was established in 2003 in New York. FIDA is a unique and creative architecture firm focusing on design and Ideas. FIDA core business is Experience Design, Vercation Resort, Real Estate Development and Master Planning and Programing. One of the most recent works in China is 10 Square kilometre Tea Garden Town in east of Shenzhen City. Tea Garden Town's overall Master Planning, Programing, Experience Design and Architecture incoulding design and build project; 2006 Zhouzhuang (The most famous water town in south of China) Programing of the future 50 years of participation in the Master planning and development; 2007 Finish the concept ,design and build Guangzhou Panyu Chime-Long parade float; 2010 successfully create the Theme for Shanxi Pavilion Shanghai World Expo. 2011 Create how to protect and take advantage of Da Qinling Create Commercial Pedestrian Street in Xi'an and this project won the MOHURD Habitat Classical Prize in 2011, 5-star Hotel/Office in Beijing in 2012.
FIDA set up the China headquarters in Shanghai in 2006, and set up branch office in Beijing. FIDA includes " Experience Design Department", "Working Space Design Department", "Architecture & Interior Design Department", " Landscape Design Department ", "Brading & Graphic Design Department ", " Product Design Department ",and so on. All this years FIDA has successful planned and designed many different projects in many countries like United States, Japan, Korea, Poland, France, Britain, South Africa, Dubai and Philippine.

Our principle——We exist for your dream
Our design principle——the form afer soal

地址：上海市杨浦区宁国路503号复地四季广场
电话：+86-21-55139250
手机：13911227685
传真：+86-21-65139374
邮箱：fish@fidaarch.com
952217048@qq.com
网站：www.fidaarch.com

Add: Forte Land Four Season Square,Ningguo Road No.503,Yangpu District,Shanghai
Tel: +86-21-55139250
Mobile: 13911227685
Fax: +86-21-65139374
E-mail: fish@fidaarch.com
952217048@qq.com
Web: www.fidaarch.com

扫描查看更多信息

Archiland
筑土国际都市设计

筑土国际顾问咨询公司（新加坡）
Archiland International Consulting Company (Singapore)

筑土国际是由来自丹麦和新加坡等不同文化背景的、拥有丰富国际经验的规划师、建筑师和研究人员等专业人士共同组成的设计机构。致力于高品质的城市规划、城市设计、建筑及景观设计与研究。
筑土国际始终保持与拥有杰出良好声誉的学术机构及学术专家的密切合作，并定期邀请新加坡国立大学城市规划与建筑设计专业的教授与专家为筑土国际提供专业培训。同时，筑土国际以促成学术研究与工程实践的良性互动为目的，重要项目均邀请新加坡国立大学相应研究课题的教授与专家参与并主持项目的研究与设计定位。良好的学术背景使筑土国际保持在设计理念与国际经验上的不断更新。在中国、新加坡和亚太地区，为自己和客户构筑了一个国际建筑文化交流的通道和操作平台，进而打造出一系列具有国际竞争力的作品。
筑土国际倡导“城市、人、自然”和谐的绿色设计理念，坚守品质至上的职业道德。多年来，在东南亚及中国完成大量设计项目，享誉海内外，引领国际设计潮流。作品多次获得国际和国内设计竞赛大奖。自2003年起，筑土国际开始在中国的主要城市北京、天津及南京设立分公司，并承接大量重要的规划与城市设计任务。主要相关作品有：天津中新生态城起步区城市设计、天津小白楼中央商务区规划、天津法式风貌区规划、上海徐汇区黄浦江滨江绿带景观规划、天津东疆港综合配套服务区城市设计、天津西青中北镇南运河两岸城市设计、天津杨柳青商务区城市设计、长沙武广国际新城规划。

Archiland is an international design firm of planners, architects and researchers with rich international experience in different cultural backgrounds from Denmark, Singapore and other places of the world. It is committed to high quality urban planning, urban design, architectural and landscaping design and research.
Archiland maintains close cooperation with leaders of reputable academic institution to provide a strong platform for innovative designs and regularly invite urban planning and architectural design professors and experts from National University of Singapore for professional advisory and consultancy training. Meanwhile for the promotion of positive interaction between academic research and engineering practice, Archiland Consultant International always invites professors and experts from National University of Singapore to preside over projects' research and design orientation. Good academic background provides Archiland Consultant International constant renewal on design concept and international experience. Archiland creates an international architectural cultural exchange channel and working platform for the client and itself in China, Singapore and Asia-pacific region, and then creates a series of international competitive works. Archiland has won a considerable influence in current competitive design market..
Archiland advocates the harmonious green design concept "city-human-nature" and preserves professional ethics of “quality first”. For years, Archiland has completed large number of projects in Southeast Asia and China, which are well known home and abroad, leading the international design fashion and won numerous awards in international and domestic design competition. Archiland has been active in China from 2003, through its local office in Beijing; Tianjin and Nanjing; it has undertaken a number of important tasks Planning and Urban Design in China. Main related planning and urban design projects include Urban Design of Sino-Singapore Tianjin Eco-city Startup Area, Tianjin Xiaobailou CBD Planning; Tianjin French Heritage District Planning; Huangpu Riverfront Landscape Planning, in Xuhui District, Shanghai; Urban Design of Dongjiang Harbor Comprehensive Supporting Service Zone, Tianjin; Urban Design of South Canal Zhongbei Town, Xiqing District, Tianjin; Urban Design of Yangliuqing CBD, Xiqing District, Tianjin; Wuguang International Newtown Planning in Changsha.

地址：天津市河西区友谊北路广银大厦1905室
电话：+86-22-23554760
传真：+86-22-23554761
邮箱：archiland@126.com
网址：www.archiland.com.cn

Add: Room 1905, Guangyin Building, Friendship North Road, Hexi District, Tianjin
Tel: +86-22-23554760
Fax: +86-22-23554761
E-mail: archiland@126.com
Web: www.archiland.com.cn

扫描查看更多信息

美国波士顿国际设计集团
Boston International Design Group

波士顿国际设计成立于2004年，延续了美国一流建筑事务所国际最高水准的设计声誉，总部位于美国麻省剑桥市，毗邻着著名的哈佛大学和麻省理工学院。公司的主要创始人及主要的设计人员均来自两所名校，因此波士顿国际设计有着浓郁的学院气氛。
波士顿国际设计一直致力于把项目的规划设计与业主的要求最大限度的保持一致。其主要目的是和业主、合作者分享高标准的专业设计和学术成果。他们并不孤立的看重为自己的作品创建特殊的美学风格，其设计旨在以平等的合作关系、积极向上的工作来为业主提供杰出设计，并创造最终的经济效益。集团们在世界各地的项目设计已经超越了地理和文化的界限，以价值和兴趣为基础，其核心包括：很大程度上尊重当地历史和文化。通过规划和设计，对增进当地城市生态环境做出实质的贡献；通过合作，业主将获得建立在他们的需求和期望上的卓越的设计。这使得集团能够与业主建立长期的合作，集团甚至为有的业主服务了30多年。每当接受一项设计委托后，集团就会和业主一起反复研究、磨合，以确保每一座新建筑能够成为一座独特的、难忘的成功作品。
集团的创造力和充分理解业主的全部意图是密不可分的。场地的条件和业主及社会的利益是两个同等重要的因素。新的场地条件和不同的业主要求使得每个项目都是非常特殊的。集团从来不局限于某一种特定的模式，而是结合分析场地、文脉、经济、社会机遇等一系列因素后，根据项目的实际情况来找寻最合适的解决方案。因此，其项目总是在超越在创新。

Boston International Design Group was set up in 2004. It continued the highest international standard design reputation of the Stubbins Associates of American, and headquartered in Massachusetts Avenue Cambridge, MA, USA, where adjacent to the famous Harvard University and Massachusetts Institute of Technology. The main founders and designers of the company are all from these two schools, that's why BIDG is full of collegial atmosphere.
BIDG has been committed to matching project planning and designing with requirements of customers as much as it could. It main purpose is to share high standards of professional design and academic achievements with customers and partners. They do not focus separately on creating unique aesthetic style for our works, but aim to provide outstanding designs with equal partnership, positive work to their customers and make the ultimate economic benefits. Their design projects around the world have gone beyond the geographic and cultural boundaries, and are based on values and interest, which mainly include respecting local history and culture to a large extent. We make substantial contribution to local urban environment through planning and designing; customers will get excellence design based on their needs and expectations through our cooperation. This allows us to establish long-term cooperation with the customers and even over 30 years for some customers. Every time They accepted a design commission, They discuss and adjust with customers over and over again to ensure that every new building can be a unique and unforgettable one.
Our creativity cannot be separated with fully understanding of customers' whole intention. Site condition and interests of customers and the society are two important factors, new site condition and different requirements from customers make every project very special. They are never limited to a specific model of certain type, but find the most appropriate solution with combined analysis of a series of factors like context, economy, social opportunities, etc. Therefore, They are always exceeding ourselves and innovating in our projects.

地址：上海市浦东新区福山路33号建工大厦15楼
电话：+86-21-51327266
传真：+86-21-51327269
网址：www.bidg.com.cn

Add: 15th Floor, Jiangong Building, Fushan Road No.33, Pudong New District, Shanghai
Tel: +86-21-51327266
Fax: +86-21-51327269
Web: www.bidg.com.cn/

美国KLP建筑设计有限公司
KLP Keller HU Partnership Limited

美国KLP建筑设计有限公司（美国凯勒建筑设计有限公司）由美国著名建筑设计大师、美国建筑师协会终身院士拉里·凯勒先生等三人2000年在美国华盛顿、俄克拉荷马、中国香港和中国大陆先后注册成立。公司专注于建筑设计、城市规划和室内设计，主要业务涵盖文化、医疗、教育、体育、交通、酒店、商业、科研、办公、居住小区等类别。

随着中国近年来城市建设的不断提升和各项建筑事业蓬勃发展，美国凯勒建筑设计有限公司的工作重心更加注重服务中国大陆，外籍主创设计人员常驻国内主持设计工作。公司设计团队充分发挥国际化优势，利用国外先进的设计理念，丰富成熟的工程经验以及深厚的设计功力，在中国大陆各地完成了众多设计作品，得到了各项目业主及同行的广泛认同和好评。中国厦门市政府还因美国凯勒建筑设计有限公司及凯勒先生对厦门公共建设事业的突出贡献，授予其“白鹭友谊奖”，同时有关设计项目还多次获得国家及省部级设计大奖。

通过一支由中外设计师组成的强有力的设计团队，美国凯勒建筑设计有限公司将为业主提供最高端的经验，并根据项目所在地实际情况给予最本地化的实现，公司的服务宗旨在于通过建筑使得业主成功。美国凯勒建筑设计有限公司在提供最专业的设计理念和产品的同时，更愿为与国际接轨发挥桥梁作用，真正帮助业主实现其经济社会利益双丰收的目标。

Keller Limited Partnership we founded at Oklahoma in 2000 by Larry Jay Keller, an award-winning architect and design fellow of the American Institute of Architects. With several years business growth in Asia,especially in China, KLP Keller Hu Partnership Limited (KLP) has been incorporated in Hong Kong as well as Xiamen. KLP is in business to provide comprehensive architectural services which include initial programming, design, construction services and interior design services as required. It has extensive experience in numerous building types on hospitality, education, corporate, medical, institutional, retail, housing and military building types.

KLP is unusual because the firm only undertakes projects in which Mr.Keller can be fully and personally involved in project design and supervision of the contract construction documentation. They bring good ideas to reality. In this process, They are not afraid of unlimited creativity. The results are projects that embody uniqueness, meaning and client value. They carefully consider the total project –architecture, engineering, interiors, environmental and urban planning. Their finished projects show a natural integration of technology and aesthetics.

Their goal is quality and service. They believe experienced leaders should personally handle your project. We can guide you through the building design process to create a successful project that stands the test of time.

地址：厦门湖滨北路新港广场9C
电话：+86-592-3277869
传真：+86-592-3277949
网址：www.china-klp.com

Add: 9C Xingang Square, North HuBin Road, XiaMen, China
Tel: +86-592-3277869
Fax: +86-592-3277949
Web: www.china-klp.com

扫描查看更多信息

Cendes International
（山鼎国际）

山鼎国际（Cendes）于2005年在新加坡创立。
山鼎国际，包括Cendes+Tenarchitects & Planners Pte Ltd，是一家由新加坡建筑师委员会批准注册，提供总体规划、城市设计、建筑设计的工程咨询公司。山鼎国际旗下服务于大中国区域的还有胜德建筑设计咨询（上海）有限公司和广州山鼎建筑设计咨询有限公司。
山鼎国际是一家国际性的咨询公司，提供包括总体规划、城市设计、建筑设计、景观设计、室内设计和其他专业特色规划和工程设计咨询服务，如生态旅游度假区和主题公园。山鼎国际至今已设计了130多个国际项目，涉及的规划面积已超过1500万 m^2。
山鼎国际的专业服务已受到众多国际知名客户认可，包括迪拜阿联酋投资有限公司、越南的Becamex IDC公司、中国的鲁能电力集团、马尔代夫新马累发展集团以及世界各地的政府机构。山鼎国际在许多项目方面也与世界知名品牌机构合作，如新加坡的凯德置地、悦榕山庄和新加坡国立大学。
山鼎国际利用全球视野和国际经验，融合对当地民情与对自然条件的尊重，着力创造一个为人、达人的作品，实现“筑就城市理想”的企业理念。

Cendes International Pte Ltd (Cendes) was incorporated in Singapore in 2005. Cendes International is a partner of Cendes+Tenarchitects & Planners Pte Ltd, a professional Architectural and Master Planning firm approved by The Board of Architects of Singapore. Other than Singapore, Cendes has operation that includes Cendes Architectural Design Consultants (Shanghai) Ltd and Guangzhou Cendes Architectural Design Consultants Ltd serving the Greater China Region.
Cendes' consultancy service extends from large scale Master Planning to Urban Design, Architecture, Landscape Design, Interior Design and Specialty Planning and Design such as Eco-Tourist Resorts and Theme Parks. Since inception, our practice has planned an area of more than 1,500 km^2 and designed more than 130 projects globally.
Cendes' professionalism has won accolades from reknown Clients Including Dubai's Emirates Investment Group, Vietnam's Becamex IDC, China's Luneng Power Group, Maldives' Hulhumale Development Corporation and various Government Agencies around the world. Cendes has also worked with reputable Brands such as Singapore's Capitaland, Bayan Tree and The National University of Singapore.
Our strong global outlook and international experience enable us to undertake projects of relevance and excellence that "Creates Ideal and Realizes Dreams" for the people whom we plan and design for.

地址：上海市局门路427号1号楼110室
邮编：200023
电话：+86-21-63736600
传真：+86-21-63114810
邮箱：info@cendes-intl.com

Add: Unit 110, Block 1, 427 Jumen Road, Luwan District, Shanghai
P.C.: 200023
Tel: +86-21-63736600
Fax: +86-21-63114810
E-mail: info@cendes-intl.com

扫描查看更多信息

ANS:

ANS 国际建筑设计与顾问有限公司

ANS International Design & Consulting Pty. Ltd.

ANS是一家始建于澳洲，并通过其在澳洲的合作伙伴进行全球推广其专业服务的国际建筑设计与顾问有限公司。公司的主要业务包括：城市规划、建筑设计、室内设计，同时提供房地产项目前期工程的咨询顾问服务。ANS力争通过设计作品形式和功能的完美结合，成为生活和行为模式的倡导者。提倡朴素的美学、社会性有序都市的概念，尝试建筑协同各种艺术形式和时尚进行跨平台的合作。
ANS拥有近100名敬业娴熟的设计人员和辅助人员，于1997年进入中国市场并于上海建立子公司。公司的理念是在与客户紧密的合作关系中创造不断求新和环保的设计作品，并注重结合严格的技术、建造、管理和成本控制等多种因素。公司的承诺是不断创造革新方案、国际设计标准并以客户的满意为最终结果。与客户的合作关系建立在信任和尊重的基础上，在集体协作的氛围中分享共同目标和合作精神。
公司董事、资深顾问、澳洲建筑师协会、皇家规划协会会员，Tony Corkill先生为国际著名规划师，其主持的项目遍及澳洲各大城市。其中久负盛名的是悉尼达令港的发展规划，该设计获得了多项澳洲奖项，并使该地区发展成为澳大利亚城市新形象的代表。公司在中国区的业务由具有多年跨国设计经验的高级建筑师、执行董事Terry Cai先生负责主持。公司另有三位设计董事，他们分别是瑞士日内瓦大学高级研修生、高级建筑师唐家伟先生；澳大利亚资深建筑师，昆士兰建筑师协会会员Joe Lau先生；以及美国麻省理工建筑学硕士，美国绿色建筑协会LEED认证专家Jeffrey Zee先生。
ANS中国总部位于上海，在上述几位董事的主持以及多位设计合伙人的支持和协作下，现已发展为由多位具有丰富经验的中国国家一、二级注册建筑师和规划师、 设计师组成的专业设计团队。同时ANS可在任何特殊项目的要求下，快速与公司在澳洲的合作伙伴组成特殊设计专家联合工作团队。
ANS通过多年在中国及海外众多项目的成功运作，与各级政府主管部门、地方设计院以及相关领域内的专家学者建立了良好的合作关系。目前在中国拥有全资的子公司——上海爱恩斯建筑设计有限公司，并相继于武汉、天津、北京设立了分公司。

ANS International Design & Consulting Pty. Ltd. is a multi-disciplinary international design company originally founded in Australia. ANS offers expertise services in the fields of Urban Planning, Architectural design and Interior design, as well as pre-project consultations during the early stages of a project. ANS is dedicated to become a leading innovator and creator of the built environment with the goal of enhancing the qualities of life and lifestyle of the end users by combining form, function and art throughout its creative process.
ANS established its first Chinese studio in Shanghai in 1997. Due to its success in its fields of expertise, ANS has since expanded its operations to include branch offices in Wuhan, Tianjin, Chengdu and partner studios in Australia. ANS's team of specialist designers are leaders in their field of expertise and the combined resources of 100 diverse team members ensure that the company is well position to consult on all aspects of the design industry. ANS works closely with its clients throughout the design process to ensure that the optimum solution from a technological, yield, environmental sustainability, cost control, construction technology points of view have been attained. ANS endeavors to exceed client expectations with every project. Each cooperative relationship is based on mutual trust and respect, resulting in successful collaborations and projects.
Terry Cai (Chief Executive Officer, Senior Architect) Terry's international design experience from several countries and his professional standing and dedication to the Architectural profession has stood him well to head ANS. He is responsible for ANS China operation.
Tony Corkill (ANS Senior Consultant, FRAIA, MPIA, B Arch, MS Urban Design). Tony's projects are spread throughout Australia, the most famous one being the master planning of Sydney's Darling Harbour which was recognized by his planning peers through the achievement of several Australian awards for its innovative planning solution.
Tang Jia-wei (Partner, ANS Director, Senior Architect, senior research fellow of the University of Geneva, Switzerland). Tang is Design Director responsible for architectural design and technical documentation.
Joe Lau (Design Director, Senior Architect, Registered Architect in Queensland Australia) Joe is Design Director responsible for Urban Planning and Resort design.
Jeffrey Zee (Design Director, LEED AP) Jeffrey is Design Director responsible for interior design.
The China head office of ANS, with the support and cooperation of these board directors and several design partners, is composed of six architecture studio which boasts several national first-class and second-class registered architects with abundant experience, an interior design studio and a planning design studio. ANS is able to assign appropriate studio partners and Australian partners who are specialist design experts in their field to any particular project requirements.
ANS has a successful and proven projects track record in China, having established good cooperation relationships with government departments, local designing institutes and expert consultants.
ANS is dedicated to become a leading innovator and creator of the built environment with the goal of enhancing the qualities of life and lifestyle of the end users by combining form, function and art throughout its creative process. We endeavor to exceed client expectations with our innovative designs in every project. ANS WE R=ANSWER. Our international designers' fresh and innovative perspectives coupled with our localized knowledge offer our clients the ANSWER to their project challenges.

中国总部
通信地址：上海市西苏州路71号6楼200041
联系电话：+86-21-51697511
传　　真：+86-21-62668470

北京公司
通信地址：北京市朝阳区通惠河北路郎家园6号楼301-302
联系电话：+86-10-85893553
传　　真：+86-10-85893552

天津公司
通信地址：天津市和平区香港路10号百合居B座300050
联系电话：+86-22-23258865
传　　真：+86-22-23252996

武汉公司
通信地址：武汉市汉口建设大道568号
联系电话：+86-27-85266929
传　　真：+86-27-85266930

扫描查看更多信息

H&Y瀚德建筑事务所是美国加州注册的专业设计公司，专业从事商业地产、购物中心、百货公司的建筑规划设计和室内装饰设计，在香港、纽约、广州等都设有分支机构，是一支国际化、综合化的协作团队。汇集了诸多优秀的设计师，公司主要合伙人拥有美国硕士学位、西安建筑科技大学博士学位、华中科技大学硕士学位，合伙人均从事建筑设计、商业规划、商业设计耕耘十多年，特别在大型购物中心为主的城市综合体设计中，以我们卓越的运营理念和各专业的强有力揉合设计，致力成为在中国商业地产方面领先的研究型设计机构，以其卓越的设计和完善的后期服务吸引着市场的关注，致力于向客户提供实用型的、符合国际水准以及当地规范的设计和服务。尤其是在大中型商业地产（购物中心）的规划设计方面有着独特的优势，以“三结合”的特色来提升所服务的价值：1）将国际化的先进理念与我们在国内十几年的专业商业设计经验相结合；2）实现设计与物业价值的最大化，将物业业主与经营商家的最大共赢相结合；3）将高效率高创意的设计与项目物业的运营成本控制相结合。

潘汉森

中国区域执行董事

工学学士，工程硕士

日本永旺AEON商业广东公司顾问，从事商业地产、购物中心、百货公司的规划设计及运营十多年，凭借其卓越的运营和专业设计的理念，曾服务新加坡凯德置地Capitaland、日本永旺AEON商业（吉之岛JUSCO）、奥特莱斯Outlets（中国）、沈阳天润广场、新光百货、时代城、乐润百货、海泰地产、欢乐城等知名大型商业机构。设计师把国际化的先进理念与其在国内十几年的专业商业设计经验有机揉合，实现设计与物业商业价值最大化，将物业业主与经营商家的最大双赢结合起来。

代表作品：

广州欢乐城380 000 m^2
广州第五号停机坪G5平面规划100 000 m^2
深圳时代城50 000 m^2
中环广场吉之岛32 000 m^2
东莞第一国际吉之岛24 000 m^2
南海新光百货20 000 m^2
奥特莱斯（中国）三水项目100 000 m^2
永旺AEON顺德购物中心100 000 m^2
维多利商业广场60 000 m^2
天河城吉之岛
广州云城广场第一期50 000 m^2
佛山东方广场吉之岛
华南永旺商业公司惠阳太东广场24 000 m^2

地址：广东省广州市越秀区东风东路750号广联大厦21楼
电话：+86-13922797786 / +86-20-87774507
邮箱：82599106@163.com
网址：www.ushy001.com

Add: F/21, Guanglian Building, 750 Dongfeng East Road, Yuexiu District, Guangzhou City, Guangdong Province
Tel: +86-13922797786 / +86-20-87774507
E-mail: 82599106@163.com
Web: www.ushy001.com

扫描查看更多信息

美国 LANDAU 朗道国际设计集团
LANDAU International Design Group, USA

LANDAU朗道国际设计是美国LANDAU朗道国际设计集团在其亚洲区的事业工作重心，在上海、香港、深圳、南京等地都设有分支机构，是一支国际化、综合化的协作团队。朗道国际设计（上海）坐落于上海最时尚的设计中心卢湾区八号桥创意园区内，目前主营大型项目设计。主要业务范围包括：人居景观与规划设计、商业综合体（含购物综合体、办公及可及创意园区）、景观与规划设计、酒店与度假村景观设计、旅游区规划设计、城市空间设计，城市规划设计与公共绿地设计等。公司客户群主要为龙湖集团、海航集团、朗诗集团、万达集团、金地集团、国信集团、世茂集团、三一重工、恒盛地产、香港置地、融创集团、华侨城集团、招商集团、苏宁集团等知名大型地产开发机构。

LANDAU朗道国际设计崇尚环境保护，尊重人类丰富的文化遗产，以提升社区品质、促进社会的稳定和安宁为己任。朗道国际设计希望通过自己的不断努力，创作出能够体现可持续发展的优秀设计作品。在朗道的发展历程中，无论是公司的规模还是企业的运作，朗道都取得了很好的成绩，通过不断完善，逐步形成了独具特色的经营理念、完善的客户服务体系、严格的质量评估标准，以及良好的团队协作模式。

朗道所承接的每一个项目，都会联合众多国内外具有不同专业背景的人士，对项目进行全方位的论证，同时依靠团队内各专业间的相互配合与协作，全心全意为客户打造精品设计。朗道通过立足于国际经验及国内园林与人的传统，创造出具有鲜明时代特征与地域特色的人性化设计作品，力求达到发展与保护，投资与效益的可持续的最佳平衡，促成文化的多元与延续以及人与自然和谐共生。

在多年的项目操作过程中，LANDAU朗道国际总结出的经验是，如果设计公司单纯向客户提供图纸服务是远远不够的，对项目后期与之相关的产业链设计的把控也很重要，因为这会对设计作品的精品程度产生很大的影响。为了保证项目的最终设计效果，落实设计执行力，LANDAU朗道国际专门成立了包括户外软装与部品设计、苗木服务、材料服务、施工督导、施工服务等部门，不仅提供灯具、布品、小品、材料、苗木的设计服务，而且还提供对应产品服务，现场施工督导服务。LANDAU朗道国际将对客户的每个设计细节都会进行落实。创新材料、优质苗木提供和项目施工服务都将使我们的客户得到最好的服务。

LANDAU International Design is the focus of American LANDAU International Design Group in Asia and with branches in Shanghai, Hong Kong, Shenzhen, Nanjing, it is an international and integral professional team. LANDAU International Design (Shanghai) is located in 8th Bridge Creative Park in Luwan District, the most fashionable design center in Shanghai and currently focuses on large scale project design. The main business scope includes: habitual landscape planning and design, commercial complex (including shopping complex, office building and creative parks) landscape planning and design, hotel and resorts landscape design, tourism region planning and design, city space design, city planning and design, public greenbelt design etc. It main customers are Longhu Group, HNA Group, Landsea Group, Wanda Group, Gemdale, Sany Heavy Industry, Glorious Property, HK Land, Sunac Group, China OCT Group, Suning Group

LANDAU International Design advocates environmental protection, respects rich culture heritage of human beings and regard facilitating the stability and peace of the society as its own responsibility. LANDAU International Design aims at creating excellent designs which reflects sustainable development through continuing hard work. During the development process, LANDAU achieves great results whether in company scale or company operation. Through constant improvements, LANDAU has gradually established an operation idea of unique features, perfect customer service system, strict quality assessment standard and good mode of team cooperation.

Every project of LANDAU will be discussed and demonstrated in all dimensions by plenty of professionals with different background at home and abroad, and at the same time, LANDAU will provide fine designs to the customers with heart and soul, depending on the mutual collaboration and cooperation of the professionals in the team. LANDAU creates humanizing design of distinct time and regional characteristics on the basis of international experiences and inland traditions of gardening and human to achieve the best sustainable balance between development and protection, investment and profits, which facilitates the diversity and succession of the culture and the harmony between human and nature.

During the process of projects for many years, LANDAU International has concluded its experiences that design company solely providing drawing services to customers is far from enough. Control over the industrial chain design related to the post-project period is also important because it has great influence on the exquisiteness of design. In order to ensure the final design effects and implement the design, LANDAU International specially forms departments of outdoor soft installation, nursery stock service, material service, construction scrutiny, construction service etc. to provide design service for luminaries, cloth, sketch, materials and nursery stock as well as for corresponding product service and on-site construction scrutiny service. LANDAU International will implement every design detail for customs. Besides, creative materials, excellent nursery stock supply and project construction service will guarantee the best service for our customers.

地址：上海卢湾区局门路550号八号桥创意园区3号楼6层
电话：+86-21-33315041
传真：+86-21-33315042
邮箱：marketing@landau-design.com
网址：www.landau-design.com

Add: F/6, Building 3, No. 8 Bridge Creative Park,
550 Jumen Road, Luwan District, Shanghai
Tel: +86-21-33315041
Fax: +86-21-33315042
E-mail: marketing@landau-design.com
Web: www.landau-design.com

w w w . l o a a r c h i t e c t s . c o m . c n

Add: 浙江省杭州市西湖区西溪路 511 号 15 号楼 3 楼
3F Building 15, Xixi Road No.511, Hangzhou
P.C.: 310007
Tel: +86-571-87981718
E-mail: info@loaarchitects.com.cn

LOA 建筑事务所

* 独立设计品牌和设计作品风格的个性事务所
* 国际规范管理和领先技术支持的先进事务所
* 广泛合作的跨界事务所

* a particular studio with independent design branding and independent design style
* a progressive studio with international standardized management and technical support
* a transboundary studio with extensive cooperation

林　沨
Feng Lin

LOA 建筑事务所创办人
主持建筑师
国家一级注册建筑师
天津大学建筑系学士

Co-founder
Principal Architect
Class 1 Registered Architect
Bachelor of Architecture
of Tianjin University

主要作品
浙江省黄龙体育馆
浙江省高级人民法院审判办公大楼
芜湖长江之歌
丹东翡翠湾规划
丹东月亮岛国际养生度假中心
昆山淀山湖产业社区
义乌北门街区块综合体
大连银沙滩地块规划

WORK
Huanglong Stadium in Hangzhou
Judicial building of Zhejiang Provincial Court
Residential and Urban Complex in Wuhu
Masterplan Jade Bay in Dandong
Resort of Moonisland Dandong
Block at Dianshan Lake in Kunshan
Urban Complex in Yiwu North District
Dalian silver Beach Masterplan

扫描查看更多信息

WHI INTERNATIONAL建筑设计集团

WHI International Architectural Design Group

WHI INTERNATIONAL建筑设计集团是澳大利亚知名的综合性设计机构。多年来WHI一直走在亚太地区设计行业的前沿。WHI经过多年的发展，如今在亚太地区的阿德莱德、墨尔本、曼谷、西雅图、广州、上海、北京均建立了相关机构，包括曼谷的P49DEESIGN在内，业绩遍布亚太、中东、欧洲等地。

WHI提供完整综合的创造性设计服务，设计范围包括规划、建筑、室内、景观、图文等方向。高素质的设计人才来自不同的文化、地域背景，包括澳大利亚、欧洲、美国、亚洲各地及泰国和中国。多元文化的氛围使设计能针对不同的项目提出不同的创造性方案。

WHI建筑设计集团专注于设计创意、优良服务及以市场为导向的设计定位，作品形态涵盖了城市规划、旅游度假区及住宅区规划、高档酒店、度假村、豪华住宅、别墅、商业、办公楼、综合性公共建筑等多个领域。

WHI International is an Australia-based and Asia-Pacific leading design practice. It sets up offices all over the Asia-Pacific in Adelaide, Melbourne, Bangkok, Seattle, Guangzhou, Shanghai, Beijing, also including its associate company P49 DEESIGN in Bangkok. WHI International is now undertaking projects across the Asia-Pacific, Middle East and Europe etc.

WHI International provides integrative and innovative design consultancy services in urban planning, architecture, interior and landscape. WHI team consists of professional designers with different cultural background hailing from Australia, European countries, the U.S., Thailand, China and other Asian countries, delivering unique and exclusive design for each project.

WHI International endeavors to provide creative and qualified design services based on its market-oriented guideline. They have delivered projects including, but not limited to, city, resort and residence compound planning, high quality hotels, resort hotels, luxury residence, villas, commercial, complex buildings and many other fields.

上海办公室
地址：上海市静安区西康路928号
创展大厦413室
电话：+86-21-62996297
邮箱：shanghai@whiint.com
网址：www.whiint.com

Shanghai Office
Add: Room 413, Chuangzhan Building, Xikang Road No. 928, Jing'an District, Shanghai
Tel: +86-21-62996297
Email: shanghai@whiint.com
Web: www.whiint.com

广州办公室
地址：广州市天河区华庭路4号
富力天河商务大厦611室
电话：+86-20-38479329

Guangzhou Office
Add: Room 611, Fuli Tianhe Building , Huating Road No.4, Tianhe District, Guangzhou
Tel: +86-20-38479329

扫描查看更多信息

英国UK.LA太平洋远景国际设计机构

U.K PACIFIC LONG-RANGE PLANNING & DEVELOPING DESIGN CONSULTANT LTD.

英国 UK.LA 太平洋远景国际设计机构（UK.LA PACIFIC LONG—RANGE PLANNING & DEVELOPPING DESIGN CONSULT LTD.）是一家英国专业设计公司，在英国及中国香港、南京、上海和郑州均有共设计机构。公司致力于城市与建筑的功能规划和空间设计，业务涵盖城市规划、建筑设计、景观设计、建设工程咨询等诸多领域。在设计的各个阶段，公司秉承“专业”、“创新”的宗旨，不断在设计作品上精益求精，近年来在实践中所展示的创造性能力、先锋的设计理念和不懈的探索精神得到了公众和学术界的广泛认可。

UK.LA 的核心优势来源于其独特的多专业、多文化和国际型的主设计师群和设计团队。公司云集了一批不同年龄，来自不同背景经历的设计师，他们带来了创新的设计概念和手法，先进的设计管理经验和各种文化的精华。多种文化的融合和碰撞，形成了 UK.LA 独树一帜的创作风格，凭借对自然、文化和经济环境的高度责任感和洞察力，UK.LA 形成了以“适用、和谐、创新、低碳、环保”的创新原则，满足“绿色建筑”要求，在设计理念和技术手段上不断追求更高的境界。引领时代潮流。
UK.LA 的核心优势还来源于对卓越设计的不懈追求和坚韧探索，不论是在总建筑面积 550 万平米的乌江新城的规划中，还是在郑东新区意大利格拉姆集团的超高层双塔格拉姆国际中心的建筑设计中，公司都充分分析设计任务中每个要素的重要性和整体性，根本宗旨是实现设计最优化的理念，将城市设计、建筑设计、景观设计、生态设计交汇融合，自始至终将创造性、和谐性和超越性完美统一作为一个完整的卓越的设计提供给客户。

世纪之交的中国，社会、经济、城市与建筑等各个方面均发生着巨变，资本、技术和思想领域都进行着前所未有的交流，城市空间和建筑作品必须适应这一潮流，在走向全球化的同时，必须发扬自身文化的特点，发掘本土文化的魅力。UK.LA 的团队在结合世界先进理念的同时融入中国本土的建筑元素和语汇，UK.LA 公司一直重视与开发商和政府建立和发展伙伴关系，准确把握市场脉搏，在业务不断扩展的过程中以创新的设计和优质的服务，赢得了众多客户的信赖与支持。

主要获奖情况：
2011 中国最具创新力设计机构
2010 中国最具业主满意度设计机构
2009 中国最具影响力境外设计机构
2009 国际建筑设计创意企业金奖
2008 中国建筑设计行业十大最具创意品牌机构
2007 亚洲建筑规划设计奥斯卡国际风尚大奖
2007 中国建筑规划设计诚信百强品牌机构
2006 江苏十强诚信品牌设计机构
法国建筑师协会会员单位（编号 20090618）

地址：南京奥体大街 128 号奥体名座大厦 F 座 10 楼
电话：+86-25-84739678
传真：+86-25-87763798
邮箱：ukla2000@126.com
网址：www.ukladesign.com

Add: Floor 10, No. 2 Building, Aotimingzuo Mansion, 128, Aoti Street, Nanjing
Tel: +86-25-84739678
Fax: +86-25-87763798
E-mail: ukla2000@126.com
Web: www.ukladesign.com

扫描查看更多信息

STUDIO
SāN

麦天渝建筑设计咨询（上海）有限公司

STUDIO SāN 建筑设计事务所成立于 2003 年加州旧金山市，2009 年在上海建立了分公司。STUDIO SāN 设计团队来自于多个学科、多个领域，这给予了设计团队共同合作，找出创造性设计方法的途径。团队的设计哲学是寻求建筑与环境的和谐共处，将追求建筑形式美与满足功能要求紧密结合，相信好的建筑是美观与实用兼备。业主、员工及公司间的互相尊重，诚实以待，长期发展的工作关系是支撑 STUDIO SāN 一直以来的发展原则。STUDIO SāN 主要涉及以下六个建筑类别，并在这些领域有着相当的实践经验：

公共设施　　度假区
办公建筑　　医院
展示　　住宅

事务所合伙人参与专人服务
STUDIO SāN 的合伙人都是亲自参与工程设计，公司和甲方，设计人员共同管理成本，制定进度，和美学目标。因我们公司的规模从而使提供专人服务，和高度建筑设计专门化成为可能，我们为此非常骄傲。甲方见到的设计人员也就是该工程实际的工作人员，他们将为该工程负责。

高质量的设计
STUDIO SāN 将追求建筑形式的美与满足任务书和功能的要求紧密结合，公司相信美丽的建筑是美观与实用兼备。

绿色设计
STUDIO SāN 致力于鼓励业主在设计上追求"绿色"，倡导环境及能源设计，善于利用朝向，节水，能效，及可回收材料的使用，帮助业主综合评估建筑生命周期内的造价，有效控制维护费用。

双向交流
STUDIO SāN 工作哲学是双向交流，在与甲方、施工单位、建筑师和咨询队伍共同参与交流并取得的共识的过程中，找出一个最好的实施的设计成果，从而积极避免错误的发生。

职业道德
建立起与业主，员工及咨询公司间的互相尊重，诚实以待，长期发展的工作关系是支撑 Studio San 长期发展的原则。

Studio San Architecture Design was founded in San Francisco, California in 2003, and established Shanghai branch office in 2009. The design team of Studio San is composed of members from different scientific subjects and different fields, which provides means for team work and finding creational design approaches. Our design philosophy is to seek the harmonious coexistence of architectures and environment, tight connection of beautiful architecture forms and satisfaction to functional demand, and we believe a fine architecture is the combination of beautiful appearance and practical use. The mutual respects between the owners, staff and the company, honesty, and long term working relationship have been the principle supporting the development of Studio San. Studio San mainly involves the following six architecture categories with experience in 6 primary building sectors,in these fields.

Public Facilities　　Resort Design
Office　　Hospital
Experience　　Residential

Principal Participation & Personal Attention
Studio San's principals are "hands on" architects working with the Owner and Studio San staff attains the project's budgetary, timetable, and aesthetic objects. Studio San prides itself on the personal attention made possible by the firm's size. Who you see is actually who you get to perform the work and take responsibility for your project.

Quality Design
Studio San addresses programmatic and operational requirements in tandem with its analysis of aesthetic form. The firm believes the most beautiful buildings look good and function well for generations with respect to the impact on our most valuable resources.

Green Design
Our firm is committed to encouraging our clients to pursue green alternatives. Our principals are all LEED Accredited Professionals and consider it a personal passion to assist our clients in weighing life cycle costs, not just upfront costs. Some factors in achieve "green design" include solar orientation, water use reduction, energy efficiency and recyclable materials.

Two Way Communications
Studio San's collaborative philosophy recognizes that the best executed design solutions result from participatory communication and consensus between the owner, contractor, architects and their consulting team as well as a proactive approach in avoiding problems.

Integrity
We sustain our office on principal ties to mutual respect, honesty and the development of long term relationships between its clients, staff and consultant teams.

地址：上海市虹口区花园路 128 号运动 loft7 街区
A 座 2022 室
电话：+86-21-38722225
邮箱：admin@studio-san.com
网址：www.Studio-San.com

Add: Room 2022, Tower A, Yun Dong Loft Block No.7, Hua Yuan Road No.128, Hongkou District, Shanghai
Tel: +86-21-38722225
E-mail: admin@studio-san.com
Web: www.Studio-San.com

合艺国际（中国）
HIGH International (China)

合艺建筑环境设计有限公司、合艺工程信息咨询有限公司作为澳洲HIGH INTERNATIONAL的全资子公司，1999年正式进入中国市场，经过近些年的发展，已成长为中国最具实力的工程建设设计公司之一。它与地方政府、投资商、发展商和建设工程商、城市运营商构建了多元化的交流和合作平台，为各类投资项目提供全方位的设计服务。
通过国际经验和本地知识的有机结合，合艺国际（中国）深层次介入了杭州通和•南岸花城、慈溪杭州湾开发区规划、无锡檀溪湾别墅区、北京中国CEC电子大厦、杭州西湖国宾馆、厦门大学科技园规划、银泰百货、卡森•海南博鳌亚洲湾、天津世纪广场、桂林公馆•原乡墅、杭州师范大学仓前校区等数十个开发和建设项目的全过程。借此，合艺国际已建立了完善的咨询、设计工作团队，各类专业人员达到100多名，旨在能及时、准确地把握中国城市发展中的问题，为客户提供全面、深入和周到的服务。同时，合艺国际（中国）能为有志于城市问题解决的专业人士提供能够实现自我价值的、高效而愉快的工作平台。
随着中国经济发展的提速，合艺国际已将今后发展的重心之一移向中国，合艺国际（中国）公司的发展由此成为整个集团业务发展战略重要的组成部分。合艺国际（中国）已建立并完善着在中国拓展业务的长期战略。我们称之为〝中国战略〞，这一简明的描述反映的是一个综合的目标，即合艺国际在中国要构筑远大的事业。我们愿与有识之士携手并进，共同致力于这一远大事业！

High Architectural Environment Design Co., Ltd. and High Engineering Information Consulting Co., Ltd., as wholly owned subsidiaries of High International (Australia), officially entered into China market in 1999 and have become one of the most powerful engineering & construction design companies in China. Diversified communication & cooperation platforms have been built with local government, investors, developers & constructors, city operators, providing one-stop design services for various investments.
With the integration of international experiences and local knowledge, High International (China) has participated in-depth seamlessly in dozens of developments and constructions, including Tonghe Wonderland of South-Bank in Hangzhou, planning of Hangzhou Bay New Zone in Cixi City, Tanxi Bay Villa Section in Wuxi, CEC Building in Beijing, Xihu State Guesthouse in Hangzhou, planning of Technology Park of Xiamen University, Intime Department Store, Kasen Boao Asian Bay in Hainan, Tianjin Century Square, Guilin Residence-Villa, and Cangqian Campus of Hangzhou Normal University. High International thereby has established complete consulting, designing teams with over 100 professionals in different disciplines, aiming to seize timely & accurately the problems in China urban development and provide comprehensive, deep and considerate services. In the meantime, High International (China) is capable of providing high efficient & pleasant working platforms for the professionals dedicated to urban solutions for realizing self-value.
Along with the acceleration of Chinese economic development, High International has put its future emphasis on China; therefore, the development of High International (China) will become the important part in the business development strategy of the whole group. High International (China) has established and is improving its long-term strategy in exploring business in China, the so-called "Strategy for China", and such brief description reflects nothing more than a comprehensive goal, that is, High International is building a long-range career in China. We would like to move forward hand in hand with people of vision, committed all together in this long-range career.

地址：杭州市西湖区天目山路7号东海创意中心18楼
电话：+86-571-88859228/88859338
传真：+86-571-88859688
邮箱：heyimail@163.com

Add: 18th Floor, Donghai Creation Centre, Tianmushan Road No.7, Xihu District, Hangzhou
Tel: +86-571-88859228/88859338
Fax: +86-571-88859688
E-mail: heyimail@163.com

扫描查看更多信息

ROGGEO

加拿大诺杰建筑设计事务所
Roggeo Design Associates Inc.

诺杰建筑设计事务所是一家综合建筑设计咨询公司，为各类型的城市开发项目提供全方位的设计咨询服务，包括方案设计、扩初、施工图设计和施工现场配合等。
诺杰于1993年始创于加拿大多伦多，在提供国际化服务的同时，亦能专业应对国内市场的多元化需求。精英团队，严谨的执行力，在国际惯例思维和高速发展的国内市场环境之间搭起了坚实的桥梁。
诺杰中国总部设在北京，在成都设有分支机构，为遍布全国各地的客户提供高品质的规划、建筑、景观、室内、商业策划等方面的专业服务，高度本地化运作以及中、英双语设计团队的优势，使诺杰和客户之间的沟通更加顺畅，信息反馈更加便捷，从而大大提高了设计效率及质量水准。

地址：北京市朝阳区东三环北路霞光里18号
佳程广场A座16D单元
电话：+86-10-84400606（总机）
传真：+86-10-84400062（行政部）
+86-10-84400067（设计部）
邮箱：info@roggeo.com
网址：www.roggeo.com

Add: Room 16D, Tower A, Jiacheng Plaza, Xia Guang Community No.18,
North Dongsanhuang Road, Chaoyang District, Beijing
Tel: +86-10-84400606 (Reception)
Fax: +86-10-84400062 (Admin)
+86-10-84400067 (Design Team)
E-mail: info@roggeo.com
Web: www.roggeo.com

扫描查看更多信息

澳洲高臣建筑事务所
Gordon Chen Architect(GCA)

Gordon Chen Architect（GCA）澳洲高臣建筑事务所是由旅澳华人建筑师Gordon Chen（陈工）先生在澳大利亚珀斯市（PERTH）注册成立的建筑设计专业事务所。
陈工先生早年在中国接受建筑设计专业教育，获清华大学建筑学学士学位，后又师从中国建筑设计大师佘畯南先生，并获华南理工大学建筑学硕士学位。
移民澳洲后，陈工先生一直从事建筑设计专业工作，于2003年底考取澳大利亚注册建筑师，并被吸纳为澳洲皇家建筑师学会正式会员。
2004年陈工先生在西澳首府珀斯注册创办了高臣建筑事务所（Gordon Chen Architect）。高臣建筑事务所是一个年轻、充满活力的设计团队，是近年来活跃在中国建筑界的新生力量。依托澳洲强大的设计技术支持，面向广大的中国市场，澳洲高臣正成为中澳合作的典范，为中国的客户提供国际最新理念的设计作品。

地址：武汉市洪山区珞狮南路517号
明泽大厦4058室
电话：+86-27-52237612
传真：+86-27-52237613
邮箱：gca_au@126.com
gordonc_au@126.com

Add: Room 4058, 517 Luoshi South Mingze Building,
Hongshan District, Wuhan City
Tel: +86-27-52237612
Fax: +86-27-52237613
E-mail: gca_au@126.com
gordonc_au@126.com

扫描查看更多信息

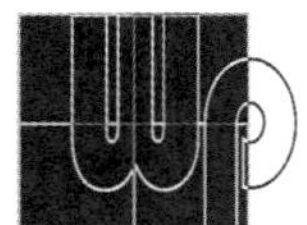

美国华贝设计有限公司(中国)
Warton-Pei & Associates(China)

美国华贝设计有限公司总部设在美国纽约，1990年开始进入中国，1994年正式设立分支机构。华贝设计是集中美设计高手于一体，充分发挥各自的优势，互相取长补短，在吸取西方现代设计思想的基础上，结合古老的中国传统文化精华，大胆开拓，不断创造出最优化的设计组合。公司曾先后为美国、南非、瑞典、沙特、阿联酋以及中国等国家和地区进行过设计，其中有25%的工程设计获得世界级奖项。

地址：上海市虹桥路2419号雪松阁2D
电话：+86-21-62695859
传真：+86-21-62685266
邮箱：wpeiw@hotmail.com
网址：www.wartonpei.com

Add: Tower 2D, Cedar Pavilion Builiding, No.2419, Hongqiao Road, Shanghai
Tel: +86-21-62695859
Fax: +86-21-62685266
E-mail: wpeiw@hotmail.com
Web: www.wartonpei.com

扫描查看更多信息

北京戈建建筑设计顾问有限责任公司
Nicolas Godelet -Gejian Architectural Design

戈建建筑事务所由Nicolas GODELET创立，由来自不同国家的建筑师、工程师、规划师和景观师组成。这种多文化团队产生了无国界的想法和创造性，在建筑应用上融合了不同的影响和学派。为了更好的浸润在当地文化中，戈建建筑事务所选址在北京老城区内，舒适安静的传统内院有利于更好的工作并激发创造性。
多学科性表现为公司承接项目的多样性：规划、建筑(尽可能保证建筑、室内和景观的整体性)、 节能和可持续性发展顾问。戈建建筑完成概念设计、方案设计、初步设计、施工图审核和施工阶段配合，在甲方的协助下完成完整而恰当的项目。事务所也为国家、大型企业或个人提供项目顾问服务。
我们所推崇的建筑，是光和材料的建筑，满足功能并尊重人的尺度，因此结构是项目的重要组成．我们追求的是可持续性发展，因此将场所和环境作为一切理念的出发点。我们追求的不是某种特定的建筑形式，而是一种工作方法，充分考虑甲方的需求、基地环境、当地气候，当地材料和能源的可行性，特别是甲方完成该方案的可行度。每个项目都基于与甲方的紧密合作，没有任何两个项目是相同的，我们会避免项目贴上“戈建筑制造”的标签。

GeJian Architects and Engineers is an architectural design firm founded by Ir. Architect Nicolas GODELET. With architects, engineers, urban planners and landscape designers from various international backgrounds, this multicultural team develops sustainable strategies and creative building applications combined through different researches and personal engagement. In order to set into the local culture, GeJian building office is located in the old city part of Beijing, in a comfortable and quiet traditional courtyard. The ambiance helps to stimulate the creativity and achieve a positive atmosphere between the members of the team.
The multidisciplinary performance of the company allows us to undertake all kind of projects. From an urban planning scale to an architectural scale, the company can ensure an integrated architecture, structure, interior and landscape project with its environment. GeJian Architects and Engineers complete concept design, development design, preliminary design, construction drawings review and construction stage visa, to assist the client in the whole process of his project. Ge Jian also provide project consultancy service for national project, companies or private client .
Our architecture is made from light and materiality and respect the function and human scale; structure is also an important component of the project. We are in pursuit of sustainable development that place the environment as the starting point of all concept. Our goal is not a particular form of construction, but working methodologies which give us full consideration to the needs of the client. The site environment, the local climate, materials and energy consideration, help us to complete the project. All projects development are based on a close cooperation with our client and a study of the site, and make each building unique.

地址：北京市西城区德胜门内大街222号
电话：+86-10-66155188
传真：+86-10-66571815
邮箱：nicolas.godelet@gejianzhu.com
网址：www.gejianzhu.com

Add: No.222, De Sheng Men Nei Street, Xicheng District, Beijing
Tel: +86-10-66155188
Fax: +86-10-66571815
E-mail: nicolas.godelet@gejianzhu.com
Web: www.gejianzhu.com

扫描查看更多信息

LU TANG LAI ARCHITECTS LTD.
吕邓黎建筑师有限公司

吕邓黎建筑师有限公司创立于1983年，以香港为基地，上海设有分公司。
公司的宗旨是坚持以创新精神与稳健周全的专业态度，服务顾客和满足项目的需求。多年来，吕邓黎积极投身香港建设，设计的项目包括各类规模的住宅、办公楼、酒店、商场、厂舍、学校、公共房屋、宗教建筑及生态环境等。通过长时间的实践，获得了良好的信誉。
随着中国经济的起飞，吕邓黎在各大都市如北京、上海、重庆、成都及广州等地，先后参与及完成多个建筑及室内设计项目。尤其在作为全国经济龙头的上海，已完成的项目包括瑞安广场、城市酒店、东方巴黎、东方剑桥、东方曼克顿及瑞虹新城等。以上项目都以优秀的质量完成，更获得多个奖项，瑞安广场更是荣获"鲁班奖"的殊荣。
吕邓黎建筑咨询（上海）有限公司的成立，秉承公司的宗旨，通过与内地专业单位共同努力，为广大人民创造更美好的生活环境。

Lu Tang Lai Architects Ltd. originated in Hong Kong and started off as a small owner-managed design studio in 1983.
Realizing the rapid economic transformation and growth of China in the last decades of the twentieth century, Lu Tang Lai Architects Ltd. sought to contribute the development and redevelopment in China by actively participating in building and environmental design projects on the Mainland as early as the mid eighties, focusing in Shanghai in the early nineties. To increase competitiveness and enhance services, the Shanghai office was put into operation in 2002.
Over the year, the practice maintains a steady growth in sizable architectural projects ranging from offices and commercial developments, hotels, service apartments, high-class residential developments, schools and institutional buildings to master planning in Hong Kong, Mainland China and S.E. Asia. Its reputation for providing personalized and quality services remains unchanged.

香港办事处
地址：香港柴湾永泰道60号柴湾工业城第一期2001室
电话：+852-25210681
传真：+852-25243319
邮箱：info@ltlarch.com.hk
网址：www.ltlarch.com.hk

Hong Kong Head Office
Add: 2001, Chai Wan Industrial City Phase 1, 60 Wing Tai Road, Chai Wan, Hong Kong
Tel:+852-25210681
Fax: +852-25243319
E-mail: info@ltlarch.com.hk
Web:www.ltlarch.com.hk

上海办事处
地址：中国上海市延安西路1566号龙峰大厦15楼C室
电话：+86-21-33630103
传真：+86-21-33630120
邮箱：info.sh@ltlarch.com.cn

Shanghai Office
Add: 15C Long Life Mansion, No. 1566 Yan'an Road West, Shanghai 200052, China
Tel: +86-21-33630103
Fax: +86-21-33630120
E-mail: info.sh@ltlarch.com.cn

法博国际（香港）规划建筑设计有限公司
FABER INT'L (HK) Layout Construction Design Limited

法博国际（香港）规划建筑设计有限公司是一家国际化企业，从事规划、建筑、景观及工程咨询的专业方案设计公司。自2002年进入国内市场发展，成为一支异军突起的生力军，公司发展迅速，成果丰硕，在全国建立了客户网络及良好口碑，并且成为了湖南城市学院研究生实习基地。公司由主创设计师王军民领衔，致力于将国际先进的设计理念与本土优秀的传统文化相结合，科技与环保相结合，技术与关怀相结合，以"创意无限、造就经典"为宗旨，创造高效、宜人、经济、可持续发展的个性化作品。公司坚持设计精品化的实践方向，不断创新，充分利用香港与内地相通的文化理念以及创意资源优势，使客户的要求可以从专业设计和优质服务中得到充分满足。公司旗下聚集来自国外及全国各地的优秀设计师，对于传统文化及地域特征具有深入了解，同时具备丰富的工作经验和高度的敬业精神，使项目设计一直保持优良水平，设计技术精良，服务周到细致，为开发商提供建筑设计、园林景观设计、设计咨询、项目策划等全方位服务。

Faber Int'l (HK) Layout Construction Design Union Company Limited is an international professional-scheme design company engaged in planning, architecture, landscape and engineering consulting. Since 2002, it entered domestic market and developed into a new force. With rapid development and fruitful achievements, the company has built customer network and good reputation, and has become the training base of Hunan City College for postgraduates. Led by Chief Architect – Wang Junmin, the company is dedicated to combine international advanced design ideas and outstanding local traditional culture, technology and environmental protection, technology and concern. With the purpose of "Infinite Creation, Creating Classic", the company creates efficient, pleasant, economic and sustainable development individualized works; it adheres to the practice direction of researching competitive products, continuous innovation and taking full advantage of similarities of cultural ideas and creative resources between Hong Kong and mainland, so that customers' requirements can be fully met from our professional design and quality service. Outstanding foreign designers and designers from all over China join the company. They have in-depth understandings of traditional culture and geographical features. With excellent design skills and considerate services, they provide full-service of architecture, landscape design, design consulting and project planning for developers.

地址（香港）：香港九龙旺角花园街2-16号好景商业中心10楼1005室
电话：+86-852-36583890
邮箱：wjm1413@163.com
网址：www.hkfabo.com

Add (HK): Room No.1005,10th Floor,Haojing Business Centre,Huayuan Road No.2-16,Jiu Long Wang Jiao District,Hongkong
Tel: +852-36583890
E-mail: wjm1413@163.com
Web: www.hkfabo.com

地址（深圳）：深圳市福田区八卦四路中浩大夏18楼G/F
电话：+86-755-25927276
传真：+86-755-25923916
邮箱：wjm1413@163.com

Add (Shenzhen): G/F 18F Zhonghao Building, Bagua Fourth Road, Futian District, Shenzhen
Tel: +86-755-25927276
Fax: +86-755-25923916
Web: www.hkfabo.com

香港华天国际建筑与城市设计有限公司

HongKong Witen International Limited

香港华天国际建筑与城市设计有限公司成立于2000年6月2日，依靠的是精益求精和富有团队合作精神的专业人员，推崇质量，追求卓越。为客户提供城市规划设计、建筑工程设计、景观设计和房地产发展顾问等服务。
被香港国际名牌理事会授予常务理事会员单位。
被《时代建筑》理事会理事授予"中国城市规划与建筑设计行业最佳优秀设计机构"称号

Hong Kong Witen International Ltd. was established in June 2nd, 2000, relying on the excellent professionals full of team spirit, respecting quality, and pursuing excellence. The company provides urban planning and design, construction design, landscape design and real estate development consulting services for clients.
It was awarded title of the Best Excellent Design Agency in China urban planning and architectural design industry by "Time Architecture" unit.
The company was awarded Executive Director of the Council of Hong Kong International brands.

公司地址：香港九龙弥敦道625号雅兰中心二期15楼1508室
电话：+852-67662969 / 30605049
传真：+852-30626606

Add: Room 1508, Floor 15, Phase II of Grand Tower, No 625 Nathan Road, Kowloon, Hong Kong
Tel: +852-67662969 / 30605049
Fax: +852-30626606

深圳公司：深圳市南山区艺园路133号田厦IC产业园3014室
电话：+86-755-26470085
传真：+86-755-86604392
邮箱：witen999@163.com

Shenzhen Company: Room 3014 of IC Industry Park of Tian Sha, Yiyuan Road, Nanshan District, Shenzhen
Tel: +86-755-26470085
Fax: +86-755-86604392
E-mai: witen999@163.com

南宁公司：广西南宁市星湖路南二里6号4楼
电话：+86-711-5337586
传真：+86-711-5336675

Nanning Company: Floor 4, No.6 of Nanerli, Xinghu Road, Nanning, Guangxi
Tel: +86-711-5337586
Fax: +86-711-5336675

上海公司：上海市徐汇区龙华路2577号创意大院20A楼
电话：+86-21-61242018
传真：+86-21-61242019

20A Creative Courtyyard, longhua Road No.2577, Xuhui District, Shanghai
Tel: +86-21-61242018
Fax: +86-21-61242019

扫描查看更多信息

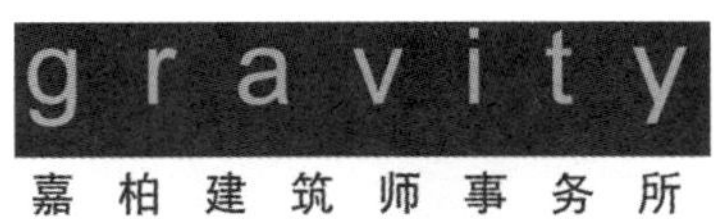

嘉柏建筑师事务所有限公司于2003年创立。基于公司不愿再延续一般传统的设计及进行类似生产线的工作模式，并坚持打开设计理念的新一页，集合一群充满活力和有志于创意设计的专业人才，在蜕变的环境中，以崭新的理念，配以敬业的精神，提供高品质及独特的设计，务求确立卓越的建筑典范并对社会负起应有的专业责任。
嘉柏成立至今已获得多家知名发展商对其独特设计的认同，并受托参与多项不同类型的规划及建筑设计。

Gravity Partnership was founded in 2003 with a vision to deliver innovation through non-conventional architectural designs and work processes to better serve society and the profession. This vision is shared by 60+ enthusiastic and motivated professionals who are passionate in their endeavors to create high quality design, and who take every opportunity to explore new ways in achieving original and imaginative results.
Recognized for its distinctive design, Gravity Partnership has been invited by prominent developers to participate in prestigious planning and architectural design commissions.

香港铜锣湾电气道148号39楼
39fl, 148 electric road causeway bay, hong kong
f +(852) 3106 8711
t +(852) 3106 0754
e studio@gravitypartnership.com

刘志桄建筑事务所
LauChiKwong Architects

设计理念：改善人居环境。
专业领域：建筑设计、城市总体规划、景观与室内设计。
专业资格：哈佛大学建筑设计学院建筑与城市设计硕士、美国建筑师协会会员、纽约州注册建筑师。
工作经历：美国纽约Pei Cobb Freed & Partners建筑事务所、R.M.Kliment and Frances Halsband建筑事务所、KPF建筑事务所等。曾参与设计IMF总部（国际货币基金组织，美国华盛顿）、芝加哥凯悦酒店集团总部（美国芝加哥）、高盛集团总部（美国纽约）、北京CBD中心商业区总体规划、美国密西西比州Gulfport联邦法院、美国罗斯福总统图书馆及博物馆访问及教育中心、维维安和米尔斯坦家庭心脏中心、纽约长老会医院等项目。
刘志桄先生在美国纽约国际知名的建筑师事务所10多年的建筑实践过程中，积累了对不同尺度，不同类型的建筑设计有着丰富经验，从概念设计、方案设计直至施工图设计及现场服务等一套系统的设计及设计管理经验。

地址：北京市朝阳区农光南里1号龙辉大厦1401室
电话：13810249133
传真：+86-10-51295333
邮箱：lauchikwong@gmail.com

Add: Room 1401, Longhui Building, Nongguang South Community No.1, Chaoyang District, Beijing
Tel: 13810249133
Fax: +86-10-51295333
E-mail: lauchikwong@gmail.com

C.j Chen Architects
陈子弘建筑师事务所

陈子弘建筑师事务所(C.j Chen Architects)于2006年1月在中国台北成立。事务所主要的服务项目包含私人住宅、商业、办公、室内设计、混合使用内容以及相关的公共建筑等。除了实质的景观设计、建筑设计、室内设计服务外，事务所也提供概念设计，以前卫的设计理念配合数字科技创造出独特的空间感。
2007年，为了提升事务所的设计质量与水平，陈子弘前往纽约哥伦比亚建筑研究所进修，吸取建筑设计新的养分。事务所的经营理念以满足顾客的需求为最基本要求，并在过程中寻找创意设计的空间，透过团队的默契合作将设计实现。

C.j Chen Architects is a international design firm offering services in architecture and interiors. Founded in 2006, we are committed to forgoing a greater connection between the built environment and the quality of life, and creating thoughtful and responsible architecture or" design product", which is tied to a true story of place.
In 2007 focused on the unique and compelling retail and mixed-use destinations worldwide, the cohesive of sensibility of our practice is expressed in a customer-centric approach, an emphasis on communication and teamwork, and a dynamic and positive office culture.

地址：中国台湾台北110基隆路二段51号3楼之7
电话：+886-2-27392075
传真：+886-2-27392327
邮箱：cj@cjchenarchitects.com
网址：www.cjchenarchitects.com

Add: 3F-7, No.51, Sec. 2, Keelung Rd., Xinyi Dist., Taipei City 110, Taiwan, China
Tel : +886-2-27392075
Fax: +886-2-27392327
E-mail: cj@cjchenarchitects.com
Web: www.cjchenarchitects.com

扫描查看更多信息

桑葉機構

MULBERRY TEAM

上海桑葉建築設計咨詢有限公司
臺灣賴育志建築師事務所

桑叶机构成立于2011年，前身是成立于2005年的PDI，原上海桑叶建筑设计咨询有限公司隶属于桑叶机构。桑叶机构是一家以建筑设计、商业室内空间设计、招商运营、投资管理为主的综合性公司。运用国际化商业专业理念、专业资深团队、丰富的本土实战经验，并结合中国经济发展状况，致力于国内商业地产的深度研究。向广大开发商、品牌商家以及机构投资者提供商业不动产投资、策划、定位、改造、招商、运营和管理等综合服务。

设计咨询：桑叶机构特别强调设计的"动态三宜"即因时、因地、因人制宜。从规划设计初始就整合"市场可行性"、"文脉"、"环境"、"建筑艺术"，不断进行价值探讨，塑造独特魅力空间，为客户提供高品质与高回报的完美设计。提供从都市开发到建筑筑设计、从室外景观到室内空间的全方位解决方案，特别在商业地产和都市复合型开发领域。

招商运营：桑叶机构专业于将项目策划、商业组合、定位战略与建筑设计的软硬件整合在一起，针对客户的不同开发阶段，提供适时正确的服务要求，坚持从市场及业主的角度出发 ，针对关键性问题提出解决策略。对于不同地域和都市涵构，突出不同的设计主题构想，并为业主创造更大价值的空间产品，以保障整个开发案的有效发展，并完成创新和成功的执行要求。

桑叶机构已成功地完成了国内多个不同都市层级、各种经济发展阶段、不同大小的城市商业和商业复合体建筑的设计及整合，并得到客户的一致认可。

桑叶机构致力于服务全国客户，打造中国精品地产项目，创造独具魅力的、富有价值的建筑空间。

地址：上海市长宁区新华路543号1号楼4F-G座
电话：+86-21-62817700
传真：+86-21-52300755
邮箱：mulberryteam@163.com
网址：www.mulberryteam.com

Add: 4F-G Building One No.543 Xinhua Road Changning District, Shanghai City.
Tel :+86-21-62817700
Fax :+86-21-52300755
E-Mail: mulberryteam@163.com
Web: www.mulberryteam.com

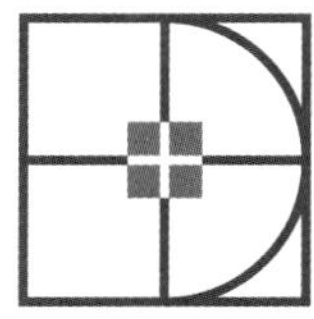

蔡田田都市建築設計(澳門)有限公司
Joy & Dominic
Urban & Architecture Design (Macau) Ltd.

蔡田田建筑师事务所是一家扎根于澳门本土的建筑设计顾问公司，成员来自世界不同国家和地区，多元文化和创作为澳门的项目在不同的领域引领时代的气息，为澳门新生代建筑文化树立新的形象和品位。
公司参与和提供的城区改造研究方案包括：历史建筑复修、保护和改建研究和实践；在建筑设计和室内设计项目中，公共建筑以教育建筑和社会设施为主，民用建筑涵盖超高层住宅大楼、别墅住宅和商业建筑。其建筑顾问工作提供一条龙服务，包括规划评估、方案设计、政府报批、招评标及施工合约管理等。
公司的理念是着力发挥澳门多元文化的优势，整合团队的专业职能，以有效的管理模式为客户提供高水平、国际化的设计作品。同时，致力于研究和开发澳门历史文化的特色，以创新的手法开拓更符合可持续发展的新建筑，使业主和小区获得最大的利益。

JDU is a Macau local architectural design consultancy company founded in 2001.We have architectural professionals from different parts of the word. Together we have formed strong design teams in serving different aspects of architectural projects, which acting a leading role of new architecture generation in Macau.
JDU takes important steps in enhancing urban research and design in Macau old town and Unesco heritage sites.There are projects in relation to restorations, revitalization and renovations for historical buildings and reconstruction projects in Heritage Protected Zones. New architecture projects known in the city are including high-rise office building, high-rise residential building, luxury private villas and numerous educational buildings. The practice provides full package of architectural consultancy services including urban design, architecture, interior design and post contract project management.
We aim to elaborate architectures with multi-cultural influences and international visions. Our team provides efficient management for our clients in all aspects of innovation and exploration in Macau to endeavor the most interest of client and community.

地址：澳门南湾大马路325号昌辉大厦一楼A座
电话：+86-853-28752667
传真：+86-853-28752544
邮箱：admin@joychoi.com

Add:Avenida Praia Grande No.325,Edit, Cheong Fai 1°A , Macau
Tel: +86-853-28752667
Fax:+86-853-28752544
E-mail: admin@joychoi.com

安徽建筑工业学院·安徽建苑城市规划设计研究院

安徽建苑城市规划设计研究院，隶属于安徽建筑工业学院。主要成员与技术骨干为安徽建筑工业学院建筑与规划学院教师。是集设计、科研为一体的国家甲级规划设计单位，技术实力雄厚，专业配置齐全合理，其中配备城市规划、道路交通、城市设计、市政工程、园林绿化、环境工程等专业人员。共有专业技术人员42人，其中高级技术职称人员16人。

Anhui Jian Yuan Urban Planning and Design Institute, part of the Construction Industry Institute, a principal member of technical strength for the teacher of the Construction Industry Institute of Architecture and Planning. Design, scientific research as one of the state Class planning and design institutes, technical strength, professional configuration is complete and reasonable, which is equipped with urban planning, road transport, urban design, municipal engineering, landscaping, and environmental engineering professionals.Total professional and technical personnel 42 people, including 16 senior technicians.

地址：安徽省合肥市金寨南路856号
安徽建筑工业学院北区
邮编：230022
传真：+86-551-3513115

Add: The North Campus of Anhui Architecture Industrial Institute,
Jinzhai South Road No.856, Hefei City, Anhui Province
P.C.: 230022
Fax: +86-551-3513115

扫描查看更多信息

安徽华盛国际建筑设计工程咨询有限公司

中美合资安徽华盛国际建筑设计工程咨询有限公司（简称AWIA）创建于1993年，是与美国华盛顿马丁唐联合建筑师事务所合资成立的。持有国家建设部颁发的建筑工程设计甲级资格证书。经营范围：区域规划、工业与民用建筑设计、室内设计、景观设计、施工图审查（一类）与建筑工程技术咨询等。
公司自成立以来，在全国各地承接各类大中型工业与民用建筑项目1200余项，设计业务包括金融建筑、宾馆酒店、办公建筑、商业建筑、教学建筑、医疗建筑、居住建筑、园林建筑、室内设计等，并多次荣获各类奖项。

An-Wash International Architectural & Engineering Consulting Co., Ltd. (hereafter referred to as AWIA) is a Chinese-American joint venture founded with JT Associates in affiliation with STUDIOS Architecture located in Washington in 1993. It is licensed for class-A architectural engineering design by the MOHURD. The business scope covers area planning, design for industrial & residential buildings, interior design, landscape design, construction documents reviewing (Type I) & construction engineering technical consulting and others.
Since its inception, the company has accepted over 1,200 large & medium-sized industrial & residential building projects of various kinds, and the design business includes financial buildings, guesthouses & hotels, office buildings, commercial buildings, teaching buildings, medical buildings, residential buildings, garden buildings, interior design and others, awarded with varieties of prizes for many times.

地址：安徽省合肥市包河区九华山路99号
九华国际大厦19-20F
邮编：230001
电话：+86-551-2671131
网址：www.awia.cn

Add: 19-20th Floor, Jiuhua International Building, Jiuhua Mountain Road No.99,
Baohe District, Hefei City, Anhui Province
P.C.: 230001
Fax: +86-551-2671131
Web: www.awia.cn

扫描查看更多信息

黄山市城市建筑勘察设计院
Huangshan Urban Architecture Survey & Design Institute

黄山市城市建筑勘察设计院（简称黄山市城建设计院）成立于1985年，在黄山市住建委的领导下和社会各界的支持下，始终牢记发展是硬道理的原则，并坚持“以市场为导向、以质量为基石、以创新为动力”的经营战略，秉承“敬业、诚信、和谐、创新”的企业文化精神，坚持徽派建筑哲学理念，以规划设计、建筑设计、旅游策划、市政园林为主，全面拓展设计行业服务空间，项目遍布黄山市三区四县及全国各地，多次圆满完成黄山市委市政府下达的重点工程项目设计任务，为黄山现代国际旅游城乡建设做出越来越大的贡献。

面对日趋激烈的市场竞争，以敏锐的市场眼光，创新思维，取得了骄人的业绩，使一度资不抵债小型设计单位获得超常规的发展。现已成为“设计门类齐全、技术设备先进、创作意识强烈”初具规模的设计单位，职工总数由十几个人增加到106人，人才结构不断完善，其中注册建筑师、注册结构师等各类注册执业人员11人，高、中级工程师、规划师35人、助理工程师46人。院下设总工室、综合办、项目办、设计一所、设计二所、规划设计所、市政园林所、旅游策划所、工程技术服务中心、效果图制作中心、水电设备所、计算机中心、黟县办事处等相关部门。十几年来设计院先后获市建设系统先进党组织、党风廉政建设责任制工作先进单位，黄山市优秀勘察设计单位，多次获得省级集镇规划优秀奖、住宅设计二等奖、优秀勘察设计三等奖等二十余项奖。

设计院全体同仁将在市建委的坚强领导下不断进取，虚心向先进设计单位学习，以高度的责任感，使命感，危机感，紧抓“旅游、生态、文化”三位一体服务定位，坚持发展与社会经济相适应，严格贯彻节能减排方针，大力宏扬徽派建筑文化特色，走差异化发展之路，走“徽派特色文化设计”之路，走绿色、低碳设计之路，加快转型发展、开放发展，绿色发展、和谐发展，为建设区域特色综合竞争力强院而奋斗。

Huangshan Urban Architectural Survey & Design Institute (Huangshan Urban Architectural Design Institute for short), was founded in 1985. Under the leadership of Huangshan Municipal Commission of Housing and Urban-Rural Development and with the support of all circles from the society, the institute always adheres to the principle that development is of overriding importance, insists on the business strategy of “Market as the Orientation, Quality as the Footstone and Innovation as the Impetus”, follows the spirit of corporate culture of “Dedication, Integrity, Harmony and Innovation", and further persists on the architectural philosophy of Anhui style. The institute mainly focuses on the fields of planning and design, architectural design, tourism planning and municipal garden, meanwhile expanding the service space of design industry from all aspects. The institute has completed numerous projects, covering three districts and four counties of Huangshan City, even throughout the country; further, it has accomplished plenty of design tasks on key projects from CCP Huangshan Committee and Huangshan People’s Government, having constantly made more and more contribution to Huangshan urban and rural construction of modern international tourism.

Facing the increasingly intense market competition, the institute has made great achievements with keen view and innovative thinking. The former small insolvent design institute developed rapidly and extraordinarily, and now has become a design institute, beginning to take shape with "complete design categories, advanced technical equipment and strong creation mind". It constantly improving the talent structure and now has 106 employees, from the original number of no more than 20, including 11 registered practitioners in different professions, such as registered architects and registered structural engineers, etc.; 35 senior and intermediate engineers and planners, 46 assistant engineers. The institute has established relevant subordinate departments, such as the General Engineer Office, General Affairs Office, Project Office, the First Design Institute, the Second Design Institute, Planning & Design Institute, Municipal Garden Institute, Tourism Planning Institute, Engineering Technical Service Center, Design Sketch Making Center, Hydropower Equipment Institute and Yixian Agency. During the period of more than ten years, the design institute has been successively entitled as the Advanced Party Organization of Urban Construction System, Advanced Unit of Responsibility System for Improving the Party's Work Style and Building Clean Government; furthermore, the design institute has won over 20 awards, like the Excellence Award of Provincial-Level Town Planning, second prize of Residential Design and third prize of Excellent Reconnaissance and Design, etc.

The whole institute, under the strong leadership of the urban construction commission, will learn from leading design organizations modestly, with strong sense of responsibility, mission and crisis, committed to the trinity of “tourism, ecology and culture” in one-stop services. It insists on the development in concert with socioeconomic conditions, strictly implement the energy-saving and emission reduction policies, and strongly promotes Anhui-featuring architectural culture, on the road of differentiated development, the road of “Anhui-featuring cultural design”, and the road of green and low-carbon design. It speeds up the transformational development, opening development, green development and harmonious development, and struggle for the purpose of building a regional featuring institute with strong general competencies.

地址：黄山市屯溪区黄山东路93号建设大厦
电话：+86-559-2315517/2315617/2546473/2318805（转分机）
传真：+86-559-2315617
邮箱：306457651@qq.com
网址：www.hscjsj.com

Add: Construction Building, 93 Huangshan East Road, Tunxi District, Huangshan
Tel: +86-559-2315517/2315617/2546473/2318805(Extension)
Fax: +86-559-2315617
E-mail: 306457651@qq.com
Web: www.hscjsj.com

扫描查看更多信息

中国城市建设研究院
China Urhan Construction Design & Research Institute

中国城市建设研究院成立于1985年，是原建设部城市建设研究院根据国务院六部委国科发政字改制而成，现隶属于国务院国有资产管理监督管理委员会所属的国家建筑设计研究院（集团），是城市建设行业综合性的科研设计单位。

该院拥有市政公用行业、建筑工程、城市规划、工程咨询、工程总承包、风景园林和环境工程专项、工程监理等十几个专业甲级资质，火力发电、旅游规划设计乙级资质，以及环境保护设施运营资质、对外经济合作经营资格。同时，还承担着城市环境卫生、风景园林、城市给排水、城市供热、城市道路、环境工程等相关市政行业的发展规划、工程科研和设计任务，以及城市规划、工业与民用建筑设计。

我院在深圳、福建、山东、上海等全国十几个地区设有分支机构。住房和城乡建设部环境卫生工程技术研究中心、住房和城乡建设部城镇建设标准技术归口单位、全国城镇供热标准化技术委员会、全国风景园林标准化技术委员会、中国城市环境卫生协会生活垃圾处理专业委员会、中国环保产业协会城市垃圾处理专业委员会、中国城市规划学会风景环境规划设计学术委员会、中国城市科学研究会生态城市专业委员会低碳研究学组等也依托我院设立。

建院二十多年来，我院已形成了一支拥有丰富实践经验和科研能力、年轻而充满朝气、长期活跃在城市建设领域的具有雄厚技术实力和强烈现代意识，并在本行业具有较强影响力的技术骨干队伍。我院现有员工700余人，其中高级职称以上160余人，中级330余人，各类注册人员130余人，国家突出贡献专家4人，享受国务院特殊津贴专家8人，住房和城乡建设部专家委员会专家11人，涉及环卫、风景园林、城市供水、城市规划、住宅建设与产业化、城镇供热等专业。在科研、规划、设计等各方面我院都取得了丰硕成果。

自2005年以来，我院先后完成了有关城市市政公用设施科研、规划、工程可行性研究和设计3500余项，主编和组织编写了城镇建设行业标准300多项，主持完成了多项国家“九五”、“十五”、“十一五”计划国家重点科技攻关项目，完成了一大批达到国际先进和国内领先水平的研究设计项目。2011年完成生产合同额12亿余元。城市建设研究院注重科技创新和质量管理，先后取得了百余项科技进步奖和优秀设计奖，并通过了质量管理体系、环境管理体系和职业健康安全管理体系“三体系”认证。我院还以较强的自主知识产权开发能力和科技成果转化能力，获得高新技术企业的认定，并通过国家火炬计划重点高新技术企业认定。

该院秉承“以质量求生存、以创新谋发展、以服务赢信誉、以品牌占市场”的执业宗旨，崇尚“诚信、务实、合作、创新”的核心价值观，坚持“学习求变、合融求进”的企业精神，充分发挥自身的科研、技术和人才优势，积极探索和开拓新的领域和市场，努力把我院建设成为“最具竞争合力的科技型环境建设者”，为我国的城市建设绘就精彩、贡献力量！

地址：北京市西城区德胜门外大街36号中国城市建设研究院
电话：+86-10-57365152
传真：+86-10-57365153
邮箱：cucd_001@163.com
cucd_001@126.com
网址：www.cucd.cn

Add: No.36 De Sheng Men Wai Street, Xicheng District,Beijing
Tel: +86-10-57365152
Fax: +86-10-57365153
E-mail: cucd_001@163.com
cucd_001@126.com
Web: www.cucd.cn

扫描查看更多信息

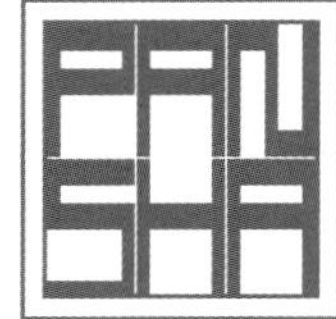

泛道国际联合设计机构PANSHA
Pansolution and SHA International Collaborative Design

泛道国际设计有限公司（北 京）PANSolution Design. Co., LTD.(Beijing,CN)
萨泽兰弗塞建筑师事务所（爱丁堡）SUTHERLAND HUSSEY Architects (Edinburgh,UK)

泛道国际联合设计机构PANSHA（简称"泛道国际"），作为国际知名的规划与建筑设计公司，长期关注于公共领域的发展，致力于文化类公共建筑设计、公共领域开发利用、文化遗产保护建筑设计、城市设计与城市规划研究，并在这些领域，引领着设计发展的趋势，定义着高品质的创意内涵。
泛道国际作为国际主流的设计机构，其作品屡次在国际上获得大奖，其中包括中国建筑师学会奖、英国皇家建筑师协会金奖、苏格兰皇家科学院金奖、密斯欧洲建筑奖、动态场所奖、斯特林奖提名等。
泛道国际的设计哲学是在全球化的背景下，植根于地域的文化传统，从中汲取深层次的理念与价值，通过优雅的建筑语言诉诸诗意的表达，将人性场所和城市文脉有机融汇，实现景观、城市、建筑与空间的有效整合。泛道国际一贯关注人文精神在场所中的传递与表达，理想空间是联系历史、现在与未来的线索。
泛道国际在中国的工作涵盖城市文化建筑与设施、城市商业综合体、历史街区有机更新、文化旅游产业开发等领域，并与优秀的业主一起，创造了一系列激动人心的成功案例。其中包括金沙遗址博物馆、上海张大千与孙云生艺术博物馆、安庆黄梅戏艺术中心、北京华业商业综合体、成都武侯祠文化区总体规划、西岭雪山山地运动度假区总体规划、五台山自然文化遗产景观核心区规划、北京通州新城滨水区总体规划研究等。泛道国际在中国的建筑与环境作品，持续关注城市的演进与更新、产业发展与文化延续、生态技术与可持续发展，力争将全球化的设计经验与地域化的价值体现相结合，以提出整体性和创造性的解决方案。
泛道国际作为国际一流的创意人才聚集之地，在北京、爱丁堡拥有设计中心。在这里，将实现与国际设计大师的对话、多元文化与价值的交流、工程实践与学术研究的贯通，以及理想的展示与实现。

PANSolution and SHA International Collaborative Design ("PANSHA"), as an international famous company of planning and architectural design, always focuses on the development of public sphere and engages in many fields, such as public architectural design in culture, exploration of public sphere and architectural design of cultural heritage protection, as well as urban design and planning study. It leads the development tendency of design and represents the connotation of high-quality creativity among the fields.
It is an international mainstream designer of the world, and many of its works have received awards in various international competitions, such as China Institute of Architects Award, the golden medal for the Royal Institute of British Architects and Scotland Royal Academy of Sciences, Mies European Architecture Award and Dynamic Place Prize, as well as nomination for Stirling Prize.
In the context of globalization, its design philosophy is rooted in the regional cultural tradition to absorb deep concepts and values, to show the poetic expressions though graceful architectures, which combines human places with urban culture and achieves the effective integration between landscape, city, architecture and space. It always pays more attention to the transmission and expression of humanistic spirit in places, in the belief that ideal space is the link between the past, present and future.
Its business covers many fields in China, including urban cultural architecture and infrastructure, urban business complex, organic renewal in historical block and the exploration of cultural tourism industry. It has worked together with excellent owners and created numerous successful cases, including Jinsha Site Museum, Shanghai Zhang Daqian and Sun Yunsheng Artistic Museum, Anqing Huangmei Opera Artistic Center, Beijing Huaye Business Complex, the overall planning in Chengdu Culture Area of Zhuge Liang Temple and Xiling Snow Mountain Sports Holiday Resort, the core area planning in Wutai Mountain Natural and cultural Heritage Site, as well as the overall planning and study of Tongzhou New-city Bingshui District in Beijing. In China, Its architectural and environmental works keep to concern the relations between urban evolution and renovation, industrial development and cultural continuity, eco-technology and sustainable development, trying to integrate the global design experiences with local value expression so as to present a solution with integrity and creativity.
As a world-class center of creative talents, PANSHA has set up design centers in Beijing and Edinburgh. In here, you will get the opportunities to communicate with international design masters, exchange a diversity of cultures and values, connect the engineering practices with academic researches, as well as express and achieve your dreams.

地址：北京市西城区北展北街华远企业号 17 号楼 A602 室
电话：+86-10-82379700
传真：+86-10-82379702
邮箱：pan-s@vip.sina.com
网址：www.pan-s.com.cn

Add: A602, Block 17, Hua Yuan Qi Ye Hao, Bei Zhan Bei Street, Xicheng District, Beijing
Tel: +86-10-82379700
Fax: +86-10-82379702
E-mail: pan-s@vip.sina.com
Web: www.pan-s.com.cn

扫描查看更多信息

北京白林建筑设计咨询有限公司
Bailin Architectural Design and Consultant Corporation Ltd. , Beijing

公司简介
Company Profile

坚持“先做人，后做事，再做建筑”的基本原则。

办所理念
研究型，追求卓越，培育人才。

设计理念
追求“思想性，艺术性，精神性，前瞻性”。

设计方法论
“建筑是思想的容器”。
“以人为本，以环境为源，以科技为手段”。

学术目标
探索中国的建筑现代化与中国文化的融合。
探索中国人的价值观与建筑的结合点。
为中国的建筑学术事业做出贡献。

服务态度
超越自我，超越甲方，谋求甲方最根本的利益。

Persist in the principle to conduct ourselves and our business of "firstly conduct ourselves, secondly conduct our business, and then the architecture".

Aim
Research, Pursuit of Excellence, Cultivation of Talents.

Design Concept
Pursuit of In-Depth Thinking, Artistic Spirit, Spiritual and Inspiring Prospect.

Design Methodology
"Architecture is the container of the thinking." "People as the base, environment as the source, science and technology as the means".

Academic Goals
To explore the intergration of the modernization of architecture in China and the Chinese culture.
To explore the joint of the Chinese values and architecture.
To make contribution to the architectural academic career of China.

Attitude for Service
Surpass ourselves, surpass Party A, and seek for the fundamental interests of Party A.
Go deep into the ideological content, cultural content, artistic quality and spiritual comotation of architecture.

建筑观 建筑是思想的容器

地址：北京市西城区西外大街 1 号西环广场 T2 19 层 C1
电话：+86-10-58301336/7
传真：+86-10-58301336/7-606
邮箱：bailin.bailin@263.net
网址：www.bailindesign.com

Add: West Central Plaza T2 19-C1, West Avenue, Xicheng District, Beijing
Tel: +86-10-58301336/7
Fax: +86-10-58301336/7-606
E-mail: bailin.bailin@263.net
Web: www.bailindesign.com

扫描查看更多信息

北京市建筑设计研究院有限公司

Beijing Institute of Architectural Design

北京市建筑设计研究院有限公司，即原北京市建筑设计研究院（英文简称BIAD）。

北京市建筑设计研究院是与共和国同龄的大型民用建筑设计机构，自成立以来，经过几代人的开拓创新、励精图治，在建筑设计及科研领域取得了突出的成绩。1979年开始实行事业单位企业化管理试点，1980年实行自收自支，1988年获得工商企业法人营业执照，1992年享有对外经营权成为改革开放后最早进入国际建筑市场的国内著名设计企业之一，1998年通过ISO9001质量管理体系认证，2009年被评为国家高新技术企业。

伴随着新中国的建设与发展，北京市建筑设计研究院承担并完成了北京及全国各地许多重要的设计项目，贡献了不同时期的经典设计，如50年代象征新中国形象的人民大会堂、历史与革命博物馆；60～70年代体现我国自主科技实力的工人体育馆、北京饭店；80年代体现改革开放的中国国际展览中心、第11届亚运会场馆；90年代有完善国际大都市功能的首都机场2号航站楼、国际金融大厦；21世纪以来的国家大剧院、首都机场3号航站楼、国家体育馆、五棵松文化体育中心、奥林匹克公园国家会议中心、奥林匹克公园中心景观及下沉广场、中国石油大厦、北京电视中心、上海世博会项目等。

北京市建筑设计研究院忠实履行国企发展职责，承载政治和社会责任。完成了一批国家和北京市急需的城市建设项目，自2004年以来共完成设计任务3708项，其中国家和北京市重点工程328项。完成建筑设计面积6540万m^2。在2008年北京奥运场馆建设中，承担了35项场馆及配套工程项目设计工作，共完成了270万m^2的设计任务，占全部场馆总面积的40%，被授予“北京奥运会、残奥会先进单位”光荣称号。此外，还奔赴全国各地承担重点建设工程，全国化发展成绩显著，建筑设计作品遍及全国31个省市自治区，并在深圳、上海、海南、厦门等地设立了12个分支机构。2006年在落实中央、北京市支援世博建设中，作为参与世博会展馆设计最多的非上海本地设计机构，历经4年的倾心投入和不懈努力，在上海世博会工程设计中完成了大量项目，设计面积接近总规模的30%，卓越的设计能力和良好的服务水平受到了上海市政府、建设方、参展方的广泛认可，荣获多项荣誉称号。在2008年“5.12”四川汶川特大地震发生时，北京市建筑设计研究院设计的绵阳市九州体育馆在地震中巍然屹立成为灾民紧急避难所。在灾后的第一时间，组织院内专家、技术人员40多人冒着余震的危险，多次赶赴现场参与震后建筑评估、检测和技术指导。其后又积极投身北京援建什邡的一系列工程项目中，先后负责了什邡职业中专、北川中学等的设计工作，受到各级政府和灾区群众的好评，获得援建特殊贡献奖。在2010年的玉树灾后重建及2011年北京对口援建新疆和田地区的工作中，都承担了重要而艰巨的任务。

在多年的工作过程中，BIAD逐步形成了一个优秀的设计团队，集中了一大批优秀的建筑师和各个专业的工程师。截止到2011年，BIAD拥有职工1925人，工程技术人员达1472人。包括工程院院士1名，全国工程勘察设计大师9名，突出贡献专家12名，教授级高工85人，高级建筑师和高级工程师438人，建筑师和工程师553人，拥有一级注册建筑师258人，一级注册结构工程师160人，注册造价工程师6人。

BIAD自成立以来的60多年中，始终致力于向社会提供高品质的设计服务，在行业中享有极高声誉。面临新世纪建筑设计行业的严峻挑战，BIAD坚持以改革促发展，以“建设中国卓越的建筑设计企业”为共同愿景，以“建筑服务社会”为核心理念，以“开放、合作、创新、共赢”为经营宗旨，以“为顾客提供高完成度的建筑设计产品”为质量方针，坚定不移地实施品牌战略，充分利用设计与科研、人才与技术的综合优势，全面提升核心竞争力，在激烈的市场竞争中保持设计水平和原创能力的领先地位，为促进行业的发展和建筑设计领域的繁荣贡献力量。

BIAD制定了“全面加强品牌建设，继续推进体制改革，建立现代企业制度”的目标，将进一步强化市场意识，切实尊重业主需求，通过整合全院乃至国内外优势资源，逐步提升设计作品的完成度，为社会贡献更多更好的建筑精品。在设计主业商业模式的创新上有所突破。以BIM技术在建筑设计中的运用为载体，创新商业模式，利用网络的无边界性、高度集成性、受众的广阔性以及资讯、信息的便捷高效性，在更广阔范围内整合全社会的资源，构建全球化的平台，推进企业国际化发展，打造国际设计高端品牌，跻身世界先进设计机构行列。

地址：北京市南礼士路62号
电话：+86-10-68700809
传真：+86-10-68700817
邮箱：biad7s1@163.com
网址：www.biad.com.cn

Add: No.62, Nalishi Street, Beijing
Tel: +86-10-68700809
Fax: +86-10-68700817
E-mail: biad7s1@163.com
Web: www.biad.com.cn

扫描查看更多信息

清华大学建筑设计研究院有限公司
Architectural Design and Research Institute of Tsinghua University Co.,Ltd.

清华大学建筑设计研究院有限公司是国家甲级建筑设计院，拥有建筑工程设计、古建筑与文物保护等甲级设计资质、工程咨询甲级资质、施工图设计文件审查资质和水利行业（水库枢纽）及公路行业（公路、交通）乙级设计资质。
主要承担各类公共与民用建筑工程设计、城市设计、文物与古建筑保护、景观及室内设计等工程设计与咨询。设计并建成了一批如北京菊儿胡同居住区、清华大学图书馆、北京天桥剧场、中国美术馆改造装修工程、清华大学医学院等精品之作，独立完成2008年奥运会北京射击馆等多项奥运工程项目。

Architectural Design and Research Institute of Tsinghua University Co., Ltd. is a national architectural design institute with Grade A qualification, has the Grade A qualification of architecture engineering design, ancient buildings and heritage conservation, the grade A qualification of engineering consulting, the qualification of construction drawing design document review and the Grade B qualification of water industry (reservoir hub) and road sectors (roads, transport).
It mainly undertakes architectural design and consulting services, such as public and civil architectural project design, urban design, the protection of cultural relics and ancient buildings, and scenic and indoor design. Several selected projects have been designed and constructed, such as Beijing Ju'er Hutong Residential Area, Tsinghua University Library, Beijing's Tianqiao Theater, China Art Gallery Rebuilding Project, and School of Medicine of Tsinghua University. THAD independently has also undertaken many Beijing 2008 Olympic Games projects.

地 址：中国北京清华大学建筑设计中心楼
邮 编：100084
电 话：+86-10-62789999
传 真：+86-10-62784727
网 址：www.thad.com.cn
邮 箱：jzsjy@tsinghua.edu.cn
法 人：庄惟敏

Add: Architectural Design Center of Tsinghua University, Beijing
P.C.: 100084
Tel: +86-10-62789999
Fax: +86-10-62784727
Web: www.thad.com.cn
E-mail: jzsjy@tsinghua.edu.cn
Legal person: Zhuang Weimin

扫描查看更多信息

北京清润国际建筑设计研究有限公司

Beijing Tsingrun International Design and Research Co., Ltd.

清——清以修身，静观求自在；
润——润以养心，内观尚上品。

它是具备先进设计理念与杰出设计能力的股份制公司，设计骨干均来自国内外名校，有浓郁的学院氛围。提供策划、规划、建筑、景观、室内等全程服务。高品质作品与坦诚交流赢得了广泛的认同与尊重，众多知名公司、政府等组成了清润国际稳定恒久的客户群。

A joint - stock company with advanced design concepts and outstanding design capabilities.
With all key designers coming from the top universities or having international study background, the company is rich of academic atmosphere.
Providing full services covering scheming, planning, architecture, landscaping, interior design and so on.
High-quality works, open and honest exchange have won them wide acknowledgement and recognition.
Numerous well-known enterprise corporations and governmental departments have formed a stable and Long-term customer base.

地址：北京经济技术开发区西环南路26号院11号楼
邮编：100176
电话：+86-10-67856060
传真：+86-10-67856060-104
邮箱：tsingrun2006@126.com

Add: 11th Building, 26th Yard, Xihuan south Road,
Beijing Economic -Technological Developmen Ared
P.C.: 100176
Tel: +86-10-67856060
Fax: +86-10-67856060-104
Email: tsingrun2006@126.com

扫描查看更多信息

中国建筑科学研究院建筑设计院
China Academy of Building Research Architectural Design Institute

中国建筑科学研究院成立于1953年，原隶属于建设部，2000年10月由科研事业单位转制为科技型企业，现隶属于国务院国有资产监督管理委员会。
中国建筑科学研究院建筑设计院，隶属中国建筑科学研究院，是国家住房和城乡建设部系统甲级单位，主要从事各种类型的大中型民用与工业建筑设计。多年来，设计院在建筑设计领域做了大量的工作，积累了丰富的设计经验，拥有一支由高素质人才组成的设计队伍。设计队伍包括院士、国家级设计大师、教授级建筑师、注册建筑师、注册结构师等，人员结构配备合理，其中博士、硕士占1/3，且有相当一部分设计人员有国外工作和学习的经历。
设计院依靠中国建筑科学研究院这一国家级综合性科学研究实体，在设计领域具有雄厚的技术基础。中国建筑科学研究院设有结构、地基、抗震、防火、装修、建材、建筑物理、机械化施工以及研发中心等十多个研究所，故能充分、迅速地把国内外建筑领域的新技术、新产品应用到设计院主持的建筑设计中去；对技术复杂、难度大的工程具有综合设计优势；有正确运用、深入理解规范与规程，完成高难度设计的能力。这对确保工程设计质量、节约材料、降低造价有着独特的优势。凭借这一优势，我们赢得了与SOHO中国、华润置地、华远地产、中粮地产等国内知名开发公司长期合作的机会，使设计院得以持续快速的发展。
设计院在国际合作领域方面，具有独特的优势和丰富的经验。依托院综合技术实力，设计院长期与贝聿铭等世界级建筑大师以及其他如美国、德国、法国、日本、瑞士、新加坡等国家和中国香港地区的国际著名建筑设计事务所密切合作。在合作过程中，设计院员工迅速、及时地掌握了当前国际最先进的技术和设计标准，熟悉了国际建筑设计、施工承包的操作模式，从而提高了设计院的学术水平，促进了设计技术的快速发展。
设计院在公共建筑设计领域方面，凭借高超的设计技术和精益求精的工作态度，承接的具有广泛的社会影响力的项目有：中国国家博物馆、中国疾病预防控制中心、国家信访局办公楼、国务院国有资产监督管理委员会、中华世纪坛、中国银行总部大厦、北京燕莎中心、人民大会堂改造等不同功能的知名建筑。

Founded in 1953, China Academy of Building Research (CABR) is the largest and most diverse research institution in building industry in China. It used to be affiliated to the Ministry of Construction (MOC). Since October 1st 2000, it transferred from the public institution into a technology-based enterprise, affiliated to the State-owned Assets Supervision and Administration Commission of the State Council (SASAC).
China Academy of Building Research Architectural Design Institute and Science Research Institute that belongs to Chinese Architecture and Science Research Institute, is A level design institute in the system of Ministry of Housing and Urban-Rural Development. It mainly deals with various kinds of design of large and middle sized civil construction and industrial construction. For years, the Architecture Design Institute have made a lot of projects in the architectural design field and accumulated much working experience of designing. It has a design team which is made of well educated talents and it includes academician, national senior designer, professional architect, registered architect and registered structure engineer etc, of whom the masters and the doctors account for 1/3, and many designers have foreign working and studying experience.
Because the institute depends on Chinese Architecture and Science Research Institute, it has strong technical base in the design field. Chinese Architecture and Science Research Institute has more than ten research institutes of structure, building foundation, shock resistance, fireproofing, decoration, building materials, building physics, construction mechanization etc. Therefore, it can apply the new technique and products from home and abroad into the projects which are held by our institute quickly and efficiently. They have comprehensive design advantage for the complex and difficult project; they also have ability of finishing the difficult design by using and understanding the norms and rules correctly. These advantages are helpful for them to ensure quality, save materials, sell their product in a low price. Thanks to their advantages, They have won the opportunities of making long term cooperation with SOHO China, Huarun Land, Huayuan Real Estate, Zhongliang Real Estate and other famous development companies, so their institute can develop rapidly and continuously .
The architecture design institute has unique advantages and rich experience in the field of international cooperation. Supported by the comprehensive technique strength, they can make long-term cooperation with Pei Cobb Freed and other famous international architects as well as some famous international architect offices which are located in America, Germany, France, Japan, Switzerland, HongKong of China, Singapore etc. During the process of cooperation, they learn the most advanced international techniques and design standards of modern time rapidly and they are familiar with the operation mode of international architectural design and contracted construction. Consequently, they improve the level of scholarship and promote the development of the design technique rapidly.
By using the high technique and excelsior working attitude, the architecture design institute has finished many projects with wide social influence in the field of public construction design, such as National Museum of China, Chinese Center for Disease Control and Prevention, office building of State Bureau for Letters and Calls, State-owned Assets Supervision and Administration Commission of the Sate Council", China Millennium Monument, Bank of China Headquarters, Beijing Lufthansa Center, the reconstruction of Great Hall of the People etc.

扫描查看更多信息

中科院建筑设计研究院有限公司
Institute of Architecture Design and Research, Chinese Academy of Sciences

中科院建筑设计研究院有限公司（以下简称“中科院设计院”）直属于中国科学院，成立于1951年，前身为中国科学院北京建筑设计研究院，2001年整体转制为公司。

中科院设计院拥有建筑行业建筑工程甲级、市政公用行业（热力）甲级资质、城乡规划编制乙级资质。目前有员工共606人，其中工程技术人员439人（高级以上职称99人、中级技术人员118人、一级注册建筑师30人、一级注册结构工程师19人、水暖电热力一级注册工程师31人）。除总部外，中科院设计院在广东、浙江、辽宁、四川、河南、上海、陕西、江苏、安徽设有分院。

中科院设计院致力于提供建筑行业全专业设计总承包业务，配备有各专项设计团队，包括热力所、惠中设计所、环艺设计所、环境工程所、景观设计所、光环境设计研究所、公共艺术中心、智能楼宇所、室内设计所、节能减排研究中心和2个综合设计所等专业设计机构。能够实现全过程全专业的设计服务，包括小区规划、建筑设计、市政设计、园林景观设计、照明设计、公共艺术（雕塑及VI 标识等）设计、室内装饰装修设计（含配饰及家具选型）、智能化系统设计等。

中科院设计院尤其擅长大型科研、教育、文化、居住、办公、医疗、体育类建筑设计，创作设计了一批具有社会影响力的建筑精品，如中科院文献情报中心（中国国家科学图书馆）、北京正负电子对撞机工程、国家天文台、LAMOST 天文望远镜项目、石油部物探局计算中心及亿次银河机机房工程、国家动物博物馆、中科院直属数十个研究所园区（包括动物所、计算机所、电子所、生态中心、苏州纳米所、青岛能源所、烟台海岸带所等）、中科院研究生院怀柔校区、中国农业大学烟台校区、法国巴黎中国文化中心、泰国中国文化中心、中国驻埃塞俄比亚大使馆、中国驻贝宁大使馆、中国驻巴西圣保罗总领事馆、北京基督教丰台堂和朝阳堂、中国人民银行重点库、天津于家堡金融区、鄂尔多斯市委党校、苏家坨经济适用房、郑州隆福国际项目、北京及上海万科城市花园等十余项万科住宅项目、北京阜内大街历史文化保护区的保护规划等。

中科院设计院曾获得国家级奖励10余项，省部级奖励70余项。1998—2011年，在第5届到第18届首都建筑设计汇报展中，有13个项目获得16 个奖项；在第11 届到15 届北京市优秀工程评选中，有10个项目获奖，其中3 项为一等奖；同期还获得部级优秀勘察设计奖5项，其中1项为一等奖。另外“中国科学院文献情报中心”荣获全国优秀工程设计最高奖金奖、部级优秀勘察设计奖一等奖；国家动物博物馆及中科院动物研究所科研实验楼、标本楼荣获全国优秀工程勘察设计奖银奖、全国优秀勘察设计行业建筑工程奖二等奖；中国科学院文献情报中心、九寨沟国际大酒店分别荣获“中国建筑学会建国60周年建筑创作大奖”；LAMOST天文望远镜项目获2010年十七届首都规划汇报展奖优秀奖，2011年北京市第十五届优秀建筑设计公共建筑奖二等奖；天津万科假日风景花园住宅、北京万科紫台家园、万科四季花城获得2008、2009年詹天佑大奖优秀住宅小区金奖及双节双优杯住宅方案竞赛奖金奖；郑州隆福国际项荣获2009年全国人居经典建筑规划设计方案竞赛建筑奖金奖。

中科院设计院被国家评为首批“全国建筑设计行业诚信单位”，被北京市评为“北京地区工程勘察设计行业诚信单位（建筑设计）”，被住建部中国建筑文化中心评为“中国最具影响力建筑设计机构”，被地产界评为“北京地产十佳建筑设计机构”，获得万科集团最佳设计合作伙伴奖，并成为沿海集团的策略联盟———指定设计合作伙伴。

60年来，中科院设计院始终坚持履行社会责任，重视社会效益，如在革命老区江西兴国县捐资建设“中科兴国希望小学”。汶川地震后，公司派专家到灾区做建筑安全鉴定，为灾后重建提供科学依据，并设计了北川抗震纪念园、央企办公区、十几所学校及医院等项目。在2008 及2009 年，参与奥运会残奥会环境建设工作及北京市对口援建新疆和田地区设计工作，受到北京市表彰并颁发了荣誉证书。2011年中科院设计院成立60周年之际，捐资设立了“中科院设计院志愿者基金”，面向全国高校，倡导“奉献、友爱、互助、进步”的青年志愿者精神，培养志愿者队伍。志愿者基金首批资助了中科院研究生院、清华大学、天津大学等5所高校。资助的项目包括“爱心行动”科院学子创新型支教、“关爱农民工子女圆梦逐梦行动”、“心心幼儿园关爱活动”等18项活动。中科院设计院将持续注资志愿者基金，让基金与设计院共同成长。

中科院设计院依托中国科学院，注重国际学术交流及合作设计，与美国Perkins Eastman建筑设计事务所、英国BDP建筑设计事务所、法国安东尼贝叙建筑设计公司等国际知名建筑师事务所签订了长期合作协议，具有丰富的国际合作经验，赢得了良好声誉。

中科院设计院设计专家团队相信物理环境对生活工作及学习质量有重大的影响，而设计良好的空间则会影响个人对环境的感受与使用，专业化的团队同时密切关注擅长专业领域的发展趋势，保持在创新中的领先地位。企业按照中科院院长白春礼为设计院题写的“尽责、规范、协作、发展”的院训，精心设计，诚信守约，追求精品，锐意创新，充分利用实力和优势为业主提供无边界的服务。

地址：北京市海淀区中关村北一街四号
电话：+86-10-62565107
传真：+86-10-62550658
邮箱：jiangll@adcas.cn
网址：www.adcas.cn

Add: 4 Zhongguancun North 1st Street, Haidian District, Beijing
Tel: +86-10-62565107
Fax: +86-10-62550658
E-mail: jiangll@adcas.cn
Web: www.adcas.cn

SKYLINE

天际线国际建筑设计事务所
SKYLINE International Architectural Design Firm

天际线国际建筑设计事务所是一家中美建筑师共同创立的国际化设计机构，拥有中国建筑甲级设计资质，公司创建于1996年并在美国注册。公司境外董事由几位来自全球权威设计公司的知名建筑师组成，他们分别来自全球办公及综合体排名第一的KPF，全球酒店及公寓排名第一的WATG，全美最大规模的GENSLER公司。公司的海外董事均从事设计创作及领导工作近30年，荣获全美最高专业荣誉AIA及诸多国际权威奖项，他们将亲自领导中国项目的设计全过程，为业主提供专业与国际化的服务。SKYLINE中方团队由多名工作20余年、拥有国家专业注册资质的设计师组成，由来自中国顶尖设计机构的优秀设计师领导，整体团队60余人，专业齐备，经验丰富，能够为业主提供高质量、高效率的全过程服务。
天际线致力于促进中国城市的发展，在诸多功能领域提供专业化的规划及建筑设计服务。为国内外的客户提供的业务包括：
* 城市核心区城市设计；
* 城市发展战略性研究；
* 城市滨水空间开发设计；
* 主题度假中心和酒店规划设计；
* 大型居住区及高端房地产项目规划设计；
* 大型城市综合体建筑设计；
* 文化、办公、科研、院校、医疗等设计。

SKYLINE is an international architect design firm, founded in 1996. It composes of American and Sino architects, with the Class A Architecture Design Certification in China, and a studio registered in USA. Our overseas principle design directors, with more than 20 or 30 years experience as senior designer, are well-known in their fields.They are coming from KPF, which is ranking top on office designing circle, and WATG, is ranking first on global hospitality design's platinum circle, and GENSLER. They are admired in AIA (American Institute of Architect) and won lots of awards. Now they are joined in SKYLINE. Their consulting activities are aiming at improving the design quality of our projects while developing international design in China. Our domestic design team has developed rich experiences working for architecture and engineering with its profound professional ability. SKYLINE, with 60 staffs,will offer valuable services in high quality design and high efficiency service for our clients.
Skyline is committed to the development of Chinese cities, to provide professional development in the urban planning and architectural design services for our client. For domestic and international customers, our services include:
* Strategic Study of Urban Development;
* Urban Waterfront Area Development and Design;
* Themed Resort and Hotel Planning and Design;
* Large-scale Residential Compound and High-end Real Estate Project Planning and Design;
* Mixed-Use Development Architect Design;
* Culture Center, office, Science + Technology, University, Healthcare;

地址：北京市西城区百万庄大街22号百万庄图书大厦6层
电话：+86-10-68410735, 88358031/2/3/5
传真：+86-10-88358031/2/3/5-860
邮件：info@skyline-china.com
网址：www.skyline-china.com

Add: 6th Floor , Book Building, No. 22 Million Zhuang Street, Xicheng District, Beijing
Tel: +86-10-68410735, 88358031/2/3/5
Fax: +86-10-88358031/2/3/5-860
E-mail:info@skyline-china.com
Web: www.skyline-china.com

中房集团建筑设计有限公司
CRED Architectural Design Co., Ltd.

中房集团建筑设计有限公司(中房设计)拥有国家甲级设计资质。公司自1988年成立以来，经过20多年的奋斗历程，迅速成为国内最具影响力的设计公司之一。近年来，中房设计以全新的姿态活跃于中国的设计领域，其业务范围迅速扩展。目前公司每年承接各类综合民用项目、建筑规划设计近40项，涉及开工面积超过100万m^2。
中房设计坚持采用一种与国内传统的设计院不同的发展模式，建立以国际化、集约化、客户化为核心竞争力的公司发展战略。
多年来，作为中房集团的下属单位，我公司在发扬住宅设计技术优势的前提下，不断在城市规划、校园规划与单体设计、公共建筑（群）设计等多个方面完善自己的业务。我们在公共建筑及住宅的原创性设计方面、在城市控制性规划和景观环境规划方面、在与一流咨询机构的良好互动配合方面、在良好的学习与研发能力及积极进取的工作态度方面均颇有建树。我们非常愿意将这些成熟的经验与业主分享。
中房设计在各个领域的设计作品以及其后的顺利实施，向世人展示了这个设计团队在建筑、结构、机电、运营、项目管理等方面的综合实力。针对不同项目的特点，我公司会组织在相关项目设计方面最具专长的设计团队，不仅在方案设计上体现出创新的设计理念，而且会充分考虑其运营使用功能，体现长远的经济效益，保证此项目具有国际化、专业化的设计水准。

CRED Architectural Design Limited (CRED Design) is licensed for national class-A designs. The hard work since its inception in 1988 makes it one of the most influential design companies. In recent years, CRED Design has been active in Chinese design sector, in a brand new stance, and spread its business rapidly. Currently the company undertakes about 40 various projects every year, including comprehensive civil projects, architectural design, covering a total land area over 1,000,000m^2.
CRED Design insistently adopts a development mode different from traditional Chinese design institutes, and establishes a corporate development strategy centering on its international, intensive and customized competitive strength.
For years, as a CRED subsidiary, the company constantly perfects its business in urban planning, campus planning & single design, public building (cluster) design etc. while carrying forward its technical advantage in housing design. We have good achievements in creative public buildings & housing design, urban control planning & landscape environment planning, good interaction & coordination with first-class consultants, and good learning & research abilities & proactive working attitude. We are pleased to share such mature experience with owners.
The designs and their smooth implementation have presented CRED Design's capabilities over architecture, structure, electromechanical supplies, operation, project management and other fields. For different projects, the company will organize a professional design team based on specific features, representing innovative design philosophy, in full consideration of the operation and functions, so as to realize the long-term economic benefit and ensure the international & professional level of the project design.

地址：北京市海淀区三里河路9号
电话：+86-10-68321378
传真：+86-10-68321377
邮箱：zf2000@vip.sina.com

Add: No.9, Sanlihe Road, Haidian District, Beijing
Tel : +86-10-68321378
Fax : +86-10-68321377
E-Mail: zf2000@vip.sina.com

扫描查看更多信息

中国中建设计集团有限公司
China Construction Engineering Design Group Corporation Limited

中国中建设计集团（以下简称中建设计集团）隶属于中国建筑工程总公司（以下简称中国建筑，名列财富世界500强前100名）。中建设计集团（直营总部）是中建设计集团七家成员企业之一，承担中建设计集团的直营业务板块，服务中国建筑主营业务。其前身是中国建筑北京设计研究院有限公司，成立于1988年。具有建筑设计甲级、城市规划编制甲级、国家文物保护甲级、风景园林乙级、房建工程及市政工程（不含桥梁、燃气）监理甲级、工程招标代理（暂）、机电安装、化工石油工程及电力工程乙级等资质。主要业务范围包括：城乡规划设计、投资策划、大型公共建筑设计、民用建筑设计、室内装饰设计、园林景观设计、市政工程设计、工程概预算编制、工程监理、工程总承包、房地产业务咨询等，并依托中国建筑强大的资源优势为客户提供建设工程全过程服务，实现〝设计+建造〞一体化运作。具有对外经营权，通过〝三标〞管理体系认证。

中建设计集团（直营总部）现有从业人员1100余人，其中教授级高级建筑师（工程师）37人，高级建筑师（工程师）230人，一级注册建筑师、一级注册结构工程师、注册城市规划师、注册设备工程师、注册电气工程师、注册监理工程师、注册造价师共计173人。

中建设计集团（直营总部）坚持〝立足京津、拓展周边、辐射全国、走向国际〞的市场战略，通过全体员工的不断努力，综合实力日益增强。先后在国内外完成了众多有影响的工程设计项目，荣获国家、省、部级奖项120余项。

中建设计集团（直营总部）始终坚持精品战略，注重提升核心技术竞争能力。承担国家〝十二五〞科研课题研究并参与国家规范、规程的编制等多项工作，拥有建筑技术研发中心，以科研成果引领工程实践，不断取得新成果。

中建设计集团（直营总部）将不断超越自我，广纳天下英才，汇聚业界优势资源，践行〝创意生活，规划未来〞的企业使命，为广大客户提供更加优质的产品和服务。

企业理念：

使命：即企业恒久存在的目的、理由和意义。
愿景：即在可预见未来，我们渴望成为什么样的企业。
价值观：即追求目标时遵循的信仰和价值判断标准。
企业宗旨：即企业实践使命过程中应遵循的基本行为规则和原则。
管理理念：即组织在运行过程中指导管理活动的信念及秉承原则。
质量安全方针：即企业在从事经营活动中对其所处区域、社会的安全和环境的承诺。
经营方针：即以企业的经营思想为基础，根据实际情况为企业实现经营目标而提出的具体指导方正。

地址：北京市海淀区三里河路15号
中建大厦A座9层
电话：+86-10-88083900
传真：+86-10-88083588
网址：www.cscecbdi.com

Add: 9th Floor, Tower A Zhong Jian Office Building, No.15 Sanlihe Road,
Haidian District, Beijing
Tel: +86-10-88083900
Fax: +86-10-88083588
Web: www.cscecbdi.com

扫描查看更多信息

北京中建建筑设计院有限公司
Beijing Building Design Institute of China Construction

追求完美 缔造卓越
Pursuit of Perfection to Create Excellence

北京中建建筑设计院有限公司成立于1974年，原名为中建总公司北京设计所，系由原建设部批准的甲级设计单位，隶属于中国建筑工程总公司、中国建筑一局（集团）有限公司。

经过30多年的建设与发展，该院已成为技术实力雄厚、专业配套齐全、拥有先进的设计水准和管理体制的一流大型甲级建筑设计院，在业内享有很高的声誉，并逐渐形成了“追求完美，缔造卓越”的企业核心思想。

业务范围包括国内外各类工业及民用建筑设计、城市规划、项目策划、室内装饰设计、景观设计、工程概预算编制、工程甲级总承包等领域。

近年来在海内外完成了一大批具有重要意义和影响的建筑，如北京中关村科技大厦、海龙大厦、翠微大厦、甘家口大厦、青海省疾病预防控制中心、大理全民健身中心、中国第一历史档案馆迁建工程及哈萨克斯坦阿斯塔纳市北京大厦等。

与许多国外著名设计公司保持着良好的合作关系，并在合作过程中坚持建筑创作的自主性。

导入国际同行的框架体系和服务标准，构建本土化且具有国际标准的专业服务团队和经营理念，已赢得了客户及业内的广泛赞誉，并已取得“ISO9001质量管理体系认证”。

现有十个综合设计所和经营及技术质量管理部门，在长沙、西安、成都、呼和浩特、上海等地设有分院。

该院完成的工业与民用建筑设计项目多次获得住房和城乡建设部、北京市、中建总公司及有关省市颁发的优质工程奖。北京华科综合楼获国家鲁班奖；北京海龙大厦获省部级优秀工程设计一等奖；中国第一历史档案馆迁建工程获省部级优秀方案设计一等奖；二里沟五矿大厦装修改造工程、甘家口大厦、大理全民健身中心获省部级优秀工程设计二等奖；魏公村危改小区获全国“创作风暴”综合设计金奖等。

多年来，该院还积极从事建筑结构体系的研究，“整体预应力板墙结构体系的研究及应用”项目获得住房和城乡建设部、北京市、中建总公司科技进步三等奖。

该院主编并完成了住房和城乡建设部下达的《既有采暖居住建筑节能改造技术规程》（JGJ129—2000J68—2001）标准一书的编制，并参与了《整体预应力装配式板柱建筑技术规程》及北京市地方标准《建设工程临建房屋应用技术标准》的编制工作。

北京中建建筑设计院有限公司是为社会服务的团队，是整合各方面资源的平台。“生态策略，领先科技”的设计理念，“诚信、优质、高效、创新”的经营宗旨，使该院的每项设计都成为人类建筑艺术宝库中的一个精美作品。

地址：北京市西四环南路52号
邮编：100161
电话：+86-10-83982279
传真：+86-10-83982267
网址：www.cscecbjadi.com

Add: No. 52, West Fourth Ring Road, Beijing
P.C.:100161
Tel: +86-10-83982279
Fax: +86-10-83982267
Web: www.cscecbjadi.com

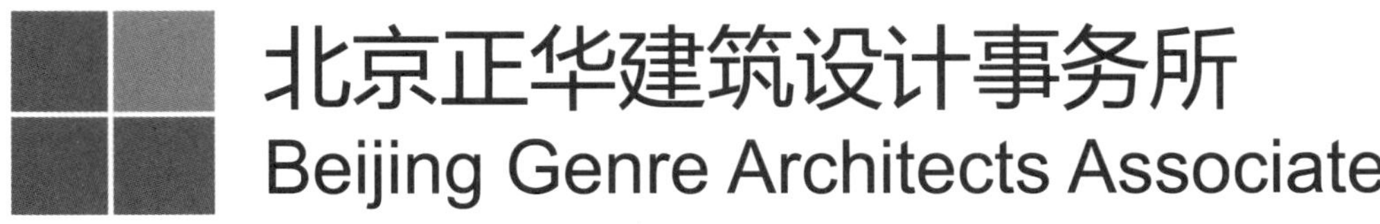

北京正华建筑设计事务所
Beijing Genre Architects Associate

北京正华建筑设计事务所成立于1993年，1998年在行业内率先进行体制改革和资产重组，成立了隶属于北京市勘察设计管理处的甲级综合设计事务所。随着多年来的不断发展壮大，事务所建立了高效而强大的建筑及施工设计团队，现已成为一个集建筑策划、信息咨询、建筑及施工图设计、装饰设计、CAD软件开发与应用为一体的国际化新型建筑设计事务所。项目涉及城市规划，建筑、景观及室内设计、绿色建筑设计等各个方面。建筑设计项目的类型包括商业建筑、酒店建筑、办公类建筑、教育类建筑、古建筑及住宅小区等。
目前，事务所有各类专业技术人员约100人。其中，一级注册师20人，高级及中级职称设计师60人。努力开拓、脚踏实地、设计精湛是他们的工作态度；以人为本、绿色环保、宜居环境是他们的工作方向；信守承诺、恪守标准、客户满意是他们的服务宗旨。

地址：北京市海淀区北四环西路9号银谷大厦2006-2008房间
电话：+86-10-62800546/47/48
传真：+86-10-62800545
邮箱：zhenghuasws@163.com
网址：www.bjzhenghua.com.cn

Add: Room 2006-2008,Yingu Building,West Road No.9,NorthFourthRing Road,Haidian District,Beijing
Tel.: +86-10-62800546/47/48
Fax: +86-10-62800545
E-mail: zhenghuasws@163.com
Web: www.bjzhenghua.com.cn

扫描查看更多信息

北京奥思得建筑设计有限公司
Beijing Honest Architectural Design Co.,Ltd.

BHAD北京奥思得建筑设计有限公司成立于1994年2月，系住房和城乡建设部直属中外合资甲级建筑设计公司。
总部设在北京，同时在中国的上海、山西，加拿大的温哥华，法国的巴黎，阿尔及利亚的阿尔及尔等地设有办公室，同时是英国PCKO建筑事务所、加拿大GBL建筑师事务所在中国的代表机构，有着丰富的国际合作设计经验。
BHAD北京奥思得建筑设计有限公司成立至今，承接了国内外近百项重要工程，已建成面积超过5 000 000 m^2，设计品质优良，在业界树立了良好的企业形象。

地址：北京市朝阳区东三环中路39号
建外SOHO16号楼29楼
电话：+86-10-58692509/58692519
传真：+86-10-58692532
邮箱：bta@vip.sina.com
网址：www.bhad.cc

Add: Floor 29th,Jian Wai SOHO 16 Building, 39 East Third Ring Middle Road,
Chaoyang District, Beijing
Tel: +86-10-58692509/58692519
Fax: +86-10-58692532
E-mail: bta@vip.sina.com
Web: www.bhad.cc

扫描查看更多信息

都市意匠 | UDT

Urban Dtek Corp.
都市意匠城镇规划设计(北京)中心

都市意匠城镇规划设计（北京）中心（简称都市意匠）是UDT(加拿大)设计集团的北京公司。
公司团队由国际资深城市设计师、规划师、景观设计师、建筑师、工程师、生态规划师和经济规划师组成。业务范围涵盖城镇发展战略性规划、前期策划、总体概念规划、城市设计、旅游度假区规划、景观规划、修建性详细规划、建筑设计、平面与视觉识别设计等领域。
项目过程中，都市意匠与业主和合作单位形成战略合作伙伴关系，秉承〝专业精神、创新思维和团队工作〞的核心理念，以发现问题、解决问题的工作方法，对城市规划的决策、开发、保护，以及针对提倡可持续发展、生态敏感和社会完整性的城市规划、设计，提出具有前瞻性和操作性强的解决方案，并强调人居、生态、经济发展和个性体验的重要性。都市意匠的设计师将国际一流的规划设计理念与当地环境和发展相契合，经常以独到的见解、打破常规的解决方法和个性化创意方案给业主以惊喜。都市意匠的风格可概括为三个追求：第一，追求人工景观和自然环境的完美融合，以独到的设计和新技术的应用最大限度地保持环境的原貌；第二，追求自然简单的解决问题的方法和设计风格；第三，追求设计与功能的完美结合。最后一点来源于都市意匠对中国建筑文化的理解。设计的语言是国际的，人文的背景是中国的，都市意匠这一群对规划和设计怀着至诚热情的专业工作者，希望在历史赋予的机会面前，以国际化的视野和创新思维，为中国的城市化发展贡献力量。
都市意匠相信环境可以改变人们的生活，为了创建更美好的家园，都市意匠和所有的业主，一起努力着。

Urban Design and Technology Beijing Center is the Beijing Branch of UDT -Canada Design Corporation.
Our multidisciplinary team involves highly-experienced international urban planners, urban designers, landscape designers, architects, engineers, ecological planners and economic experts. Our practice includes a wide scope of projects, ranging from city and town strategic development plan, preliminary study, conceptual master plan, tourism plan, landscape design, constructive detailed Plan, to architecture, graphic and VI design.
UDT is currently divided into five departments: urban planning and design, economic development, environment and energy, architecture, and construction. The company offers conceptual planning, urban design, tourism planning, architecture, and VI design.
Over the past years, UDT has developed strategic partnerships with clients and co-workers. With the concepts of professionalism, innovation and teamwork in mind, our approach is founded on the basis of "problem identification - problem solving" methodology. We are dedicated to provide forward-looking and feasible planning solutions to create, enhance and sustain the built environments, promote sustainable development, ecological conservation and social integrity, and place emphasis on the living environment, ecology, economic growth as well as personal feelings.
Incorporating the most advanced international planning and design theories into local conditions and development, the talented designers in UDT always impress the clients with their original thinking, creative solutions, and individualized design alternatives. In UDT, there are three major focuses: first, the perfect integration of artificial landscape and the environment. We protect the existing environmental to the maximum extent possible by means of designs and new techniques. Secondly, simple and natural design solutions. Lastly, the perfect combination of design and function, which is derived from a thorough understanding of the Chinese architectural culture. The design language could cross national boundaries, but still in the context of Chinese culture. Taking advantage of the historical opportunities, the passionate professionals in UDT are committed to contribute to the urbanization process in China, utilizing their global visions and unique ideas.
UDT believes that the built environment plays a major role in reshaping people's lives. Thus, UDT will continue collaborating with all clients to make the world a better place for everybody.

地址：朝阳门北大街乙12号天辰大厦802室
电话：+86-10-65525201
传真：+86-10-65525203

Add: Room 802, Tianchen Plaza B No. 12 Chaoyangmen North Street
Tel: +86-10-65525201
Fax: +86-10-65525203

扫描查看更多信息

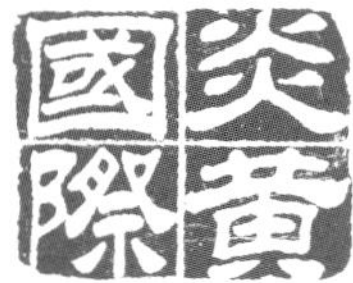

北京炎黄联合国际工程设计有限公司
Beijing Yanhuang United International Engineering Co.,Ltd.

北京炎黄联合国际工程设计有限公司（简称炎黄国际）由我国资深建筑师刘永梁先生于20世纪80年代末创建，是一家有20余年历史的股份制设计公司，拥有建筑工程设计甲级、城市规划乙级及风景园林乙级资质，总部设于北京，拥有工程师近千人。为适应国家城市进程和与日俱增的建筑设计市场的需求，公司在天津、南京、合肥、厦门、深圳、海南、贵阳、昆明、哈尔滨等地设有直属分公司和公司办事处，直接承接设计项目、管理和施工服务。

炎黄国际的业务范围包括各种建筑工程设计、室内装修设计、园林景观设计、城市规划和风景区旅游规划等，20多年来，建成和完成的作品几乎囊括了所有民用建筑设计的领域，项目所在地点从最北端的伊春到最南面的三亚，遍及全国各地。在高星级酒店、高尔夫社区、城市商业综合体等领域是中国最有经验的工程设计单位之一，作品屡获大奖。

炎黄国际技术力量雄厚，专业配备齐全。它拥有一支业务精湛、经验丰富、骨干稳定、充满活力的设计团队。公司的宗旨是：用先进的设计理念和技术，用精益求精、一丝不苟的工作态度，为客户提供国际化、专业化、品牌化、本土化的设计服务，并为国家的经济建设和人民工作、生活环境的改善做出自己应有的贡献。

Beijing Yan-Huang United International Engineering Design Co., Ltd. (in short Yan-Huang International), a shareholding design enterprise with over 20 years of history, headquartered in Beijing with thousands of engineers, was founded in late 80s by a Chinese senior architect Mr. Liu Yongliang, and it is qualified as class-A of architecture engineering design, class B of urban planning and class B of landscape planning. Fitting the urbanization process of the country and meeting the increasing architecture design market demand, the company has set up subordinate branch offices and representative offices respectively in Tianjin, Nanking, Hefei, Xiamen, Shenzhen, Hainan, Guiyang, Kunming, Harbin etc., directly undertaking design projects and coordinating on-site, design management and construction services.

The business of Yan-Huang International includes various architecture engineering designs, interior decoration designs, landscaping designs, urban planning and scenic area tourism planning, and over the past two decades, the finished products of the company nearly cover all fields in civil architecture design, distributed all over China from the very north end, Yichun City in Heilongjiang Province, to the very south end, Sanya City in Hainan Province. It is one of the most experienced engineering design enterprises in China in the field of luxury hotels, golf community, and urban commercial complex etc., and its products have won great prizes.

Yan-Huang International has strong and solid technical support, and all kinds of professional equipment. It also has a proficient, experienced, vigorous design team with steady backbone. The goal of the company is to utilize advanced design theory and technology, work with an attitude of being precise and striving for the best to provide the customers with international, professional, branding and localized design service, and make its due contribution to the economic construction of the country and the improvement of people's working and living environment.

地址：北京市海淀区中关村南大街甲18号
北京国际B座9-12层
邮编：100081
法人：冈钢
电话：+86-10-62117746
传真：+86-10-62122704
邮箱：yanhuangguoji@vip.163.com
网址：www.yuie.com.cn

Add: Haidian District, Beijing Zhongguancun South Street, Block B, No. 18
Beijing International 9-12 layer
P.C.: 100081
Legal Person: Gang Gang
Tel: +86-10-62117746
Fax: +86-10-62122704
E-mail: yanhuangguoji@vip.163.com
Web: www.yuie.com.cn

扫描查看更多信息

北京享筑建筑设计咨询有限公司

Beijing Xiangzhu Architectural Design Co.,Ltd.

北京享筑建筑设计咨询有限公司是一个创意型且具有国际设计经验的团队，由美国注册建筑师林媛主持并与国内极具创意与天分的设计师结合。我们的团队视野宽阔，充满活力，淳朴自由的设计风格和高品质服务的意识，使得我们在商业、酒店、居住、学校等建筑设计方面据有独特的竞争力。
我们热爱生活，关注环境，讲求品质，我们的追求是与客户一起享受建筑！用心筑造，用时间磨砺，用美的体验与技术的精到塑造合宜的建筑环境。

Beijing Xiangzhu Architectural Design and Consulting Co. Ltd. is a design firm with a international experience. We are a highly energetic team with a broad vision of design. Our simple and natural style of design and our desire to provide high quality service have made us stand out in the architectural design of commercial, residential, hotels and schools.
We treasure life, we are concerned with the environment, we are devoted to quality living, and most of all, we enjoy architectural design. We craft our design with heart and soul. We strive to enjoy architecture with our clients. We expect to use the principal of aesthetics and the precision of techniques to define proper environments for human living.

地址：北京知春路甲48号(盈都大厦）C座1-11C
电话：+861-10-58732100
传真：+861-10-58732100
邮箱：bjxiangzhu@163.com
网址：www.bjxiangzhu.com

Add: Tower C 1-11C(Yingdu Building) Zhichun Road Jia No.48,Beijing
Tel: +861-10-58732100
Fax: +861-10-58732100
E-mail: bjxiangzhu@163.com
Web: www.bjxiangzhu.com

扫描查看更多信息

翰时（A&S）国际建筑设计咨询有限公司

翰时国际建筑设计咨询有限公司是由国内外建筑师共同创立的建筑设计公司。公司创立于美国亚特兰大，2002年在中国北京正式注册。公司的目标是把国际上的建筑设计、规划理念和技术与中国的建筑实践相结合，为业主提供高质量的设计服务，为新世纪中国城市与建筑的发展做出贡献。翰时国际可在建筑设计、城市设计、室内设计、景观设计等各领域，为业主提供全方位的咨询服务。

翰时国际设计理念

翰时国际采用国际化的理念，专业化的设计、地域化的服务，强调对客户的理解与尊重。翰时国际的敬业精神、专业知识、实践经验、市场活力已经成为有建设任务的业主们强有力的帮手和顾问。

A&S international Design is an international architecture design and consulting firm which was jointly established by the architects both at home and abroad. It was registered in 2002 respectively in Atlanta,USA and Beijing, China. The company's goal is to integrate the international architectural design and planning ideas with traditional Chinese architecture practice, in order to provide its worldwide clients with high standard design and consulting services. A&S is positioned to provide services in architectural design, urban planning, interior design, landscape design and etc.

A&S Design philosophy

A&S provides an international design perspective and professional services with regional design fees. It excels at providing a high standard of service and respect for its clients. A&S becomes its clients' powerful consultant and assistant with passion, vision, professional knowledge, advanced project management experience and marketing energies..

中国北京

北京市宣武区宣武门外大街10号，
庄胜广场中央办公楼北翼1301室
邮编：100052
电话：+86–10–63109869
传真：+86–10–63109870
邮箱：office@as–arch.com
网址：www.as–arch.com

Beijing, China

No.1301, Central Tower North Wing,
Junefield Plaza, No.10, Xuanwumenwai Street, Beijing, China
P.C.: 100052
Tel: +86-10-63109869
Fax: +86-10-63109870
E-mail: office@as-arch.com
Web: www.as-arch.com

扫描查看更多信息

北京中联环建文建筑设计有限公司
United Architects & Engineers Co.,Ltd.

北京中联环建文建筑设计有限公司于2000年1月31日成立，是首都地区拥有建筑工程设计甲级、规划设计乙级和风景园林设计乙级资质的股份制设计公司。十几年来，公司经济高速发展的同时规模也不断扩大，现已发展为以北京为中心、覆盖全国的大型品牌建筑设计机构。十几年来，公司经济高速发展的同时规模也不断扩大，现已发展为以北京为中心、覆盖全国的大型品牌建筑设计机构。
公司业务现已拓展至全国30个省、市、自治区，分别在上海、杭州、天津、厦门、济南和海南等地设有分支机构和办事处。在建筑市场异军突起，市场占有率和品牌影响力居于行业前列。
公司拥有国家一级注册建筑师，国家一级注册结构工程师，国家注册城市规划师，博士、硕士和高级建筑师（含正教授级），高级工程师（含正教授级）等众多专业人才。在项目前期可行性研究与策划、城市规划与城市设计、居住区规划与居住建筑设计、大型公共建筑设计、大学校园规划与学校建筑设计、风景园林与环境艺术设计、城市导向系统及夜景照明设计、室内装饰装修设计以及工程咨询与项目管理等领域都有着骄人的业绩。
公司十分重视加强设计研发力量，提高自主创新能力。建筑方案设计是品牌的灵魂，在方案创新方面公司曾多次在众多国内外知名设计机构参与的国际竞标中脱颖而出，拔得头筹。公司设计的众多明星项目现已成为地标性建筑，很多作品曾分别荣获国家建设部、北京市、中国建筑艺术网、全国工商联房地产商会、《中国不动产》、北京晚报以及《新地产》等机构和传媒颁发的各种大奖。
中联环设计和法国设计集团ADPI、美国VTBS、澳大利亚APL、英国OVAL等著名设计公司一直保持很好的合作关系，并成立中外建筑师设计联盟，大幅度开拓国际市场，向品牌全球化的目标逐步迈进。

地址：北京市海淀区北三环西路甲18号
中坤广场E座（6F-7F）
电话：+86-10-82113499
传真：+86-10-82113459
邮箱：info@uadesign.cn
网址：www.uadesign.cn

Add: 6F-7F Building E, Zhongkun Plaza, A18 Northwest 3rd Ring Road, Beijing, P.R.CHINA
Tel: +86-10-82113499
Fax: +86-10-82113459
E-mail: info@uadesign.cn
Web: www.uadesign.cn

王暐建筑工作室
WANGWEI Architectural Studio

王暐，教授级高级建筑师，国家一级注册建筑师，曾获得清华大学优秀硕士论文奖、国家广播电影电视总局十大杰出青年等荣誉称号。2002年9月组建水木建筑策划研究部，主要从事建筑项目的策划研究及概念设计。2003年6月，本部门作为中广电广播电影电视设计研究院创作团队的一员，参加了公安部办公楼的投标设计，在众多的竞争对手中脱颖而出，获得设计权。王暐建筑工作室于2004年3月组建，开始从事建筑项目的全过程设计及服务。
理念——倡导朴素自然的建筑思想和生命哲学，并称之为“水木精神”。老子曰：“上善若水，水善利万物而不争”；“天下莫柔弱于水，攻坚强者莫之能胜，以其无以易之”。水以其清澈、明净、慈柔、随缘表达了无为而治的生命观；木以其丰华、殷实、坚韧，有机表达了和谐发展的建筑观。水、木不仅代表了一种哲学思想，同时也反映了一种美学观念；水和木既是一种品性，也是一种方法；既是建筑设计的范式，也是生命行为的准则。本工作室将这种对建筑与生命的理解与思考，深刻融入建筑项目的全过程当中，并依此重新诠释建筑、社会、人之间的关系。
业绩——作为专业设计室，王暐建筑工作室参加创作和进行专业设计的项目有：
1. 公安部办公楼（中标实施） 2. 中影集团电影生产基地（中标实施） 3. 郑州市广播电视中心（中标实施）
4. 合肥广播电视中心（中标实施） 5. 毛里求斯广播电视中心（中标实施）

地址：北京西城区南礼士路13号
中广电广播电影电视设计研究院404室
电话：13501197969
传真：+86-10-68026482
邮箱：wangwei@dsarft.com
网址：www.dsarft.com

Address: Room 404, Zhongguangdian Radio, Film and Television Design Institute, South Lishi Rd.No.13, Xicheng District, Beijing
Tel: 13501197969
Fax: +86-10-68026482
E-mail: wangwei@dsarft.com
Web: www.dsarft.com

北京市古代建築設計研究所

北京市古代建筑设计研究所创建于 1980 年 3 月，是全国成立最早、实力最雄厚的古建筑专业设计研究单位，具有文物古建筑保护修缮设计甲级资质和建筑设计乙级资质。
本所自成立以来，已完成建筑设计项目 600 余项，其中国内代表作有：中共中央党校汇名园、中国紫檀博物馆、北京钓鱼台国宾馆养源斋、中央电视台无锡外景基地、北京万佛华侨陵园、山东龙口南山寺、天津大悲院、辽阳广佑寺建筑设计、武汉归元寺保护扩建规划及设计、麦积山风景名胜区保护及扩建设计、北京大学国际数学研究中心规划及设计。境外代表作品有：华盛顿中国城牌楼、莫斯科北京饭店室内装修、扎伊尔金沙萨恩塞莱总统庄园中国园林、英国曼彻斯特中国餐馆、瑞典北欧中国聚龙城方案设计等。文物古建筑保护项目代表作品有：北京历代帝王庙保护修缮设计、北京古观象台修缮、山海关六国饭店保护修缮等。
本所始终坚持进行古建筑传统技术及理论研究，由本所专家撰写的专业学术著作《中国古建筑木作营造技术》《中国古建筑瓦石营法》《中国清代官式建筑彩画技术》《中国建筑彩画选》和行业标准《古建筑修建工程质量检验评定标准》《北京四合院建筑要素图》，是这些研究成果的代表之作。
《古建园林技术》杂志是本所主办的学术期刊，自 1983 年创刊至今，在宣传普及古建园林专业知识，交流古建文物保护经验，弘扬中华传统建筑文化和促进中外文化交流等方面发挥了重要作用，成为古建园林界不可缺少的重要学术期刊，是从事古建园林工作者的必读之书。
本所拥有国内一流的古建筑技术专家，他们在古建筑研究、设计、教学、办刊、规范编制、人才培养等方面成绩卓著、硕果累累，他们的学术观点和主张在行业内有重要影响，是古建园林行业的学术带头人。

Beijng Traditional Chinese Architectural Design and Research Institute (TCAD) was founded in 1980 and specialized in the design and research of ancient and traditional style architecture and gardens.
More than 600 design projects have been completed, since the founding of TCAD including: The 'Huiming' Garden of the Central Party School, The China Sandalwood Museum, 'Yangyuanzhai' in the Diaoyutai State Guest House Beijing, The Outdoor Setting of 'Wuxi' for CCTV, The Overseas 'Wanfo' Cemetery in Beijing, The Nanshan Temple in Longkuo Shandong, The Great Mersey Monastery in Tianjin and the Imperial Palace Setting for 'Shuihu' TV.
TCAD has also completed various overseas design projects, such as The Classical Chinese Archway Tower in Washington, The Interior Design for the Beijing Hotel in Moscow, and The Chinese Garden in the Manor of the President of Zaire.
TCAD is the oldest institute that researches ancient architecture and includes the study of traditional wood working techniques, roof tiling and decorative painting of the Ming and Qing Dynasties in China. It had received commendations for more than 30 projects and won 3 national monopolies.
The following publications have all been edited by our institute specialists; 'Chinese Ancient Architectural Wood Work Techniques', 'Chinese Architectural Tile and Stone Construction Techniques', 'Selected Works of Chinese Architectural Paintings' and 'Ancient Architecture Renovation of Quality Examining and Evaluating Standard. These works have played an important role in furthering and disseminating design and construction concepts of Chinese ancient (traditional) architecture and gardens.
TCAD publishes the journal 'Traditional Chinese Architecture and Gardens'. Their magazine, was published in 1983 due to the increasing development of the Chinese architectural industry and heritage protection movement.
A first class organization, TCAD is at the forefront of its field and continues to a source of authority in Traditional Chinese Architectural Design and Research.

地址：北京市东城区安德里北街甲 20 号三层（紫萱园写字楼）
电话：+86-10-84126698
传真：+86-10-84126698
邮箱：mail@gj-cad.sina.net
网址：www.bjgjsj.com

Add: Floor 3, No.20 North Street Andreas, Dongcheng District,Beijing
(Zi Xuan Garden Office Buildings)
Tel: +86-10-84126698
Fax: +86-10-84126698
E-mail: mail@gj-cad.sina.net
Web: www.bjgjsj.com

北京市住宅建筑设计研究院有限公司
Residential Architectural Design Research Institute Co., Ltd., Beijing

北京市住宅建筑设计研究院有限公司成立于1983年9月，隶属于北京住总集团，是一家集建筑设计、咨询、景观、装饰、物业管理等为一体的具有工程甲级设计资质的独立法人单位。20多年来，我们以"精心设计、一丝不苟、周到服务、奉献社会"为企业宗旨，以"高智能、高效率、高效益"为企业目标，经营范围逐步扩大，设计水平持续提升，业务范围辐射全国。

公司于2000年通过了ISO9001：1994标准质量管理体系认证，2003年通过了ISO9001：2000标准质量管理体系认证，并于2010年被正式认定为北京市第二批高新技术企业。在"十一五"期间，我院在设计行业信息化建设方面成绩显著，其研究成果"项目设计过程控制系统"荣获北京市企业管理现代化创新成果一等奖；"设计项目绩效薪酬管理与人力资源需求评估系统"荣获北京市企业管理现代化创新成果一等奖。

公司现有员工200余人，涵盖规划、建筑、结构、设备、电气、概算、计算机、装饰、景观等设计领域的专业人才。高级建筑师和高级工程师42名，一级注册建筑师14名，一级注册结构工程师12名。

伴随着设计市场的不断拓展，我们与国内外多家知名开发商及设计公司开展了深度合作，积累了丰富的经验，提升了自身的设计理念和水平。

我们的开发伙伴：北京万科、凯德置地（新加坡）、中远房地产开发公司、北京中海城地产有限公司、北京万通地产股份有限公司、北京城建集团房地产开发有限公司、北京万年花城房地产开发有限责任公司。

我们合作的设计伙伴：法国翌德设计机构、澳洲格意建筑设计事务所、加拿大BVA建筑师事务所、ADRIANSE GROUPE事务所。

In September 1983, this company was established as a subsidiary of BUCC, serving as an independent legal entity with engineering class-A design license, integrating architectural design, consulting, landscape, decoration, and property management etc. Over these years, it has been following the corporate purpose of "elaborate design, meticulous, considerate services, and contribution to the society", pursuing the corporate objective of "high intelligence, high efficiency and high benefit", and its business cope is increasing, its design quality is increasing and its business footprints are radiating throughout China.

In 2000, the company adopted the ISO9001: 1994 standard quality management system certification; in 2003, it adopted the ISO9001: 2000 standard quality management system certification; and in 2010, it was recognized as one of the second batch of high and new-tech enterprises in Beijing. During the period of "eleventh five-year plan", the company made substantial achievements in IT construction of design industry, and its research result "Project Design Process Control System" was awarded the first prize of corporate management modernization innovative results in Beijing, and its research result "Design Project Performance Compensation Management and HR Requirements Evaluation System" won the first prize of corporate management modernization innovative results in Beijing.

Now it has more than 200 employees, with expertise in planning, architecture, structure, equipment, electrical, budgeting, computer, decoration, landscaping and other design fields. There are 42 senior architects and senior engineers, 14 class-1 registered architects, and 12 class-1 registered structural engineers.

As design market is expanding, the company has in-depth cooperation with many famous developers and designers home and abroad, enriches experience and enhances its own design ideas and level.

Cooperative developers include: Beijing Vanke, Capital Land (Singapore), COSRED, China Overseas Property Co., Ltd., Beijing Vantone Real Estate Co., Ltd., Beijing Urban Construction Real Estate Exploitation Co., Ltd., and Beijing Flower City Real Estate Development Co., Ltd.

Cooperative designers include: Été Lee et Associés Architectes Urbanistes, Gianni Design, Burka Varacalli Architects, and Adrianse Groupe.

地址：北京市东城区东总布胡同5号
电话：+86-10-85295858
传真：+86-10-65220810
网址：www.zzjz.com

Add: No. 5 East cloth alley, Dongcheng District, Beijing city
Tel: +86-10-85295858
Fax:+86-10-65220810
Web: www.zzjz.com

扫描查看更多信息

行者的理想：
"读万卷书，行万里路"。柯布西耶的"东方之旅"且行且吟，无论是雅典的神庙，托斯卡纳的修道院还是地中海滨的木屋都成为了他一生建筑创作的灵感源泉。安藤忠雄的"西方之旅"不仅是他对柯布作品的"朝圣"之旅，同时也是他自己"思考和冥想"的过程。建筑师的旅行不仅是单纯的信仰和意志的"苦行"，而且是存储激情和锤炼思维的"修行"。我们愿意以前辈为楷模，将建筑作为"朝圣"的终点，矢志不渝、步步为营。

工匠的精神：
当下的中国也许并不缺少激情四射的创意，更不缺少一掷千金的奢华，但失落的是曾经的工匠精神。从中国的木构殿堂到西方的哥特教堂，至今工匠的精神还在熠熠闪光；现代主义的大师们，密斯作为匠人精确把握了材料与生俱来的特性，皮亚诺作为匠人对节点构造不懈推敲并对工艺流程超强控制，而阿尔托作为匠人通过人的尺度、人的触觉为建筑注入了丰富的人文关怀。匠人相信建筑不是在纸上诞生的，而是在手中矗立起来的。

北京行者匠意建筑设计咨询有限责任公司（行者工坊）成立于中国北京。在此之前，分布于法国和美国等地的几位合伙人经过长时间的思考和沟通，一致同意只有在中国的实践才是他们将来的建筑方向，于是齐聚北京共同创建了行者工坊。行者工坊成立的历史不长，却有信心为中国的建筑设计市场带来清新而优秀的建筑作品。踏实立足于中国，以国际化的视角来做设计。在短短的时间里，行者工坊将他们的建筑热情，投入到中国各地的建筑实践中，先后参与了辽宁、安徽、广东和北京等地的多个建筑项目。

近年来，工坊将设计重点逐步转移到中国传统文化与现代生活方式相契合的方向，作了大量的相关会所、宅居设计。代表作北京雍和宫大街顶礼会所取得了业主及同仁的一致好评。在今后，工坊仍然坚持深入挖掘传统文化的精髓，并结合现代主义的主旨努力创造属于"吾土、吾民、吾生活"的建筑。

地址：北京东城区香河园路1号当代MOMA T2-1001
电话：+86-10-88365055
传真：+86-10-88365055
邮箱：xingzhejiangyi@hotmail.com
网址：www.padesign.cn

Add: T2-1001, COCO MOMA. 1 Xiangheyuan Road, Dongcheng District, Beijing
Tel: +86-10-88365055
Fax: +86-10-88365055
E-mail: xingzhejiangyi@hotmail.com
Web: www.padesign.cn

扫描查看更多信息

CSA 中天伟业
做建筑设计专家

中天伟业（北京）建筑设计集团
China Sky (Beijing) Architecture Group

中天伟业（北京）建筑设计集团成立于1995年，是经由原建设部部属国有企业、社团企业改制重组而成的股份制企业。具有原建设部颁发的建筑工程设计甲级资质以及工程监理资质。集团注册资金1000万元。中天伟业现拥有150余名工程设计人员，其中一级注册建筑师、注册规划师、一级注册结构工程师、注册设备工程师及注册电气工程师数十名，并已通过中国质量认证中心ISO9001质量体系认证。

中天伟业专业齐全，人才济济，不仅具有原国有企业雄厚的技术实力和高度的社会信誉，同时还拥有国内外优秀建筑设计企业所具有的核心竞争力以及独特的客户意识和优良的运营管理模式。

中天伟业坚持“质量第一、信誉第一、服务第一”的原则和“为客户创造价值”的理念，为客户提供优质服务。在区域规划、城市设计、办公楼宇、星级酒店商业地产、文教建筑、医疗建筑、体育建筑、高档别墅、居住建筑、旧城改造、仿古建筑、室内装饰设计、环境景观、园林设计等领域，中天伟业均创作出优秀的设计，在业内和市场上建立了良好的口碑。中天伟业于2009年荣获中国银行北京分行年度（2009—2012）设计单位称号。

中天伟业凭借合理的组织结构、科学的管理方法、雄厚的技术实力以及先进的服务模式，为客户提供包括区域规划与城市设计、建筑与工程设计、室内装饰设计、景观园林设计、结构设计、给排水、采暖空调、电气照明、楼宇自控、弱电智能设计、房地产前期策划、工程项目的可行性研究、咨询，项目管理、工程监理等全方位的服务。

中天伟业以北京为基础，业务辐射全国，同时为拓展业务需要，在乌鲁木齐、兰州、银川、深圳已设立办事处或分公司，并陆续将在上海、天津、重庆、沈阳、山东等地设立办事处或分公司。中天伟业的目标是立足北京，面向全国，走向世界，同时，中天伟业亦与世界著名的美国雅马萨奇设计公司开展紧密和广泛的合作，努力设计出中国最好的建筑。

作为低碳绿色建筑设计的先行者，中天伟业长期致力于绿色建筑的设计和探索，成绩卓越，2010年被《中国企业报》评为“中国建筑设计绿先锋”。2010年被中国建筑文化中心评为“中国建筑设计绿色百强设计机构”。2011年在北京市规划委员会组织的全球招标《北京市绿色建筑设计标准》大纲编制竞赛中，中天伟业荣获三等奖，最终成为《北京市绿色建筑设计标准》的编制单位。

China Sky (Beijing) Architecture Group, founded in 1995, is a corporate enterprise restructured and recombined from the state-owned enterprise and community enterprise affiliated to Ministry of Construction. It owns the Class A qualification of constructional engineering design issued by Ministry of Construction as well as qualification of construction supervision. The registered capital of the group is 10 million yuan. There are more than 150 engineering design staffs, among which tens of Class Ⅰ registered architects, registered planners, Class Ⅰ registered structural engineers, registered facility engineers and registered electrical engineers. It has passed quality system certification of China Quality Certification Center ISO9001.

China Sky has got complete majors and plenty of talents. It possesses not only solid technical strength and high social reputation of the former state-owned enterprise, but also the core competence of the excellent constructional design enterprises home and abroad, as well as unique client consciousness and eminent operation management mode.

China Sky sticks to the principle of “Quality first, reputation first and service first” as well as the concept of “create value for courtesy”. It involves widely the domain of architectural creation and provides the clients withhigh-quality service. It has created excellent design works from regional planning to urban design, from office buildings and starred hotels to commercial properties, from cultural and academic constructions, medical constructions to sports constructions, from top-grade villas to residential architectures, from old town reformation to pseudo-classic architectures, from indoor decorative design to environmental landscape design and gained great public praises in the industry and in the market. In 2009 it has won the award of Annual (2009-2012) Design Unit of Beijing Branch of China Bank.

By virtue of reasonable organizing structure, scientific managing method, solid technical strength and advanced service mode, China Sky provides the clients with all-around services as the following: regional planning and urban design, constructional and engineering design, indoor decorative design, landscape design, structural design, water supply and drainage, heating and air conditioning, electric lightening, building automation, weak current intelligent design, real estate pre-job planning, feasibility research and consultation of engineering projects, project management and construction supervision etc.

Based in Beijing, China Sky exposes its business all around the nation. For the purpose of extending business, it has established branches in Urumqi and Lanzhou, and will successively establish agencies or branches in Shanghai, Tianjin, Chongqing, Shenyang and Shandong etc. It has got the goal of keeping a foothold in Beijing, facing the whole nation, and stepping into the world. Meanwhile it has carried out intimate and wide cooperation with world-famous Yamasaki Design Company of USA, endeavoring to design the best architectures in China.

As a pioneer of low carbon green constructional design, China Sky devotes itself to long-term design and exploration of green architecture and has got outstanding achievements. In 2010 it has been rated by “China Enterprise News” as “Green Pioneer of China Constructional Design”. In 2010, was entitled China Green Building Design The Top 100 Design Agencies by China Architectural Culture Center. In 2011, Beijing Municipal Planning Commission's Global tender "Beijing green building design standards" outline the preparation of the race, transit Albert won the third prize, eventually became "Beijing green building design standards," the establishment of units.

地址：北京市海淀区车公庄西路乙19号
华通大厦B座9层
邮编：100048
电话：+86-10-88018011/8012/8569
传真：+86-10-88018011/8012/8569转202
邮箱：csabj@163.com
网址：www.csabj.com

Add: 9th floor of Huatong Mansion Building B, Yi No.19 of Chegongzhuang West Road, Haidian District, Beijing
P.C. : 100048
Tel: +86-10-88018011/8012/8569
Fax: +86-10-88018011/8012/8569 transferring to 202
E-mail: csabj@163.com
Web: www.csabj.com

扫描查看更多信息

卓创国际工程设计集团
ECD International Engineering Design Group

卓创国际工程设计集团（ECD）成立于1994年，由中国建设主管部门批准的，具有从事民用、工业建筑工程设计咨询甲级资质（证书编号：A150003162）与市政设计资质。经历创立、合并、发展，ECD已经成为在中国上海、深圳、西安、重庆、成都、昆明、美国等地拥有多个设计机构的国际化设计服务集团公司。
ECD汇聚了来自海内外近500人的高素质的各类专业设计团队，拥有工程顾问(Engineering)、开发咨询(Consultancy)、建筑设计(Design)领域的中外专家，为城市建设与发展提供咨询和设计等专业服务。在城市综合体、商业建筑、办公酒店建筑、高端居住区规划与设计、城市规划与设计、环境与景观等专业领域赢得广泛的赞誉和众多奖项。
在开放、多元的环境中，以美国ECD规划与建筑设计分部为依托，公司致力于全球化多学科设计资源的整合，将海外国际理念与国内设计建设经验进行有机融合。同时，与多家国外著名建筑师事务所建立了的长期密切合作关系。对社会、城市、技术以及地方性文化、公众需求能给予综合理解和应用。
在经济飞速发展的时代，尊重、合作、创新、共赢是我们倡导的文化。作为城市建设服务的一员，我们能敏锐感知客户的需求，提供从策划、方案、初设到施工图的整体设计服务，致力于专业领域的探索，为客户提供综合解决方案，并不断努力，创造超越客户期望的产品和服务，实现多维共赢，从而为客户、为行业、为社会创造卓越价值。

ECD Architects (ECD) was founded in 1994 with the approval of Chinese construction authorities. It is licensed for class-A civil and industrial building engineering, design and consultancy (Certificate No.: A150003162), as well as municipal design. After creation, merger and development, ECD has become an international design service group company that has a number of branches in Shanghai, Shenzhen, Xi'an, Chongqing, Chengdu and Kunming of China and other cites of the USA.
ECD gathers all kinds of well-qualified professional design teams with nearly 500 designers from both home and abroad. It has Chinese and foreign experts in Engineering, Consultancy and Design field, and provides consultancy, design and other professional services for urban construction and development. It has won general praises and numerous awards in urban complex, commercial building, office and hotel building, high-end residential community planning and design, urban planning and design, environment & landscape and other professional fields.
In the open and diverse environment and with the supports from American ECD planning and architectural design branch, the Company is committed to integrating global multidisciplinary design resources, and integrating overseas concepts with domestic design & construction practices. At the same time, the Company establishes long and close cooperative relations with The Company can take full consideration and make full application of the society, city, technology and local culture and public needs.
In the period of rapid economic development, the culture of respect, cooperation, innovation and mutual benefit is what we advocate. As a member of urban construction service, the Company shows its keen senses to customer demands, and provides them with overall design services from planning, solution, and preliminary design to construction drawing, dedicated to exploring professional fields and providing comprehensive solutions. The Company keeps trying to create exceptional products and services for customer and achieve multi-dimensional win-win, thereby creating excellent value for customers, the industry and the whole society.

上海ECD
地址：上海漕宝路80号光大会展中心D座十楼
电话：+86-21-64329355
重庆ECD
地址：重庆市渝北区龙塔街道兴盛大道120号天江鼎城博园会所卓创国际
电话：+86-23-67001875
西安ECD
地址：西安市高新区旺座国际城A座2301室
电话：+86-29-84502610-829
昆明ECD
地址：昆明市关渡区关上关兴路288号万裕国际商务大厦15楼C-D座
电话：+86-871-7179126

成都ECD
地址：四川省成都市二环路西一段6号红星美凯龙B区14层
南宁ECD
地址：广西省南宁市青秀区金湖路59号地王国际商会中心14H
电话：+86-771-5550944
深圳ECD
地址：广东省深圳市南山区蛇口海上世界南海意库2栋410室
电话：+86-755-86270761/13883396080

USA ECD INTERNATIONAL ARCHITECTURE PLANNING（美国ECD）

重庆大学建筑设计研究院
Chongqing University Architectural Design & Research Institute

办院历史与特色：
重庆大学建筑设计研究院（原重庆建筑大学建筑设计研究院）成立于1958年，已有50余年办院历史。是教育部直属高校最早成立的设计单位之一，是重庆大学下属的对外科技服务型企业，同时是重庆大学建筑学部及相关学部的产、学、研重要平台。
50多年来，设计研究院依托重庆大学人才资源优势，融汇古今中外优秀建筑文化和现代科技，以创新求发展，具有以医疗卫生、观演博览、文教体育、商业居住、古建保护和市政环保等高难度设计和咨询项目为主的鲜明特色。

办院规模与资质：
建筑设计研究院位于重庆大学B区校园内，条件优越、设备先进、人才荟萃、专业齐全。全院现有设计人员300余人（含部分专业教师双聘）。有重庆市勘察设计大师1人；有建设行业执业资格国家一级注册建筑师、注册结构师、注册设备师、注册咨询师数十人。
建筑设计研究院现持有国家建设部授予的建筑工程设计甲级资质证书；市政（给排水、环境卫生）工程设计甲级资质证书；工程咨询甲级资质证书；施工图审查一级资质证书；市政（风景园林、燃气、道桥）工程设计乙级资质证书等。已通过ISO9000质量体系认证。

机构设置与服务：
建筑设计研究院本部现设有四个综合设计所和一个机电设备所、一个施工图审查机构。同时，在学校建筑学部及相关学部设有建筑设计研究所、景观园林设计研究所、古建保护设计研究所、结构设计研究所、岩土工程研究所、市政设计研究所、机电设备设计研究所、工程咨询研究所等分支机构。
专业服务范围包括建筑工程设计、古建保护设计、景观园林设计、市政工程设计、建筑智能化设计、室内外装饰设计、工程咨询、施工图审查等众多领域。

办院成就与目标：
本院自成立以来，先后高质量完成了全国各地大量工程设计和咨询项目，建立了良好的社会信誉和声誉。其中最具代表性的有重庆宽银幕电影院、成都火车北站站房楼、广州"珠江帆影"建筑群、重庆人民大礼堂改造、重庆湖广会馆保护与修复、重庆自然博物馆、重庆川剧院、西南医院门诊及外科大楼、重庆园博园主场馆等。有数十项设计项目获得国家和省部级优秀设计奖。
围绕重庆大学建设成为中国最好大学之一的目标，重庆大学建筑设计研究院正在加强人才队伍建设和企业文化建设。加强产学研结合，立足重庆，服务西部，幅射全国，不断提高整体综合实力和市场竞争力，努力办成中国最好的高校建筑设计研究院之一。

领导班子：
院　长（法人代表）：魏宏杨教授、博导、一级注册建筑师
党支部书记（兼副院长）：何洪建高级工程师、注册咨询师，
副院长：荀基佐高级工程师、一级注册结构师
副院长：周智伟高级工程师、一级注册建筑师
院长助理：姚加飞副教授、注册电气设备师
顾问总建筑师：梁鼎森教授、一级注册建筑师、重庆市勘察设计协会名誉理事长
总建筑师：戴志中教授、博导、重庆市设计大师、一级注册建筑师
总工程师：周晓雪高级工程师、一级注册结构师
总工办主任：张义雄高级工程师、注册电气设备师
人事办主任：韩军副处级职员
院办主任：赵佑林主任科员

地址：重庆沙坪坝区北街83号重庆大学B区
电话：+86-23-65120920
传真：+86-23-86398555
邮箱：cqdxjzsjyjy@VIP.163.com

Add: Chongqing University District B, 83 North Street, Shapingba District, Chongqing
Tel: +86-23-65120920
Fax: +86-23-86398555
E-mail: cqdxjzsjyjy@VIP.163.com

重庆筑墨逸臣建筑工程设计有限公司是一家服务于城市建设及土地开发利用的专业设计公司，公司主要以建筑规划设计、风景园林设计为主。

公司成立以来一直秉持“精筑雅墨，逸韵谦臣”的执业文化理念，并坚信“设计来源于生活，建筑来源于体验”。公司自2006年成立以来，发展迅速，先后完成超过2000万 m^2的各类型民用建筑，包括别墅、花园洋房、高层等居住社区以及商业综合体、酒店、车站、政务中心、文化馆、档案馆、电视台等各类型公共建筑。在设计市场中充分赢得客户的信任，项目先后获得全国人居典范社区金奖以及区域性各类奖项。

公司坚持精心设计，优质服务；强调团队的紧密合作，并对城市与建筑、建筑与空间、空间与环境之间的共生关系有着深刻的理解；执业数年来，吸收了多名具有海外执业背景以及大型国营设计院执业背景的优秀设计师加盟；形成一个富有工作激情与创造力的先进设计企业。

Chongqing Zhumo Yichen Engineering Design Co., Ltd. is a professional in urban construction and land development, focusing on architectural planning design, landscape design.

Since its foundation in 2006, the company follows the philosophy of “building elegancy and leisure modesty”, and believes that “design comes from life, and architecture comes from experience”. The company grows fast, having constructed a variety of civil buildings for more than 20 000 000 m^2, including villas, garden houses, high-rise and other residential communities and commercial complex, hotel, bus station, central political district, cultural center, archives, TV station and other public facilities. The company is very popularly trusted in design market, and many of its project designs have won national and regional awards, including “National Habitat Model Community” Gold Award. Its elaborate design, quality service, teamwork, and in-depth understanding of the coexistence between city and architecture, between architecture and space, and between space and environment, have attracted many excellent designers with overseas practices or domestic practices in large state-owned design institutes, making it to be a creative and energetic design leader.

地址：重庆市渝中区鹅岭地产大厦一栋十楼
电话：+86-23-67989118
传真：+86-23-67989118-8004
邮箱：mo_chen@126.com
网址：www.zmyc.com.cn

Add: Floor 10, Tower 1, Eling Real Estate Building, Yuzhong District, Chongqing
Tel: +86-23-67989118
Fax: +86-23-67989118-8004
E-mail : mo_chen@126.com
Web: www.zmyc.com.cn

扫描查看更多信息

立地分析\项目定位
规划设计\建筑设计
园林环艺\装饰装修
智能顾问\电力服务
照明设计\工程监理

嘉博筑业集团始创于1993年，是一家为房地产投资商和开发商提供以设计为核心的集全程专业技术服务（立地分析、项目定位、规划设计、建筑设计、园林环艺、装饰装修、智能顾问、电力服务、照明设计、工程监理）于一体的房地产建设开发全程设计集成服务集团。

发展历程

1993年，香港嘉图设计工程有限公司在福州投资创办了"嘉博（福建）联合设计有限公司"。经过近20年的发展，嘉博（福建）联合设计有限公司凭借骄人业绩，跻身中国民用建筑设计50强企业，并经由专业服务延伸发展构建了房地产建设开发全程设计集成服务集团企业——"嘉博筑业"。
为实现"为投资商创造项目投资价值最大化"的服务宗旨，并成为中国大陆最专业的房地产建设开发全程设计集成服务运营商，嘉博筑业以"嘉博（福建）联合设计有限公司"为专业核心基础，先后创办了装饰装修设计、工程建设监理、智能化顾问、电力工程顾问、景观设计、照明设计、项目定位及市场研究等专业机构，形成了可为房地产投资商、开发商提供自土地评估至建成回报全过程"一条龙"的设计集成服务，以专业设计水准确保项目品质，以集成服务提升项目价值。

经营团队

嘉博筑业集团拥有一批专业水平高、经验丰富、协调能力强并极具敬业精神的项目设计及开发管理人员、建筑工程和专项设计技术专家，在与国内外知名投资及开发企业进行开发合作以及进行项目统筹运营管理服务与专业资源整合服务方面具有丰富的经验与能力。集团现有各类专业开发管理、技术人员500多人（其中具有本科以上学历的人员占总人数的90%以上），并已在香港、上海、福州、厦门四地设立了相应的管理及业务执行机构。

案例与业绩

嘉博筑业集团自始创以来已完成开发类管理专项咨询业务及专业技术服务项目超过1000个，总建筑面积超过8 000万m^2，与万科、华润、世纪金源、中新、城开、融侨、建发、泰禾、永辉、福晟、阳光城、冠亚、中庚、群升、融晟、金辉、中茵、汇诚、永荣、轩辉、永嘉、东榕等诸多全国性、区域性主流房地产开发商建立了长期的开发管理及设计技术服务合作伙伴关系，市场已遍及福建全省各地市及上海、浙江、江西、山东、河北、河南、江苏、安徽、湖北、湖南、广东、广西、陕西、云南等十多个省市自治区。

核心能力

以设计为核心，以集成为特色，嘉博筑业集团业务已辐射全国各地。开发及设计技术咨询的项目种类涉及商业、住宅、酒店、工业地产、城市综合体、写字楼等多种物业。

福州：

福建省福州市鼓楼区东大路36号花开富贵A座29楼
电话：+86-591-87430666
传真：+86-591-87430680

厦门：

福建省厦门市思明区槟榔西里148号天湖大厦B座14楼
电话：+86-592-5391010
传真：+86-592-5391020

上海：

上海市卢湾区复兴中路1号申能国际大厦2006-2008A室
电话：+86-21-63919361
传真：+86-21-63919152

立地分析\项目定位
规划设计\建筑设计
园林环艺\装饰装修
智能顾问\电力服务
照明设计\工程监理

In 1993, Good Broad Industry Group was founded as a real estate construction and development full-process integrated design service group to provide real estate investors and developers with design-based full-process professional technical services, including site analysis, project orientation, planning design, architectural design, gardening & environmental arts, decoration, intelligent consulting, electrical services, lighting design and project supervision.

Development Journey

In 1993, Grotto Fine Art Ltd. (Hong Kong) founded Good Broad Architects Association Co., Ltd. in Fujian province. After a near-20-year development, Good Broad Architects Association Co., Ltd. with proud performance is listed top 50 Chinese civil building design companies. And with its extended professional services,it develops to a real estate construction and development full-process integrated design service group, namely Good Broad Industry Group.
In order to fulfill our service tenet of “maximizing investment value for project investors”, and become the most professional real estate construction and development full-process integrated design services operator in Mainland China, Good Broad Industry Group on the basis of Good Broad Architects Association Co., Ltd. has founded professional institutes in decorative design, project supervision, intelligent consulting, electrical engineering consulting, landscaping design, lighting design, project orientation, market research,etc. to form “one-stop” integrated design services from land evaluation to project completion for real estate investors and developers, with professional design level to ensure project quality, and with integrated services to increase the project value.

Operating Team

Good Broad Industry Group has a group of top professional, experienced, coordinative, and committed project design & development managers, engineerings and project design technicians, with rich experiences and capabilities of cooperative developments, project operation & management services and professional resource integrated services with domestic and foreign famous investment and development enterprises. At present, it has more than 500 development managers and technicians, over 90% of whom hold a bachelor’s degree or above, and it sets up operation executive offices in Hong Kong, Shanghai, Fuzhou and Xiamen with corresponding management & Business execution.

Cases and Achievements

Good Broad Industry Group since its inception has completed more than 1000 development & management consulting services and professional & technical service projects, with total Building area exceeding 80,000,000 m^2. It has established long-term development management and design technical service partnerships with Vanke, CRC, Century Golden Resources Group, Neo-China Land Group, UDCN Corporation, Rongqiao, C&D, Thaihot, Yonghui, FullSun Group, Yango, Guanya Group, Zhonggeng Group, Chinsun Group, Rongsheng, KamFei Group, Join•In Group, Huicheng, EverSun, Xuanhui, Yongjia, Dongrong among many other national or regional mainstream real estate developers, and it has market shares in all cities of Fujian province, Shanghai, Zhejiang province, Jiangxi province, Shandong province, Hebei province, He'nan province, Jiangsu province as well as in Anhui province, Hubei province, Hunan province, Guangdong province, Guangxi province, Shaanxi province and Yunnan province and other provinces, municipalities and autonomous regions.

Core Competencies

Based on design, and featured in integration, Good Broad Industry Group operates has extended its business across the country. Its development & design technical consulting projects cover many kinds of properties, including commercial building, residential building, hotel, industrial property, urban complex, and office building.

Fuzhou Base:

29th Floor, Tower A, Huakaifugui Building, No.36 Dongda Road, Gulou District, Fuzhou City, Fujian Province
Tel: +86-591-87430666
Fax: +86-591-87430680

Xiamen Base:

14th Floor, Tower B,Tianhu Plaza, No.148 Binlang Xili, Siming District, Xiamen City, Fujian Province
Tel: +86-592-5391010
Fax: +86-592-5391020

Shanghai Base:

Room 2006-2008A, Shenneng Internationan Plaza, No.1 Fuxing Zhonglu, Luwan District, Shanghai
Tel: +86-21-63919361
Fax: +86-21-63919152

扫描查看更多信息

福州市建筑设计院
Fuzhou Architectural Design Institute

福州市建筑设计院成立于1956年3月，是全国第一批勘察设计甲级设计院，具有国家甲级建筑行业建筑工程设计、工程勘察专业类岩土工程、工程咨询、工程监理、工程项目管理和房建一类施工图审查等多种资质。设计院技术力量雄厚，是福建省勘察设计骨干单位。
设计院现有员工230多名，各类专业技术人员近200人，其中教授级高工、高级职称者约占40%，并有一位工程勘察设计大师；拥有注册执业资格的各类专业技术人员近100人，其中一级注册建筑师和一级注册结构工程师42人，注册设备师、岩土师、监理师、建造师、造价师等50多人。
设计院秉持〝优质、诚信、创新、高效〞的企业精神，坚持〝品质成就理想，服务提升价值〞的质量方针，锐意进取、开拓创新，勘察、设计、监理、图审项目遍及八闽大地，服务范围辐射相关省份。先后有100多项勘察设计成果荣获全国优秀工程勘察设计行业奖和福建省优秀勘察设计奖或科技进步奖，连续多年获得〝重合同、守信用〞企业、行业文明单位等荣誉称号.设计院勇于担当社会责任，在社会取得较好口碑，在业界享有较高声誉。

The Fuzhou Architectural Design Institute was established in March 1956 and is one of the comprehensive class-A architectural design institutes focusing on engineering investigation and design in the early stage. The Institute has obtained various qualifications, including constructional engineering design qualification of national class-A architectural industry, geotechnical engineering of investigation, engineering consultation and supervision, project management and class-A design drawing review. It has a strong technical force and is one of the backbone engineering investigation and design enterprises in Fujian Province.
The Institute has over 230 employees, including nearly 200 technical personnel of various professions, about 40% of whom are with titled professor senior engineer and senior professional position,while there is a famous designer engaged in engineering of investigation and design. Nearly 100 technicians with registered qualification of various professions including 42 first-class registered architects and structure engineers, and more than 50 registered equipment engineers, geotechnical engineers, supervision engineers and budgeting engineer etc.
Adhering to the principle of “High quality,Integrity,Innovation and High Efficiency”,and the quality principle of “Quality Realizing Our Concepts and Services Improving the Value".The whole company forges ahead with pioneering and innovative spirits,then our surveying, design, supervision, audit projects are throughout Guangdong province. More than 100 survey and design achievements have won the National Excellent Engineering Survey and Design Industry Award and the Best Engineering Design Award in Fujian Province or Technological Progress Award.
While it also won the honorary title of "Contract First and Trustworthy Business".Our design institute can take the social responsibility and has achieved good reputation in society, and enjoys the high reputation in the industry at the same time.

地址：福建省福州市鼓楼区津门路32号
电话：+86-591-87554471/87556803
传真：+86-591-87616491
邮箱：fadi@fzjzy.com
网址：www.fzjzy.com

Add: No.32, Jinmen Road, Gulou District, Fuzhou City, Fujian Province
Tel: +86-591-87554471/87556803
Fax: +86-591-87616491
E-mail: fadi@fzjzy.com
Web: www.fzjzy.com

厦门合道工程设计集团有限公司

Xiamen Hordor Engineering Design Group

厦门合道工程设计集团由有着40多年历史的原厦门市建筑设计院改制发展而来。1960年厦门市建筑设计院成立，2003年经改制成立厦门市建筑设计院有限公司。2007年8月厦门市建筑设计院有限公司及下属十余家参控股公司，本着"道同而融合，循道而成业"的事业愿景，正式成立"厦门合道工程设计集团（下简称'合道设计集团'）"。

合道设计集团具有建设部颁发的建筑工程设计甲级资质，国家发改委颁发的工程咨询甲级资质以及城市规划、市政工程（景观）、建筑智能化系统工程设计资质等。

合道设计集团拥有规范的现代企业制度、科学有效的管理机制和灵活的市场应变能力，集团立足设计主业，专注打造设计品牌，业务涉及建筑规划、建筑设计、景观设计、施工图审查、智能化设计、工程咨询及经济咨询、房地产开发与策划等领域，客户遍及北京、上海、深圳、福州、武汉、大连、青岛，南昌、昆明、成都、济南等地，迄今已与美国、加拿大、意大利、日本、英国、德国、西班牙、澳大利亚、新加坡、中国香港、中国台湾等国家和地区的设计机构建立了广泛的合作关系。此外，集团始终致力于人才成长平台的研究和打造，培育了一支功底扎实、思想敏锐、敬业守纪的专业技术队伍，其中教授级高工、高级工程师、工程师人数占公司人员总数的44%以上。至今集团已有百余个工程项目获得部省级优秀设计奖项，赢得中国建筑设计行业分会华东联席会"2001—2005年度改革与发展最具创意奖"，并荣获中国勘察设计协会"2006年优秀勘察设计企业"、福建省勘察设计协会"2006年度优秀勘察设计单位"、"2007年中国十大民营建筑设计企业"、"2010年中国最具影响力品牌设计机构"、"2011年中国十大民营建筑设计企业"等荣誉称号。

汗水与荣誉，变革与坚守，50多年风雨历程，合道工程设计集团历久弥新。今天，他们一如既往地关注着您的生活，构筑着城市的蓝图，他们正以专业的精神打造百年合道品牌。

Xiamen Hordor Engineering Design Group is developed from the original Xiamen Architectural Design Institute with has 40 years of history. In 1960, Xiamen Architectural Design Institute was established; in 2003, Xiamen Architecture Design Institute Co., Ltd. was established by reform.In August 2007, Xiamen Architectural Design Institute Co., Ltd. and its ten more subordinate holding companies, in the career vision of "integrating because of the same target, persuing the target to establish the career", officially founded "Xiamen Hordor Engineering Design Group (hereinafter referred as 'Hordor Design Group')".

Hordor Design Group possesses Grade A qualification of architectural engineering design issued by the Ministry of Construction, Grade A qualification of engineering consulting issued by the National Development and Reform Commission, as well as the qualifications for urban planning, municipal engineering (landscape), building intelligent systems engineering design and so on.

Hordor Design Group has standardized modern enterprise system, scientific and effective management mechanism and flexible market adaptability. The group takes design as the main business, and focuses on brand building. Its business involves building planning, architectural design, landscape design, construction diagrams checkup, intelligent design, engineering consulting and financial consulting, real estate development and planning and other areas. They have customers in Beijing, Shanghai, Shenzhen, Fuzhou, Wuhan, Dalian, Qingdao, Nanchang, Kunming, Chengdu, Jinan and other places, and so far they have established the broad cooperation with the design institutions in the United States, Canada, Italy, Japan, Britain, Germany, Spain, Australia, Singapore, Hong Kong China, Taiwan China and other countries and regions. In addition, the group is committed to researching and creating the talent development platform, and they have nurtured a disciplined and dedicated professional team with solid foundation and perceptive thought, including professor senior engineers, senior engineers, and engineers representing above 44% of the total member of company. So far there are more than hundred projects received the provincial excellent design awards. The group has been awarded many titles of honor, such as "2001-2005 Most Creative Award for Reform and Development" of China Architectural Design Industry Branch East China Ally, "2006 Best Engineering design enterprise" of China Exploration & Design Association, "2006 Best Engineering Design Unit" of Fujian Survey and Design Institute, "2007 China Top Ten Private Construction Design Enterprises", 2010 Annual, China's most influential design agencies, 2011 China Top Ten Private construction design enterprises, and so on. The group ranked the No.24th in 2007-2008 Overall Civil Architectural Design Market in China.

With sweat and honor, reform and insistence, and 50-year ups and downs, Hordor Engineering Design Group stands the test of time. Today, they continue concerning your life and building a blueprint for the city, and they are building a century Hordor brand with the professional spirit.

地址：厦门市湖滨南路107号
电话：+86-592-2298061
传真：+86-592-2298062
邮箱：rencai@hordor.com
网址：www.hordor.com

Add: No.107 Lakeside South Road, Xiamen City
Tel: +86-592-2298061
Fax: +86-592-2298062
E-mail: rencai@hordor.com
Web: www.hordor.com

广州市纬纶建筑设计有限公司
Win-land Architecture Design Co.,Ltd.

········设计无限可能········

广州市纬纶建筑设计有限公司是一个具备雄厚实力的设计团队，旗下的智海建筑设计公司及艺筑建筑设计公司分别拥有建筑行业甲级及乙级资质。纬纶专注于房地产开发建筑设计，在全国完成多项工程，对房地产项目总体规划、市场状况、小区空间环境及住宅户型有着专业研究，向客户提供商业、零售中心、公建、酒店、住宅等多个领域的建筑设计服务。
纬纶以设计"无限可能"为核心理念，以精益求精的态度完成每一项设计作品。创立14年来，累计为客户完成建筑过2000万m^2，为60万人提供了优质舒适的居住环境，以精品的设计和优质的服务在客户群中树立了极佳形象。现已拥有合景泰富、万科集团、新鸿基地产、美林基业、天伦控股、苏宁集团、佛奥集团、保利集团、佛山能兴地产、兴发铝业等知名集团为长期客户。项目辐射到山东省及佛山、茂名、惠州、湛江、梧州、贵港、南宁、南昌、武汉、南京、郑州、海口等地，其中合景泰富·科汇金谷大型项目、佛奥·星光广场商住项目、佛山宾馆、万科·天景花园、美林湖畔别墅、美林海岸住宅小区、天伦林和村城中村改造、天伦·郑州龙湖小区、苏宁·天润城等重点项目更在业界获得一致好评。"正·大·光·明"是纬纶作品的最大特色，大气的规划、户型，宽敞的空间，最优的自然采光、明快开敞的建筑感受，令地产商及住户的多层次需求得到充分满足，销售业绩不断创出新高。
在建筑业风起云涌的今天，纬纶坚持"无限可能"的设计理念，独特的建筑设计特色，以专业的触觉及市场敏感度，致力于打造出符合客户和市场需求的设计精品。

Win-land is a powerful design team, with subsidiaries Guangzhou Zhihai Architectural Design Co., Ltd. and Guangzhou Yizhu Architectural Design Co., Ltd. licensed for class-A and class-B building industry qualifications. Win-land focuses on real estate development and architectural design, has finished many projects across China. It has done with precise researches on real estate project general planning, market conditions, community space environment and residential unit, and offers customers with architectural design services in commercial complex, retailing centers, public buildings, hotels, residences, planning among many other fields.
Win-land follows the core philosophy of "design of limitless possibilities" to finish every design work with elaborate attitude. During the 14 years since its establishment, it has completed the construction of floor area totaling 20,000,000 m^2, providing high quality and comfortable residential conditions for 600,000 persons, and its exquisite design and quality services have won good reputation among customers. Now it has many famous long-term group customers, including KWG Property, Vanke Group, SHK Properties, Mayland, Tianlun Holding, Suning Group, Foao Group, Poly Group, Foshan Nenking Group, Xingfa Aluminum Holdings. Its projects radiate to Shandong Province, Foshan, Maoming, Huizhou, Zhanjiang, Wuzhou, Guigang, Nanning, Nanchang, Wuhan, Nanjing, Zhengzhou, Haikou and other places. Of its projects, KWG International Creative Valley project, Foao Star Plaza commercial & residential project, Foshan Hotel, Vanke Skyview Garden, Mayland Lakeshore Villas, Mayland Coastal Viuas Residential Community, Tianlun Linhe Village Urbanization Project, Tianlun Zhengzhou Longhu Community, Suning Spain Town and other key projects have won good reputation in the industry. "Right, Large, Bright, Shining" are the biggest features of Win-land products. Its magnificent planning and unit pattern, broad space, optimal natural lighting and bright feelings, greatly satisfy real estate developers and users' multi-level requirements, creating new records of sales performance.
In the surging architectural industry, Win-land follows the design philosophy of "limitless possibilities", with unique architectural design features, professional sense and market sensitivity, committed to creating exquisite designs to meet meeting the requirements of customers and the market.

地址：广东省广州市海珠区琶洲大道8号701-708室
邮编：510335
电话：+86-20-89890986
传真：+86-20-37621177
邮箱：winland@win-land.com
网址：www.win-land.com

Add: Room 701, 8 Pazhou Avenue, Haizhu District, Guangzhou City, Guangdong Province
P.C.: 510335
Tel: +86-20-89890986
Fax: +86-20-37621177
E-mail: winland@win-land.com
Web: www.win-land.com

广州珠江外资建筑设计院有限公司
Guangzhou Pearl River Foreign Investment Architectural Design Institute

广州珠江外资建筑设计院是华南地区著名的国有综合性建筑工程甲级设计院。
设计院和位于珠江之滨的白天鹅宾馆一起诞生，伴随着祖国改革开放的大潮崛起，记载了南粤大地建设发展的辉煌业绩。
建院以来，设计院坚持技术进步、科学管理、繁荣创作，高质量完成了广州及全国各地面积达上千万平方米的工程设计，项目涵盖公共建筑、居住建筑、景观园林和室内装饰等领域。作品创新意识浓郁，设计风格独特，既有岭南文化的韵味，又具有现代建筑的风采。众多项目荣获国家、部、省、市优秀设计及科技进步奖，赢得了客户及社会各界的广泛赞誉。
具有标志性的作品有：与英国扎哈·哈迪德建筑设计事务所共同设计了广州市标志性文化设施——构思为“圆润双砾”的广州歌剧院；与德国GMP国际建筑设计有限公司合作设计晶莹剔透的珠江边立方体“广州电视台新址”；追求自主创新，大胆采用解构主义象征手法，自主设计了武汉琴台文化艺术中心——“琴台大剧院”、“琴台音乐厅”；完成了具有“舰魂铸碑”之意的武汉“中山舰博物馆”；完全按照澳门当地和欧盟标准设计了“澳门2005年东亚运动会主体育馆”、广州白云国际会议中心及酒店、南沙行政中心、亚运媒体村、汶川县禹羌博物馆及避难广场、长春净月潭保利大剧院、江门演艺中心，柳州市工业博物馆、邯郸汽贸城、辛亥革命纪念馆等也是他们的力作。
各具特色的作品，是我们对新理念、新文化、新技术、新材料以及新的审美观的思考和探索。也是设计师们进行审美体验和诗意追求的心路历程。
铸精品，树品牌，追求原创，赢得市场，是我们的战略理念。面向未来，秉承创新，勇于进取，将更多异彩纷呈的设计作品呈现在世人的面前，谱写灵动七彩的华章。

Guangzhou Pearl River Foreign Investment Architectural Design Institute is a well-known integrated design institute with Class-A License of Architectural Engineering in South China. The institute was built at the same time with the White Swan Hotel at the shore of Pearl River. With the development of Reform and Opening of China, it witnesses the brilliant development of South China.
Since its establishment, adhering to technical progress, scientific management, prosperity creation, the institute has completed engineering design of projects in Guangzhou and all over China, covering an area of ten million square meters. Projects include fields of public buildings, residential buildings, landscape, interior decoration etc. Works of the institute have strong sense of innovation, and an unique design style, with both the cultural flavor of South of the Five Ridges and the elegance of modern architectures. Many projects win national, ministerial, provincial and municipal awards for excellent design and technological progress, as well as good reputation from customers and all walks of life.
Most representative works: iconic cultural facility – Guangzhou Opera Theater with the idea of “Double Round Gravel”, in cooperation with Zaha Hadid Architects (UK), and crystal clear cube near the Pearl River – “New Site of Guangzhou TV Station”, in cooperation with GMP International Gmbh Architects and Designers (Germany); With the pursuit of innovation, boldly use of deconstruction symbolism, the institute designs Qintai Cultural Arts Center, Wuhan – “Qintai Grand Theatre” and “Qintai Concert Hall”; completes “Zhongshan Warship Museum” with the meaning of “Monument of the Soul of Warship”; designs “Main Stadium of Macau 2005 East Asian Games” in full accordance with Macau and EU standards; Baiyun International Convention Center and Hotel, Guangzhou; Nansha Administrative Center; Asian Games Media Village; Yu Qiang Museum and Refuge Square, Wenchuan County; Moon Lake Poly Theatre, Changchun; Performing Arts Center, Jiangmen; Liuzhou Industrial Museum, Automobile Trade Town, Handan, Memorial Hall of the 1911 Revolution etc. are all their masterpieces.
Distinctive works represent our thinking and exploration of new ideas, new cultures, new technologies, new materials and new aesthetic standards. For designers, designing is the mental process of aesthetic experience and poetic pursuit as well.
Casting competitive products, building brand, pursuing of originality and winning market are our strategic concepts. Facing the future, insisting on innovation and enterprising, we will present more colorful design works to the world, and write a smart and colorful chapter.

地址：广州市环市东路360号珠江大厦东16楼
邮编：510060
电话：+86-20-83843732
传真：+86-20-83846074
邮箱：mail@pearl-river.com/zjtb16@126.com
网址：www.pearl-river.com

Add: 16th Floor East Tower, Pearl River Building, 360 East Huanshi Road, Guangzhou
P.C.: 510060
Tel: +86-20-83843732
Fax: +86-20-83846074
E-mail: mail@pearl-river.com/zjtb16@126.com
Web: www.pearl-river.com

扫描查看更多信息

广州市扉越建筑设计有限公司
Guangzhou Feiyue Architectural Design Co.,Ltd.

扉建筑在过去的6年中，与国内外多家知名企业（太古汇广州地产发展有限公司、岭南集团、保利地产、四海饮食集团、立信集团、中华民族文化促进会、例外服饰、流行美等）合作，创作了一批优秀的建筑及室内设计项目。在办公总部、度假酒店、文化艺术建筑、商业及三旧改造等几个专业领域积累了宝贵的经验，为客户提供从建筑策划、建筑设计、室内设计、景观概念至艺术筹划的整体解决方案。
建筑是艺术与技术综合素质的反映。公司在进行大量设计实践的同时于2007年开始运营广州一个最重要的民营当代艺术机构扉艺廊，并于2008年创办原创设计品店扉卖品。围绕"打开无限可能"的宗旨，与中外文化机构、艺术家、设计师一同举办了近百场当代艺术展览、活动、演出、沙龙和跨界合作，成为南中国一个重要的艺术文化交流平台。
扉建筑、扉艺廊、扉卖品涵盖了建筑及空间设计、艺术展览与文化交流以及原创设计与艺术衍生品三个方向的发展。扉建筑因跨界而创造了更多可能。

Fei Architects has been in cooperation with many well-known enterprises at home and abroad (including Taikoo Hui (Guangzhou) Development Company Limited, Lingnan Group, Poly Estate, Four Seas F&B Group, Lixin Group, Chinese Culture Promotion Society, Exception de Mixmind, Fashion Beauty and others), and created a series of excellent architectures and interior design projects. The company has gained precious experiences in the professional fields of office HQ, resorts, cultural arts architectures, commerce and rectifications on old towns, old factories & old villages, thus is capable of providing comprehensive solution scheme for architecture planning, architectural design, interior design, landscape concept and arts design.
Architecture is a reflection of the comprehensive quality combining arts and technologies. While carrying on numerous design practices, the company started a Fei Gallery in 2007, one of the most important privately owned contemporary art organization in Guangzhou, and launched Fei Souvenir of original design products in 2008.
For the "open to the unlimited" purpose, the company has held hundreds of contemporary arts exhibitions, events, shows, salons and trans-boundary cooperation together with domestic & international culture organizations, artists, designers, and has become a very important communication platform for arts and cultures in southern China.
Fei Architecture, Fei Gallery and Fei Souvenir have been respectively leading the developments towards architecture & space design, arts exhibition & culture communication and original design & arts derivatives. Fei Architecture has created more possibilities because of trans-boundary concepts.

地址：广州市海珠区南华东路草芳围2号自编151号财京商务公馆601—603
电话：+86-20-37688779
传真：+86-20-37688799
网址：www.feiarchitects.com

Add: Room 601-603,Caijing Business Grand Club,Cao Fang WeiNo.2,
Nanhua East Road,Zhuhai District,Guangzhou
Guangzhou Feiyue Architectural Design Co.Ltd
Tel: +86-20-37688779
Fax: +86-20-37688799
Web: www.feiarchitects.com

扫描查看更多信息

SP® SHING & PARTNERS 漢森伯盛國際設計集團 SINCE 1993

汉森伯盛国际设计集团是一家久负盛名的大型专业国际设计集团公司，具备十分丰富的海外视野和国内实践经验，拥有大批专家团队，现有近300名国内外资深注册专业设计师，可为客户提供从规划概念、建筑方案、土建设计以及室内和景观设计等各领域的一站式服务。

我们强调融入环境和尊重文化内涵，讲求现代设计创新，同时高度重视市场和客户利益，力求每一项目都维持高水平的服务，"令成功的客户更成功！"是我们的目标，公司也因此伴随众多成功的客户共同成长！

集团在海外和国内四十几个城市进行有项目实践，具有十分丰富的实践工程设计经验，现代化的通讯和管理确保全球各地的专业设计人员可以无缝协作，共同致力于同一项目中，创造了一个又一个的精品和荣誉。

集团创始人和总设计师盛宇宏先生从业20余年，是全国历任"CIHAF中国建筑年度杰出建筑设计师"、"全国二十大青年建筑师"、"羊城十大设计师"、"广州地产二十年杰出贡献建筑设计师"等，也是香港建筑师学会会员、国家一级注册建筑师，同时担任了北大和清华等名校房地产总裁班客座教授等职务，对规划、建筑设计及室内设计极具专业水平和实际经验，在他领导下，全体同仁正为"创造中国人的世界设计品牌"的愿景而奋斗前进中！

成立19年来，集团设计了大量住宅、酒店、商业、办公、学校等项目，获得市场高度认可和荣誉，也获得国家、省级、市级众多优秀设计奖项。

2004年　CIHAF中国房地产二十大品牌影响力规划建筑、景观设计院
2005年　CIHAF中国房地产二十大品牌影响力规划建筑、景观设计院/中国十佳建筑规划机构
2006年　中国十佳建筑规划机构
2007年　CIHAF中国房地产最具影响力规划建筑、景观设计院
2008年　CIHAF中国房地产最佳顾问机构
2009年　CIHAF中国最具有品牌价值设计机构
2010年　CIHAF中国最具影响力设计方案/CIHAF中国最具影响力商业地产设计机构
2011年　CIHAF中国建筑师年度杰出贡献奖

另
2007—2008　《中国建筑设计作品年鉴》特邀编委单位
2009—2010　《中国建筑设计作品年鉴》特邀编委单位
中国主流地产金冠奖-年度最具价值建筑设计事务所
CIHAF中国最具影响力设计方案奖
广州市建筑装饰行业协会会员单位
《时代楼盘》杂志聘汉森国际伯盛设计公司为理事单位

广州
地址：广州市体育西路123号新创举大厦8楼
邮编：510620
电话：+86-20-38218180
传真：+86-20-38288130
邮箱：SP@sp-arch.cn
网址：www.hsarch.com.cn

Guangzhou
Add: 8th Floor,Xin Chuangju Building,Tiyu West Road No.123,Guangzhou
P.C.: 510620
Tel : +86-20-38218180
Fax : +86-20-3828 8130
E-Mail: SP@sp-arch.cn
Web:www.hsarch.com.cn

北京
地址：北京市朝阳区建国路93号万达广场3号1505
邮编：100022
电话：+86-10-58205376
传真：+86-10-58205376转620

Beijing
Add: Room 1505,Building No.3,Wanda Square,
Jianguo Road No.93,Chaoyang District,Beijing
P.C.: 100022
Tel : +86-10-58205376
Fax : +86-10-58205376-620

扫描查看更多信息

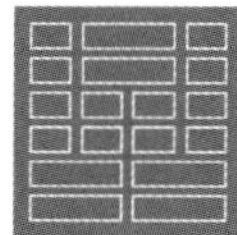

广东华方工程设计有限公司

GuangDong Huafang Architects & Engineers Co., Ltd.

广东华方工程设计有限公司团队最早成立于1992年4月，成立之初凭借技术服务优势迅速发展壮大，经过多年的发展，已成为一家综合性的设计服务机构。具备国家建设部颁发的建筑甲级（A144014879）、规划乙级（082037）、人防乙级（A244014876）、消防甲级、工程咨询丙级资质并获得GN/T19001—2008 idt ISO 9001：2008质量管理体系认证。公司成立十多年来，完成了大量优秀工程设计项目，业务范围涉及区域规划、住宅、商业、酒店、写字楼、医院、学校、室内外装修等设计业务，在同行中享有较高的知名度。公司在东莞、广州、中山、成都、南宁均设有分公司，拥有多名具有海外工作经验的中港互认建筑师，高、中级技术人员300多人，专业技术力量雄厚。公司拥有完善的质量管理体系，对设计产品前期策划至建成竣工验收阶段的全过程提供优质的设计咨询服务。

GuangDong Huafang Architects & Engineers Co., Ltd. was founded in April, 1992. The team developed rapidly with the advantage of technology and service in the early stage. After tens of years of hard work, it has developed into a comprehensive design service agency. It is approved by the MOHURD, has the Qualification of Grade A in architectural design (A144014879), Grade B in plan design(082037)and civil air defence shelter engineer design(A244014876), Grade A fire protection, engineering consultation. It has accomplished many outstanding engineering projects since its foundation, including area plan, residence, business, hotels, office buildings, hospitals, schools, interior design, landscape design and so on, gained good reputation in the field. It has established branches in Dongguan, Guangzhou, Zhongshan, Chengdu, Nanning, The company has accumulated abundant technical power, owned more than 300 senior and middle technical engineers and level and technicians, and several architects approved in Mainland China and Hongkong with overseas work experience. With the perfect quality management system, it is engaged in providing excellent service and effective way to fulfill customer' s needs, from the prophase scheme plan to assessment and acceptance of completed project.

地址：广东省东莞市南城区元美路华凯广场A座19楼
邮编：523070
电话：+86-769-22820769
传真：+86-769-22820736
邮箱：winway866@163.net
网址：www.gdhuafang.com

Add: 19F, Tower A, Huakai Plaza, Yuanmei Road, Nancheng District, Dongguan, Guangdong Province
P.C.: 523070
Tel: +86-769-22820769
Fax: +86-769-22820736
E-mail: winway866@163.net
Wed: www.gdhuafang.com

扫描查看更多信息

广州市天作建筑规划设计有限公司
Guangzhou TEAMZERO Architectural Design & Planning Co., Ltd.

广州市天作建筑规划设计有限公司成立于2002年，是广州市城市规划勘测设计研究院和美国TEAMZERO建筑规划设计公司联合成立的设计机构。公司充分发挥两大技术支撑平台的综合优势，本着专业综合联动的服务理念，在短短10年内已经在建筑设计、城市规划、城市设计和景观设计等领域取得令业界瞩目的优秀成绩，获得国家级、省部级、市级设计奖项30余项。公司拥有建设部颁发的建筑行业（建筑工程）甲级：A144016197、城乡规划编制资质证书：【建】城规编第（111239）甲级以及风景园林工程设计专项乙级：A244016194资质。
公司现有130多名专业技术人员，涵盖城市规划、建筑设计、景观设计、旅游规划、市政工程、工程咨询、城市交通、城市经济和生态环保等多个专业，是一个国际化、综合化、专业化且具有较高行业影响力的设计机构。

地址：广州市珠江新城华夏路28号富力盈信大厦6楼
电话：+86-20-83840927/83840847/83840875/83840583
传真：+86-20-83839072
邮箱：teamzero@teamzero.com.cn
网址：www.teamzero.com.cn

Add: Floor 6, R&F Yingxin Mansion, No.28 Huaxia Road, Pearl River New Town, Guangzhou City
Tel: +86-20-83840927/83840847/83840875/83840583
Fax: +86-20-83839072
E-mail: teamzero@teamzero.com.cn
Web: www.teamzero.com.cn

扫描查看更多信息

广州市天任建筑设计顾问有限公司
Guangzhou Talent Architectural Design Co., Ltd.

广州市天任建筑设计顾问有限公司是专业从事规划与建筑设计、园林景观设计、城市广场与道路景观设计的公司。公司积累二十余年专业经验，以坚实的精英团队，完成了一批颇具影响力的优秀作品，涵盖行政办公、综合商业、文化教育、商品住宅等多个领域。
公司潜心研究传统地域文化和当下设计思潮，针对个案有独特设计概念。公司秉持苛求完美、精益求精的设计宗旨和诚信服务，以设计创造价值，以品质成就理想。

地址：广东省广州市天河区龙怡路91号省农机物资公司综合楼四楼
电话：+86-20-38483926/38483929
邮箱：tr3848@126.com
网址：www.tianren.8hy.cn

Add: F/4, General Building of Guangdong Provincial Agricultural Machinery & Materials Company. No.91 Longyi Road, Tianhe District, Guangzhou City, Guangdong Province
Tel: +86-20-38483926/38483929
E-mail: tr3848@126.com
Web: www.tianren.8hy.cn

扫描查看更多信息

深圳市东大建筑设计有限公司
Shenzhen Dongda Architectual Design Co.,Ltd.
东南大学建筑设计研究院深圳分院
Architectural Design & Research Institute of Southeast University, Shenzhen Branch

1992年，一群致力于推动建筑设计从教学走向市场的有识之士，在改革特区深圳创建了东南大学在深圳的综合甲级设计企业----东南大学建筑设计研究院深圳分院。

经过几十年的发展，东南大学建筑设计研究院深圳分院，立足深圳，面向全国，从天涯海角到塞外雪林，从东海之滨到西域疆城，都留下了东南大学建筑设计研究院深圳分院的足迹，完成了一系列重大项目的规划和设计，获得了各界的赞誉。

2006年经东南大学批准，东南大学建筑设计研究院深圳分院进行改制，成立"深圳市东大建筑设计有限公司"，2012年4月，经建设部批准为具有甲级建筑设计资质的设计企业。公司将秉承东南大学严谨求实的治学传统，以"始于至诚，止于至善"的教训作为公司的核心经营理念。并基于多年打造的"东大设计"品牌优势，服务各类客户的丰富经验，业内首屈一指的人才团队，致力成为国内一流的设计服务公司，为顾客提供最专业和最优质的服务。

深圳市东大建筑设计有限公司是一个学习型、研究型、创新型、合作型不断追求进步，超越自我的团队。以"精心设计，勇于创新，讲究信誉，优质服务，持续改进，顾客满意"为质量方针，以"ISO9001-2000"标准为管理体系，取得了很好的信誉和社会效益。在历届国家和部委、省、市的优秀设计评选中，取得了优异的成绩，先后荣获各级优秀设计奖多项。东大设计全体人员正以"止于至善"的精神，启迪广袤思维创造时代精品的态度，迎接丰收的季节，为祖国的建设事业和中华民族的振兴而奋发努力。在当前的机遇和挑战面前，将更精、更美、更新作为"东大设计"人不懈追求的目标，在竞争中提高，在竞争中发展，"东大设计"将为国家的建设事业作出应有的贡献。

Some far-sighted personages, who devoted themselves in promoting architectural design to the market from education, founded a comprehensive class-A design enterprise of Southeast University in Shenzhen the special reform economic zone in 1992. This is history of Shenzhen Branch, Architectural Design & Research of Southwest University.

After decades of development, the Branch is established in Shenzhen while facing nationwide, having completed the planning and designing work of a series of significant projects, ranging from the remote places to the northern frontier, from the East China Sea coast to Xinjiang in the west, and having enjoyed great fames from all circles.

With approval of the Southeast University in 2006, the Shenzhen Branch was restructured into Shenzhen SEU Architectural Design Co., Ltd. It was authorized by the MOHURD as a design enterprise, licensed for Class-A Architectural Design in April 2012. The company will follow the rigorous and realistic scholarship tradition of Southwest University and take the motto of "Begin with sincerity and end with perfection" as the core operation principle. Further, based on the brand advantages of "SEU Design" forged for several years, with rich and wide experience in serving different customers, and top talented team in the circles, the company is dedicated in becoming a top design service company, thus to supply the most professional and perfect service to the customers.

Shenzhen SEU Architectural Design Co., Ltd. is a learning, innovative and cooperative team, which keeps improving and transcending itself. With the quality policy of "meticulous design, innovation, credibility, first-rate service, unceasing improvement and customers' satisfaction", and the management system of "ISO9001-2000" standard, it has gained high credit and social benefit. In addition, it has made outstanding achievements in all previous national, ministerial-level, provincial-level and municipal excellent design awards, and has won different levels of excellent design awards successively. With the spirit of "End with perfection", and the attitude of inspiring wide thoughts to create competitive products and service of the times, all the employees of SEU Design are welcoming the harvest season and making great efforts in the construction of our motherland, and the revival of Chinese nation. Facing the present opportunities and challenges, the "SEU Design" people will keep chasing the goals of perfectionism, beauty and up-to-date, improving and developing in competition, thus to contribute to the construction of our country.

地址：深圳市深南中路6031号杭钢富春商务大厦8楼
电话：+86-755-82996899
传真：+86-755-82995667
邮箱：ddfy_szb@21cn.net
网址：www.seusz.com

Add: 8th Floor, Fuchun Commercial Building, No.6031, Shennan Road, Shenzhen, China
Tel: +86-755-82996899
Fax: +86-755-82995667
E-mail: ddfy_szb@21cn.net
Web: www.seusz.com/

香港美腾(M.T)设计工程有限公司
Hongkong M.T Design & Engineering Co.,Ltd.

香港美腾（M.T）设计工程有限公司始建于1989年，发展至今已成为国内及东南亚较大的国际化设计公司，主要业务包括建筑、规划、室内设计、景观设计。旗下拥有近100名经验丰富的专业设计人员和工程师，他们具有国际性视野，在建筑设计、室内设计、景观园林设计、总体规划和平面设计方面都颇有建树。M.T的设计师多数毕业于海外，如美国、英国、加拿大、法国和澳大利亚等，并已成为香港建筑设计师协会成员。
M.T把西方较为成熟的设计体系和理论运用到设计中，并加入中国本地的特色，使之具有独特的特征。毕竟，一种独特的设计将会吸引参观者的目光。
公司历经20多年的发展，现已凝聚了一支稳定的专业设计、施工及管理团队，建立了设计、施工、工程后续维护一体化的服务体系。公司总部注册员工近300名，有80多名优秀的室内设计师和具有丰富现场施工经验的项目管理人员。公司一直以优良的业绩取信于客户，业务范围拓展至全国20多个省、市、自治区，以优秀的设计作品、优良的施工工艺、优质的服务，为广大的客户创造出艺术与实用完美结合的高品质室内空间，得到了客户的一致好评。现公司重点致力于高档星级酒店与别墅豪宅样板房的设计与施工，并与中海地产、成都万华地产等知名客户建立了长期战略合作伙伴关系，已经在深圳、澳门、北京、上海、沈阳、成都、西安、哈尔滨、长春、青岛等多个城市完成了一大批精品工程。
身为中国香港著名的室内设计大师、香港美腾（M.T）设计工程有限公司创始人谭伟武先生，在过去的20多年里，承揽了数百项装饰工程项目，在装饰设计业界享有极高的盛誉，其设计作品遍及中国香港，澳门，东南亚，中国大陆各大城市。其主要代表作品有：澳门金莎二期（含香格里拉、喜来登等国际五星级酒店）、越南鸿运赌场酒店、沈阳万豪大酒店、沈阳国际皇冠假日酒店、北京名人大酒店、上海西郊大公馆（别墅群）、上海江南宴（豪宅小区）、杭州星光大道（酒店式公寓楼）等。
公司自成立以来一直秉承“以质量求生存，以信誉求发展”的经营理念，始终坚持以客户的需求和满意为核心追求，以“质量”当生命，以“诚信”为宗旨，坚持装饰工程施工规范，严格执行工程监督管理程序，严把装饰材料关，不断提高施工工艺水平，不断开发应用新技术、新工艺，在全国大多数城市创造了一大批别墅、豪宅、优质样板房工程，现已成为豪宅装饰行业中的典范企业。

地址：深圳市罗湖区人民南路深房广场B座11楼
电话：+86-755-82295888
传真：+86-755-25186832
邮箱：mt0755@163.com
网址：www.mtdesign.hk

Add: 11th Floor, Shenfang Building Tower B, Renmin South Road,Luohu district,Shenzhen
Tel: +86-755-82295888
Fax: +86-755-25186832
E-mail: mt0755@163.com
Web: www.mtdesign.hk

扫描查看更多信息

深圳市武向兵建筑设计有限公司

Shenzhen Wu Xiangbing Architectural Design Co.,Ltd.

公司于2006年成立。公司成立之初，正值中国房地产业方兴未艾之际。中国房地产的发展反映了市场在规范和竞争的逻辑中发展的面貌，公司的业绩从一个侧面反映了这些年来房地产发展的轨迹，反映了建筑设计在市场竞争的环境下不断完善，自我更新的过程。

公司在成立之初就明确了以创新设计和全过程服务为追求目标，以高完成度设计和高质量的建成作品建立公司品牌，致力于在建筑设计领域创建自己的风格和口碑。我们的设计注重从大局着手，关注用户需求，关注建筑细节，发现生活的真谛，创作具有领先于市场的亮点的作品。

近几年来，公司设计作品不断涌现，设计团队逐步壮大，正朝着精细设计，不断创新，团队协作，全面服务的方向发展，为建立面向下一个十年的全新设计平台而努力。

WUARCH was found in 2006. Since then, Chinese real estate industry has transformed dramatically through market competition and regulations. This is reflected in our design works, which evolved in the direction of perfection and rejuvenation.

In the early days, WUARCH decided that creative design and better and responsive services are the key of the company. More finished design and high quality buildings are the new bench mark. These are the trade mark and indeed the impression of the company from those worked together in the years. We focus the big picture, as well as our customers' individuality. We refine the details and discover the truth living underneath them. Our designs always bring refreshing new ideas to the market.

In the past few years, a number of our projects realized while our professional team established and grow rapidly. WUARCH becomes a name for detailed and creative design, as well as full range service. WUARCH is on the way to establish the new design platform for the next decade.

地址：中国深圳市华侨城东部工业区B-9栋302室
电话：+86-755-86106965
传真：+86-755-86106948
邮箱：project@wuarch.com
网址：www.wuarch.com

Add: Suite 302, Bldg.B-9, East Industrial Zone, OCT,Shenzhen,China
Tel: +86-755-86106965
Fax: +86-755-86106948
E-mail: project@wuarch.com
Web: www.wuarch.com

无极建筑设计有限公司（香港）
无极建筑设计（深圳）有限公司
WUA Architects Co., Ltd.(Hongkong)
WUA Architects (Shenzhen) Co., Ltd.

WUA香港公司于2010年成立WUA深圳公司，为日益增长的中国内地市场提供具有国际水准的规划、建筑和设计顾问工作。
公司擅长下列设计顾问工作：开发理念、规划地产、旅游地产规划、城市设计、城市综合体、酒店。
设计团队由国内外优秀的建筑和规划专业人士组成，富于进取的工作态度、娴熟的专业技能和丰富的实践经验，足以应对从小尺度建筑到大型规划的各类设计项目。把每个项目都当成独特的个案，综合考虑当地的气候特点、社会文化环境、项目的经济性和市场定位、可持续设计等因素，采取维度更广、程度更深的设计方法，为项目在给定的功能、时间、预算和技术条件下找到最适合的解决方案。

创意是我们的精髓，卓越是我们的品质。

WUA Shenzhen was founded by WUA Hong Kong in 2010. It provides international-standard planning, architecture and design consultancy for the increasingly growing mainland markets.
The Company is good at design consultancy of the following aspects: development concept, real estate planning, tourism real estate planning, urban design, urban complex and hotel.
The design team consists of excellent building and planning professionals from home and abroad. Their aggressive work spirit, proficient skills and abundant practical experience can cope with various design projects from small scale buildings to large scale planning. They regard every project as a unique case. Through comprehensive consideration of local climate features, social and cultural environment, economy, market positioning and sustainable design of a project and other elements, they choose a design method with wider dimension and deeper level to find the project the most suitable solution under given functions, time, budgets and technical conditions.
Originality is our essence while excellence is our quality.

地址：深圳市南山区蛇口南海意库2栋4楼408
电话：+86-755-26856312/26859375
传真：+86-755-26809387
邮箱：szwua@wua.com
网址：www.wua.hk

Add: Room 408, 4th Floor, Tower No.2, Nanhaiyiku Building, Shekou
Nanshan District, Shenhen
Tel: +86-755-26856312/26859375
Fax: +86-755-26809387
E-mail: szwua@wua.com
Web: www.wua.hk

扫描查看更多信息

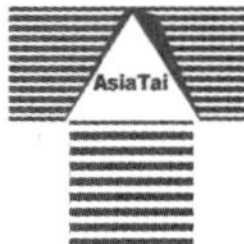

广州亚泰建筑设计院有限公司

Guangzhou Asiatal Architecture Design Institute Co.,Ltd.

广州亚泰建筑设计院有限公司（原广州市荔湾区建筑设计院）始建于1981年，于2007年3月被华尚建筑设计有限公司收购，是国家建设部认定的建筑工程甲级设计单位（证书编号：A144002161），专业从事各类建筑工程设计及相关的景观设计、工程技术与城市规划咨询等业务。

华尚建筑设计有限公司成立于2002年，公司目前人才荟萃，拥有一批正规教育出身，工程实践经验丰富的优秀设计师。主要工程业绩有华南农业大学、广州天河软件园——IT商务中心（五星级酒店）、山西世茂大酒店、广州大学城二期工程、大宇宙信息创造（中国）有限公司办公大楼等。公司设建筑，结构，给排水，电气，暖通，规划，景观，室内等专业，在设计概念与构思方面，华尚建筑一直尊重传统的设计理念，融合亚洲文化传统艺术于国际化视野之中，并利用自身良好的社会资源，与多所建筑类名校，大设计院，建筑界媒体保持密切合作关系，华尚建筑设计以丰富的建筑工程设计经验、杰出的设计作品、优质的设计质量以及良好的服务口碑著称于设计领域。

在未来的时间里，公司将继续发挥较强的技术力量，先进的技术水平，按照一贯的质量方针和质量目标对外开展业务活动，积极发展同海内外客户的业务往来与同作关系，为社会提供更多的设计作品。

Guangzhou Asiatai Architecture Design Institute Co., Ltd. (originally Architecture Design Institute of Liwan District, Guangzhou) was established in 1981 and then was merged by Huashang Architecture Design Co., Ltd. in March 2007. It is a Class A construction design unit which was acknowledged by the National Ministry of Construction (Certificate No.A144002161),The company is engaged in various construction project design and related landscape design, engineering technology and city planning and other services.

Huashang Architecture Design Co., Ltd. was established in 2002 and has a galaxy of talents, including excellent designers with formal education background and substantial experiences. Through many years' efforts, the company has successfully completed the major projects such as South China Agricultural University, Guangzhou Tianhe Software Park–IT Business Center (Five-star Hotel),Shanxi Shimao Hotel, Guangzhou Higher Education Mega Center (Phase), Office building of Trans Cosmos Information Creative (China) Co., Ltd. and etc. The company provides professional services relating to architecture, structure, water supply and drainage, electricity, heating ventilating, planning, landscape, interior design and etc. As for design concept and conception, Huangshang Architecture always respects traditional design concept and combines Asia culture and art with an international outlook. The company also keeps close relationship with many famous architecture colleges, design institutes, the whole architecture field and media through its social resources so as to maintain its goal of providing competitive product. Huashang Architecture is outstanding in its field for its rich construction design experiences, superior design works and quality as well as good service.

The company will take advantage of its technical strength so as to carry out business operation on the basis of its consistent quality policy and objective and actively cooperate with customers at home and abroad.

地 址：广州市海珠区北约新街5号6楼
邮 编：510310
电 话：+86-20-84214629/84204936
传 真：+86-20-84214629-802/81908802-802
邮 箱：lwsjok88@163.com
网 址：www.gzatsj.com

Add: 6th Floor, Beiyue New Street, Haizhu District, Guangzhou
P.C.: 510310
Tel: +86-20-84214629/84204936
Fax: +86-20-84214629-802/81908802-802
E-mail: lwsjok88@163.com
Web: www.gzatsj.com

华蓝集团
华蓝集团是由广西华蓝设计（集团）有限公司作为母公司，与其14家控参股公司共同组建成立的集团企业，现有员工约3200余人。业务由工程设计与咨询、工程总承包、投资与房地产开发三大板块组成，持有咨询、勘察、设计、监理、施工、房地产等各类资质47项（甲级资质26项），涉及建筑、规划、市政、智能化、交通、岩土、能源、环保、房地产等领域。

广西华蓝设计（集团）有限公司
广西华蓝设计（集团）有限公司于2007年1月1日成立，是由广西建筑综合设计研究院（始建于1953年）改制而成的现代科技型企业，是目前广西规模最大的国家工程设计咨询综合性甲级企业之一。公司拥有建筑设计院、规划设计院、市政设计院等3个专业设计院，1个研究院和8个分公司，在北京、上海、广州、成都、深圳、福州、海口、昆明等地设立分支机构。

Hualan Group
Hualan Group consists of the parent Guangxi Hualan Design & Consulting (Group) Co., Ltd., and the other 13 shareholding/participant companies, with over 3,200 employees in total. It is operating in the fields of engineering design & consulting, general contract of engineering, investment & real estate development, and it is licensed for 47 items including consulting, surveying, designing, supervising, constructing, real estate and others (26 items for class-A qualification), involving fields of architecture, planning, municipal construction, intellectualization, transportation, soil & rock, energy, environment protection, real estate and others.

Guangxi Hualan Design & Consulting (Group) Co., Ltd.
Guangxi Hualan Design & Consulting (Group) Co., Ltd. established on Jan 1, 2007, is a modern science & technology enterprise reformed from Guangxi Architecture Comprehensive Design Institute (founded in 1953), and is currently one of the largest class-A comprehensive enterprise of national engineering design & consulting in Guangxi. The company has three professional design institutes including architecture design institute, planning design institute, and municipal design institute, one research institute and eight branches, and sets up sub-offices in Beijing, Shanghai, Guangzhou, Chengdu, Shenzhen, Fuzhou, Haikou, Kunming and other locations.

地址：广西壮族自治区南宁市华东路39号
邮编：530011
电话：+86-771-2438149
传真：+86-771-2435011
邮箱：hualan@gxhl.com.cn

Add: Huadong Road No.39, Nanning City, Guangxi Zhuang Autonomous Region
P.C.: 530011
Tel: +86-771-2438149
Fax: +86-771-2435011
E-mail: hualan@gxhl.com.cn

贵州省建筑设计研究院
Guizhou Provincial Architectural Design & Research Institute

贵州省建筑设计研究院建于1952年，是国内最早成立的全国综合甲级设计单位之一，在不断的竞争和超越中走过了半个多世纪。
贵州省建筑设计研究院具有国家建设部及国家计委颁发的工程设计、工程勘察、工程咨询、城镇规划、市政设计、工程监理、造价等多项资质。
贵州省建筑设计研究院人才荟萃，现有职工500余名，其中有各类高、中级工程技术人员300余人，享受国务院及贵州省政府特殊津贴的专家有14名，贵州省管专家1人，贵州省核心专家1人、教授级专家12名，具有国家注册资格的从业人员160名以上。
设计院除管理和服务部门外，下设多个综合设计所，包括山地建筑设计研究所、规划设计所、城市设计所、造价所、市政设计所、装饰设计所、监理所，以及勘察分院（贵州工程勘察院）、建筑公司、项目管理公司、铭仁咨询公司等多个具有独立法人资格的公司。
自上世纪八十年代以来，设计院完成工程10 000余项，超过500个工程项目获得国家、部、省、地厅级优秀设计、优秀勘察、优秀标准设计、科技成果和科技进步奖。设计院还参与编制了国家和地方的技术标准、规范40余项。
设计院为全国优秀勘察设计单位，荣获建设部授予的"全国科技创新先进单位"、"全国建设系统精神文明先进单位"、"全国工程勘察先进单位"和中共贵州省委授予的"贵州省思想政治工作先进单位"以及中华全国总工会颁发的"模范职工之家"等荣誉称号。
设计院将一如既往贯彻"坚持社会责任至上、客户价值至上、员工发展至上，树立行业风范，追求卓越品质，打造企业品牌"的宗旨，参与竞争，努力实践，以创贵州品牌企业为目标，竭诚为社会各界和广大客户提供最优质的服务。

Guizhou Provincial Architectural Design & Research Institute, one of the national comprehensive design units with the Grade A qualifications, established in 1952, has survived over half century in market competitions and outdoing ourselves.
The institute has gained the certificates issued by the former Ministry of Construction and State Planning Commission, including engineering design, engineering survey, engineering consulting, urban planning, municipal engineering design, project supervision and construction cost.
The institute is now employing over 500 staffs, among which there are over 300 senior or medium technicians, 14 experts enjoying the State Council or Guizhou Provincial Special Allowance, a provincial expert, a key expert of Guizhou, 12 professor-level experts, and over 160 employees with the state registered certificates.
Besides the management and service, the institute has several comprehensive design departments, including mountainous architectural design, planning and design, city design, construction cost, municipal engineering design, decoration design, and project supervision. And it also has several independent agencies such as Guizhou Engineering Survey Institute, Mingren Engineering Consulting Company and construction, project management companies.
Since the 1980's, the institute has accomplished over 10,000 projects, among which over 500 projects won awards as "Excellent Design", "Excellent Survey", "Excellent Standard Design", "Scientific Achievement Award" and "Scientific Progress Prize" awarded by the national or local agencies. It also participated in the drafts of over 40 national or local technical standards and specifications.
As one of national excellent survey & design units, not only the institute was rewarded by Ministry of Construction as "Advanced Unit for National Technical Innovation", "Advanced Unit for National Spiritual Civilization in National Construction Field" and "Advanced Unit of National Engineering Survey", it was also rewarded "Advanced Unit in Ideological and Political Construction" by CPC Guizhou Provincial Committee, and the title of "Home of Exemplary Workers" by All China Federation of Trade Unions.
With the purpose of putting social responsibility first, customer value first and employee development first, setting refined manners in the industry, pursuing better quality and creating the brand of the company, the institute tries to provide best service for the society and clients in the market competition and practice.

地址：贵州省贵阳市遵义路48号
电话：+86-851-5573792
传真：+86-851-5572433
邮箱：gzsjy@vip.sina.com
网址：www.gadri.cn

Add: 48 Zunyi Road, Guiyang City, Guizhou Province
Tel: +86-851-5573792
Fax: +86-851-5572433
E-mail: gzsjy@vip.sina.com
Web: www.gadri.cn

扫描查看更多信息

贵州天海规划设计有限公司
Guizhou Tianhai Planning and Design

民族的现代化，现代的民族化；
不为标新立异，只为化腐朽为神奇；
只有想不到，没有做不到……

Modernization of Nationality, Nationalization of Modernity;
Pursuing Transformation from Decadence
to Miracle instead of Occupying Primary Position;
What We Want to Do, We Can Do

贵州天海规划设计有限公司成立于2002年7月，具有国家乙级旅游规划设计资质、国家乙级城市规划编制资质、国家乙级建筑工程设计资质，拥有各类工程技术人员60余人，是一支朝气蓬勃、勇于挑战、开拓创新、追求卓越的团队。
十年来，天海规划一直都在积极地探索规划设计之路，始终秉承"民族现代化，现代民族化"的理念，不断开拓创新，经过十年孜孜不倦的研究和实践，形成了自己的一套规划设计方法和模式：整合策划、规划、建筑、创意、效果表现、动画等与规划设计密切相关的各个行业于一体，使得规划设计从资源评估、背景分析到战略定位、规划布局、建筑创意、效果表现一气呵成，形成一站式全程服务的规划模式，这种模式最大限度地克服了传统规划设计模式中各个专业脱节的弊端。
多年来，凭借着对公司理念的执着，天海规划设计有限公司以独特的规划设计理念、颠覆性的操作模式以及极富想象力的创意，承担和完成了60多项大、中型规划设计项目，其中有贵阳市文化中心商业中心概念规划设计、云南省丘北县城市设计及普者黑景区规划设计、山东黄金主题公园规划设计、贵州凯里市城市设计、贵州铜仁市城市设计、贵州黔西县县城设计、华藏世界多国佛教园的规划设计等，这些设计或大气磅礴、匠心独运，或精美别致、风韵独具；既具备地域特质和民族文化底蕴，又充盈着浓郁的现代气息和时尚品味；既充满了深切的人文关爱和人性呵护，又洋溢着现代人的生活情调……引起了社会各界的极大反响，备受业界关注和青睐，更是深得开发商和项目开发地区党政领导的高度评价和认可。
光阴荏苒，转眼十载，天海规划设计有限公司对于设计理念的执着与创新仍将继续！

地址：贵州省贵阳市中华南路181号华坤发展大厦16楼C座
电话：+86-851-5845337
传真：+86-851-5848386
邮箱：tianhai6699@163.com
网址：www.gzthgh.com

Add:16F Huakun Development Building 45 South Zhonghua Road
Guiyang,Guizhou Province
Tel :+86-851-5845337
Fax :+86-851-5848386
E-Mail:tianhai6699@163.com
Web:www.gzthgh.com

西线建筑规划设计研究院是一支学术研究+实践的专业型设计研究机构，是贵阳建筑勘察设计有限公司（双甲级）最重要的设计分支之一。以研究通用技术体系的乡土建造与发展当代地域建筑的西线工作室以及专注于都市化状态下的设计方法有效贯彻的WB国际联合工作站（西线建筑与西班牙建筑师的联合体）为核心，以当代都市研究、当代地域实践为基本工作内容，关注乡土社会在现实商业社会与通用建造条件下的延续与再生，关注公共生活地的建设，关注新旧机制交替下的空间状态的研究等；高度重视以社会、经济与城市的维度探索都市及乡土建造的系统性控制方式与聚落的可持续经营；形成贯通现状分析→市场分析→运营研究→策划与传媒分析→原创理论支撑→具体解决方案→初步设计→施工图生产→可持续发展的系统化设计全流程，全面开展建筑设计、城市设计、景观设计领域的工作，在地域建筑实践、都市空间生产、公共生活空间创新、乡土材料的通用化建造、材料制造氛围与城市设计方面成果突出，是具有独立思考精神与系统工作方法的专业团队，是当代贵州建筑重要的领航者与探索者。

West Line Architectural Planning & Design Institute is a professional design research institute which specializes in academic research and practice, and also one of the most important design branches of Guiyang Architectural Design & Surveying Prospecting Co., Ltd. (Grade AA). With vernacular construction which studies general technology system, West Line Studio which develops contemporary regional architecture and WB International Joint Workstation (a combination of West Line Architecture and Spanish Architects) as the core, and with contemporary urban study and contemporary regional practice as the basic job content, the institute pays close attention to the continuation and regeneration of the vernacular society under the circumstances of the realistic commercial society and general construction, the construction of public life area, the research of space conditions under the alternation between the old mechanism and the new one, etc. It attaches great importance to the exploration of systematic control methods of urban and rural construction and the sustainable management of settlements in light of society, economy and city. It forms the whole process of systematic design, namely, a process that runs through current situation analysis → market analysis → operation study → the analysis of planning and media → original theory support → specific solution → preliminary design → working drawing production → sustainable development, comprehensively carries out tasks in the fields of architectural design, urban design and landscape design, and has made remarkable achievements in regional architectural practice, urban space production, public life space innovation, the general construction of vernacular materials, material manufacturing atmosphere and urban design. It is a professional team with the spirit of independent thinking and systematic working method, and also an important leader and explorer in contemporary Guizhou architecture.

地址：贵州省贵阳市金阳新区金阳北路南段1号
电话：+86-851-8551870
传真：+86-851-8613501
邮箱：2864658963@qq.com

Add: 1 South Section of Jinyang North Road, Jinyang New District, Guiyang City, Guizhou Province
Tel: +86-851-8551870
Fax: +86-851-8613501
E-mail: 2864658963@qq.com

扫描查看更多信息

海南华磊建筑设计咨询有限公司
Hainan Hualei Architectural Design Consulting Co., Ltd.

海南华磊建筑设计咨询有限公司成立于1988年，是海南建省拥有中华人民共和国住房和城乡建设部，甲级设计资质证书最早的民营企业，具有独立的企业法人资格，法定代表人于瑞为国家一级注册建筑师、国家注册公用设备工程师。现公司持有住房和城乡建设部颁发的甲级建筑勘察设计资质证书、乙级市政设计资质证书。主要承担建筑设计、规划、市政工程设计、总平面、竖向、配套专业站房、各类管网管线、园林绿化、室内外环境装修、动力、煤气、道路、消防、新型建筑技术开发、小区规划设计及项目前期策划，工程咨询、项目可行性研究、节能报告等业务。
本公司现有技术人员270多名，其中40多名国家注册工程师、32名高级工程师、31名工程师，人员技术素质优秀，专业配套齐全，是一支技术过硬、专业组成合理、服务一流的设计团队。
本公司已于2003年通过国际ISO9001：2000质量管理体系认证证书。

先后曾获得：
1998年海南省勘察设计综合实力三十强单位称号；海南省诚实守信示范单位；“十五”全国建设科技进步先进集体；海南省援助川地震灾区活动板房建设先进集体；海南省保障性住房设计方案三等奖；海南省廉租住房设计方案优秀奖；

在行业协会：
“中国勘察设计协会中南地区会员单位”；“中国勘察设计协会建筑设计分会，理事单位”；“中国勘察设计协会建筑设计分会，中南协会理事单位”；“海南省勘察设计协会建筑设计分会，中南协会理事单位”；“海南省土木建筑学会理事单位”；“海南建程建筑节能研究中心”；“海南省新型墙体材料协会”；“中华全国总工会海南建设工会”；“中共海口市美兰区海甸街道工委”；

设计标准编制：
中南地区建筑标准安装标准设计图集；海南省地方建筑标准设计图集；海南省地方住宅节能标准；海南地区公建设计节能实施细则；
公司组成包括总公司外海南省内下设有13个分公司及武汉、杭州、重庆、昆明、兰州、福州、深圳、广西，8个省外分公司；总公司设有业务部、质检部、人力资源部、综合部等机构，并引进了先进的管理软件，对公司经营实施全方面信息化管理。内部执行严格的质量管理制度，对每个项目的设计质量层层把关，逐级审核，确保高质量的完成各项设计任务。同时，为保证公司的可持续发展，公司注重对人才的发现、培养和教育，对专业技术人员进行不定期的专业继续再教育，积极参加各类新技术的推广与应用。强调设计的后期服务，以达到客户最高满意度。本公司以：“精心设计，诚信服务，人才为本，持续改进”为十六字方针二十几年来，已完成各种设计项目数千例，海南市场的占有率名列前茅。同时，近几年来，公司积极拓展内地市场，内地工程量也不断扩大。其中包括不少获奖项目、大型公建、有影响的地方标志性建筑及有一定水准和一定规模的住宅小区。为我公司赢得了良好的社会效益与经济效益。
本公司拥有数位知名资深专家，承担着中南地区标准图集、海南省施工图标准图集、海南省地方节能标准的编制工作，也担负着政府部门的顾问专家、项目评审专家、审图专家及注册建筑师再教育培训的工作，为社会及本行业发展作出着应有的贡献。
凭借着本公司的业绩和整体实力，本公司已晋身为中国建筑协会成员单位及中南建筑协会理事会单位。今后我公司会继续努力创造企业品牌为城市发展创作更加优秀的建筑作品。
希望我公司对贵公司项目的参与，能给您多一个选择，给我多一个机会，相信海南华磊建筑设计咨询有限公司是您不悔的选择。
期待您最严格的挑选！

地址：海南省海口市海甸岛32号金谷大厦202房
电话：+86-898-36365412
传真：+86-898-36365414
邮箱：hnhualei@sina.com/1091003047@qq.com
网址：www.hn-hualei.com

Add: Room 202, Jingu Building, 32 Haidian Island, Haikou City, Hainan Province
Tel: +86-898-36365412
Fax: +86-898-36365414
E-mail: hnhualei@sina.com/1091003047@qq.com
Web: www.hn-hualei.com

扫描查看更多信息

石家庄市建筑设计院

ShiJiazhuang Architectural Design Institute

石家庄市建筑设计院创建于1958年，现具有七项甲级资质，包括甲级工程设计、甲级建筑智能化专项工程设计、甲级工程监理、甲级工程总承包、甲级工程咨询、甲级施工图设计文件审查、勘察专业类（岩土工程（勘察、咨询、监理））甲级；三项乙级资质，包括乙级工程地质、岩土工程咨询、乙级市政公用行业（热力）工程设计、乙级城市规划等。

该院技术力量雄厚，综合性强，拥有各类专业技术人员175人，其中正高级工程师4人、高级工程师40人，工程师38人，国家一级注册建筑师和注册结构工程师26人，国家二级注册建筑师和结构工程师13人，国家注册监理工程师13人，国家注册岩土工程师4人，是知识技术密集的科技型单位。生产机构设置有五个综合建筑设计所、勘测所、石家庄汇通工程建设监理公司、石家庄徐志欣建筑工程设计咨询事务所，2003年已通过了ISO9001国际质量体系认证，2006年取得国际对外合作经营权。

业务范围包括：建筑设计、智能化设计、工程咨询、可行性研究报告、工程监理、工程总承包、施工图审查、岩土工程勘探咨询、市政公用、城市规划等。

该院多年来，在国内外推出了一批构思新颖、富于时代风格的作品，既美化了城市建设，也提高了该院在国内外的知名度。中日合作的"城市小康住宅"荣获国际奖，有两项获国家及部级金奖，有十九项获省部级科技进步奖，有六十六项优秀设计、四项优秀勘察、七项标准图设计、二十项QC成果、一项工程软件获省部级奖等。涵盖科教文卫建筑、办公建筑、商业建筑、旅游建筑、交通建筑、住宅小区规划及设计等。近几年的代表性教育建筑有：河北体育学院、河北美术学院、石家庄大学、石家庄学院；代表性住宅小区规划及设计有：日本鸟取县燕赵园、联盟小区、平山温泉城；代表性办公、宾馆建筑有：燕华大厦、太和大厦、金谷大厦、广播电视中心、东铁大厦；代表性商业建筑有：新百广场、图书大厦；代表性医疗建筑有：河北省新疆库尔勒综合医院、河北省福利院；代表性文化建筑有：石家庄解放纪念碑、马本斋纪念馆。

该院面对国内外两个市场，与时俱进，开拓创新，精心培育新型人才，不断提高经营管理水平，吸收借鉴现代的国内、外先进技术和设计手法，以卓越的成就回报社会。以追求创新，质量第一为宗旨，竭诚为用户提供快速、优质的服务。

Shijiazhuang Architectural Design Institute was founded in 1958. It is licensed for 7 class-A services, including class-A engineering design, class-A intelligent building special engineering design, class-A project supervision, class-A project general contract, class-A engineering consultancy, class-A drawings design review and class-A investigation (geotechnical engineering (investigation, consulting and supervising)); and 3 class-Bs, including class-B engineering geology and geotechnical engineering consulting, class-B municipal public utilities (heating power) engineering design and class-B urban planning.

The institute has abundant technical force and strong comprehensiveness. It is a knowledge and technology-intensive science and technology organization, with 175 technicians on various professions, among which, there are 4 professorate senior engineers, 40 professorate senior engineers, 38 engineers, 26 national first-class registered architects and registered structural engineers, 13 national second-class registered architects and registered structural engineers, 13 national registered supervising engineers and 4 national registered geotechnical engineers. Its production organizations include five general architectural design offices, survey office, Shijiazhuang Huitong Engineering Construction and Supervision Company and Shijiazhuang Xuzhixin Building Engineering Design and Consulting Firm, all of which has adopted ISO9001 International Quality System Certification in 2003 and got the international operational rights for foreign cooperation.

The business scope includes architectural design, intelligent design, engineering consultancy, feasibility study report, engineering supervision, EPC (engineer-procure-construct), construction drawing review, geotechnical engineering investigation and consultancy, public utilities and urban planning.

The Institute has developed a series of works featured by original concept and epochal style over the years. Those works not only beautify the urban environment, but also raise the Institute's prestige at home and abroad. The "Urban Well-off Residence" designed in cooperation with Japan was awarded an international prize, there were two projects awarded national and ministry-level gold prize, 19 projects awarded provincial Science Progress Award, 66 excellent designs, 4 excellent investigations, 7 standard drawing design, 20 QC results and 1 engineering software awarded provincial or ministry-level prizes. Its projects cover science education buildings, culture and health buildings, office buildings, commercial buildings, tourism buildings, transportation buildings, residence community planning and design. Its representative education buildings in recent years include: Hebei Physical Educational Institute, Hebei Academy of Fine Arts, Shijiazhuang University and Shijiazhuang College. Its representative residential community planning and design works include Yanzhao Garden of Tottori County, Japan, Alliance Community and Hot Spring City of Pingshan County. The representative office and hotel buildings include Yanhua Building, Taihe Building, Jin Gu Hotel, Radio & TV Center and Dong Tie Building; the representative culture buildings include: Shijiazhuang Liberation Monument and Mabenzhai Memorial Hall.

Facing foreign and domestic markets, the Institute advances with the times and makes continuous innovation. It carefully cultivates new talents, constantly develops operation and management level, and absorbs advanced technical and design methods from home and abroad for contributing remarkable achievements to the society. In pursuit of innovation and superior quality, it sincerely provides customers with quick and excellent services.

地址：石家庄市光华路16号
电话：+86-311-87023414
传真：+86-311-87023414
邮箱：Reshine@heinfo.net
网址：www.sjzarc.cn

Add: 16 Guanghua Road, Shijiangzhuang, Hebei
Tel: +86-311-87023414
Fax: +86-311-87023414
E-mail: Reshine@heinfo.net
Web: www.sjzarc.cn

扫描查看更多信息

保定市建筑设计院有限公司前身为保定市建筑设计院，始建于1952年，2011年11月完成深化体制改革。公司是河北省成立最早的综合甲级建筑设计单位之一，主要从事各种类型的大、中型民用与工业建筑设计、工程勘察、工程监理、施工图审查等。建院50多年来，完成了近万项工程项目的勘察、设计、监理等，项目遍及全国各省、市及自治区，积累了丰富的设计工作经验，拥有一支由高素质人才组成的设计队伍，在设计领域具有独特的地位和影响力。连续多年被评为"重合同守信用单位""建设系统信誉、信用AAA单位""优秀勘察设计院""河北省诚信示范单位"等。

公司具有建设部颁发的建筑行业（建筑工程）甲级资质证书、工程勘察专业类岩土工程（勘察、设计、咨询、监理）甲级资质证书、房屋建筑工程监理甲级资质证书、施工图审查一级资质证书和建筑行业人防设计乙级、市政公用行业（道路）设计乙级、城市规划乙级，咨询乙级、风景园林设计乙级、市政公用行业（热力、风景园区）丙级资质证书等。可承接各类大、中型民用工业建筑勘察、设计以及工程建设可行性研究，人防工程设计及相应的咨询与技术服务，市政公用行业给水、排水、热力、风景园林等工程设计及相应的咨询与技术服务，技术咨询，工程总承包，工程建设监理，施工图审查等业务。

公司现有职工240余人，各类专业技术人员218名，其中：教授级高级工程师9名、高级工程师52名、工程师66名、一级注册建筑师11名、一级注册结构工程师18名、注册公用设备工程师11名、注册电气工程师2名、注册城市规划师2名、注册咨询工程师（投资）6名、注册岩土工程师5名、注册监理工程师15名、注册造价工程师2名。

作为河北省最好的地市级建筑设计单位之一，公司以"精心勘察设计、公正科学监理、优质诚信服务、实现顾客满意"为己任，坚持以繁荣建筑创作为宗旨，不断完善、创新设计理念，力创建筑设计精品，在工程设计和科研方面屡获国家级、部级和省级优秀奖，在文化建筑、体育建筑、医疗建筑、教育建筑、居住建筑以及空间结构等设计领域具有独特的设计优势，而严格规范的ISO9001质量体系认证管理更使公司的设计质量为业界广泛认同。

公司注重推行和运用现代化设计手段，配备电脑网络管理系统、协同设计系统、办公自动化系统，并建立了一套完整严密的管理体系，形成了团结求实、严谨高效、进取奉献，严守职业道德的院风。

在未来，公司将不断开拓国内市场并争取打开国外市场，以"造就一流人才、创造一流设计、提供一流服务"为目标，竭诚为各界服务。

地址：河北省保定市五四中路951号（五四路地道桥东口北侧）
电话：+86-312-5997906/5997889
传真：+86-312-5997906/5997889
邮箱：bdad@vip.163.com
网址：www.bdad.com.cn

Add: No.951, Wu Si Zhong Road, Baoding City, Hebei Province
Tel: +86-312-5997906/5997889
Fax: +86-312-5997906/5997889
E-mail: bdad@vip.163.com
Web: www.bdad.com.cn

扫描查看更多信息

唐山市规划建筑设计研究院

Tangshan City Planning and Architectural Design & Research Institute

唐山市规划建筑设计研究院1953年建院，至今已发展为一个集规划、建筑、市政、勘察岩土、工程咨询为一体以建筑为主的综合性甲级设计院。现有在职职工360人，拥有以下设计资质：城乡规划编制甲级、建筑工程设计甲级、市政公用行业（地铁、轻轨除外）全行业设计甲级、工程勘察甲级、智能建筑（系统工程设计）甲级、工程咨询甲级、施工图审查I类、建筑行业人防工程设计乙级。2010年获ISO9001质量管理体系认证。

该院经历了唐山震后恢复重建全过程实践，为新唐山的崛起及发展做出重要贡献，震后36年来完成各类工程设计数百项，包括居住类建筑，纪念性建筑，剧场、影院、体育场馆建筑，办公建筑，商业、综合体类建筑，文教医疗建筑，城市规划及工业类项目。培养出一批勤奋耕耘勇于创新的建筑师，先后获得国家优秀设计银奖一项，建国60周年国家建设创作优秀奖一项，建设部优秀设计奖七项，河北省优秀设计奖三十五项，感动河北工程设计成果奖及河北精品建筑奖各一项。为河北及唐山争得了荣誉，取得了良好社会及经济效益。该院将继续坚持"科学创新、精心设计、质量第一、诚信服务"的方针，抢抓机遇，迎接挑战，奋力拼搏为把唐山市打造成文化名城、经济强城、宜居靓城、滨海新城，做出更大的贡献。

地址：河北省唐山市路北区华岩路30号
电话：+86-315-2826806
传真：+86-315-2825904
邮箱：zgtsgiy@sina.com
网址：www.tsgjy.com

Add: 30 Huayan Road, Lubei District, Tangshan City, Hebei Province
Tel: +86-315-2826806
Fax: +86-315-2825904
E-mail: zgtsgiy@sina.com
Web: www.tsgjy.com

扫描查看更多信息

UDC [建築·規劃·景觀·室內] 大成國際

河北大成建筑设计咨询有限公司

Hebei Dacheng Architectural Design Consulting Co., Ltd.

河北大成建筑设计咨询有限公司是一家多元化、全方位、拥有国家建筑行业（建筑工程）甲级资质的设计公司，长期致力于城市规划、大型居住区、城市综合体、交通建筑、会展中心、体育场馆、博物馆、办公、公寓、酒店、商业、影剧院、学校、工业项目等专业的设计服务，在工程咨询、总体规划、景观设计、建筑设计等领域建立了广泛的合作客户群体。作品分布在河北、北京、上海、河南、山东、四川等地。大成公司一向务求达到尽善尽美，致力于研讨最新解决方法和施工技术，使公司可以在建筑设计、规划和工程方面迎接挑战。大成公司的作品博取众长、追求独特的风格和创意，以精益求精的工作态度，寻求最圆满的解决方案，重塑城市建筑的理想和高度。

大成公司现有专业技术人员60余人，其中一级注册建筑师7人、一级注册结构师8人，各类高级工程师、工程师、规划师、水、暖、电等专业技术骨干50余人。公司技术装备配套齐全，办公场所适宜。目前公司设有建筑方案、建筑设计、结构设计、综合设计、市场和约、行政器材、档案人事共七个部门。完善的机构设置对高效管理提供了有效的保障。

大成公司主创人员有二十余年的国内大型设计院工作及海外工作经历，多次获得国家鲁班奖、省优奖、部优设计奖等，具有丰富的设计实践经验、较强的创新能力及管理经验。公司成立近十年来，设计了众多项目。主要公建项目包括石家庄国际会展中心、石家庄民心广场、石家庄市赛格广场、河北名优特农产品、石家庄财经职业学院、石家庄市一招广场综合体、壹公馆、北方药博园、九鼎搏击馆、河北数字印刷产业园、高碑店哇哈哈生产基地、保定五星级万杰广场酒店、邯郸鹿城国际、邢台红星美凯龙全球家居生活广场、三江家具城、威县巨腾商务中心等；民居项目包括石家庄的奥北公元、北城山水、柏林怡园、金蔷苑、四季福园、金海岸花园、中央时区、茗秀园、尚品雅居、金辉时代城、保定亢龙骏景、拉德芳斯新城、易县御景蓝湾、定州中山绿洲、晋州香江国际城、安新明珠丽景、山东夏津丽景国际城等。

近几年来，大成公司积极与国际、国内知名大型设计公司合作，积累了丰富的战略合作经验。其中包括澳大利亚伍兹贝格设计公司、美国万德设计公司、上海联创国际建筑设计有限公司、北京中元国际工程设计研究院、中国航空工业规划设计研究院等，为拓展公司在大型城市公共建筑及综合功能建筑设计业务方面提供了更高的运行平台。

地址：石家庄市裕华槐安路建华大街交口万达广场写字楼A座12层
电话：+86-311-85899809
传真：+86-311-86212618
邮箱：dachenggs@163.com
网址：www.dachenggs.com

Add: 12th Floor,Tower A,Wan Da Plaza Office Building,Yu Hua Huai An Road,Jianhua Street,Shijiazhuang City
Tel: +86-311-85899809
Fax: +86-311-86212618
E-mail: dachenggs@163.com
Web: www.dachenggs.com

扫描查看更多信息

机械工业第六设计研究院有限公司（简称中机六院）创建于1951年，是拥有工程设计综合甲级资质的国家大型设计研究院，隶属中央大型企业集团——中国机械工业集团有限公司。

公司现有8个工程院、3个分院、4个子公司、3000多名员工，其中中国工程院院士1人、中国工程设计大师2人、英国皇家特许建筑设备注册工程师协会荣誉资深会员1人、享受政府特殊津贴专家28人、研究员级高级工程师 110 人、高级工程师386人、各类国家注册工程师500多人。

公司可承接我国工程设计全部21个行业和8个专项资质范围内的所有工程咨询、设计、工程总承包、项目管理和工程监理业务。21个行业包括机械行业、建筑行业、市政行业、冶金行业、建材行业、铁道行业、轻纺行业、公路行业、煤炭行业、化工石化医药行业、石油天然气（海洋石油）行业、电力行业、军工行业、商物粮行业、核工业行业、电子通信广电行业、水运行业、民航行业、农林行业、水利行业、海洋行业； 8个专项资质包括建筑装饰、建筑智能、建筑幕墙、轻型钢结构、风景园林、消防设施、环境工程、照明工程。

六十余年来，公司完成大中型工程项目15000余项，主编、参编国家和行业标准、规范25项；荣获国家科技发明二等奖1项、中国土木工程创新最高奖詹天佑奖1项、鲁班奖7项、国家科技进步及优秀工程设计金、银、铜奖25项、省部级奖300余项。

公司是国内机床工具、烟草、民用建筑、铸造、无机非金属材料、煤矿机械、重型机械、风电机械、轨道交通装备、石化机械等行业和领域的设计强院，在信息智能化、绿色工业建筑、大型工厂和园区规划、企业生产流程再造、高难度结构、暖通空调、工业除尘、市政和环境工程等许多方面具有国内一流的工程技术。

公司秉承〝服务是立院之本、创新是兴院之道、人才是强院之基〞的理念，以〝打造中国装备工业工程设计第一强院〞为己任，竭诚以一流的技术、一流的队伍、一流的管理为国内外客户提供工程建设领域的全过程、全方位服务！

SIPPR Engineering Group Co., Ltd. (Abbreviated as SIPPR) was established in 1951, which is a large-sized national comprehensive Grade A design institute in China subordinated to central enterprise group--China National Machinery Industry Corporation.

SIPPR has 8 engineering institutes, 3 branches, 4 subsidiary companies and over 2500 staffs, of which there are 1 academician of Chinese Engineering Academy, 2 Chinese engineering design masters, 1 Honorary Fellow of Registered Engineers of the Royal Institute of Chartered Construction equipment, 28 experts enjoying special subsidy from State Department, 110 senior engineers at researcher level, 386 senior engineers and 535 all kinds of national certified engineers.

SIPPR can undertakes all the consultation, design, EPC, project management and construction supervision work within the 21 engineering industries and 8 professional qualifications. The 21 industries includes machinery industry, construction industry, coal industry, chemical, petroleum & medicine industry, petroleum gas (marine oil) industry, electricity industry, metallurgy industry, military industry, commercial food industry, nuclear industry, electronics, communication & broadcasting industry, light & textile industry, construction material industry, railway industry, highway industry, water transport industry, civil aviation industry, municipal industry, agriculture & forestry industry, water conservancy industry and ocean industry. The 8 professional qualifications are construction decoration, building intelligence, building curtain wall, light steel structure, landscape & garden, freighting devices, environmental protection projects, and lighting.

During these 60 decades, SIPPR has finished more than 15000 large & middle-sized projects, attended the compilation of 25 national, local & industry standards and won 1 2nd Prize of National Scien-tech Invention, 1 Zhan Tianyou Prize---the highest prize of China civil engineering projects, 7 Lu Ban Prizes, 25 National Gold, Silver & Copper Prizes & more than 300 Ministerial & Provincial Prizes.

SIPPR is the strongest design institute in machine tool, tobacco, civil projects, casting, inorganic nonmetal, coal mine machinery, heavy-duty machinery, wind power machinery, roll stock and petroleum machinery industry and has special advantages in the design of information, green industrial buildings, large-sized plants & plant planning, enterprise manufacturing process reengineering, highly difficult structure, HVAC, industrial dedusting, municipal & environmental protection projects etc.

SIPPR sticks to the concept of “Service is the base of existence, innovation is the way to prosper and talents is the foundation to make SIPPR stronger ” and sincerely looks forward to cooperating with friends both home and abroad by their powerful comprehensive strength, rich design experience, advanced design concept and best service.

地址：河南郑州市中原中路191号
电话：+86-371-67606087
传真：+86-371-67639571
邮箱：zjly@zz.sippr.cn
网址：www.sippr.cn

Add: No.191, Zhongyuan Road, Zhengzhou, He'nan Province
Tel: +86-371-67606087
Fax: +86-371-67639571
E-mail: zjly@zz.sippr.cn
Web: www.sippr.cn

河南圣地建筑景观设计有限公司
He'nan Shengdi Architecture & Landscape Design Co.,Ltd.

河南圣地建筑景观设计有限公司是华诚博远（北京）建筑规划设计有限公司在河南的分支机构，是一家集建筑、景观、规划设计、旅游地产及其他相关工程设计、策划为一体的设计单位。拥有十几年行业经验，在国内业界具有较高的知名度和权威性。对项目的整体规划、建筑设计、微环境设计、运营策划、技术服务等领域，具有熟练的专业操控水准和较高的前瞻性与行业带动性。公司自成立以来，先后承接了文化体育、办公、居住、医疗、工业、室内、商业综合体等多领域的工程设计及相关工程咨询服务，业务遍及全国。由资深设计师组成的高水平设计团队，以先进的设计理念、丰富的设计经验、高质量设计作品、良好的设计服务信誉，赢得了业主肯定和业内广泛好评。

地址：河南省郑州市经三路32号财富广场1号楼14层C室
电话：+86-371-65350762
+86-371-65350782
13592662087（郑州）/15010699369（北京）
传真：+86-371-65350763
邮箱：xsd808@163.com

Add: Room C, Floor 14th, Tower No.1, Fortune Building,
Jingsan Road No.32, Zhengzhou City, He'nan Province
Tel:+86-371-65350762
+86-371-65350782
13592662087(Zheng Zhou)/15010699369(Bei Jing)
Fax: +86-371-65350763
E-mail: xsd808@163.com

扫描查看更多信息

哈尔滨方舟建筑设计有限公司
Harbin Fangzhou Architectural Design Co., Ltd.

哈尔滨方舟建筑设计有限公司坐落于美丽的冰城哈尔滨，是我国建筑设计行业改革大潮中涌现出来的一支新军。多年来，方舟人凭借卓越的团队智慧及拼搏精神始终立于本地区建筑设计行业的不败之地。企业经历了由小到大、由弱到强的深刻变化过程，发展为拥有建筑、规划、景观、结构、给排水、暖通、空调、电气、工程咨询等专业设计资质的强大设计企业。目前公司拥有员工138人，其中包括一级注册建筑师、一级注册结构工程师、注册设备工程师与高级工程师48人，公司下设3个综合设计所，1个住宅研究所，1个景观设计所，5个工作室。公司成立10年来，为社会贡献了许许多多优秀的设计作品，得到了社会各界的广泛赞誉，多次被评为省优、部优，并在全国民营设计企业“华彩奖”评选中获奖。今天的方舟凭借着自己的实力与诚信，已经成为了黑龙江省内建筑设计行业顶尖机构，得到了社会各界的充分认可。
我们在《年鉴》中推出的一小部分作品，仅仅反映我们企业的点滴成果，目的在于与全国乃至境外的优秀设计机构创造更多的切磋、交流机会，从而使我们的设计水平有更大的提高。

Harbin Fangzhou Architectural Design Co., Ltd. is located in the beautiful ice city Harbin, is a new force emerged in the reform tide of domestic architectural design industry. Over the years, the Fangzhou people have been holding an invincible position in the regional architectural design industry by outstanding virtues of team cooperation and fighting spirit, making the company experience a process of profound change: from small to large and from weak to strong. Now Fangzhou has become a powerful design company with professions including construction, planning landscape, structure,water supply and drainage, heating/ plumbing, air conditioning and engineering consulting, etc. Currently the company has 138 employees, 48 of whom are Class-A registered architects, Class-A registered structural engineers, registered equipment engineers and senior engineers. Over the past decade since its foundation, Fangzhou has contributed lots of fine designs for the society, receiving wide praise from all works of life and winning many prizes in the province, ministry as well as the "Huacai Award" of National Private Design Enterprise. Today's Fangzhou, by its own strength and credits, has become a top institution in the architectural design industry in Helongjiang Province, receiving full recognition from all social circles.
We will present a small part of our design work in the "Year Book",which merely exhibit a few achievements of Fangzhou, with an aim to create more opportunities for mutual leaming and exchanges with even international excellent design agencies,thus greatly enhancing our design performance.

地址：黑龙江省哈尔滨市道外区红旗大街991号
电话：+86-451-87858515
传真：+86-451-87858504
邮箱：fz2001@vip.163.com
网址：www.fzjz.net

Add: No.991, Hongqi Street, Daowai District, Harbin, Heilongjiang Province
Tel: +86-451-87858515
Fax: +86-451-87858504
E-mail: fz2001@vip.163.com
Web: www.fzjz.net

扫描查看更多信息

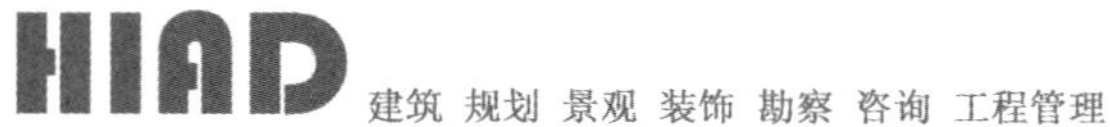

黑龙江省建筑设计研究院
Heilongjiang Provincial Institute of Architectural Design and Research

黑龙江省建筑设计研究院（英文缩写HIAD），始建于1954年8月，是具有建筑工程设计、咨询、勘察甲级资质，建筑装饰、智能建筑、城市规划、园林、热力、测量等多项乙级资质的单位。现有职工352人，其中国家建筑设计大师1人，研究员级高级建筑（工程）师42人，取得国家各类专业注册资质人员80余人。HIAD设有建筑、规划、结构、给水排水、暖通、动力、电气、建筑经济、工程地质、工程测量等专业。同时还设有施工图审查公司、建筑装饰公司、工程监理公司、岩土工程公司等下属企业。
黑龙江省建筑设计研究院始终坚持"技术先进、质量可靠"的优化设计理念，发扬"严谨、扎实、传承、创新"的优良传统，以"服务优质，顾客满意"为经营宗旨。值得一提的是在严寒地区建筑设计领域，HIAD积累了丰富的设计经验。自建院以来，共有163项建筑工程设计、10项工程勘察成果和12项建筑标准设计规范、标准分别荣获建设部、东北地区和省级奖励；25项建筑科学研究成果分别荣获国际、国家和省级奖励；47个建筑设计方案分别在国家、部和省市建筑设计方案竞赛中荣获奖励。部分项目已达到国际先进、国内领先水平。
HIAD在工程设计领域较早通过了GB/T19001－ISO9001标准认证，使HIAD向社会提供优质、安全的设计产品有了更可靠的质量体系保障。HIAD多年来连续被省、市政府和主管部门评为建筑工程质量管理先进单位、贯彻城市规划法先进单位、省文明建设先进单位标兵；被中国资信评估学会和中国质量标准研究中心评为中国建设系统信誉、信用3A级企业；被中国勘察设计协会评为全国建筑设计行业诚信单位。

Heilongjiang Provincial Institute of Architectural Design and Research,(HIAD) was founded in August, 1954. It has Class A qualifications in architectural and structural engineering design, construction consulting and prospecting, and Class B qualifications in landscape and urban planning, municipal engineering, thermodynamics, construction budgeting and measurements.
HIAD currently has 352 staff members with one national architectural design master and over 80 national registered architects and engineers. HIAD is a comprehensive design institute including architecture, urban planning, structure, steelwork, water supply and drainage, heating and ventilation, power and electrical design, architectural economy, engineering geology and measurements.
HIAD has a number of subordinate enterprises, including Construction Drawing Evaluation Company, Achitectural Decoration Company, Construction Management Company and Graphic Printing Company.
HIAD's mission is to provide the best service for their clients. HIAD's tradition of stringency and innovation has made it a leader within the industry, especially in designing buildings that can withstand extremely cold climates. It has won national, regional and provinical awards for 163 architectural and engineering designs, 10 engineering prospecting projects and 12 architectural standard designs. It has won international, national and provincial awards for 25 architectural research projects. It has also won national, provincial and municipal awards for 47 architectural designs. Some of its architectural and engineering projects are highly advanced according tointernational standards.
HIAD was one of the first in China's architectural and engineering design industry to pass GB/T19001-ISO9001 Standard Certification, making it possible for us to provide high-quality design service, which has won the institute numberous honors involving architectural and engineering quality control, compliance with urban planning law and most importantly its trustworthiness and integrity.

地址：黑龙江省哈尔滨市南岗区果戈里大街1号
邮编：150008
电话：+86-451-82694040
传真：+86-451-82694127/82694128
邮箱：HIAD@vip.163.com
网址：www.hljiad.com

Add: No. 1,Nangang District Gogol Street, Harbin, Heilongjiang province
P.C.:150008
Tel :+86-451-82694040
Fax :+86-451-82694127/82694128
E-Mail: HIAD@vip.163.com
Web: www.hljiad.com

黑龙江省农垦建筑设计院
Heilongjiang Provincial Agricultural Reclamation Architectural Design Institute

建筑工程设计甲级资质 / 工程项目管理甲级资质
工程咨询乙级资质 / 城市规划编制乙级资质
公路设计丙级资质 / 装饰工程施工二级资质

黑龙江省农垦建筑设计院创建于1982年，是国家甲级建筑工程设计咨询机构，可提供大型公共建筑设计、民用建筑设计、城市规划设计、室内外装饰设计与施工、园林景观设计、建筑智能化系统工程设计、工程概预算编制、公路设计、工程项目管理等领域服务。

黑龙江省农垦建筑设计院具有建筑工程设计甲级资质、工程项目管理甲级资质；工程咨询乙级资质；城市规划编制乙级资质；公路设计丙级资质；装饰工程施工二级资质。总院坐落在黑龙江省哈尔滨市，现有职工80人，其中高级工程师39人，各类注册人员18人。该院专业人员配备齐全，技术力量雄厚，工程设计方法先进，工作管理规范。总院下设第一、第二、第三、第四设计所，即钢结构设计所，城市规划设计所，工程咨询所，汇雅装饰公司；在黑龙江省内还设有农垦建三江分院、即农垦红兴隆分院、农垦九三分院、农垦宝泉岭分院、农垦牡丹江分院；在省外设有黑龙江省农垦建筑设计院新疆分院。总院已通过ISO9001认证，具有健全的组织机构和先进的技术装备，完善的质量保证体系和以技术质量为中心的各级人员岗位责任制等规章制度，能确保工程设计的进度和质量。

在经营活动中，以严谨求实的工作作风，灵活经营的市场竞争意识，精心设计、力求精品的设计理念和对工程设计质量负责到底的承诺竭诚为用户服务，以求取得最佳的社会效益和经济效益。设计作品遍及省内外，主要作品有：黑龙江省农垦总局办公综合楼、天津中国轻工大厦、秦皇岛佳伦大厦、佳木斯同源大厦、国际会展名城、北安市政府办公楼、黑龙江省农垦科学院科研楼、牡丹江农垦培训中心、建三江金融大厦、农垦总局新农村规划、方虎公路至牡丹江分局新局直道路工程设计等。其中“黑龙江省农垦总局综合办公楼”工程荣获2005年度国家优质工程银质奖，“北安市政府办公楼”工程荣获2009年度国家优质工程银质奖，中国轻工大厦、秦皇岛佳伦大厦、哈西国贸服装城、农垦干部管理学院等20余项工程被评为省优秀设计奖。

“守信重誉、勇于开拓、力求精品、竭诚服务”是黑龙江省农垦建筑设计院企业宗旨，该院决心以这一宗旨，与建筑业同仁交流合作，共同为建筑业的发展做出应有贡献。

地址：黑龙江省哈尔滨市香坊区公滨路441号
邮编：150036
电话：院长办公室：+86-451-55665452/副院长办公室：+86-451-55664317
总工办：+86-451-55627151/办公室：+86-451-55630910
传真：+86-451-55662126
邮箱：hljsnkjzsjy@163.com
网址：www.nkjg.cn/fgs3/index.asp

扫描查看更多信息

中信建筑设计研究总院有限公司

CITIC General Institute of Architectural Design and Research Co., Ltd.

中信建筑设计研究总院有限公司（原武汉市建筑设计院）创建于1952年10月1日，是新中国成立之初诞生的大型国营设计机构之一，是持有甲级工程设计证书、甲级城市规划证书、甲级工程设计审查证书、甲级工程咨询证书、甲级智能建筑系统工程设计证书的大型综合性建筑设计院，是商务部认定的“骨干企业”之一。20世纪80年代，成为全国建设系统设计体制改革试点单位和全面质量管理（TQC）试点单位；1992年进入由建设部和国家统计局评定的中国勘察设计单位综合实力百强；1994年成为中国首家实现工程设计手段电脑化的设计单位；2000年通过ISO9001质量体系认证；2002年加入中国中信集团有限公司；2009年被授予国家高新技术企业称号；2011年被评为全国建筑设计行业诚信单位。

中信建筑设计研究总院有限公司人才荟萃，专业齐全，设备精良，技术先进。现有职工1315余人，其中专业技术人员1104余人，享受国务院特殊津贴专家12人，省、市专家33人。已有一级注册建筑师84人，一级注册结构工程师102人，注册城市规划师10人，注册公用设备工程师52人，注册电气工程师18人，注册造价工程师10人，注册咨询工程师11人，注册土木工程师（岩土）4人。6人取得内地与香港互认的建筑师和结构工程师资格，1人获得英国结构工程师学会会员资格。拥有中国绿建委员会委员1名，住房与城乡建设部绿色标志委员会专家5名。设有9个建筑设计院以及规划设计研究院、市政设计研究院、机电设计院和5个分支机构（北京、深圳、海南、上海、珠海），并投资兴办中信建筑工程顾问（武汉）有限公司和中外合资东艺设计公司。

60年来，中信建筑设计研究总院有限公司设计活动遍及全国，且远达亚洲、非洲、大洋洲、拉丁美洲的29个国家，并与美国、日本、德国、奥地利、英国、俄国、法国、意大利、新加坡等国家及中国香港、澳门地区开展了广泛的技术合作和人才交流。该院贯彻“改革兴院，技术立院，科学管院，人才强院”的治院方针，实施“发展高新技术，争创名优设计”的名牌战略，获得长足发展，获国家、部、省、市优秀设计奖200余项、科技进步奖100余项。

本院贯彻《北京宪章》，践行“诚信为根，创新为魂，以人为本，追求卓越”的企业核心价值观和“设计广厦千万间，人民安居尽欢颜”的企业精神，繁荣建筑文化，致力技术创新，严格质量管理，为社会贡献优秀设计和优质服务，为大众创造美好而公平的人居环境，创造可持续发展的现代城市与建筑。

CITIC General Institute of Architectural Design and Research Co., Ltd. (the former Wuhan Architectural Design Institute) was established on October 1st, 1952. As one of the largest state-owned design organizations when the new China was founded, it is now one of the major comprehensive architectural design institutes with Grade A Certification for Engineering Design, Urban Planning, Engineering Design Examination, Engineering Consultation and Engineering Design of Intelligent Buildings. It is recognized as a “Key Enterprise” by the Ministry of Commerce. In 1980s, the Institute became the Pilot Unit for Design System Reform and Pilot Unit for Total Quality Control (TQC) in the national construction system. In 1992, it was founded among the China’s Top 100 Survey and Design Units in terms of comprehensive power assessed jointly by the Ministry of Construction and the National Bureau of Statistics. In 1994, it became the first design unit in China that adopted computer-aided engineering design methods. In 2000, it passed ISO9001 Quality Management System Certification. In 2002, it joined CITIC. In 2009, it was recognized as a National High-tech Enterprise. In 2011, it was awarded the “National Integrity Unit in Architectural Design Industry”.

The Institute is abundant in talented emplyees, and boasts full range of specialties, sophisticated equipment, advanced technology. It currently has 1315 staffs, including 1104 professional technicians, 12 of whom are experts enjoying the State Council Special Allowance; 33 are provincial or municipal level experts. We now has 84 Class I Certified Architects, 102 Class I Certified Structural Engineers, 10 Certified City Planners, 52 Certified Facility Engineers, 18 Certified Electrical Engineers, 10 Certified Cost Engineers, and 11 Certified Consulting Engineers, and 4 Certified Civil Engineers. Among them, 6 have obtained architectural and structural engineer qualifications that are mutually recognized by China mainland and Hong Kong, 1 has obtained the chartered member of UK Institution of Structural Engineers, 1 is a member of China Green Building Council, and 5 are expert members of the Green Building Identification Committee of the Housing Ministry. It now owns 9 designing branches, planning and design research branches, municipal design branches, electromechanical design branches and 5 branch institutes (in Beijing, Shenzhen, Hainan, Shanghai, Zhuhai); also it has made investments in establishing the CITIC Constructional Engineering Consulting (Wuhan) Co., Ltd. and the Sino-Foreign Joint Venue Dongyi Deign Company.

In recent 60 years, We have offered design services in almost every part of China and in more than 29 countries from Asia, Africa, Oceania and Latin America, and have made extensive technical cooperation and talent exchange with counterparts in USA, Japan, Germany, Austria, the UK, Russia, France, Italy, Singapore and the Hong Kong - Macau Region. The Institute marches forward by following the management guideline, namely, “push the development of the Institute with reforms, base the development of the Institute on technologies, manage the Institute in a scientific manner, and strengthen the Institute by giving full play to the talents”, and carrying out the brand name strategy of “developing high and new technologies, and striving to create brand-name and high-quality designs”. They have won more than 200 prizes for Outstanding Design and more than 100 prizes for Progress in Science and Technology of national, ministerial, provincial and municipal levels.

The Institute implements the Beijing Charter, and practices the core values of “taking credit as root, innovation as spirit and people as the foremost, as well as striving for excellence”. The Institute also carries forwards the enterprise spirit of “designing sufficient buildings to help people live suitably and cheerfully”. We make efforts for the prospering of the architectural culture, make commitment to the technological innovation, and enforce strict quality control measures, with the aim to contribute excellent design and services to the society, build a beautiful and fair habitat environment for the popular masses, and create modern cities and buildings that can develop in a sustainable way.

地址：武汉市汉口四唯路8号
邮编：430014
电话：+86-27-82722966
传真：+86-27-82726178
网址：www.whadi.com.cn

Add: No.8 Siwei RD, Hankou, Wuhan
P.C.: 430014
Tel: +86-27-82722966
Fax: +86-27-82726178
Web: www.whadi.com.cn

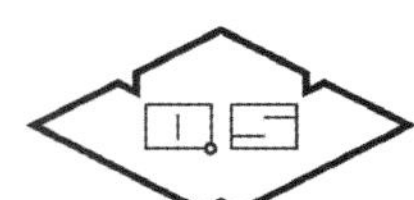

中国轻工业武汉设计工程有限责任公司
China National Light Industry Wuhan Design Engineering Co.,Ltd.

中国轻工业武汉设计工程有限责任公司（简称“中轻武设”）隶属中央企业中轻集团，为上市公司“中国海诚”的控股子公司，公司成立于1958年，是历史悠久、实力雄厚的知名大型工程、设计机构。
中轻武设拥有国家颁布的民用建筑、工程咨询、轻工、化工、医疗、环保设计、工程监理等七项甲级资质，同时还具备市政、规划、电子、机械等行业工程设计与咨询的乙级资质，已形成工程设计、咨询、监理和工程总承包四大主业。公司项目遍及全国并在海外10多个国家取得工程业绩。公司是国内最早通过ISO9001质量体系认证的单位之一，现有各类工程技术人员400余人，其中各类注册工程师160余人、教授级高工和高级工程师职称者共110余人、国家或省部级知名专家10余人。
公司奉行“尊重人、理解人、成就人”的企业文化，将企业打造成为一个温馨和睦的“家庭”、一所人才辈出的“学校”、一座美丽富饶的“矿场”。

地址：武汉市武昌区首义路176号
电话：+86-27-88075955
传真：+86-27-88041709
邮箱：rlzy@qgsj.com
网址：www.qgsj.com

Add: Shouyi Road 176, Wuchang, Wuhan, Bubei
Tel: +86-27-88075955
Fax: +86-27-88041709
Email: rlzy@qgsj.com
Web: www.qgsj.com

中国水电顾问集团中南勘测设计研究院
HydroChina Zhongnan Engineering Corporation

中南勘测设计研究院（简称中南院，英文名 MSDI）成立于 1949 年 5 月，与新中国同龄。在近 60 年的风雨历程中，中南院一直坚持走水电和风电、建筑、交通、市政勘测设计的主业发展之路，现已成为我国大型的骨干设计企业，是国资委主管部门下属的中国水电工程顾问集团公司的全资子公司。
中南院正式员工、聘用制员工及海外雇员已超 4000 人，教授级高级工程师 220 人，高级工程师 613 人，工程师 298 人，全院工程技术人员占职工总数的 70% 以上，我院还设立了博士后科研工作站。其下属二级单位有 32 个，取得各类注册执业资格证书人员 371 人，其中国家一级注册建筑师 6 人，一级注册建造师 18 人，国家注册结构师 32 人，国家注册造价师 26 人，国家高级项目管理师 130 人，国家注册监理师 37 人。此外，曾培养出王三一、罗绍基两位中国工程院院士，现有享受政府特殊津贴的专家 14 人。
2008 年 3 月，获得中华人民共和国住房和城乡建设部首批颁布的工程设计综合甲级资质，此外还拥有工程勘察综合、工程总承包、工程监理、工程咨询、工程造价咨询、环境影响评价、地质灾害危险性评估等在内甲级资质证书 20 余项。
中南院设置了专业配备齐全的水电、风电、新能源、建筑、市政、交通等工程专业和国际经营、工程投资部门，能满足工程勘测、设计、科研、咨询、施工、监理、工程总承包等各类业务的需要。
中南院已连续 12 年位居“中国勘测设计单位综合实力百强”前列，荣获省、部级以上科技奖 110 项，其中国家级 26 项，国家科技进步奖 8 项，国家优秀工程设计和优秀工程勘察金奖 7 项，银奖 2 项，国家质量银奖 1 项。

地址：湖南省长沙市雨花区圭塘香樟路 9 号博远大厦 13 楼
电话：+86-731-85075241
传真：+86-731-85073221
邮箱：msdi2008@hotmail.com
网址：www.msdi.cn

Add: 13th Floor, Boyuan Building, Guitang Xiangzhang Road No.9, Yuhua District, Changsha City, Hu'nan Province
Tel: +86-731-85075241
Fax: +86-731-85073221
E-mail: msdi2008@hotmail.com
Web: www.msdi.cn

扫描查看更多信息

土木风设计是集规划设计、建筑设计、景观设计、装饰设计及景观施工为一体的集团化公司。持有国家住房和城乡建设部（简称"住建部"）颁发的建筑、装饰甲级资质及园林、规划乙级资质。公司通过设计实践，不断吸收、学习国内外优秀设计公司的成功经验和先进的经营理念，努力将公司建设成为省内一流、国内有影响的大型设计公司。
公司秉承"立足关东大地，营造寒地设计"的责任与使命，在总裁石铁军的带领下，虽然仅成立三年多，但是却取得了丰硕的成果，成为吉林省发展最迅猛的设计公司之一。被国家住建部评为"中国最具影响力的民营设计机构"。2011 年是土木风收获颇丰的一年，先后获得了国家住建部优秀建筑设计奖一项（是吉林省唯一获得国家级奖项的设计单位）；省优秀建筑设计一等奖两项、二等奖、三等奖各一项；规划设计优秀奖两项；保障性住房设计竞赛优秀奖两项。公司总裁石铁军也荣获首批吉林省青年设计大师的称号。2011 年末，公司成功登陆上海，成立了上海土木风设计有限公司。这预示着公司正向"立足东北，雄踞上海，幅射全国"的目标健康发展。

地址：吉林省长春市东民主大街 519 号
电话：+86-431-88591360
传真：+86-431-88591360
邮箱：tumufeng@126.com
网址：www.tumufeng.com

Add: No.519, Dong Min Zhu Street, Changchun City, Jilin Province
Tel: +86-431-88591360
Fax: +86-431-88591360
E-mail: tumufeng@126.com
Web: www.tumufeng.com

扫描查看更多信息

吉林省光大建筑设计有限公司
Jilin Guangda Architetural Design Co., Ltd.

吉林省光大建筑设计有限公司是一家具有建筑行业工程设计甲级、城乡规划编制乙级、市政行业乙级、风景园林工程设计乙级资质的设计团队。公司成立于1995年，原为长春市光正建筑设计院。2005年晋升为建筑工程甲级设计资质单位，同时更名为吉林省光大建筑设计有限公司。
公司现有员工85人，其中吉林省设计大师2人、一级注册建筑师4人、一级注册结构师4人、教授级高工3人、高级工程师8人、工程师20人，构成了可承接各类建筑设计及城市规划、市政工程、风景园林等项设计的一支具有高度职业荣誉感和良好执业道德的设计团队，是吉林省内知名度较高、信誉度突出的设计企业。
公司秉承"以品质赢得信赖、以品牌赢得未来"的企业理念，追求设计作品从概念设计到最终投入使用全过程的高品质服务。苛求细节、创造技术与艺术的完美结合，不断创新、不断超越，力求打造卓越的经典建筑。
在居住建筑、教育建筑、酒店建筑、城市综合体建筑等类设计中都体现了本公司特有的风格和设计理念，建立了不断扩展的客户群体，为城市建设做出了应有的贡献。公司全体员工正以高昂的激情和扎实的步伐为企业的稳步发展进行着不懈的奋斗。

地址：吉林省长春市南关区人民大街207号
电话：+86-431-5355550
传真：+86-431-85355522
邮箱：JLGDJZ@163.com
网址：3229494.71ab.com

Add: 207 People Avenue, Nanguan District, Changchun City, Jilin Province
Tel: +86-431-5355550
Fax: +86-431-85355522
E-mial: JLGDJZ@163.com
Web: 3229494.71ab.com

南京长江都市建筑设计股份有限公司，始创于 1976 年，前身为南京市民用建筑设计研究院，2009 年底由原公司派生分立。自创建至今历经了三十年的发展，形成以城市设计、办公建筑、商业建筑、科研教育建筑、居住建筑设计为特色和主要产品，成为具有一定实力的区域性、综合性、具有中等规模和鲜明特色的现代建筑设计企业，在江苏省乃至华东地区具较高声誉及竞争力。
公司目前具有国家建筑行业甲级设计资质，设有城市设计、居住区规划、建筑、结构、给排水、电气、智能化、采暖与通风、人防工程、室内装饰、景观园林、计算机应用等专业。能承接各类民用建筑及工业建筑的可行性研究、城市规划、建筑设计、技术咨询以及工程项目管理等相关业务。
公司设计技术人员占总人数 90%，其中具有建筑师、工程师中级以上职称的专业技术人员占设计、技术人员总人数的 54%。具有国家注册建筑师、注册结构工程师、注册设备专业取得注册执业资格占设计人员 30%。
作为江苏省内规模最大的居住建筑专业化设计企业，率先展开了设计总包一体化全过程设计服务工作，包括前期策划、居住区规划、居住建筑设计、景观园林设计及成品房精装修设计，向客户提供高质量的全方位技术服务，实现居住建筑高品质保证。
公司始终坚持尊重客户、理解客户，持续提供超越客户期望的产品和服务的经营宗旨，精心设计、科学管理、客户至上、持续改进的质量方针。高度重视设计创新、技术质量、成本控制、设计服务等环节。近年来，先后有几十项设计工程项目获得建设部、省、市级优秀设计，优秀工程和科技进步奖。
2009 年，公司获江苏省勘察设计企业综合实力排序第五名，并被授予江苏省勘察设计质量管理先进单位和诚信单位称号，2010 年获全国工程勘察设计行业优秀民营设计企业称号。
公司注重和培养设计人员的创新能力和技术水平，运用先进的技术设备，发挥自身优势和品牌，提高核心竞争力，进一步开拓设计市场，以“建筑服务社会”的企业使命为社会提供优质设计和服务。

使命理念
建筑服务社会　　设计创造价值

企业精神
改革创新　　艰苦拼搏　　精诚合作　　追求卓越

企业道德
诚信为本　　取信于客户　　取信于员工　　取信于合作伙伴

企业服务理念
设计从沟通开始　　沟通从心灵开始

地址：南京市洪武路 328 号
电话：+86-25-84567205
传真：+86-25-84567205
邮箱：jihuake@nanjing-design.com
网址：www.nanjing-design.cn

Add: No.328 Hongwu Road, Nanjing City
Tel: +86-25-84567205
Fax: +86-25-84567205
E-mai: jihuake@nanjing-design.com
Web: www.nanjing-design.cn/

扫描查看更多信息

南京金宸建筑设计有限公司成立于1994年，是具有国家建设部工程设计甲级资质、人防乙级资质的综合性建筑设计公司，拥有一支由160多名优秀设计师组成的设计团队，公司现有第一建筑设计事业部、第二建筑设计事业部、第三建筑设计事业部、机电设计事业部、城市综合体设计研究院创作一部及创作二部等6个设计部门。本公司提供从策划、方案、初步设计到施工图设计的全过程建筑设计服务。

公司服务于上海鹏欣集团、金鹰集团、仁恒置业、同曦集团、融侨集团、恒大集团、中南集团、宁波银亿集团、上海大华集团、舜天集团、苏宁集团、石林集团、弘阳集团等多家知名的房地产企业和政府部门，近年来完成了一批颇具影响力的项目：江苏美术馆新馆、江苏省科学历史文化中心、南京中胜客运站、南京水游城、盐城金鹰天地、宿迁金鹰天地、昆山金鹰天地、江宁金鹰天地、淮安诚泰广场、宿迁苏宁1897，芜湖苏宁广场、宿迁水韵城、仁恒国际公寓、同曦国际广场、盐城同曦鸣城、玛斯兰德别墅区、常熟恒隆商业中心、山东菏泽国贸中心、大华锦绣 华城、中南世纪城、恒大名都、苏宁滨江公寓、融桥中央花园、合肥金辉中央天骏等，受到了房地产公司和业内的广泛关注，取得了很好的信誉和社会效益。公司擅长于大型商业地产项目的设计，通过南京水游城、金鹰天地、同曦国际广场、芜湖苏宁广场等商业地产项目的设计，积累了丰富的设计经验，拥有了一支优秀的商业地产设计团队。

“用最好的专业水平，最好的服务理念，为客户提供最好的建筑产品”是我们一贯坚持的宗旨，“用建筑的形式让商业价值最大化”是我们一贯坚持的目标。我们的设计不仅是金宸的个性化作品，更是为客户创造超额价值的最合适的产品。“城市综合体，价值设计专家”是很多客户给我们的评价，也是我们永远的目标。

历年获奖情况：

07年民用建筑综合类排名第二、民用建筑住宅类排名第一、民用建筑公建类排名第四
08年民用建筑综合类排名第二、民用建筑住宅类排名第二、民用建筑公建类排名第一
09年民用建筑综合类排名第三、民用建筑公建类排名第一
平面建筑构造苏J03—2006图集编写2008年获省优二等奖
《商业建筑设计防火规范》江苏省工程建设标准DGJ32/J67—2008金宸设计参编规范

玛斯兰德三期2010年江苏省城乡勘察设计一等奖，2010年南京市优秀勘察设计二等奖
中核华兴研发中心2010年江苏省城乡勘察设计一等奖，2010年南京市优秀勘察设计一等奖
长航公安局业务用房2010年江苏省城乡勘察设计二等奖，2010年南京市优秀勘察设计二等奖
锦绣华城B地块2010年南京市优秀勘察设计三等奖
南京地铁张府园综合楼2010年江苏建筑师杯方案一等奖
南京石城商业规划2010年江苏建筑师杯方案三等奖
南京欣网视讯研发大楼2010年江苏建筑师杯方案三等奖

空间驿站江苏省公共租赁住房优秀设计方案竞赛一等奖
模块的魅力江苏省公共租赁住房优秀设计方案竞赛二等奖
苹果家园江苏省公共租赁住房优秀设计方案竞赛三等奖

地址：南京市建邺区梦都大街150号建筑师工社4层
电话：+86-25-86500666
传真：+86-25-86501232
邮箱：kad@kingdomarch.com
网址：www.kingdomarch.com

Add: 4F Architects Commune, Mengdu Street No.150, Jianye District, Nanjing
Tel : +86-25-86500666
Fax : +86-25-86501232
E-Mail: kad@kingdomarch.com
Web: www.kingdomarch.com

扫描查看更多信息

辽宁省建筑设计研究院
LIAONING PROVINCIAL BUILDING DESIGN & RESEARCH INSTITUTE

辽宁省建筑设计研究院（LDI）是国家甲级建筑设计和甲级工程勘察单位，也是国家首批具有建筑智能化专项工程设计资质的单位之一。
LDI创建于1956年1月，至今已发展成为能够为工程建设提供全方位综合服务的专业设置齐全、设计手段先进、技术力量雄厚、社会信誉卓著的优秀勘察、设计和咨询单位。
LDI下设综合性建筑设计研究所、建筑方案研究所、规划设计研究所、市政设计研究所、环境艺术研究所、建筑经济所以及林立岩大师工作室、地源热泵应用技术研究所、技术研发中心（下设BIM工作室、特殊结构分析工作室）等部门，院属公司有岩土工程公司、项目管理咨询公司、施工图审查咨询有限公司等实体。并于2006年成立了大连分院。
LDI拥有职工540余人，具有国家级执业资格的有130余人，拥有中国工程设计大师1人，辽宁省创新领军人才1人，辽宁省优秀专家3人，辽宁省工程设计大师3人，辽宁省工程勘察大师1人，享受政府特殊津贴专家6人，入选辽宁省“百千万人才工程”百层次2人、千层次1人。
建院56年来，已经向社会提供了1.3万余项设计成果，工程项目遍布全国及海外部分国家。
20世纪80年代以来，共获国家、部、省、市优秀工程设计（勘察）奖228项和科技进步奖85项。

Liaoning Provincial Building Design & Research Institute (LDI) is a national Class A unit of architectural design and engineering reconnaissance, is also a national first unit which has the special engineering design qualification of architectural intellectualization.
LDI was established in Jan. 1956, and has developed into an excellent reconnaissance, design and consultation unit which can provide omnibearing comprehensive service for engineering construction with complete professional equipments, advanced design method, abundant technical force and excellent social repute.
LDI's institute sets up Comprehensive Building Design & Research Institute, Architectural Plan Research studio, Conceptual Design Research studio, Municipal Design Research studio, Environmental Art Research studio, Building Economy studio, the Master Lin Liyan's studio, Applied Technology of Ground-source Heat Pump Research studio, Technical Research & Development Center (it sets up BIM studio and Special Construction Analysis studio), and so on. The companies which are subject to the institute include Geotechnical Engineering Company, Project Management Consultation Company, Working Drawing Examination & Consultation Co., Ltd., and so on. Dalian Branch was established in 2006.
There are more than 540 employees in LDI, the registered persons who have the national practicing qualification are more than 130 persons among them. Otherwise, there is a Chinese engineering design master, an innovation leading talent of Liaoning Province, 3 excellent experts of Liaoning Province, 3 engineering design masters of Liaoning Province, an engineering reconnaissance master of Liaoning Province, 6 experts who take governmental special allowance, 2 persons who are selected in the Hundred Level of “Liaoning Provincial Hundred Thousand and Ten Thousand Talent Engineering”, a person who is selected in the Thousand Level of “Liaoning Provincial Hundred Thousand and Ten Thousands Talent Engineering”.
For more than 56 years since the institute was established, it has provided more than 13,000 design achievements for the society, its engineering projects have covered the whole country and parts of overseas countries.
Since the 1980s, LDI has obtained 228 excellent engineering design (reconnaissance) awards and 85 advarced awards of science and technology of nation, ministry, province and city.

地址：辽宁省沈阳市和平区和平南大街84号
电话：+86-24-23392468
传真：+86-24-23389612
网址：www.ldi.com.cn

Add: No.84, Heping Nan Street, Heping District, Shenyang, Liaoning
Tel: +86-24-23392468
Fax: +86-24-23389612
Web: www.ldi.com.cn

扫描查看更多信息

沈阳万宸建筑规划设计有限公司
Shenyang Wanchen Architecture & Plan Design Co.,Ltd.

沈阳万宸建筑规划设计有限公司成立于2005年9月，具有中华人民共和国建设部颁发的建筑工程甲级设计资质、规划乙级设计资质。公司现有员工110人，工程技术人员95人，其中高级工程师14人，中级技术职称人员23人，国家一级注册建筑师4人，国家一级注册结构工程师5人，国家注册设备工程师4人，是一支既有理论知识，又有实践经验的高素质、高水准的设计团队。公司一直本着以人为本的管理理念，坚信员工的智慧和激情永远是公司发展的源动力，员工的团队精神永远是公司发展的最有力保障。
公司主要承揽建筑工程设计业务，自成立以来，坚持"以设计质量求生存，以诚信服务求信誉，以技术创新求振兴，以科学管理求发展"的宗旨，已先后完成了数百项、近千万平方米的工程设计项目，作品遍及辽宁省各主要城市以及吉林、黑龙江两省。万宸的每一项作品都凝聚着设计人员的聪明才智和创作激情以及对树立品牌的执著，正是因为不懈努力，使业主和社会认识了万宸、认可了万宸。
努力争创辽沈地区第一建筑设计品牌一直是万宸不懈的追求，为社会和业主回报优秀的作品和优质的服务是万宸一贯的执着。目前，全公司员工正以饱满的工作热情、精湛的业务水平期待着与您的合作。

地址：沈阳市和平区胜利南大街92号胜利大厦14层
电话：+86-24-83507869-800/83507867
传真：+86-24-83507865
邮箱：wanchensj001@sina.com
网址：www.wcjzsj.com

Add: 14F, Victory Building, 92 Victory South Street, Peace District, Shenyang City
Tel: +86-24-83507869-800/83507867
Fax: +86-24-83507865
E-mail: wanchensj001@sina.com
Web: www.wcjzsj.com

大连市建筑设计研究院有限公司 C&Z建筑师工作室
Dalian Architectural Design&Research Institute Co.,Ltd. C & Z Architects Studio

C&Z建筑师工作室是大连市建筑设计研究院集团公司专业平台上的方案设计团队。由地域知名建筑师崔岩、赵涛领衔，与10多名有共同目标理念的职业建筑师组成。经过多年的设计实践，工作室逐步形成了一套成熟的方案创作方式，力争做到作品从前期研究至最终完成的每个工作环节中最大程度地体现艺术激情与专业理性的完美结合。 依托于大连市建筑设计研究院集团公司的综合技术平台，C&Z建筑师工作室在方案设计过程中提前引入专业配合的设计概念和方案优化信息，确保作品有条不紊地全方位推进直至投入使用。多年灵活严谨的设计经验及成功的建成作品，使C&Z建筑师工作室逐步成为地域建筑方案设计领域中一支有显著特色的设计力量。

C&Z Architecture Studio is the schematic design team among all the design teams of Dalian Architectural Design&Research Institute Co.,Ltd. Two locally distinguished architects,Yan Cui and Tao Zhao and more ten professional architects consist of the design team and share mutual goals and pursuits. After many years ofdesigning practice, it has developed a set of mature working protocols, aiming for a perfect combination of artistic passion and professional sense through each phase from preliminary analysis to the final construction. Thanks to the comprehensive technical support of Dalian Architectural Design& Research Institute Co., Ltd., C&Z Architecture Studio introduces the concepts and strategies of the cooperative fields to the schematic design,and advances every project with order and coordination. Because of the flexible and rigorous style and many successful cases, C&Z Architecture Studio has been upgrading its qualification remarkably fast and has been recognized as an esteemed star in the realm of local architectural schematic design.

地址：中国大连市西岗区胜利路102号308室
电话：+86-411-84313789
传真：+86-411-84303187
邮箱：ud_studio@126.com
网址： www.dlad.com.cn/

Add: No.102 SHENGEL RD.XIGANG DIST.DALIAN,CHINA
Tel: +86-411-84313789
Fax: +86-411-84303187
E-mail: ud_studio@126.com
Web: www.dlad.com.cn/

沈阳都市建筑设计有限公司
Shenyang Urban Architecture Design Co., Ltd.

沈阳都市建筑设计有限公司成立于2001年4月，是中华人民共和国建设部批准的具有甲级设计资质并兼有地下人防工程乙级设计资质的一家民营股份制建筑设计及咨询机构。专门从事各类建筑设计、城市规划、区域规划、工程咨询、技术顾问、工程监理、装饰设计等多方位专业性服务业务，并通过了ISO9001：2008质量管理体系认证。

公司由多个专业设计及管理部门组成，共有职工186名。具有国家注册资格人员20名，其中拥有国家一级注册建筑师6名、国家一级注册结构工程师8名、注册公用设备工程师3名、注册电气工程师3名、42名高级工程师、52名工程师。任用具有多年工作经验的高级工程师负责本专业的技术组织和质量控制。

公司的经营理念是创作精品，服务社会。公司的工作作风强调集体创作与团队合作精神，实行全面质量管理和工程项目负责人制，工程宁缺勿滥，追求品牌卓越。公司成立十一年来，作品遍及国内近二十个城市，已承揽并建成的省内外大型项目百余项，累计完成设计建筑面积近千万平方米，获得国家建设部及省、市颁发的47项优秀设计奖。

都市公司员工以优秀的职业素质，丰富的实际工作经验，富有创意的理念，得到了社会的认可。我们所设计的一系列精品园区，诸如绿地新里·摩尔公馆、东方欧博城、大华水岸福邸、格林生活坊、钓鱼台号7号、宏发国际名城、华府丹郡、未来城、其仕亚美利加、沈阳左岸、千缘爱在城、千缘爱语城、保利心语花园、保利溪湖林语、保利上林湾、红阳上河城、果舍添香、明城嘉苑、荣盛·香缇澜山、沈阳三盛颐景园、沈阳世纪星城、塞纳家园、汇宝国际花园、盛华苑、明城花园、慧缘馨村、远洋城市经典、万锦和平里、格林SOHO、风度柏林、五彩园三期、和平家园、华天新城、在水一方、中远颐和丽园、大连海山中拥、承德丽水家园、唐山丽景新城、营口中天花园、营口蓝郡、抚顺银河湾、本溪碧水云天、盘锦河畔家园、瀚博皇家御院等楼盘中，均以不同的风格，富有创意的理念，得到业主与社会的普遍认同。

在公建项目中，坚持设计的独特性、唯一性与实用性相结合的原则，使每一件作品成为经得起时间验证的经典之作。公司在全国与地区性的工程设计投标中屡屡中标，为企业的生存发展注入了活力。十一年来，都市公司在香港瑞安·沈阳天地、金地·滨河国际、步阳国际商贸城、天润广场、葫芦岛CBD滨海金融中心、营口万隆广场、营口国际酒店、盘锦水榭春城酒店、盘锦星润国际中心、千缘财富商汇、千缘铁西金谷、千缘爱都国际B座、千缘新财富大厦、荣成钻石大厦、清华同方信息港、特步大厦、蓝英工业园综合楼、沈阳图书发行大厦、大连国际软件园中心园、大连（成都、广东、南海）东软信息技术学院、北京（天津、南京、大连）东软总部、辽河美术馆、辽宁省劳模敬老院、家乐福文化店、家乐福于洪店、大润发启工店、沈阳气象台办公楼、日本国驻沈签证处、浪潮集团总部、衡颐陶瓷城、SOHO新天地、百年城、东软电脑城、东水西调控制中心、都城MOMA大厦、沈阳市职教中心、汇宝国际商业广场、格林创意大厦、大连阳光小学、中国袜业名城、瀚博商业广场等大型公共建筑设计中，均以全新的风貌引起了极大的反响，其中部分作品获得部、省、市优秀设计奖，在强手如林的市场竞争中获得了建设单位的信赖与首肯。

都市公司坚持"以智创业，以勤创作，以诚服务，以德发展"的企业宗旨，坚持"用名牌名品工程设计铺筑企业成功之路"的经营理念，大力实施名牌战略，走质量效益型及信息化、知识化、多元化的发展道路。我们坚信：我们的薪酬来源于客户，没有客户，一切将成为空谈。尊重客户、理解客户、真诚善待客户，同时执着专业精神，为客户提供优秀的作品和优质的服务，是都市公司的一贯追求。衡量都市公司成功与否的重要标准就是我们的设计作品和服务让客户满意的程度。

地址：辽宁省沈阳市沈河区西滨河路60-2号5门
电话：+86-24-23939337
传真：+86-24-23931370
邮箱：urban2001@126.com
网址：www.urban2001.cn

Add: Gate 5,West Binhe Road No.60-2,Shenhe District,Shenyang City,Liaoning Province
Tel: +86-24-23939337
Fax: +86-24-23931370
E-mail: urban2001@126.com
Web: www.urban2001.cn

内蒙古工大建筑设计有限责任公司

Inner Mongolia Grand Architecture Design Co.,Ltd.

10年，不长亦不短，对内蒙古工大设计来说，既是起步的**10年**，也是积累的**10年**，更是价值观形成的**10年**。在公司改制**10周年**之际，从每年完成的项目中选择一个作品回溯**10年**的创作历程。

10年，10个建筑

内蒙古工大设计（内蒙古工大建筑设计有限责任公司），其前身是成立于1979年的内蒙古工业大学建筑勘察设计研究院。2002年，响应建设部号召，设计研究院改制为股份有限责任公司，建立起符合市场规律的现代企业制度。同时，公司建筑设计资质由乙级升为甲级，并于2004年通过了ISO9001：2000质量体系认证，步入了快速发展的轨道。

公司现有职工近百人。其中教授4人，副教授6人，高级工程师18人，工程师31人，一级注册建筑师6人，一级注册结构工程师5人，注册岩土勘察师5人，注册设备师3人，注册电气师3人。同时公司以高校学术力量为依托，充分发挥广大专业教师的设计潜能，在文化教育类建筑设计、本土建筑研究、绿色建筑策略及技术等方面成绩斐然，在自治区树立了自身独特的行业地位。

经过10年的发展壮大，公司管理制度日臻完善，综合实力逐步加强。目前，公司业务范围涵盖建筑、规划、室内、环境景观、地质勘查、工程咨询等。

经过10年的潜心创作，默默耕耘，公司完成了近百项大中型工程设计项目，设计活动遍及区内外和蒙古人民共和国。通过实施"立足内蒙古，面向全国"的经营思路，和"传建筑文化，争创名优设计"的战略，创作出大量的优秀建筑精品，获建设部、勘察设计协会、世界华人建筑师协会及自治区优秀设计奖十余项，受到社会广泛好评。

IMUT Design (IMUT Architectural Design Co., Ltd.) was preceded by Architectural Design and Research Institute of Inner Mongolia University of Technology established in 1979. In the call of MOHURD in 2002, the Design and Research Institute was reformed into company limited by shares and has set up a modern enterprise system in accordance with the market rules. Meanwhile, the Class B certification in Architectural Design was upgraded to Class A, and the company passed the quality system certification of ISO 9001: 2000 in 2004, thus having stepped into the railway of rapid development.

Now the company has nearly 100 employees, including 4 professors, 6 associate professors, 18 senior engineers, 31 engineers, 6 first-class registered architects, 5 first-class registered structural engineers, 5 registered geotechnical survey engineers, 3 registered equipment engineers and 3 registered electrical engineers. Concurrently, the company relies on the academic power of the university, having fully developed the potential design skills of professional teachers and made great achievements in architectural design of cultural education field, local architectural research and green architectural strategy and technology, etc. thereby having built unique and outstanding status in the industry of Inner Mongolia Autonomous Region.

During the development and improvement of 10 years, the company has gradually completed the management system and reinforced its comprehensive strength. Currently, the company's business field covers architecture, planning, interior design, environmental landscape, geological survey and engineering consultation, etc.

With 10 years' concentrated creation and silent endeavor, the company has completed nearly 100 large and middle-sized engineering design projects, throughout inside and outside the Inner Mongolia Autonomous Region, even to the People's Republic of Mongolia. With the business thought of "Standing in Inner Mongolia and Facing the Country", and the strategy of "Transmitting Architectural Culture and Striving for Famous and Excellent Design", the company has created numerous perfect architectural works, and has won over 10 awards from the MOHURD, Exploration & Design Association, World Association of Chinese Architects as well as the Excellent Design Award from Autonomous Region, having enjoyed great and wide fames in the society.

地址：中国.内蒙古呼和浩特市哲里木路49号
邮编：010051
电话：+86-471-6576005/6575347/6577170
传真：+86-471-6576322
邮箱：Gdsjy@yahoo.com.cn
网址：Nmggdsj.com.cn

Add:No.49,Zelimu Road,Hohhot City,Inner Mongolia,China
P.C.:010051
Tel: +86-471-6576005/6575347/6577170
Fax:+86-471-6576322
E-mail:Gdsjy@yahoo.com.cn
Web:Nmggdsj.com.cn

山东建大建筑规划设计研究院

Shandong Jianzhu University Architecture & Urban Planning Design Institute

山东建大建筑规划设计研究院（原山东建筑大学设计研究院）成立于1960年，目前设计研究院已具有建筑工程设计、城市规划、风景园林、工程咨询四种甲级资质以及施工图设计文件审查机构认定书（建筑工程一类——钢结构），同时具有市政工程设计乙级设计资质。主要从事民用与工业建筑设计、城市规划、风景园林以及相关专业的工程设计与工程咨询业务。

设计研究院下辖行政与人力资源部、生产经营部、技术与质量管理部、财务部4个行政管理部门，以及建筑设计一分院、建筑设计二分院、规划设计一分院、规划设计二分院、建筑创作研究中心、咨询审图中心6个生产部门。全院共有员工160余人，设计人员中具有中高级技术职称人员约占60%以上，其中国家一级注册建筑师、注册结构工程师共27人，国家注册规划师、注册公用设备工程师、注册电气工程师、注册咨询工程师、注册造价工程师共44人，香港注册建筑师、结构工程师学会会员共5人，经过50余年的努力，山东建大建筑规划设计研究院已经成为一所集设计、教学与科研相结合，技术实力雄厚，管理先进，在省内外有良好影响和较高知名度的设计研究单位。

地址：山东省济南市历下区历山路96号
电话：+86-531-86367169
传真：+86-531-86956156
邮箱：sdjdsjy@163.com
网址：www.jdsjy.com

Add: 96 Lishan Road, Lixia District, Ji'nan City, Shandong Province
Tel.: +86-531-86367169
Fax: +86-531-86956156
Email: sdjdsjy@163.com
Web: www.jdsjy.com

山东省华都建筑设计院有限公司

Huadu Architectural Design Institute Co.,Ltd.

山东省华都建筑设计院有限公司是山东省金城建筑设计院有限公司和山东省建设监理咨询有限公司于2009年11月联合成立，是山东省住房和城乡建设厅直属企业。

该院具有建筑设计甲级资质，可承担建筑工程设计，规划设计、装饰工程设计、建筑幕墙工程设计、轻型钢结构工程设计、建筑智能化系统设计、消防设施工程设计以及相应范围内的甲级专项工程设计业务；同时从事资质证书许可范围内相应的建筑工程总承包业务以及项目管理和相关的技术与管理服务。我院还具有风景园林工程设计乙级资质，可从事资质证书许可范围内相应的建设工程总承包业务以及项目管理和相关的技术与管理服务。

山东省华都建筑设计院有限公司（原山东省金城建筑设计院有限公司、山东省建设监理咨询有限公司）具有近二十年的设计经历，我们始终坚持用户第一、质量第一、诚信第一的经营理念，以严谨、团结、求实、创新的工作态度，精心设计，优质服务，先后完成了大量中高层住宅、大型公共建筑和工业建筑等项目的设计；曾受到省领导的高度评价（设计作品被评价为设计楷模，建筑典范），多次获得省市优秀设计，同时被市工商局、文明办评为"重合同守信用单位"、"消费者满意单位"，在设计行业有良好的声誉。

华都设计院具有严谨的工作作风，一流的人力与资源配备，拥有专业的设计团队，设计机构具有高级、中级职称的各专业设计人员70余人，国家一级注册建筑师8名（其中首批一级注册建筑师两名），一级注册结构工程师12名，华都设计院具有与境外设计机构和国内大型设计院联合设计的丰富经验，依据建筑设计市场需要，在上海联合成立了上海伯函设计公司，大幅提高我院在方案设计中的竞争能力。咨询机构具有高级、中级职称专业人员100多人（其中监理师94人，建造师17人，造价师15人，咨询师9人）；专业配备齐全，技术力量雄厚，综合实力强，能承担各类大中型民用及工业建筑项目以及风景园林工程项目的设计。社会的进步和发展给我们院带来新的机遇，我们将秉承一贯的经营理念、服务宗旨，坚持科学公正、诚信团结、敬业奉献、务实、创新的精神，为社会和城市的发展设计出更多更好的建筑精品。

地址：山东省济南市历下区历山路173号历山名郡B座5层
电话：+86-531-68600068
传真：+86-531-68600069
邮箱：sdhdsj@163.com

Add: 5th Floor, Tower B, Lishan Residence Building, Lishan Road No.173,
Lixia District, Ji'nan City, Shandong Province
Tel: +86-531-68600068
Fax: +86-531-68600069
E-mail: sdhdsj@163.com

扫描查看更多信息

青岛中景建筑设计有限公司
Qingdao ZhongJing Architectural Design Co.,Ltd.

青岛中景建筑设计有限公司自2004年成立以来，努力奉行“诚信至上、质量为本、绩效卓著、服务一流”的经营方针，积极倡导“砺炼品质、熔铸精华”的企业精神；以青岛及周边地区为依托，业务辐射全省，并在西北、东北地区拥有良好的市场；遵纪守法、依法经营，重合同、守信誉，不断提高顾客的满意度；竭诚为社会各界提供更好的设计产品和更优质的服务。
公司分别于2007年获得建筑行业建筑工程甲级资质、2008年取得城市规划编制单位丙级资质、2010年取得风景园林工程乙级资质，并以此为契机促进全面发展。近年来公司在同类建筑甲级设计单位中发展速度较快，业务成果显著，企业效益及年产值逐年上升；技术水平、管理水平等稳步提高。
公司扎实做好各项基础管理工作，注重质量管理，并于2007年通过ISO9001质量管理体系认证。
公司自成立以来所完成的各类项目设计均通过各级施工图审查机构审查。
公司坚持制度创新和管理创新，重视人才培训，积极引进和采用新技术成果；逐步深化企业标准化、信息化建设，并与北京理正软件设计研究院有限公司共同开发了《青岛中景建筑设计有限公司管理信息系统》。公司近三年来积极组织设计人员参加各项建筑设计竞赛，并荣获国家级金奖4项、国家级银奖1项、省级二等奖1项、省级三等奖11项、市级金奖1项、市级银奖3项、市级铜奖2项。
公司已连续多年荣获“山东省优秀勘察设计单位”“青岛市勘察设计咨询业先进单位”和“青岛市AAA级诚信勘察、设计单位”等荣誉称号。
公司目前是首批进入山东省勘察设计行业管理“绿色通道”单位、青岛市勘察设计协会理事单位之一。
公司于2009年在青岛市抚顺路竞拍土地成功，投资4000万元建设“中景设计创意中心”，总建筑面积近6000 m^2。公司引入全新的设计企业办公理念，精心设计，并按照高标准建设该办公楼。新办公楼已于2010年底建成投入使用。一流的办公环境堪称国内先进水平，企业人员及规模也将继续扩大。中景设计创意中心自建成后已荣获2011年度全国人居经典建筑规划设计方案竞赛——建筑科技双金奖、2011全国环境艺术大展银奖、山东省优秀工程勘察设计评选三等奖、青岛优秀建设工程勘察设计评选一等奖、山东省“同圆杯”绿色建筑设计方案竞赛三等奖等6项大奖。

地址：中国山东省青岛市抚顺路15号甲
电话：+86-532-68876887
传真：+86-532-68876886
邮箱：hr@zjdchina.com
网址：www.zjdchina.com

Add: 15-A Fushun Road, Qingdao City, Shandong Province, China
Tel: +86-532-68876887
Fax: +86-532-68876886
E-mail: hr@zjdchina.com
Web: www.zjdchina.com

扫描查看更多信息

北京东方华脉工程设计有限公司青岛分公司
ChinaHumax Engineering Design Co.,Ltd. Qingdao Branch

北京东方华脉工程设计有限公司青岛分公司成立于2002年，具有建设部颁发的甲级建筑设计资质、乙级规划设计资质，现有国家一级注册建筑师、一级注册结构师、注册规划师、注册设备工程师等各类专业技术骨干人员80余名。我院位于青岛市经济技术开发区，主要经营范围有住宅及公建设计，方案至施工图全专业，院下设总工办及8个专业设计所，配有建筑、结构、给排水、电气、采暖通风、景观、市政设计专业，公司可承接：商厦、公寓、住宅、学校、园林等二十余项，在设计项目中，取得了社会和业内人士的高度好评，赢得了良好的口碑。公司与北京西林筑景设计公司及北京市建筑设计院、五合国际设计集团、中国电子工程设计院，清华大学等保持长期合作关系，能提供青岛北京不定期交流工作机会，为新生代提供良好的提升平台，也为公司培养了优秀人才。
近几年设计的各类工程数百余项中，每年推出2—3项优秀设计，近期我院利用人才与技术优势不断开拓设计领域的新思路，结合建筑设计趋势及市场需求，力求将建筑设计的实用性与完美性相结合，市政设计与相关专业紧密配合，也日新月异不断进步，所做项目备受建设单位好评。
北京东方华脉工程设计有限公司青岛分公司坚持“敬业爱岗、创新设计、提高质量、真诚服务”的设计方针，以先进的技术，优异的质量和快捷的效率保持公司的旺盛生命力，以顾客为中心实现对顾客对社会的高效回报。

地址：青岛市经济技术开发区长江中路519号建国大厦18层
电话：+86-532-68972799
传真：+86-532-68972799
邮箱：dfhmqd@163.com
网址：www.chinahumax.com

Add: Floor 18th,Jianguo Building,Changjiang Middle Road No.519, Economic and Technological Development Zone,Qingdao
Tel: +86-532-68972799
Fax: +86-532-68972799
E-mail: dfhmqd@163.com
Web: www.chinahumax.com

扫描查看更多信息

山东大卫国际建筑设计有限公司

Shandong David International Architectural Design Co., Ltd.

山东大卫国际建筑设计有限公司，成立于1998年10月，是经国家建设部批准成立的甲级勘察设计股份制公司。公司主要从事民用建筑设计，尤其对房地产开发、工程前期咨询与策划、规划设计有较深入的研究。

公司主要创办人申作伟先生从事建筑、规划设计26余年，设计作品获全国性优秀设计奖15项，获山东省优秀设计奖50余项，申作伟先生历任临沂市规划设计研究院院长、山东省规划设计研究院院长、中国居住区规划专业委员会委员等职，是首批国家一级注册建筑师、国家注册规划师、山东省工程设计大师、山东省优秀建筑师、山东省十佳注册师。2003年申作伟先生被评为中国新本土居住设计名家；2007年，获"中国城市建设卓越人物"称号；2008年3月，被授予"山东省十大杰出青年勘察设计师"称号，2008年8月，被授予"中国建筑设计行业优秀管理人才成就奖"；2009年，被评为"人居十年·2009中国建筑规划十大影响力设计大师"；2009年，荣获"2009中国建筑业十大创新建筑设计师"称号，与此同时荣获2009年度"法国金牌建筑设计师"称号。2010年4月被山东省住房和城乡建设厅授予"山东省勘察设计行业管理优秀勘察设计院长"称号。申作伟先生现已成为建筑设计界的学术带头人。

公司从成立之日起即以"设计精品，服务社会"为口号，不断提高设计水平，坚持走品牌设计之路。公司现有设计师150余人，是一支具有高度职业荣誉感和良好职业道德的设计队伍。公司注重建筑设计创新，立足于中国本土文化，融汇国际先进的设计理念和技术，精益求精，完成了一批享誉省内外的精品设计项目，得到了社会各界的一致好评。公司每年均有设计作品在各类评比中获奖。

公司于2003年通过了ISO9000质量体系认证，设计项目已遍及山东、北京、海南、辽宁、重庆、四川、山西、宁夏、云南、河南、河北、广西、吉林等地。公司以创建百年设计公司为奋斗目标，以质量和服务求生存促发展，本着"团结、责任、真诚、创新"的设计理念，在激烈的市场竞争中，赢得了较高的声誉。

Shandong David International Architecture Design Co., Ltd. founded in October 1998, is a joint stock company and has the Class A qualification of survey and design approved by the Ministry of Construction, P.R.C. The company is mainly engaged in civil construction design, has more depth research on real estate development, preliminary engineering consulting, planning, and planning and design.

Mr. Shen Zuowei is the main founder, he engaged in the construction, planning and design for more than 26 years, his design works won more than 15 national Excellent Design Award, more than 50 items of Shandong Province Excellent Design Award. Mr. Shen served as president of Linyi City Planning and Design Institute, president of Shandong Province, planning and design Research Institute, member of residential planning committee of China, The first batch of registered architect of China, registered planner of China, master designer of Shandong province engineering, excellent architect of Shandong province, outstanding registered engineer. Mr. Shen was named Master of New Local Living Design in China, 2003, he received the title "China Urban Construction Excellence" in 2007, was awarded Ten Outstanding Young Survey Designer, Shandong Province, in March 2008, and in August, was awarded outstanding management talent achievement Award for China Architectural Design Industry, was named Habitat Decade • 2009 Top Ten Most Influential Chinese architectural design master in 2009, the same year, won the title of 2009 China top ten innovative building construction designer, at the same time, won the title of 2009 French Gold Architect. He was awarded the title of excellent president for management of survey and design in Shandong Province Survey and Design industry by Shandong Department of Housing and Urban-Rural Development in April 2010.Mr. Shen Zuowei has become the academic leaders of architectural design industry.

From the date of its establishment, with the spirit of design quality and service society, the company constantly improves the design standards, and adheres to the way of design brand. There are more than 150 designers, it is a design team with highly professional pride and ethic. The company focuses on innovative architectural design, based on the Chinese local culture, integrates advanced design concepts and technology, excellence, completed a number of renowned boutique design projects outside the province, and has won the praise from the society. The design works get awards in various competitions each year.

The company passed the ISO9000 quality system certification in 2003, the design projects are located in Shandong, Beijing, Hainan, Shenyang, Chongqing, Sichuan, Shanxi, Ningxia, Yunnan, Henan, Hebei, Guangxi, Jilin and other places. With the goal of creating a "century design company", survival and promote development of quality and service, the design concept of "solidarity, responsibility, sincerity, innovation", the company has gained a high reputation in the fierce market competition.

地址：济南市英雄山路166号
邮编：250002
电话：+86-531-82719857/82719858
传真：+86-531-82719879
邮箱：dawei_sheji@163.com
网址：www.daweiarch.com

Add: No. 166 Yingxiongshan Road, Ji'nan
P.C.: 250002
Tel: +86-531-82719857/82719858
Fax: +86-531-82719879
E-mail: dawei_sheji@163.com
Web: www.daweiarch.com

扫描查看更多信息

山东景城建筑规划设计有限公司
Shandong King City Architecture & Design

山东景城建筑规划设计有限公司成立于1996年，其前身为潍坊市奎文区建筑设计研究院。2002年率先成为潍坊市首批升级为国家乙级资质的设计院之一，并于2008年成功改制。经过16年的风风雨雨，16年的辛勤耕耘，在政府、各级主管部门以及各大房地产开发企业和兄弟单位的关心帮助下，如今已经发展成为拥有工程设计国家甲级资质的综合性科技服务企业。

公司拥有建筑、规划、园林景观、结构、给排水、建筑电气、智能化建筑设计、暖通空调等多种专业人才，专业配套齐全。设计类型包括大型居住区、酒店、大中学校、高级写字楼、大型厂房仓库等工程项目。实现了从规划、绿化到单体工程方案，再到施工图纸的一条龙设计，为广大客户提供了更为方便、更为综合的高品质服务。公司现有职工60余人，是由一批学识高、才思敏捷的中青年工程师和实践经验丰富的专家组成的建筑设计队伍。工程技术人员占90%以上，其中各专业注册工程师12人，高级职称15人，中级职称23人。

公司下设规划方案室、方案创作室、设计一所、设计二所、总工办、业务经营部、后勤服务部及园林景观设计分院、诸城设计分院等，形成了六室两部两分院的公司组织架构。公司董事长滕玉泉先生通过深入地市场调研，提出"设计手段先进，管理工作规范"的工作方针。以健全的组织机构和足够数量的技术装备，完善的质量保障体系和以技术质量为中心的各级人员岗位责任制等规章制度，确保工程设计的进度和质量。在经营活动中，以严谨求实的工作作风，灵活经营的市场竞争意识，精心设计创造精品的理念，对工程设计质量负责到底的承诺，竭诚为用户服务，以求取得最佳社会效益和经济效益。

建院16年来，在积极参与设计市场竞争中，公司坚持立足本地，跨省跨地区辐射，陆续完成了一批高质量的工程设计，代表作品有：名门世家（7万m^2）、玫瑰园（13万m^2）、唐宁府（23万m^2）、香颂湾（15万m^2）、天润浅水湾（11万m^2）、金马怡园（42万m^2）、东昊.上河园（15万m^2）、恒信.领海国际（37万m^2）、华安.庭岸风景（22万m^2）、三友.翡翠城（37万m^2）、樱北.圣景嘉苑（21万m^2）、国大.东方天韵（45万m^2）、内蒙古东乌时代新城（12万m^2）、东营华泰新城（16万m^2）、滨州东郡.阳城花园（18万m^2）、枣庄青檀.安慧佳园（9万m^2）、东城.新海枫景（12万m^2）、中华茶博城（15万m^2）、天润大厦（3万m^2）、滨海欣泰商业街（5万m^2）、亿丰时代广场（8万m^2）、新华国际（8万m^2）、青州建设大厦（2万m^2）、东营华泰集团5星级贵宾楼（8000m^2）、德润双语学校教学楼（5000m^2）、山东经贸学院图书馆（6000m^2）、潍坊医学院新校区餐厅（4500m^2）、恒联10万吨浆纸工程（2万m^2）、丽波日化25万吨洗涤剂工程（3万m^2）、广潍宝马、福特、大众等等，这些工程项目赢得了社会各界的广泛赞誉和一致好评。

多年来，公司领导层不断深化内部改革，大力推进两个文明建设，实现了产值不断翻番的跨跃式发展。连续多年获得市区两级"文明单位"、"先进单位"等荣誉称号；获国家级优秀设计1项、省级优秀设计7项、市级优秀设计16项、受表彰个人更达到80余人次。

公司将把持续改进作为企业永恒的目标，不断提升员工素质，完善资源装备，改进质量管理，继续向顾客提供一流的产品和优质的服务。在建筑业飞速发展的今天，公司坚持"精心设计、创作精品、超越自我、创建一流"的奋斗目标，一如既往，不懈努力，创造美好的未来。

地址：山东潍坊樱前街虞河西岸瑞泰南郡写字楼13层
电话：+86-536-8799920
传真：+86-536-8799950
邮箱：SD-jingcheng@163.com

Add: 13F of Ruitai South Country Office Building, West Bank of Yu River, Yingqian Street, Weifang City, Shandong Province
Tel: +86-536-8799920
Fax: +86-536-8799950
E-mail: SD-jingcheng@163.com

青岛原创工程设计有限公司

Qingdao Yuanchuang Engineering Design Co., Ltd.

青岛原创工程设计有限公司是建设部批准的具有建筑工程甲级资质的综合性设计公司，并已通过IS09001：2000质量管理体系认证。青岛原创工程设计有限公司拥有建筑、规划、结构、给排水、暖通空调、电气、装饰等各类专业大批具有设计实力和创新能力的优秀设计师，并拥有先进的现代化专业设施和设备，具有较强的方案创作能力、施工图设计能力、装饰景观施工能力。在长期以来的工作中一向注重质量与诚信的结合，享有良好的社会声誉，是一支在市场经济中诞生并具有现代经营管理理念和超前意识的生力军。

近年来，公司秉承一贯的精品设计理念，创作设计了大量的居住、教育、医疗、公共建筑及花园式工业厂区等作品，尤其擅长总体设计协调，在力求规划合理、交通组织清晰、空间组织流畅、景观富有韵律和特色的前提下，竭尽所能为建设单位提升开发的社会价值和增加经济价值。并在工程设计中总结、积累了大量的设计经验。许多项目以其优良的设计品质、完善的后期服务，赢得了广大客户的信赖。

公司秉承创新的设计理念，在功能、经济、美观的基础上，奉献具有长久生命力和社会价值的设计作品。

公司经营理念是：诚信，互利，双赢

公司管理理念是：以人文本，科学管理

公司企业精神是：团结、创新、开拓、进取

青岛原创工程设计有限公司愿社会同各界人士广泛合作，共求发展，同创辉煌！

Qingdao Yuanchuang Engineering Design Co., Ltd. is a comprehensive design company with class-A construction qualification granted by the Ministry of Construction, and has adopted the certification of IS09001:2000 Quality Management System. It has a group of excellent designers with design and creation capabilities in the fields of building, planning, structure, water supply and drainage, heating, ventilation and air-conditioning, electrical, decoration and others, with advanced modern specialized facilities and devices. It has strong conception creativity, construction drawing design capability, decorative and landscaping construction capabilities. For a long time, it is paying great attentions to the combination of quality and credit, with good social reputation, it is a new force of modern operation and management ideas and avantgarde senses born in market economy.

Over recent years, we follow the exquisite design idea, to create and design a large number of residential, teaching, medical, public, building and industrial park works, especially proficient in general plan coordination; in addition to reasonable planning, smooth traffic and space organization, rich rhythm and landscape features, we try the best to increase and promote socioeconomic values for the developers; we are ready to conclude from project designs, and accumulate a great many design experiences. Many projects with good design quality and complete after services have won vast trust from customers.

We follow the creative design idea, to contribute long-living design works with social value on the basis of functionality cost-effectiveness and beauty.

Our operating philosophy is “credit, mutual benefit, win-win”.

Our management philosophy is “human-based, scientific management”.

Our entrepreneurship spirit is “union, creation, expansion, progress”.

Qingdao Yuanchuang Engineering Design Co., Ltd. is willing to cooperate with all social communities, in seek for common development, and common victory!

地址：青岛市崂山区山一东头路58号盛和大厦1号楼1－3层
电话：+86-532-83950136/83950137/83950138/83950139
传真：+86-532-83950117
邮箱：qingdaoyc@vip.sina.com
网站：www.qdyc-arch.com

Add: Floor 1-3, Building 1, Shenghe Building, 58 Shandongtou Road, Laoshan District, Qingdao
Tel: +86-532-83950136/83950137/83950138/83950139
Fax: +86-532-83950117
E-mail: qingdaoyc@vip.sina.com
Web: www.qdyc-arch.com

扫描查看更多信息

TONTSEN 方大設計

TONTSEN 建筑设计事务所（美国）
上海方大建筑设计事务所
TONTSEN Architects Associate(USA)
Shanghai Fangda Architects Associate

TONTSEN方大设计集团前身为美国TONTSEN设计公司。于2000年进入中国，现已汇聚了200余位来自世界各地的业内设计精英。集团总部坐落于中国上海，专业从事城市规划、建筑设计、景观设计等业务。机构成员包括上海方大建筑设计事务所、上海方大建筑设计有限公司、美国TONTSEN建筑设计事务所（中国）、TONTSEN伦敦设计中心、TONTSEN香港景观部。

公司的核心创作团队，由TONTSEN方大的中国创始人齐方博士及多位国内外设计专家组成。TONTSEN方大秉承名校治学态度，合璧中西创作理念，作品遍布全国各地，业绩斐然，其中包括：上海耀江国际广场、上海紫园、上海佘山月湖山庄、上海鹏欣假日酒店、北京京贸国际公馆、天津爱家星城、重庆家纺城、温州香缇半岛、温州中梁首府、南昌恒茂国际华城、无锡奥林匹克花园等众多优秀作品，多个项目获得建设部及上海市各类建筑设计奖项。2011年TONTSEN方大迎来了建筑创作新里程，南通观音山商业综合体、上海皇冠假日酒店、盐城中南购物中心、常州中润商业广场、安阳师范学院等多个项目的成功，印证了TONTSEN方大在城市综合体、商业中心、文教建筑领域的超强设计实力。

TONTSEN方大设计集团一直遵循着自己特有的理论——空间价值论，这是TONTSEN方大的设计之本，其核心内涵是指优秀的设计源于对市场需求表象之后的建筑本质的深刻理解。

正是基于空间价值论，TONTSEN方大不但在住宅设计领域硕果累累，而且在公共建筑领域也创作出一个又一个的杰作。由齐方博士提出的TONTSEN方大空间价值论起源于对建筑空间的深度剖析和对市场的深刻理解，在众多实际案例上得到了充分的验证。随着TONTSEN方大在商业、办公、酒店、教育各个建筑领域的不断成功，使空间价值论更加完善，为TONTSEN方大下一个10年创作规划提供了扎实的理论基础。

在过去的10年里，TONTSEN方大已具备巨大的资源整合能力和极强的核心竞争力。TONTSEN方大作为国际设计机构，既代表一种高水准的设计品质和设计能力，又是多种资源的集合体，在TONTSEN方大，可以找到建筑领域各种相关事务的全方位解决方案。TONTSEN方大的未来将要整合最优秀的设计资源，融汇古今中外，从科学、哲学和艺术高度创造出更多具有TONTSEN方大设计特色的优秀作品。

TONTSEN方大致力于成为中国建筑创新的领导者，力图通过发挥自身设计能力和技术优势，提供增值和高品质服务，为促使客户的成功发挥直接推动作用。

TONTSEN which is formerly known as America TONTSEN Design Company, has already absorbed more than two hundred of global industry design elites since its first presence in China in 2000; The headquarter locates in Shanghai, China and is engaged in the professional fileds of the urban planning, architectural design and landscape design. The group consists of Shanghai Fangda Architecture Design Office, Shanghai Fangda Architecture Design Co., Ltd, TONTSEN Architecture Design Office (US), TONTSEN London Design Center and TONTSEN (Hongkong) Landscape Design Company.

Our core design team consists of Doctor Qi Fang who is founder of TONTSEN China, as well as multiple international and domestic design experts. TONTSEN has inherited the attitude towards scholarly research of famous universities, and sino-western design philosophy; our works are throughout China, gaining brilliant achievements, among which Yaojiang International Square Shanghai, Ziyuan Shanghai, Yuehu Villa Sheshan Shanghai,Jingmao International Mansion Beijing, Aijia International Xingcheng Tianjin, International Textile City Chongqing, Xiangti Peninsula Wenzhou, Zhongliang Capital Wenzhou, Hengmao Shopping Center Nanchang,and Wuxi Olympic Garden etc. have been honored with architecture design awards from Ministry of Construction and Shanghai Municipality. TONTSEN embraces its new milestone for architecture design projects in 2011, such as Guanyin Mountain Complex Nantong, Crowne Plaza Shanghai, Zhongnan Shopping Mall Yancheng, Zhongrun Plaza Changzhou, Normal College Anyang and etc. It reflects TONTSEN's ultra strong design abilities in the fields of complex, commercial and education buildings.

TONTSEN follows its unique theory i.e. "value of space" from its founding. It is the ultimate source of TONTSEN's design and the core meaning is the comprehensive understanding of the architecture nature on the basis that good design is inspired by the market demands.

Found on the theory "value of space", TONTSEN succeeds not only in the field of residential design, but also in public building design. The theory "value of space" proposed by Doctor Fangqi originated from the deep analysis of architectural space and comprehensive understanding of market. It is proved in many projects. The theory "the value of space" is improved along with the success TONTSEN gained in the design of commercial, office, hotel and education projects, which has formed the theoretical basis for the next ten years of TONTSEN.

In the past ten years, TONTSEN has possessed resource integration capability and core competitiveness. As an international design group, TONTSEN is the representative of high level design quality and ability as well as the integration of multiple resources. All-round solutions for architecture related issues can be found in TONTSEN. The future aim TONTSEN in pursuit of is to integrate the best design resources and digest Chinese and Western, ancient and modern. It aims to create more TONTSEN featured great designs to the level of science, philosophy and art.

TONTSEN commits itself to be the innovative leader in Chinese architecture field and makes the most of the advantages of design abilities and technology to provide value-added and high-end service.

地址：上海市浦东新区东方路971号钱江大厦27层
电话：+86-21-50582111
传真：+86-21-50583009
邮箱：tontsen@tontsen.com
网址：www.tontsen.com

Add: 27th Floor,Qianjiang Plaza,Dongfang Road No.971,
Pudong New District,Shanghai
Tel : +86-21-50582111
Fax : +86-21-50583009
Mail: tontsen@tontsen.com
Web: www.tontsen.com

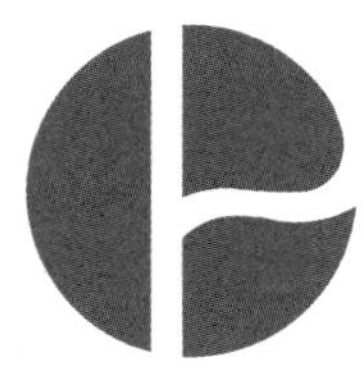

PDG INTERNATIONAL
泛太平洋设计集团有限公司

泛太平洋设计集团有限公司（加拿大）

泛太平洋设计集团有限公司（加拿大）1994 年成立于加拿大多伦多，并于 1995 年在上海成立设计分支机构。公司设计范围包括城市规划及建筑设计，包括酒店、办公、商业文化设施、住宅、学校、体育场所等，并重视发展城市景观设计、建筑设计与室内设计的衔接与渗透。
公司依托国际化背景，以国际化＋本土的专业化团队，形成自己的创作和服务特色。在创作过程中，公司全面认知项目的土地价值、开发定位、文脉延续、艺术感知及心理体验，以开放、理性和积极的姿态，去寻求创作中的每一个机会和最佳答案。公司还重视实施过程的技术控制和提升，逐步发展了一套适应于当代市场多样变化的服务体系。
公司成立至今完成了上海浦东新区接待中心、九寨天堂国际会议度假中心、德隆集团总部大楼、成都新国际会展中心和上海烟草集团科教中心等国内许多重大工程的设计，并赢得了建设部全国人居经典综合金奖、建设部建筑形态金质奖、建设部创新风暴中国建筑设计示范住宅单项奖、上海市优秀住宅小区工程设计项目一等奖、上海市优秀勘察设计二等奖、上海市住宅小区优秀规划奖等近三十个设计奖项。2004 年 12 月及 2005 年 12 月，公司获得由中国住交委员会等颁发的 2004 年度中国建筑二十大品牌影响力规划建筑设计事务所（公司）奖及 2005 年度中国二十大品牌影响力规划建筑、景观设计公司，2006 年获得法国建筑设计师协会、国际房地产商协会和亚洲房地产峰会组织委员会等颁发的"2006 年度亚洲建筑规划设计机构 100 强"以及由中国建筑规划设计师协会等颁发的"2007 引领中国建筑规划设计十大品牌设计机构"等奖项。
泛太平洋设计集团有限公司（加拿大）于 2001 年 1 月成立上海泛太建筑设计有限公司，并于 2005 年 9 月成立上海泛巢建筑设计事务所。

上海泛太建筑设计有限公司
上海泛巢建筑设计事务所

上海泛太建筑设计有限公司成立于 2001 年 1 月，于同年获得上海市首批颁发的建筑专业专项设计资质，2006 年改为建筑工程设计乙级资质，上海泛巢建筑设计事务所注册于 2005 年 3 月，同年获建设部建筑设计专项甲级资质，均是泛太平洋设计集团有限公司（加拿大）在中国境内设立的全资控股企业。公司承接从规划、建筑方案到施工图全程所有专业的设计工作。
公司以高标准的设计与服务建立起了市场知名度和信誉度，在此基础上，公司着眼全国市场，在江苏、浙江、四川、山东、吉林等近 20 个省份开展了一系列项目，并在成都成立了分支机构。目前，公司有设计人员近 120 名，专业涵盖建筑、结构、机电、室内设计和景观等，其中国家一级注册建筑师 25 名，外籍建筑师 10 名，建筑学博士 2 名，硕士 25 名，具有一流的设计能力和工程协调能力。
自 2003 年起，公司在各年度民用建筑设计市场民营设计企业二十强排行榜中排名均位于前列。并且自 2001 年来，每年都有数个设计作品获得国家及地方评比的奖项。
随着社会经济与技术的发展，公司致力于前所未有的人性化的建筑创造，并通过我们的双手实现梦想。

PAN-PACIFIC DESIGN GROUP LTD. (CANADA)
SHANGHAI PAN-PACIFIC ARCHITECTURAL DESIGN CO., LTD.
SHANGHAI PAN-PACIFIC SPACE-WORK ASSOCIATES
PDG was established in Toronto, Ontario, Canada in 1994. Since the opening of the Shanghai Office in 1995, PDG has become one of the most active design firms in the Chinese market.
Inspired by international trends of modern design, PDG offers its expertise in architectural design, urban planning, landscape design and interior design. With over 100 professionals from all over the world, PDG combines Chinese and western philosophy in its commitment to excellence under the company's mission, that is, to maximize the value of the project for the clients, users and society in general through design.
Based on the specific project, our team works closely with the clients to achieve a full understanding of their facility needs and site conditions. The application of creativity to solve challenging problems, the pursuit for excellence and the spirit of the team collaboration are the means for our success.
In 2001, Shanghai Pan-Pacific Architectural Design Co., Ltd., which was licensed by the Chinese government and in 2005, Shanghai Pan-Pacific Space-work Associates was incorporated in Shanghai and thus became the legal base for PDG to work in China.
On recognition for this excellence on both professional design and service, PDG has been awarded numerous national awards both from the government and from professional associations.

加拿大温哥华
地址：2403-1250 Hasting Street, Vancouver, BC, Canada V6E 4T7
电话：001-(604) 899 2639
传真：001-(604) 899 2692

中国上海
地址：上海市浦东新区张江高科园区伽利略路 11 号伽利略商务公馆 6 单元
电话：+86-21-31265800
传真：+86-21-50814700
邮箱：ppddg@ppddg.com
网址：www.ppddg.com

Vancouver, Canada
Add: 2403-1250 Hasting Street, Vancouver, BC, Canada V6E 4T7
Tel: 001-(604) 899 2639
Fax: 001-(604) 899 2692

Shanghai, China
Add: Unit 6, Calileo Mansion, 11 Jialilue Road,Zhangjiang Hi Tech Park, Pudong District, Shanghai
Tel: +86-21-31265800
Fax: +86-21-50814700
E-mail: ppddg@ppddg.com
Web: www.ppddg.com

扫描查看更多信息

上海经纬建筑规划设计研究院有限公司

Shanghai LongiLat Architectural Design & Research Institute Co., Ltd.

上海经纬建筑规划设计研究院有限公司是一家以城乡规划、建筑设计为主的现代科技型企业，同时拥有城乡规划甲级、建筑工程设计甲级资质。业务范围涵盖城乡总体规划、城市发展研究、居住区规划、建筑设计、室内装饰设计、景观设计和房地产开发技术咨询等。上海经纬建筑规划设计研究院有限公司是上海市建筑学会理事单位，获上海市文明单位称号。

公司拥有两百余名专业技术人员，各专业技术人员配备齐全。涵盖国家注册规划师、一级注册建筑师、一级注册结构工程师、注册设备工程师、注册房地产估价师等。全球化网络技术的应用、软件正版化、设计管理系统的实施和ISO9001：2008的全面质量管理认证，使设计质量得到很大的提升。

公司旗下拥有经纬城市发展咨询有限公司等数家设计咨询机构，在国内十多个城市设有分公司，总公司全资子公司LDG International位于美国洛杉矶。

近20年，公司已与十多家国际设计机构良好合作，完成上百项设计任务，已取得广泛的认同和令人瞩目的成绩。

更由于对开发商及其目标的理解和关注，努力实现市场需求，在全院同仁的倾情奉献下，创造出既体现建筑理念又符合业主需求的作品，由此形成长期建设性的战略合作伙伴关系。

Shanghai LongiLat Architectural & Planning Design Research Institute Co.,Ltd is a modern scientific and technological enterprise with Class-A qualifications in both urban planning and architectural engineering.Its business scope covers the overall planning of urban and rural areas, urban development research, residential planning, architectural design, interior decoration design, landscape design, real estate development and technical consulting.It is also a council member of the Architectural Society in Shanghai, and won the honorary title of civilized company.

SLADI has more than two hundred staff members of various professional technicians including national registered planners, national first-grade registered architects, national first-grade structural engineers, registered equipment engineers and registered real estate appraisers. The company's design level improves a lot due to the globalized application of internet technology and software legalization,and the implementation of design management system,as well as the certification of ISO9001 quality management system.

SLADI boasts several offices in more than 10 cities in China,while its headquarter and wholly-owned subsidiaries are based in Los Angles,US.

In recent 20 years, the company has cooperated with more than a dozen of international design institutes and completed nearly one hundred design works.It's widely recognized and got remarkable achievements.

Due to understanding and concern of developers and work aims, and striving to achieve market demands, all staff make great efforts to create works which not only embody the design concepts but also meet the owners' needs.So our company could build the long-term constructive strategic partner relationship with clients.

地址：上海市杨浦区长阳路1568号（宁国路503号）复地四季广场10-12号楼
电话：+86-21-65039009
传真：+86-21-65638325
邮箱：jwjz@china.com
网址：www.sladi.com.cn

Add: No.10-12 Building, Fudi Four Season Square(Ningguo Road No.503), Changyang Road No.1568, Yangpu District, Shanghai
Tel: +86-21-65039009
Fax: +86-21-65638325
E-mail: jwjz@china.com
Web: www.sladi.com.cn

WITH

Water **I**ntelligent **T**eam **H**appy

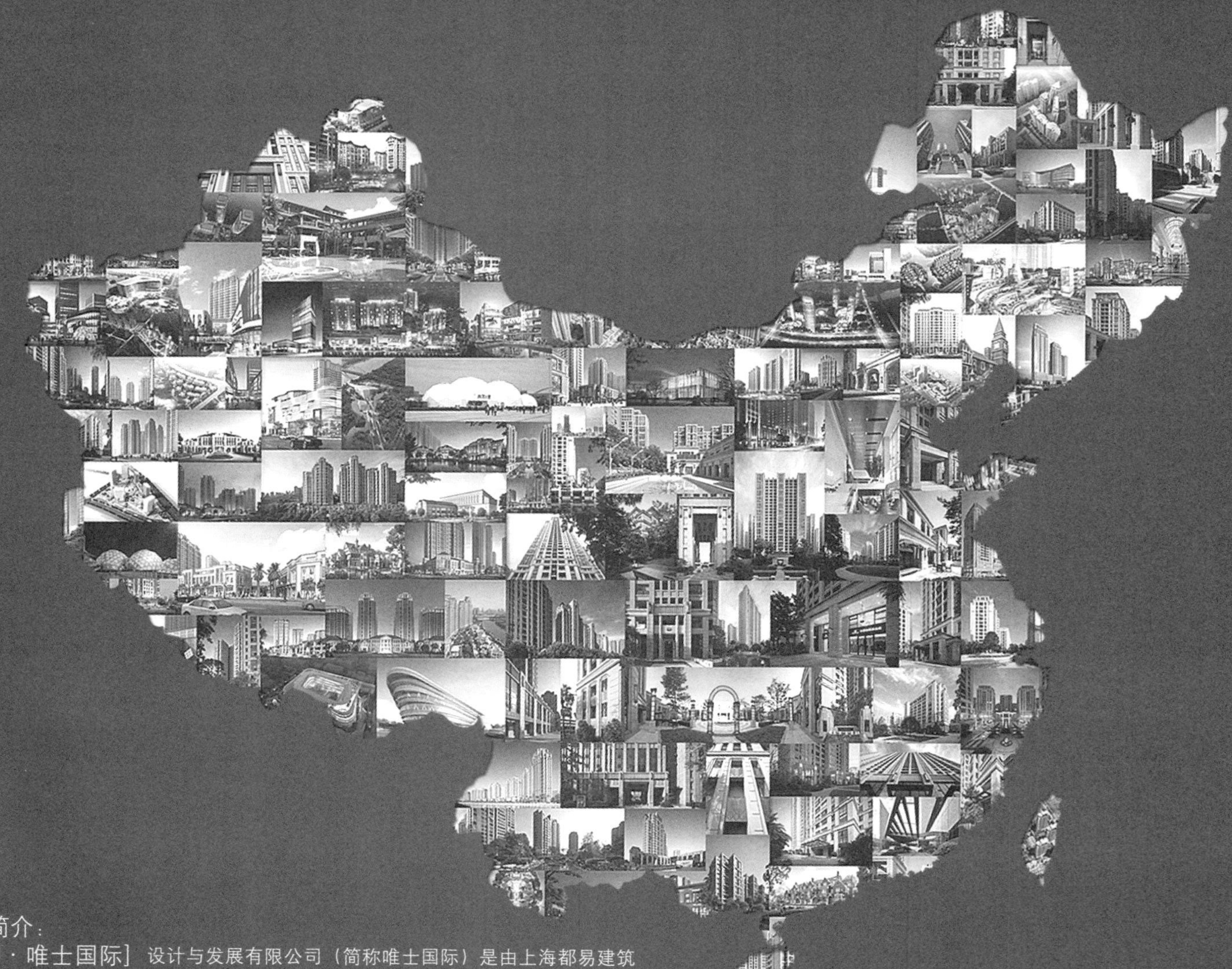

公司简介：

【WITH·唯士国际】设计与发展有限公司（简称唯士国际）是由上海都易建筑设计有限公司（都易国际）和上海齐越建筑设计有限公司（齐越国际）共同组成。

【WITH·唯士国际】参股并管理的上海宝厦建筑设计有限公司拥有建设部建筑工程甲级资质，促进【WITH·唯士国际】完成更多优秀设计作品、为客户提供更多优质服务。

【WITH·唯士国际】已完成超过1000万 m^2的建筑设计工作。

【WITH·唯士国际】在高端住宅社区、城市商业综合体、办公楼、酒店等设计领域形成专业优势，并在新古典高端住区设计领域处于全国领先地位，并与万科/绿地/华润/建业/协信等国内一线房企，建立了长期合作关系。

【WITH·唯士国际】拥有专业设计人士约150余名，是一个富有活力、充满激情和创造力的设计团队。我们为客户提供基于市场需求、营销、成本数据分析和专业理想的设计服务，并通过严格的项目管理体系来实现产品的精细化设计、成本控制和实施。

扫描查看更多信息

www.dotint.com.cn www.ky-arch.com @都易国际_建筑设计 @齐越国际

扫描查看更多信息

上海加合建筑设计有限公司
Shanghai Team+ Design Architectural Design Co.,Ltd.

加合建筑是一个充满创造力和进取心的设计团队，以探索中国当代建筑设计之路及发展本土精品事务所为目标。倡导团队精神、敬业精神及探索精神，在设计上以理性而有创造力的工作方式对每个项目进行深入的研究，从项目条件、城市文脉、开发经营模式、技术材料运用及生态环保节能等方面寻找适合的切入点。力求在城市、使用者、开发者之间找到最佳平衡点，以共生共赢实现整体价值最大化。

加合建筑的核心设计观为"联结、链接"，力图通过设计将人与自然、人与城市、人与历史、人与人有机联系在一起。在不断实践的过程中，针对项目的不同特点寻找相应最佳的链接方式。通过持续的探索，逐步建立起对于环境、城市、建筑与人的系统性认知，并积极尝试各种能将它们有机联结的方式。城市的可持续发展需要有一个健康的生态链，包含功能链、环境链、经济链、技术链及社会链。通过对每个项目条件的深入解析，从项目的前期定位便开始全方位考虑其内在生态链系统，力求设计能使项目在各方面达到平衡共生和可持续发展。

好的设计构思往往来自于朴实的动机和简单的原则，对基本问题全面、深刻的认知和探讨是设计工作的重点，从而形成清晰的设计观念与理性的设计方法。加合建筑对每一个实施项目均保证全方位的投入：从方案设计的反复推敲、全程跟进的深化设计和掌控到深度介入项目实施的各个环节，有效确保设计的完善度及实施效果，努力使其成为精品项目。在发展本土精品事务所的同时，注重探索以事务所培养优秀设计师的有效方式，力求形成促进设计团队成长的良好环境。

在多年的设计实践过程中，加合形成了既汲取西方设计体系的精华，又与中国本土现状相联结的思想体系、设计方法和工作流程。在与国内外一线开发集团、有特色的中小型开发机构及高新企业的长期合作中不断提升设计品质及综合协调管理能力，做到专业而有序的全程服务。这也保证了在中国经济高速发展的时代背景下，加合建筑在作品中倾注的理性思考与激情创作都能得以最大程度地实现。

地址：上海市莫干山路50号21号楼2层
邮编：200060
电话：+86-21-62773208
邮箱：teamplus@teamplus.cn
网站：www.teamplus.cn

Add: Floor 2, Building 21, 50 Moganshan Road, Shanghai
P.C.: 200060
Tel.: +86-21-62773208
E-mail: teamplus@teamplus.cn
Web: www.teamplus.cn

Team+ Design Studio is a creative and endeavoring design team, committed to exploring the roadmap of Chinese modern architectural design and developing local elite design firms. It advocates teamwork spirits, professionalism and adventurism. In design, it makes in-depth research on every project with its rational and creative work style, seeking for a suitable breakthrough point among project condition, urban context, development & operational mode, technical material application and ecologic environmental protection & energy-saving etc. It tries to seek the best balance between the city, users and developers, to maximize the integral value by coexistence and win-win relationship.

Its core outlook on design is "link", trying to link human and nature, human and city, human and history, human and human organically through design. In continuous practice, Team+ seeks the best linking way for every individual project. Through continuous exploration, it gradually builds up a systematic cognition on environment, city, architecture and human beings, and actively attempts various ways of linking them organically. Urban sustainability needs a healthy eco-chain, including functional chain, environmental chain, economic chain, technical chain and social chain. Through in-depth analytics on every project condition, Team+ considers the inherent eco-chain system ever since the preparatory positioning of the project, seeking the best design of balance, symbiosis and sustainable development in all respects.

A good design concept always comes from pure motif and simple principle, and Team+ emphasizes the overall, profound cognition and exploration on fundamental problems, to form clear design concept and rational design method. Team+ ensures full range of inputs in every project in execution: from elaboration of scheme design, seamless following-up in-depth design and control, to in-depth involvement in every process of the implementation, in order to effectively ensure the perfection and benefit of design, and realize a series of exquisite projects. Meanwhile, in developing local exquisite design firm, it also creates a good environment for team growth, by effective means of nurturing excellent designers.

In design practice of many years, Team+ has formed a special ideological system, design method and work process, integrating the essence of Western design system into Chinese locality. Through cooperation with domestic and international development groups, characteristic small to medium-sized development organizations and hi-new tech enterprises, it has been increasing its design quality and comprehensive coordination & management capabilities, offering seamless professional services in order. The rational thinking and passionate creation poured into the designs will be realized to the largest extent in fast development of Chinese economy.

扫描查看更多信息

中船第九设计研究院工程有限公司
China Shipbuilding NDRI Engineering Co., Ltd.

中船第九设计研究院工程有限公司由原中船第九设计研究院改制而成，隶属于中国船舶工业集团公司。公司是一家多专业、综合性的大型工程公司，主要从事工程咨询、工程设计、工程项目总承包等业务。在中国创建世界第一造船大国中，承担着践行环渤海湾地区、长三角地区、珠江三角地区的船舶工业规划设计“国家队”的角色。

公司已取得了国家有关部委批准的船舶、军工、机械、水运、建筑、市政、环保等领域的工程设计综合资质甲级以及工程咨询、工程监理等多项甲级资质、房屋建筑工程施工总承包一级资质，城乡规划甲级资质、具备了对外工程总承包、境外设计顾问及施工图审查的资质。本公司是“全国工程设计百强单位”、“全国优秀企业形象单位”、“上海市文明单位”、“上海市优秀工业企业形象单位”、“上海市高新技术企业单位”、“上海市创新型企业”、“上海市企业技术中心”。

公司现有在职职工1000多人，其中各类专业技术人员750多人（研究员50人、高级工程师210人、工程师270人；注册建筑师、注册结构师、注册造价师、注册监理工程师等各类注册工程师380余人）。公司先后有30多名专家享受国家特殊贡献和特殊津贴，相继有4位工程技术人员获中国工程设计大师称号，1位获中国工程监理大师称号。

公司将继承发扬中船第九设计研究院“经营是前提，质量是生命，技术是基础，人才是关键”的治院方针，不断丰富“创新、拓展、诚信、敬业”的企业精神内涵，不断提高设计咨询能力，拓展工程管理、工程总承包能力。公司将奋发努力，竭诚为广大客户提供全方位服务，为国防工业和社会主义现代化建设做出新的贡献。

China Shipbuilding NDRI Engineering Co., Ltd was originally reorganized on the basis of the Ninth Design and Research Institute of CSSC, now under China State Shipbuilding Corporation. Being a multi-field large engineering company with strong technological background, we are committed to providing such services as engineering consulting, design and contracting for large projects. In China's creation of the No. 1 shipbuilding power in the world, it assumes the role of "national team" in the planning and design of the shipbuilding industry in Bohai Sea Rim, Yangtze River Delta and Pearl River Delta areas.

We have been awarded the National Comprehensive Grade A Qualification approved by the Ministry of Housing and Urban-rural Development of People's Republic of China for engineering design in the fields of shipbuilding, military, machinery, water transport, construction, municipal engineering, environmental protection, etc., as well as several Class A qualifications of engineering consulting and supervision. And we have the right to undertake the general contracting project at home and abroad, design consultant and detail drawings checking. The company is also awarded such honorable titles as “National Engineering Design Top 100”, “National Top Unit of Enterprise Image”, “Shanghai Model Unit”, “Shanghai Top Unit of Industrial Enterprise Image”, and “Shanghai High-Tech Enterprise”, “Shanghai Innovative Enterprise”, “Shanghai Enterprise Technical Center”.

There are over 1000 staff working for the company with professional and technical specialists over 750 (including professors 50, senior engineers 210, engineers 270 and registered architects, structural engineers, certified cost engineers, and supervision engineers 380). And in succession there are 30 persons who have unique contribution enjoy national special allowance and there are 4 persons who have been awarded the title of National Engineering Design Master.

We are dedicated to carrying on the working principle of “regarding business management as the prerequisite, quality as the lifeline, technology as the base and talents as the key”; enriching the meaning of the spirit of “creativity, development, sincerity and dedication”; and improving our consulting, management and contracting capability. We are also devoted to providing our clients with all-round services and assistance, thus bringing forth new contributions for the national defense industry and socialist modernization drive.

地址：中国上海市武宁路303号
电话：+86-21-62549700
传真：+86-21-62573715
邮箱：sxy@ndri.sh.cn
网址：www.ndri.sh.cn

Add: 303 Wuning Road, Shanghai, China
Tel: +86-21-62549700
Fax: +86-21-62573715
E-mail: sxy@ndri.sh.cn
Web: www.ndri.sh.cn

扫描查看更多信息

HSarchitects
上海汉思建筑设计事务所

上海汉思建筑设计事务所是一家具有建筑设计甲级资质的合伙制设计公司（简称 HSa）。HSa长期专注于大型城市商业综合体项目，已完成和正在建设中的大型购物中心、超高层写字楼、豪华酒店、大型娱乐设施等商业综合项目总面积超过800万 m^2，业务涵盖从规划方案至施工图至现场配合的全过程，积累了十分丰富的经验。尤其对大型商业建筑的招商、营运、消防设计、与公共交通设施相关的设计等方面具有十分深刻的理解。HSa致力于为客户提供规划、建筑、结构、机电、室内、景观等全方面的服务。公司内各专业技术人员崇尚创新与协作精神，在项目初期就开始三维协同工作，为项目赢得品质和时间。

HSarchitects Shanghai (HSa) is a partnership architecture firm with Class-A Architecturd Design Certificate, providing master planning, architecture, structure, electronics, interior and landscape design service. Focusing on commercial complex design over a long-term, HSa has a deep understanding of commercial investment, operation, fire protection and transport organization. The whole process covers planning, construction and coordination in the field. Innovation, creative and teamwork are the spirits of each firm members, and 3D design make sure each HSa building has its own personality.

地址：中国上海长宁路1018号龙之梦大厦901室
邮编：200042
电话：+86-21-33727290
传真：+86-21-33727291
网址：www.HSarchitects.cn

Add: Room 901, No.1018 Changning Road, Cloud Nine Plaza, Shanghai, China
P.C.: 200042
Tel: +86-21-33727290
Fax: +86-21-33727291
Web: www.HSarchitects.cn

扫描查看更多信息

上海工程勘察设计有限公司
Shanghai Engineering Survey & Design Co.,Ltd.

上海工程勘察设计有限公司，是上海国泰创业（集团）有限公司旗下的一家由建设部批准的具有建筑工程设计甲级资质的综合性设计公司，拥有IAF和CNAS所颁发的全面质量管理ISO9001：2008双重认证，也是“全国优秀勘察设计企业”之一。公司自1992年成立以来，专注于建筑工程领域的设计和研究，现已发展成为集丰富的设计经验、强大的技术力量和完善的管理制度为一体的现代化综合设计公司。时至今日，公司所承担的项目总量超过5000个，受到社会各界和相关部门的肯定并屡获嘉奖，为城市建设和社会的经济发展做出了卓越的贡献。

地址：上海市武宁南路318号
电话：+86-21-62310080
传真：+86-21-62317080
邮箱：info@saec.cc
网址：www.saec.cc

Add: No.318 South Wuning Rd,Shanghai, China
Tel: +86-21-62310080
Fax: +86-21-62317080
E-mail: info@saec.cc
Web: www.saec.cc

摩德工程咨询（上海）有限公司

MOD Engineering Consulting (Shanghai) Co., Ltd.

MOD · 摩德工程咨询（上海）有限公司是一家外商独资（德国）。设计咨询专业公司，由旅德建筑师、德中建筑协会主席陈冰先生于2004年创立，公司经营的范围包括城市规划、建筑设计、园林景观等。设计团队来自中德两国。
公司的优势首先在于其国际化的理念、视野与中国建筑实际的紧密结合，力争为业主提供既具有国际化水准，同时又符合中国实际情况的设计作品，追求具有时代感的中国本土文化气息的设计文化。
公司的一大特色是规划、建筑、景观三位一体的设计。MOD的理念是通过建筑设计来整合城市空间，同时又在城市空间环境相互联系的基础上设计单体建筑。设计师充分运用建筑在环境中生长的理念，将生态景观的打造放到至高的地位，以人为本，创造人性化的居住、生活与工作环境。
MOD奉行“以先进理念吸引业主、以优秀作品打造品牌”的宗旨，遵循服务至上的理念，为业主提供具有国际水准的创意性设计作品，打造21世纪生态人居环境。

MOD Engineering Consulting (Shanghai) Co., Ltd. is a wholly foreign (German) owned design consulting professional company, founded by Mr. Bing Chen, German Chinese architect and president of " dcb deutsch – chinesisches Bauforum e.V." in 2004. MOD's operations cover urban planning, architectural design, gardening and landscaping. The design team members come from China and Germany.
MOD takes advantages of its international philosophy, vision and closes integration with Chinese architectural reality, tries to offer international class designs to owners, also meeting Chinese reality, and seeks local design culture with epochal features.
MOD is also featured by a trinity of planning, architecture and landscaping. Its philosophy is to integrate urban spaces by design, and meanwhile design single buildings based on interrelationship between urban spaces and environment. MOD takes full advantages of the idea "architecture growing in the environment", to put the eco-landscaping creation in the first priority, to be human-based, and to create personalized residential, living and working environment.
MOD follows the purpose of "attracting owners by leading ideas, and creating brands by excellent works", performs the philosophy of service first, offers owners with world-class creative design works, and creates eco-habitat for the 21st century.

地址：中国上海市北京西路1701号1602室
电话：+86-21-62884020
传真：+86-21-62884030
邮箱：oecmod@126.com
网址：www.mod-china.net

Add: Room 1602,Beijing West Road No.1701,Shanghai,China
Tel: +86-21-62884020
Fax: +86-21-62884030
E-mail: oecmod@126.com
Web: www.mod-china.net

扫描查看更多信息

美 国 H M 国 际 有 限 公
上海华墨建筑设计事务所有限公司

华墨国际是由美国HM 国际有限公司及上海华墨建筑设计事务所有限公司共同创立的一家全方位、多元化的设计公司。在美国得州和中国上海分别注册。公司的理念是注重建筑实践的全过程，包括全面的建筑工程、设备以及相关服务如规划设计、建筑设计、城市设计、室内设计、景观设计。华墨国际为许多地产集团、政府部门完成众多成功的作品，并和国内大型设计集团及国际著名设计公司有着广泛的业务合作。公司以城市设计、城市综合体、星级酒店、高级办公楼、博物馆、医疗建筑、教育建筑、大规模居住区规划、商业地产、旅游地产、高科技厂房等方面见长。

地址：上海市闸北区恒丰路436号（裕通路路口）环智国际大厦904单元
邮编：200070
电话：+86—21—52436133 +86—21—52436233
传真：+86—21—62870077
邮箱：market@hmint.com.cn

Add: Room 904,Huanzhi International Building,Hengfeng Road No.436,Zhabei District,Shanghai
P.C.: 200070
Tel: +86-21-52436133 +86-21-52436233
Fax: +86-21-62870077
Web: market@hmint.com.cn

扫描查看更多信息

上海都冀建筑设计有限公司
Shanghai DUGEE Design Co.,Ltd.

都冀建筑成立于2007年，设计范围包括城市设计、建筑设计以及景观设计，包含办公、商业、住宅、酒店和学校设计。成立5年来，公司凭借专业建筑设计知识，丰富的设计经验以及全程掌控的能力，一直致力于为客户提供优质的创新建筑设计服务。
都冀建筑重视城市景观、建筑设计、室内设计的相互间的关联与渗透，并秉承“热情忠诚”的服务信条与“融会创新，追求卓越”的设计理念，去寻求能使项目土地价值、市场定位、文脉、艺术感以及人的体验感等相互交融的空间形态。

地址：上海普陀区陕西北路 1388 号上海银座企业中心
电话：+86-21-51688771
传真：+86-21-51685271
邮件：biz@dugee.cn
网址：www.dugee.cn

Add: Shanghai Silver Tower Enterprise Centre, Shaanxi North Road, No.1388,
Putuo District, Shanghai
Tel: +86-21-51688771
Fax: +86-21-51685271
E-mail: biz@dugee.cn
Web:www.dugee.cn

扫描查看更多信息

上海大椽建筑设计事务所

Shanghai Dachuan Architectural Design Office

上海大椽建筑设计事务所的多位核心成员拥有15年专业背景，曾任职于各大设计机构，积累了丰富的工程经验、非常具有团队默契，确立了共同的价值观和判断力。公司重视对设计的宏观控制力并专注于微理的研究，希望创造更为契合城市的设计作品。目前该公司为客户提供商业综合体及高端住宅项目规划设计、建筑方案、建筑初步设计，以及施工图建筑设计的配合控制服务。同时通过协调完善各专业，进一步提升项目的整体品质。公司成立以来，已为上海地产集团、上海爱家集团、上海绿地集团、吉盛伟邦集团、融创集团、吉林大众置业、四川恒邦等多家国内大型地产集团提供设计服务。我们期待与更多拥有共同理想的业内人士携手共进。

Shanghai Dachuan Architectural Design Office has a number of key members with 15 year professional experience. They used to work at different large design institutes, thus accumulated rich project experience and established good team work relationship with common idea on value and judgment. The office focuses on general design control and special research, creating design works adapt to the city. We design commercial complex project and high standard residential building, including planning, architectural schematic design, preliminary design and construction drawing coordination and control. We strive to promote integral quality through good coordination of individual disciplines. Since establishment of the office, we have worked for a number of large real estate companies, including Shanghai Land Group, Shanghai Aijia Group, Shanghai Green Land Group, JSWB Group, Rongchuang Group, Jilin Dazhong, Sichuan Hengbang etc. We expect to march forward with more people of common ideal.

地址：上海市复兴中路369号13层
电话：+86-21-63737771
传真：+86-21-63731118
邮箱：1554973486@qq.com
网址：www.dca.sh.cn

Add: Floor 13, No. 369 Fuxing Middle Road, shanghai
Tel: +86-21-63737771
Fax: +86-21-63731118
E-mail: 1554973486@qq.com
Web: www.dca.sh.cn

上海筑誉设计及工程集团
Shanghai Zhuyu Architectural Design & Engineering Group

上海筑誉设计及工程集团 2007 年在上海创建，集团由 6 家独立的法人机构合并组建，开展在中国大陆的设计及施工工程业务。集团依托国际化背景，以国际 + 本土的专业化团队，形成自己的创作和服务特色。在创作观上，强调设计是一种行为，一种过程，一种服务，而宗旨在于发现及寻找实现特定项目价值最大化的机遇及解决方案。业务范围包括城市设计、酒店、办公、商业、住宅、学校、体育场所等，并重视发展建筑设计服务的延伸。
近年来集团涉足包括室内精装修设计、景观设计、幕墙设计等专业设计及施工工程在内的优势门类，大力推进绿色生态建筑的发展。同时，推进设计与工程相结合的战略，逐步实现设计与施工工程一体化发展的目标。

下属企业

上海优爱建筑设计事务所（普通合伙）Shanghai UAD Architectural Design Firm
美国 IDA 建筑设计事务所（上海）Integrated Design &Associates,LLC,USA (Shanghai)
上海疏影建筑装饰设计有限公司 Shanghai Shu Ying Decoration Design Co.,Ltd.
华泰装饰工程有限公司（上海）Hua Tai Decoration Construction Co.,Ltd. (Shanghai)
上海度尚景观设计有限公司 Shanghai Du Shang Landscape Design Co.,Ltd.
上海都江幕墙工程有限公司 Shanghai Du Jiang Stone & Curtain Wall Construction Co.,Ltd.

地址：上海市静安区安远路 555 号 806 室
电话：+86-21-62981500
传真：+86-21-62986711
邮箱：mail@zhuyudesigngroup.com
网址：www.zhuyudesigngroup.com.cn

Add: Room 806, An Yuan Road No.555, Jing An District, Shanghai
Tel: +86-21-62981500
Fax: +86-21-62986711
E-mail: mail@zhuyudesigngroup.com
Web: www.zhuyudesigngroup.com.cn

上海沃尔建筑设计有限公司
Shanghai Waller Architecture Design Co.,Ltd.

上海沃尔建筑设计有限公司创办于2003年，公司凭借专业的团队、创新的设计、完善的服务已成功地为众多的政府机关、跨国企业集团、上市公司和个人提供整体的建筑和室内创意设计，拥有丰富的设计和服务经验。
上海沃尔工作领域涉及建筑设计、室内设计、项目管理和古迹维护，上海沃尔一直站在世界建筑设计业和建筑工程业的最前沿，自成立以来已经完成50多项设计，包括办公大楼、银行和金融机构、政府建筑、会展中心、大型剧院、高级酒店、购物中心、地铁车站、私人豪宅等。

地址：上海市静安区新闸路831号丽都新贵18-C
电话：+86-21-52340632
传真：+86-21-52340630
邮箱：caozhenfu@vip.sina.com
网址：www.taliesinwest.com.cn

Add: 18-C, Cosmopolitan Priority Building, 831 Xinzha Road, Jing'an District, Shanghai
Tel: +86-21-52340632
Fax: +86-21-52340630
E-mail: caozhenfu@vip.sina.com
Web: www.taliesinwest.com.cn

扫描查看更多信息

上海广万东建筑设计咨询有限公司
HMA Architects & Designers

HMA是一家全日资公司，创立于2002年末，于2004年完成了上海8号桥的设计。该项目的一期工程在2005年竣工，旋即就以其独特的建筑立面风格和丰富的空间感，得到了广泛认可和高度评价。8号桥项目成为了国内旧厂房改建的标杆、上海城市的新地标、创意产业园的典范，并由此奠定HMA在国内建筑改造设计领域的领先地位。

随后几年内HMA陆续完成了多个建筑改造项目，如X2创意空间、2010上海世博会浦西最佳城市实践区B4展馆改建、大宁中心广场（第一机床厂改建）、复地四季广场（上海第四制药厂改建）等，这些项目都以丰富多变的空间感和雅致内敛的立面风格获得了很高的评价。其中世博会B4地块的设计获得了2010年公开国际竞赛一等奖。

HMA并未止步于建筑改造设计。2007年HMA有幸加入日本福冈博多运河城的原班策划、设计团队，共同进行了南京水游城的设计。联合团队凭借在商业建筑方面已有的设计经验及对优秀商业设施的执著追求，最终出色完成了南京水游城的设计工作。功夫不负有心人，目前此项目商业运营情况良好，更成为南京当地的标志性商业设施。南京水游城不仅通过其开放式的空间、丰富多彩的互动活动，给予消费者舒适的空间体验、难忘的文化社交感受。特别是全面开放的地下商业空间、贯通全设施的运河水系及音乐喷泉系统，颠覆了以往地下商业空间的压抑感和单调感。南京水游城已经成为国内开放式MALL的开创性典范。

南京水游城开启了全新的商业建筑设计和商业运营模式，HMA此后相继主持了盘锦水游城、天津水游城、武汉水游城、湘潭水游城、锦州水游城等的建筑设计。正是此类商业模式设计经验的积累，为HMA赢得了良好的商业设计口碑。HMA在上海、北京、成都、苏州、徐州、武汉等地都留下了或将留下自已的设计作品。

Established in the end of 2002, HMA, a wholly-owned Japanese company, completed the project of The Bridge 8 in 2004. When Phase I of the project was completed in 2005, it was immediately recognized and highly praised with its unique façade and variable space. The Bridge 8 then becomes a benchmark in China for reconstruction of old factories, a new landmark of Shanghai and an example of creative industrial parks, which puts HMA in a leading position in building reconstruction design.

In the following years, HMA completed the design of several building reconstruction projects, such as X2 creation Space, reconstruction of Puxi Urban Best Practices Area B4 of 2010 Shanghai Expo, Daning Central Square (reconstruction of Shanghai No.1 Machine Tool Works) and Forte Four Seasons Square (reconstruction of Shanghai Fourth Pharmaceutical Factory) and so on. All these projects have been highly praised with their rich and varied sense of space and elegant and reserved facade style. In addition, Its design of Puxi Urban Best Practices Area B4 won the First Prize of 2010

HMA does more than building reconstruction design. In 2007, HMA had the honor to join in the whole planing and design team of Canal City Hakata, Japan to design Nanjing Aqua City. With design experiences and persistent pursuit of excellent business facilities, the joint team finally has done a great job in the design. Hard work pays off. The project operates very well now and becomes a local landmark business facility in Nanjing. Nanjing Aqua City provides consumers with a comfortable spatial experience and an unforgettable cultural and social feeling with its open space and colorful interactive activities. Especially, the fully open underground business space, the canal water system threading all facilities and the music fountain system overthrow the depressive and monotonous feel in the past underground business space. Nanjing Aqua City has become an open mall pioneering model in China.

Nanjing Aqua City initiated a wholly new business building design and business operation mode. HMA then hosted the architectural design of Panjin Aqua City, Tianjin Aqua City, Wuhan Aqua City, Xiangtan Aqua City and Jinzhou Aqua City and so on. It is the design experience of such business mode that has gained HMA a good reputation in business design. HMA has left or will leave its design works in Shanghai, Beijing, Chengdu, Suzhou, Xuzhou and Wuhan.

地址：上海黄浦区建国中路3号建国大厦3层
电话：+86-21-54669966
传真：+86-21-64152060
邮箱：hma@hmadesign.com
网址：www.hmadesign.com

Add: 3F, Jianguo Building, Middle Jianguo Road No. 3, Huangpu District, Shanghai
Tel: +86-21-54669966
Fax: +86-21-64152060
E-mail: hma@hmadesign.com
Web: www.hmadesign.com

扫描查看更多信息

BDI 上海柏创建筑设计有限公司 Boarch Design International

BDI（Boarch Design International）柏创国际注册于美国洛杉矶，2001年在上海设立事务所开拓中国市场。在10年多的发展历程中，BDI完成了大量国内知名项目，并赢得了项目业主的尊重和赞誉。BDI长期致力于提供城市规划、大型居住区、城市综合体、交通建筑、办公、酒店、商业、学校等相关专业的设计服务。在建筑咨询、城市规划、建筑设计、室内设计、景观设计、平面图形设计及数字辅助设计等领域建立了广泛的合作客户群体，积极为业主提供市场分析及产品策划等辅助服务，并在城市综合体、集群商业、高档写字楼、居住区规划、高档住宅社区等方面形成了专业优势。BDI力图营造轻松、愉悦、平等、人性化的工作环境，团队的成员有来自国内各著名设计院经验丰富的建筑师、工程师、规划师、园林建筑师、室内设计师、建筑施工管理专家和各类专业顾问，以及来自美国、芬兰、马来西亚、菲律宾等国家的优秀设计师，他们热爱生活、激情洋溢，充满理想，在快乐的工作中实现着个人的人生价值。BDI一贯追求品质并始终以“设计改变生活”为核心理念。

BDI (Boarch Design International) was registered in Los Angeles, USA. In 2001, it sets up an office in Shanghai, to operate in Chinese market. Since its entry into Chinese market, BDI has completed a large number of domestic famous projects, winning respects and reputations from the owners. BDI is always committed to providing professional design services for urban planning, large residential communities, urban complexes, traffic buildings, offices, hotels, commercial buildings and schools, establishing extensive customer base in architectural consulting, urban planning, architectural design, interior design, landscaping design, planar graphic design, CAD and other fields. It actively provides market analysis, product planning and other auxiliary services, and forms its own professional advantages in urban complex, commercial cluster, hi-grade office buildings, residential community planning, hi-grade residential communities and other fields. BDI tries to create easy, happy, equal and human-based work conditions, and its team members include experienced architects, engineers, planners, gardening architects, interior designers, construction managers and various professional consultants from domestic famous design institutes, as well as excellent designers from the USA, Finland, Malaysia, Philippines and other countries. They are loving life, energetic, idealistic and realizing their life value by happy work. BDI is always in pursuit of high quality, with the core philosophy of “design changing life”.

地址：上海市浦东新区浦东南路528号证券大厦北塔17楼
电话：+86-21-68824686
传真：+86-21-68824687-8001
邮箱：bdi@vip.163.com
网址：www.boarch.com

Add: 17th Floor,the Securities Building,Pudong South Road No.528, Pudong New Area, Shanghai
Tel: +86-21-68824686
Fax: +86-21-68824687-8001
E-mail: bdi@vip.163.com
Web: www.boarch.com

山西省建筑设计研究院
Shanxi Architectural Design and Research Institute (SADI)

山西省建筑设计研究院创建于1953年，是山西的第一家国家综合甲级设计研究院，并获得国际ISO9001：2000、ISO14001：2004和GB/T28001－2001三个体系认证。全院现有职工641人，有专业技术人员532人，其中教授级高工13人，享有政府特殊津贴专家10人，高级建筑师、高级工程师124人，建筑师、工程师225人，有各类国家注册人员162人，山西省青年设计专家6人，具有一批学术造诣较高、省内外知名的专业技术带头人。设综合设计所（10个）、建筑方案创作所、工程勘察所、惠州办事处、工程咨询中心、新型结构研究中心和岩土工程研究所等设计及科研机构。

服务项目有城市规划、工程咨询、工程设计、工程勘察等。半个多世纪的精心设计、锐意创新，为山西的城乡建设做出了突出的贡献。在医疗建筑、体育建筑、商业建筑、文化教育建筑、大型公共建筑、居住建筑和邮电、电力、餐饮、宾馆、工厂等工业与民用建筑工程设计及建筑节能设计中积累了丰富的经验。多年来累计完成工程设计8000多项，建筑面积达7000余万 m^2。项目遍布三晋大地，南疆北国，远及亚、非、欧诸洲。获国家、部、省级奖励150余项，研究、推广、应用新技术、新工艺280余项，并注重理论研究与学术交流，享有良好的社会声誉、广受业界好评，获得国建筑设计行业诚信单位荣誉称号。

精致建筑、精彩生活。山西省建筑设计研究院将更加关注用户需求，为用户提供更好的服务，为社会做出更多的贡献。

The institute of Shanxi Architectural Design & Research was founded in 1953 and it is the first grade A national comprehensive design & research institute in Shanxin Province. It has passed three system certifications of ISO9001:2000, ISO14001:2004 and GB/T28001-2001, and now has 641 employees, including 532 professionals, which further comprise 13 professor senior engineers, 10 experts awarded with special government allowances, 124 senior architects and senior engineers, 225 architects and engineers, 162 employees licensed for various national registered certifications, 6 youth design experts of Shanxi Province and lots of professional technical leaders with high academic attainments, who are well-known inside and outside the province. The institute has set several design and scientific research institutions, such as (10) Comprehensive Design Institutes, Institute of Building Scheme Creation, Institute of Engineering Investigation& Surveying, Huizhou Agency, Engineering Consulting Center, New Structures Research Center and Institute of Geotechnical Engineering, etc.

The institute's service fields cover urban planning, engineering consultation, engineering design and engineering investigation& surveying, etc. With meticulous design and unceasing innovation of over half a century, it has made a significant contribution to the urban and rural construction of Shanxi Province. Concurrently, it has gathered rich experience from medical buildings, sports building, commercial buildings, cultural and educational buildings, large public buildings, residential buildings, as well as from the industrial and civil-use constructional engineering design and building energy-efficiency design in post and telecommunications, electric power, catering, hotels and factories, etc. The institute has completed over 8000 engineering design projects over the years with a building area more than 70,000,000 m², covering Shanxi Province, ranging from North China and South Xinjiang, even to Asia, Africa and Europe. It has won over 150 national, ministerial-level and provincial-level awards, and studied, developed and applied more than 280 new crafts and technologies. At the same time, the institute focuses on theoretical research and academic communication, having enjoyed a great fame in the society and throughout the circles, and was entitled as the Credit Enterprise of National Architectural Design Industry.

With the belief of Delicate Building, Splendid Life, the institute of Shanxi Architectural Design & Research will pay more attention on the users' demands, thus to supply better service to the users and make more contribution to the society.

地址：山西省太原市府东街5号
邮编：030013
电话：+86-351-3285917/3285361
传真：+86-351-3073613
邮箱：sxy-khfw@126.com
网址：www.sxjzsj.com.cn

Add: 5 Fudong Street, Taiyuan City, Shanxi Province
P.C.:030013
Tel: +86-351-3285917/3285361
Fax: +86-351-3073613
Email: sxy-khfw@126.com
Web: www.sxjzsj.com.cn

扫描查看更多信息

西安利群建筑工程设计事务所
Xi'an Liqun Associates,Inc.

西安利群建筑工程设计事务所于2003年4月成立，持有建设部颁发的建筑工程设计甲级资质，是西北地区唯一一家专业从事医疗建筑设计的企业。在医院新建及改扩建设计方面具有较强的专业优势，业绩涵盖国内数十个省、市、自治区。
西安利群遵循质量第一、服务至上的经营理念，强调质量是设计的灵魂，服务是品质的保证，通过创新的手法和有效的管理，努力实现每个项目社会效益和经济效益的最大化。
事务所主要技术骨干多年从事医疗建筑设计，参与了多所医院的新建及改扩建工程，有着丰富的设计经验。事务所的作品山西省运城市中心医院获得"陕西省第十六届优秀设计"一等奖，同时获得"2011年度全国优秀工程勘察设计行业奖建筑工程"三等奖；由利群团队担任主要设计人的第三军医大学西南医院门诊大楼获得"2008年度中国医院建筑优秀设计"一等奖，西安交通大学第一附属医院医疗综合大楼获得"陕西省第十五届优秀工程设计"一等奖。
事务所在长期与境外著名医疗建筑设计大师的合作过程中，学习、吸收了境外先进的医疗管理 、医疗服务及医疗建筑设计理念，并将之用于本土医疗建筑设计实践中。结合中国国情扬长避短、整合优化，设计业绩个性鲜明，特色突出，受到业主广泛好评。

地址：西安市高新一路5号正信大厦B座2603室
电话：+86-29-83151599
传真：+86-29-83151599-816
邮箱：Xian_liqun@163.com
网址：www.xaliqun.com

Add: Room 2603, Block B, zhengxin Building, Gaoxinyilu No.5, Xi'an
Tel: +86-29-83151599
Fax: +86-29-83151599-816
E-mail: Xian_liqun@163.com
Web: www.xaliqun.com

西安樊广智建筑设计事务所
Xi'an Fan Guang Zhi Architects Inc.

在"著名建筑师事务所"铭牌下诞生，2005 年起步建业，历时 6 年，业绩丰厚。
西安樊广智建筑设计事务所是由著名建筑师樊广智领衔创建的甲级资质建筑设计企业。于 2004 年获得国家建设部批准，为国家首批"著名建筑师设计事务所"。注册地在西安。2005 年启动建筑设计业务活动。2009 年经中国勘察设计协会全国勘察设计企业资质审查换证，设计资质证号：A161006654。
西安樊广智建筑设计事务所拥有各类个人执业注册资质和工程设计资质工程技术人员、技术管理人员 16 人，其中：执业一级注册建筑师 5 人，二级注册建筑师 1 人，英国谢菲尔德大学景观学硕士毕业景观设计师 1 人，建筑设计 5 人，高级结构工程师 1 人（聘用）；档案管理、行政后勤管理人员 3 人。
业务：各类建筑工程设计，小区级规划设计、高品质环境景观设计，装饰设计及编制建筑工程项目建议书，可行性研究等多种业务。

地址：西安市高新三路财富中心二期 B 座 2512 号
电话：+86-29-65676928
传真：+86-29-65676928-8822
邮箱：Fgzhsws@163.com

Add: No.2512, Tower B, Fortune Plaza Phrase II, Gao Xin San Road, Xi'an
Tel: +86-29-65676928
Fax: +86-29-65676928-8822
E-mail: Fgzhsws@163.com

中国建筑西南设计研究院有限公司

CHINA SOUTHWEST ARCHITECTURAL DESIGN AND RESEARCH INSTITUTE CORP.LTD.

中国建筑西南设计研究院有限公司始建于1950年，是中国同行业中成立时间最早的大型甲级建筑设计院之一，隶属世界500强企业中国建筑工程总公司。建院60多年来，本院设计完成了近万项工程设计任务，项目遍及中国各省、市、自治区及全球10多个国家和地区，是中国拥有独立涉外经营权并参与众多国外设计任务经营的大型建筑设计院之一。2004年以来该院连续4年被亚洲建筑师协会评为"中国十大建筑设计公司"，并获得"全国工程勘察设计百强"企业称号。

目前，本院设计主业有各类专业技术人员1200余人，其中教授级高级建筑师、教授级高级工程师60余人，高级建筑师、高级工程师270余人，国家一级注册建筑师、一级注册结构工程师、注册造价工程师、注册设备工程师、注册电气工程师300余人。多年来，西南院共培养出中国工程勘察设计大师4人，人事部有突出贡献中青年专家1人，建设部有突出贡献中青年专家2人，四川省学术和技术带头人3人，四川省有突出贡献专家2人，享受政府特殊津贴23人，四川省工程设计大师17人。

作为中西部最大的建筑设计院和国家基本建设的重要国有骨干企业，本院以"精心设计、服务社会"为己任，坚持以繁荣建筑创作为宗旨，不断完善创新设计理念，力创建筑设计精品，在工程设计和科研方面获国家级、部级和省级以上优秀奖500余项，并取得了国家优秀设计金质奖五项、银质奖四项、铜质奖五项的创优佳绩。60多年的设计耕耘，西南院在博览文化建筑、体育建筑、医疗建筑、教育建筑、旅游建筑、居住建筑以及空间结构等设计领域具有独特的设计优势，而严格、规范的ISO9001质量体系认证管理更使本院的设计质量为业界广泛认同。

在加强生产经营、科技创新和内部管理工作的同时，本院认真贯彻企业党建工作和企业文化建设的各项工作，提倡三个文明建设同步发展、共同进步。本院在改革发展中相继获得建设部"八五期间全国工程建设管理先进单位"、"精神文明建设先进单位"、全国优秀勘察设计院、四川省先进单位、"重点工程建设先进单位"、省级"最佳文明单位"以及"国家'十五'期间科技进步先进集体"等荣誉称号。

Established in 1950, China Southwest Architecture Design and Research Institute Corp.Ltd, is one of the large-scale, Grade-A and comprehensive architectural design institutes, founded among the earliest in the same industry in China. It is subordinated to one of the Fortune Global 500--China State Construction Engineering Corporation. The institute has fulfilled almost 10 thousand design tasks during the 60 years or more since it was founded, which extend all over China and 10 other countries and regions . Boasting independent and foreign related operating authority, it has been awarded by Asia Institute of Architectures as one of "China's Top 10 Architectural Design Firms"for the successive four years since 2004. Moreover, it has been awarded as "one of the best 100 national Reconnaissance Design Corporation".

At present, there are more than 1,200 professional and technical personnel in our institute, including over 60 senior architects and engineers with the rank of professor, over 270 senior architects and engineers, over 300 national 1st grade registered architects, structural engineers, cost plan engineers, facilities engineers and electrical engineers; 4 national engineering design masters,1 expert with great contribution in middle and young age awarded by ministry of personnel, 2 expert with great contribution in middle and young age awarded by ministry of construction, 3 provincial academic and technical experts, 2 provincial expert with great contribution in middle and young age, 23 experts who get special allowance from government and 17 provincial engineering design masters.

As the biggest architectural design institute in middle west, the important and backbone state-owned enterprise in the country's capital construction, the institute takes "Elaborate Design and Service for Society" as the task and persists in the aim of prospering architectural creation. We constantly improve design concepts, bring forth new ideas, and take efforts to produce fine works in architectural design. Thus, we have won over 500 items of national, departmental and provincial award in engineering design and scientific research, including 5 gold, 4 silver and 5 bronze awards of National Excellent Design. More than 60 years' efforts in design make the institute show unique design advantages in international fair culture architecture, sports buildings, medical treatment buildings, educational buildings, tourism buildings, residential buildings and spatial structure design and so on. And the strict and standardized management authentication of the ISO9001 quality system makes the design quality of the institute recognized by the whole industry.

Except for enhancing production and operation, technology innovation and development and interior management, the institute also thoroughly implements party building and spirit building, advocating the simultaneous development of "the three civilization construction". Our institute bears fruits in its reform and development. It successively wins the honors of "Advanced Enterprise of National Engineering Construction and Management during the 8th Five-Year Plan", "the Advanced Enterprise in Spiritual Civilization", "Advanced Enterprise of Key Engineering Construction", "The Best Civilized Enterprise" of the Province, "National Excellent Reconnaissance Design Institute", "Provincial Advanced Enterprise" and "Advanced Group in Science and Technology advancement during the 10th Five-Year Plan".

地址：四川省成都市天府大道北段866号
电话：+86-28-62550866
传真：+86-28-62550900
邮箱：xnyyb@vip.163.com
网址：www.xnjz.com

Add: No.866, North Section of Tianfu Avenue, Chengdu City, Sichuan Province
Tel: +86-28-62550866
Fax: +86-28-62550900
E-mail: xnyyb@vip.163.com
Web: www.xnjz.com

扫描查看更多信息

四川山鼎建筑工程设计股份有限公司
Sichuan Cendes Architecture Engineering Design Co., Ltd.

四川山鼎建筑工程设计股份有限公司（Cendes）具有国际背景的公司决策层和国际化项目管理运营体系，国际水准的专业技术服务团队为项目提供整体解决方案。
Cendes 以国际智慧融合当地经验，秉承"筑就城市理想"的理念，其各地运营公司的500多名国内外专业人士，在建筑、规划、环境、能源等领域为政府及私人机构提供专业咨询和综合工程设计服务。
Cendes 拥有各地的丰富经验和本土知识，通过不断的技术创新和项目实践，持之以恒地改善并维护各地的建筑品质、城市环境和社会环境的可持续发展。
Cendes 以全面和超越的视野、整合的解决方案，应对各个领域日益复杂的挑战，为公司品牌发展创造持久影响力。
山鼎设计（Cendes）各地运营公司：
· 四川山鼎建筑工程设计股份有限公司（住建部甲级资质）
· 山鼎设计（北京）
· 山鼎设计（上海）
· 山鼎设计（西安）

Sichuan Cendes Architecture Engineering Design Co., Ltd. (Cendes) provides overall project solutions with international decision-making layer, project management and operation system and professional technical service team.
Combining the international wisdom and local experience, upholding the concept of "Creating City Ideal", Cendes and its more than 500 experts from home and abroad in its operating companies provide professional consulting and complex engineering design service for government and private organization in such fields as architecture, planning, environment and energy etc.
Cendes owns and possesses abundant experience and local knowledge, through the continuous technical innovation and project practice, it keeps to improve and maintain the local architecture quality, city environment and the sustainable development of social environment.
Cendes faces more and more complicated challenges in all fields with thorough and superior view and integrated solution to create lasting influence for the company brand.
Cendes Operating Companies:
Sichuan Cendes Architecture Engineering Design Co., Ltd. (Housing Ministry A-Class Qualification)
Cendes (Beijing)
Cendes (Shanghai)
Cendes (Xi'an)

地址：成都市天仙桥北路三号附一号流星花园2F
电话：+86-28-86671100
传真：+86-28-86672200
网址：www.cendes-arch.com

Add: The Second Floor, No. 1 Meteor Garden, 3 Tixianqiao North Road, Chengdu City
Tel: +86-28-86671100
Fax: +86-28-86672200
Web: www.cendes-arch.com

成都基准方中建筑设计事务所
Chengdu Jizhunfangzhong Architectural Design Associates

基准方中建筑设计事务所是以领先的商业模式，追求市场、技术、经济、文化、管理的和谐发展，合伙人性质的大型建筑设计企业，致力于为城市建设投资商提供咨询、设计、管理服务，促进人类、城市和建筑的可持续发展。成立于2002年12月。

事务所总部设在四川省成都市，以立足中西部、面向全国、走向世界为发展目标。目前已在重庆、西安、北京、昆明和上海设立了分支机构。拥有各级专业技术人员近1300人，其中国家一级注册建筑师、一级注册结构工程师、注册电气工程师、注册公用设备工程师等逾100人。事务所计划在未来的3–5年，有计划地在全国各地和世界范围内设立更多的分支机构，为更广泛的客户提供便利、高效、高质量的订制服务。

10年来，事务所在中西部乃至全国设计服务市场的影响力和声誉不断扩大，已成为中国中西部民营设计服务企业领先品牌。事务所本着诚信守法、全过程、全面专业服务的原则和全心全意为客户服务的理念，严格执行国家制订的有关建筑法规，通过有价值的创造性的工作，努力为业主和社会创造优质的建筑工程设计产品。

基准方中的中、长期发展目标是成为具有高度社会责任感和历史责任感、市场化的、以创造具有持久价值的建设产品为根本目的，具有强大研究、咨询、设计和管理能力，服务于建设的大型综合技术服务公司，通过在设计实践中不断吸收、学习欧美优秀大型设计公司的成功经验和先进的经营模式（理念），努力将自身建设成为国内领先、在国际上有影响力的大型综合建筑设计服务企业。

Jizhun FangZhong Architectural Design Associates is a large architectural design firm of associates in pursuit of harmonious development of market, technology, economy, culture and management, with leading business model, committed to consulting, design and management services for urban construction investors, and the sustainable development of human, city and architecture. It was established in December 2002.

The firm is headquartered in Chengdu City, Sichuan Province. It aims to be a national or even multinational business. Currently, it has branches in Chongqing, Xi'an, Beijing, Kunming and Shanghai, with nearly 1,300 professionals and technicians, including over 100 national Class-1 registered architects, Class-1 registered structural engineers, registered electrical engineers, and registered utility engineers. In the future 3-5 years, the firm plans to set up more branches nationwide and worldwide, to provide convenient, efficient and high-quality custom services for extensive customers.

In a decade, the firm wins increasing influence and fame in midwest or nationwide design service market, and it has become a leading civil design service brand in midwest China. The firm follows the Credit, One-stop and Seamless professionalism principles and the full heart in customer service philosophy, strictly performs relevant architectural laws and regulations of the PRC, and tries to create quality architectural design products for owners and the society, with valuable creative efforts.

The mid-long term development objective is to become a large comprehensive technical service company with high social responsibility and historical responsibility, which is market-oriented to perpetual value creation, with rich research, consulting, design and management capabilities in service of building industry. By absorbing and learning from the successful practices and advanced operational model (philosophy) of the large design companies in Europe & the USA, the firm tries to build up itself to be a domestic leading large comprehensive architectural design service provider with international influence.

成都事务所（总部）
地址：成都市西玉龙街6号新世纪广场 10F-16F, 20F, 29F
电话：+86-28-86582121
邮箱：KF@jzfz.com.cn

Chengdu Architects Inc.(Headquarter)
Add: 10F-16F, 20F, 29F, New Century Square, Xiyulong Street No.6, Chengdu
Tel: +86-28-86582121
E-mail: KF@jzfz.com.cn

扫描查看更多信息

VTR(美国)国际设计研究有限公司（中国机构）
VTR (USA) International Design Institute Ltd. (Chinese Organization)
四川中维工程设计有限公司
Sichuan Zhongwei Design Engineering Co.,Ltd.

“建筑设计，反映着每个时代科技、经济与文化的内涵。设计的意义也随着时间而演变，成为一种新的国际语言。”
VTR（美国）国际设计研究有限公司（中国机构）（简称：VTR），是一家拥有建筑工程甲级设计证书、甲级工程咨询证书的专业设计单位，并在2008年通过了国家质量管理GB/T19001—2000 idt ISO9001：2000标准认证。
VTR（美国）国际设计研究有限公司（中国机构）自2002年进入中国以来，一直致力于融合东、西方文化，强调“人”、“从”、“众”的规划设计理念，同时遵从“建筑以人为本”的人性化共识。近年来VTR又完成了一大批城市标志性建筑，如：成都九龙国际城、成都精亿名城、都英·新世纪广场、简阳东城国际、江西九江柴商国际商业广场、交大科技公园、金堂职业技师学院、莫斯科春天、斑竹园竹韵水街、重庆壹号公馆等项目。
继往而拓进，传承而创新是VTR一直坚持的建筑设计理念。创作是创造的基础，创新是创作的灵魂。VTR团队一直专注把握这一稍纵即逝的设计灵感，并结合个体项目特征，为业主们创作出一个又一个达标作品。

首席执行官：谢绍宁
地址：四川省成都市高新区天府大道北段1480号9号楼F座5层
电话：+86-28-86786662
传真：+86-28-86788919
邮箱：vtr@vtr-sc.com
网址：www.vtr-sc.com

CEO: Shaoning Xie
Add: 5F, Block F, Building No.9, Tianfu Avenue North 1480. Gaoxin District, Chengdu, Sichuan
Tel: +86-28-86786662
Fax: +86-28-86788919
Email: vtr@vtr-sc.com
Web: www.vtr-sc.com

扫描查看更多信息

四川国鼎建筑设计有限公司
SICHUAN GUODING ARCHITECTURE DESIGN CO.,LTD.

四川国鼎建筑设计有限公司是一家具有国家住房和城乡建设部颁发的建筑行业（建筑工程）甲级资质、市政行业（给水、排水、道路、环境卫生工程）专业乙级资质、城市规划编制乙级资质且通过ISO9001质量认证的企业，从事资质证书许可范围内相应的建筑工程总承包业务以及项目管理和相关的技术与管理服务。
公司定位为从事技术型现代服务行业的企业。以“为用户提供有价值的服务”为企业宗旨，以“获得用户最高满意度”为服务目标，以“建筑历史经典”为公司的质量使命。四川国鼎用专业的眼光、创新的思维面对每一项任务，四川国鼎也始终换位于用户的立场，以用户的利益引领我们的服务。四川国鼎急用户所思，行用户所愿。
在公司完善的专业配备下，主要开展城市规划、民用建筑、公共建筑、工业建筑、园林景观、建筑装饰、市政（给水、排水、道路、环境卫生工程）等设计类服务，以及项目管理、项目代建等技术咨询类服务。
公司由一批精英人才构成主要技术力量，人力资源结构趋向专业化、年轻化。现有专业技术人员106名，其中：高级工程师18名，一级注册建筑师5名，一级注册结构师5名，二级注册建筑师4名，二级注册结构师4名，电气及公用设备注册工程师3名，注册环境工程师1名，注册城市规划师3名，工程师42名。团队平均年龄33岁，朝气蓬勃，团结敬业，积极进取。
公司用诚信创造满意，用创新制造价值。在这里，公司真诚地期待，与您一起，构筑经得起市场、岁月和社会考验的重构的价值、凝固的艺术。

地址：四川省成都市高新区科园南路88号天府生命科技园A1办公楼905室
电话：+86-28-85315296/7/8
传真：+86-28-85315296-818
邮件：zggdjz@126.com
网址：www.zggdjz.com.cn

Add: Room 905, Life Science Park Office Building A1, High-tech Zone South Road No.88, Chengdu, Sichuan
Tel: +86-28-85315296/7/8
Fax: +86-28-85315296-818
E-mail: zggdjz@126.com
Web: www.zggdjz.com.cn

扫描查看更多信息

设 计 改 变 世 界

天津大学建筑设计规划研究总院

Tianjin University Research Institute of Architectural Design & Urban Planning

天津大学建筑设计规划研究总院创建于1952年，是国家甲级建筑设计、甲级城市规划设计、甲级文物保护工程勘察设计、甲级工程咨询及甲级旅游规划单位，天大设计总院依托国家重点大学人才优势、学科优势和技术优势，凭借先进的技术装备和严谨的工作作风，近年来在全国范围内完成的各种类型、各种规模的建筑设计、城市规划设计中屡获各类奖项，受到项目委托单位及社会各界的好评。

天津大学设计总院现有一线设计人员470余人，其中45人为国家一级注册建筑师，35人为国家一级注册结构师，17人为国家注册城市规划师，拥有硕士学位的员工占全院总人数的40%以上。天津大学设计总院专业配套齐全，人员素质较高，在教育和科研建筑、旅游和疗养建筑、办公和商贸建筑以及大型医院建筑、体育建筑设计和城市规划、古建筑保护规划等方面都有不俗的成就。其中“天津美术学院美术馆”、“郑州大学工科园”、“天津市滨海新区响螺湾商务区城市设计”、“深圳欢乐谷”、“宝鸡市青铜器博物馆”、“天津蓟县地质博物馆”等项目在国内外影响深远。近几年来，天大设计总院在天津海河重大开发项目的国际竞赛中，曾力挫群雄，摘取一、二等奖的桂冠，同时天大设计总院在工业建筑设计、古建筑复原设计、设计监理、深基坑支护以及建设项目策划和可行性研究等方面也具有很强的竞争实力，业务范围已遍布全国各地，并已开始走出国门，迈进世界市场，取得了骄人的业绩。

“实事求是”是天津大学的校训，它也已经深深地融入本院的企业文化与服务理念之中。特色鲜明、风格独特的天津大学建筑设计规划研究总院，愿为中国的城市建设精心勾绘出最具地方特色、最具竞争力、最具时代精神的发展蓝图。

Established in 1952, Tianjin University Research Institute of Architectural Design & Urban Planning is ranked as national Class-A qualification in architectural design, urban planning and design, survey and planning in heritage protection project, and engineering consulting unit. Relying on the advantage of national key university in talent, disciplines and technology, by virtue of advanced techniques, equipment and strict working style, our research institute has been successively awarded many awards in nation-wide various types and scales of architectural design, urban planning and design in recent years, and has won praises from project commissioned units and community.

The academy now owns more than 470 front-line design staffs, of which 45 are registered national Class-A architects, 35 are registered national Class-A structure engineer, 17 are national registered urban planners, and the master's degree occupy more than 40% of the total number. Complete professional composition and high-quality personnel contribute a lot in achievements such as education and scientific reserach construction, tourism and convalescence construction, office and commercial construction, large hospital buildings, sports architecture design, urban planning as well as protection of ancient buildings, etc. Wherein "Gallery of Tianjin Academy of Fine Arts", "Technology and Science Park of Zhengzhou University", "Urban Design for Tianjin Binhai New Area Xiangluo Bay Business District", "Shenzhen Happy Valley", "Baoji Bronzes Museum"," Tianjin Jixian Geological Museum" and other projects has won reputations at home and abroad, prevalent in the world. In the international competition of major projects on developing Haihe River in Tianjin in recent years, it has beat around and crowned the First and Second Prize respectively. It is also strongly competitive in respect of industrial building design, ancient architecture recovery design, design supervision, deep excavation support, construction project planning and feasibility studies, etc. Its business has spread all over the country as far as joining the world market, and has achieved remarkable results.

As the motto of Tianjin University, "Seeking truth from facts" has been deeply integrated into our corporate culture and service philosophy. With distinct features and unique style Academy of Architectural Design & City Planning Tianjin University is willing to provide city-building in China with the carefully drawn blueprint which has the most local characteristics, the most competitiveness and the spirit of the times.

地址：天津市南开区鞍山西道192号
邮编：300073
电话：+86-22-27404753
传真：+86-22-27401845
邮箱：td_design@126.com
网址：www.aatu.com.cn

Add: No.192, West Anshan Road, Nankai District, Tianjin
P.C.: 300073
Tel: +86-22-27404753
Fax: +86-22-27401845
E-mail: td_design@126.com
Web: www.aatu.com.cn

扫描查看更多信息

元正（天津）建筑设计有限公司
Yuanzheng (Tianjin) Architectural Design Co., Ltd.

元正（天津）建筑设计有限公司在城市规划设计、建筑设计、旅游地产及酒店设计、景观园林设计、工程咨询等专业拥有众多优秀设计师，在国内及海外均有重要工程业绩。公司设计的天津奥林匹克花园二期工程分别荣获“中国经典示范楼盘”综合奖以及“双节双优杯住宅方案竞赛”金奖。

作为世界酒店联盟常务理事单位主持的世界酒店联盟设计中心，针对国内外酒店及旅游度假项目进行了多项工程的规划设计，同时，作为对外经济合作委员会理事单位，在旅游、绿色社区、生态智能城市等方面与国内外诸多项目展开积极合作。

同时与欧盟及国内外科研机构在生态宜居城市社会服务设施配置标准研究、绿色社区标准与评价体系研究、生态智能城市深化设计及指标体系研究等方面进行广泛合作，并在多个城市展开相关标准体系制定及实施工作。

元正一贯秉承从策略导入的设计观念和高品质的设计服务，提供包括环境规划、城市设计、建筑设计、室内设计在内的全方位设计服务。元正致立于建筑空间的创造与体验，营造以人为本的城市环境，将艺术理想与实际建设加以融合，同时适应不同环境的认知感受而灵活变化。元正设计师在参与项目的整个设计流程中，始终立足市场并从使用者的角度进行“适宜设计”，强调环境、人文、艺术与市场的整合，创造建筑空间环境与人的和谐统一。

主要规划及建筑设计项目有韩国济州岛黎湖乐园度假酒店工程、斐济GPH大太平洋酒店、汤加王国Dateline国际日界线酒店、京西原始森林旅游度假区暨京台新城、西柏坡宾馆改扩建工程、悦来湖度假酒店、三亚小洲岛七星级国际度假酒店、天津奥林匹克花园、天津市河西区青少年宫、天津北辰道综合开发项目（300 hm^2）、天津北辰商业中心、天津1号地超高层建筑群综合体、天津瑞景3号地江南春色项目、中新（天津）生态城动漫园美星影视传媒乐活广场、天津和远领居、天津华尔国际大厦、天津滨海新区森林公园居住区规划、天津蓝岸森林商业综合体、廊坊新朝阳百万平方米商业综合体、廊坊大中广场、廊坊龙河中心区、廊坊建业大厦、廊坊·晓廊坊规划建筑设计、月色廊坊商业广场、华北油田万庄小区、廊坊市林业局办公楼、廊坊大学城青年港·自由郡、廊坊一中改扩建工程、廊坊第十四、第十五小学设计、廊坊隆福市场规划、廊坊卫生学校、廊坊望京华府规划设计、秦皇岛开滦路步行商业街区与道南片区设计、北戴河东山宾馆、北戴河东经路宾馆、秦皇岛北城一号项目、秦皇岛天洋新城四期、秦皇岛水榭云间、秦皇岛青鬈家园TownHouse社区、山海关人民医院、秦皇岛市海港区房管局办公楼、秦皇岛市海港区第三街区南部片区修建性详细规划设计、滦南鹏程实业办公楼、唐山瑞德花园、邯郸迎宾路A地块、邯郸中道都市广场综合项目、邯郸中央公园、邯郸鸿基花苑、邯郸颐景蓝湾、邯郸大悟国粹嘉苑、邯郸滏阳河沿岸景观规划设计、承德茅荆坝裕景国际森林温泉城规划设计方案等百余项。

地址：天津市河西区友谊北路广银大厦1601
电话：+86-22-23558166/7/8
传真：+86-22-58780084
网址：www.dreambuilt.com.cn/www.imaap.com.cn

Add: No.1601, Guangyin Building, Youyi North Road, Hexi District, Tianjin
Tel: +86-22-23558166/7/8
Fax: +86-22-58780084
Web: www.dreambuilt.com.cn/www.imaap.com.cn

扫描查看更多信息

天津市城市规划设计研究院

Tianjin Urban Planning & Design Institute

天津市城市规划设计研究院，是具有城市规划和建筑设计甲级资质的专业性设计团队，建筑分院现有员工70人，其中：博士1人，硕士14人、国家一级、二级注册建筑师、国家一级注册结构工程师、国家注册公用设备工程师、国家注册电气设备工程师共25人，高级职称人员33人。

建筑分院做为天津市城市规划设计研究院的重要组成部分，提倡整体设计、多专业优化结合的一体化全程专业服务模式，实现了各专业无缝对接。建筑分院在整体综合的设计理念指导下，使方案创意全程实现，保证设计达到最高品质。

创意 / 开放性设计模式

推行"无国界设计"的创新合作模式，通过与境外多家知名公司合作，发挥各自优势打造精品工程。我们有与山本里显设计工场、戴水道景观设计公司等国外公司及华东院等国内公司成功合作的经验。

全程 / 系统性设计模式

发挥行业优势，实现"整体化设计"的过程控制模式，提供从前期开发策划、规划、建筑、环境景观全方位工程解决方案，将先进设计理念贯穿设计始终，保证设计思想的最终实现。

实施 / 多专业协作模式

倡导"协作设计"的共享资源设计模式，协调全专业有效整合、实施各专业无缝对接、创造设备系统高效、生态环保技术先进、建筑生命持久、综合效益显著的新生代建筑。

依托总院 / 适应市场 / 整合资源 / 发挥优势 / 创造精品 / 奉献社会

Tianjin Urban Planning & Design Institute is a professional design team licensed for Class-A urban planning and architectural design. It is well staffed with 70 elite members, including 1 doctor, 14 masters; The national registered architects at Class-A, Class-B, national registered structural engineers, national registered public facility engineers, national registered electrical equipment engineers, which are in total 25 staffs. The number of senior professional titles is 33.

As the important department of the Tianjin Urban Planning & Design Institute, the branch promotes integral design, multidisciplinary optimal combination, and integrated one-stop professional services, to realize seamless connections. Under the direction of integrated design philosophy, plan and conception are realized in a full process, ensuring the highest quality of design.

Creative / open design

It promotes a creative cooperation model of "borderless design", that is cooperate with many famous foreign companies, with complementary advantages to create exquisite projects. Cooperative partners include Riken Yamamoto & Field Shop (Japan), Atelier Dreiseitl (Germany) and East China Architectural Design & Research Institute Co., Ltd.

One-stop / systematic design

With industry advantages, realized the process control model of "integrated design", to provide one-stop engineering solutions from early development programming, planning, construction, landscaping, with leading design ideas throughout the process, to ensure the ultimate realization of design ideas.

Implementation/ multidisciplinary collaboration

It promotes the resource sharing design model of "collaborative design", to coordinate effective integration of all disciplines, implement their seamless connection, and creates a new generation of architecture with efficient equipment system, leading eco-environmental technology, long service life and significant overall benefits.

Based on the General Institute / Adapted to the market/ Integration of resources / Advantages / Creating exquisite works / Contributions to the society

地址：天津市河西区黄埔南路81号万顺大厦B座13层
电话：+86-22-28012350
传真：+86-22-28012350
邮箱：Buildingbranch_tj@126.com
网址：www.tjcityplan.com

Add: B-13 Wanshun garen, No.81 HuangPuNan Road, He Xi District, Tianjin
Tel: +86-22-28012350
Fax:+86-22-28012350
E-mail: Buildingbranch_tj@126.com
Web: www.tjcityplan.com

扫描查看更多信息

天津加尚建元建筑设计有限公司
Tianjin CUN Architectural Design Co., Ltd.

天津加尚建元建筑设计有限公司创立于2009年4月，其与天津建筑设计院合作，真正做到了强强联合。
公司在城市规划、大型地产项目开发和标志性建筑设计领域积累了独特而宝贵的经验，主创设计师均为具有前沿设计思想的资深专家。
公司秉承国际化现代化设计理念，以全新的模式为客户提供品质卓越的服务。公司尤其擅长超高层写字楼、高级公寓、星级商务酒店、城市总体规划、大型公建、住宅等建筑领域的设计。公司先后完成了天津梅江会展中心二期工程、滨江道建筑综合改造工程、重庆市综合办公楼、天津市地铁东南角B地块开发、和平路提升改造等诸多项目的建筑方案设计。
公司锐意进取，目前正处于高速、持续发展阶段。

Tianjin CUN Architectural Design Co., Ltd. (CUN) was founded in April 2009. It is a joint venture between Tianjin Architectural Design Institute (TADI) and Canada CANSUN International Design Consulting Inc. It is really strong-strong union.
The company is experienced in urban planning, large property development, landmark building design and other fields, and its chief designers are all senior experts with avant-garde design ideas.
The company follows international modern design philosophy and prudent workflow, to provide excellent quality services for Chinese customers in fresh model. It is especially good at the design of superhigh rise office buildings, high-grade apartment buildings, star-level business hotels, urban general planning, large public buildings, residential buildings and others. In a row, the company has completed the architectural designs of many projects, including Tianjin Meijiang Convention and Exhibition Center (MJCEC) Phase II Project, Riverbank Avenue Building Overall Reconstruction Project, Chongqing General Office Building, Tianjin Metro Southeast Corner Plot B Development, and Peace Road Improvement & Reconstruction.
The company is advancing in the stage of high growth sustainable development.

地址：天津市南开区士英路与云际道交口东海岸商务中心8层
邮编：300381
电话：+86-22-23669303
邮箱：jianyuanzhaopin@126.com
tianjinjianyuan@126.com
网址：www.cansun-ca.com

Add: 8F,East Coast Business Center, the Link of Shiying Road and Yunji Dao, Nankai District, Tianjin
P.C.: 300381
Tel: +86-22-23669303
E-mail: jianyuanzhaopin@126.com
tianjinjianyuan@126.com
Web: www.cansun-ca.com

天津市港建建筑设计有限责任公司
Tianjin GangJian Architectural Design Co.,Ltd.

天津市港建建筑设计有限责任公司拥有30多年的历史，其前身为天津市建工集团一建设计室，后经资产重组，改制为有限责任公司。公司经过艰苦创业，不断学习国际先进的建筑行业管理模式，现已发展成为技术实力雄厚、人才济济的综合性设计单位。

公司工程设计资质为甲级，设有建筑、结构、给排水、暖通、电气五大专业。主要承接民用建筑、工业建筑、城市规划及居住区、住宅小区规划设计，同时也承接民用与工业建筑项目的可行性研究和工程项目咨询等业务。

公司现有职工50余人，其中国家一级注册建筑师5人、国家二级注册建筑师2人、国家一级注册结构工程师6人及其他注册工程师3人、高级工程师以上人员20人、工程师10人。公司具有较强的设计和技术开发实力。公司于2007年2月经中华人民共和国建设部晋升为建筑设计甲级资质，设计证书编号为A112000976。于2010年1月26日经国际标准认证体系认证获得 ISO9001：2008质量管理体系证书。

公司秉承着"创作一批优秀、一流的设计作品，在设计中追求创新，提供高水准的技术咨询服务；在服务中不断提升质量，打造富有生命力的设计团队，追求高效率的团队合作精神。"的管理理念。公司的设计作品多次受到有关领导的好评及业内同行的高度认可。公司以"求真务实、开拓奋进、真诚守信、服务社会"作为企业精神，艰苦奋斗，奋力拼搏，永不言败，努力实现我们的承诺，为客户设计好每一平方米的建筑，提供优质的设计全过程服务，实现企业的持续改进，达到客户满意。

公司承担设计的天津市双街新城于2006年6月5日获得中国土木工程学会"2006年双节双优杯住宅方案竞赛金奖"。公司设计的天津市双街新苑2007年4月5日，获建设部科学技术委员会、中国房地产及住宅研究会、中国房地产协会城市开发专业委员会、中国建设报社"2007年中国居住创新典范""中国环境可持续节能省地影响力示范奖"。同时双街新苑又被中国土木工程协会、中国土木工程学会住宅工程指导工作委员会于2007年8月授予"2007年双节双优杯住宅方案竞赛金奖"。

公司不仅多次获得市级、国家级奖项，还于2005年编制天津市建筑标准图集《螺旋肋钢丝预应力混凝土双T板》，2007年编制天津市建筑标准图集《围护结构保温构造》。

地址：天津华苑产业园区榕苑路15号8号楼2楼
　　　天津市北辰区经济开发区双辰中路西双街创业园A座5楼
电话：+86-22-23859697/23859798
传真：+86-22-23859697-8000
邮箱：23859798@86-22.cn

Add: F2, No. 8 Building, 15 Rongyuan Road, Huayuan Industry Park, Tianjin
F/5, Tower A, Shuangjie Entrepreneurship Park, West of Shuangchen Middle Road, Economic Development Zone, Beichen District, Tianjin
Tel: +86-22-23859697/23859798
Fax: +86-22-23859697-8000
E-mail: 23859798@86-22.cn

天津港津建筑设计工程有限公司

Tianjin GangJin Architecture Design & Engineering Co.,Ltd.

天津港津建筑设计工程有限公司于1993年7月成立，是天津市第一家获准成立的具有建筑行业甲级设计资质的中外合作综合性设计公司。公司于2001年9月通过了ISO9001质量管理体系认证，建立了完整的科学管理制度和质量管理体系。

公司具有丰富的建筑设计经验，设计范围覆盖建筑行业的各个领域；以“严谨、勤奋、求实、创新”的理念，树立公司的品牌意识。近20年来，共设计包括高层、超高层在内的各类工程项目累计2000余项，总建筑面积达数千万平方米，项目遍及国内10余省市。并获得多项部、市级优秀设计奖项。

公司视人才为企业的基础，以培养和造就优秀人才作为公司的核心竞争力。公司现有技术人员90余名，其中高级职称25名、中级职称31名、国家一、二级注册建筑师8名、国家一、二级注册结构师10名、注册设备工程师6名、注册造价师2名、注册规划师5名，同时聘请数名国内外高水平的工程设计专家为高级顾问。公司在自己的设计团队基础上，走强强联合之路，广泛与国内外知名高校、境外设计公司合作。

在“质量求生存，服务求信誉，经营求发展，管理求效益”的工作方针和“以人为本，服务至上，科学严谨，创新发展”的质量方针指导下，赢得了社会各界的广泛赞誉。

简洁、高效的工作流程，严格的岗位责任制，科学的奖罚激励机制，先进的质量管理体系和雄厚的科研人才队伍，为公司向客户提供高质量的产品和服务夯实了基础，也为公司树立了良好的品牌形象。

Tianjin Gangjin Architecture Design & Engineering Co.,Ltd. was formally established in July 1993, certified to set up Tianjin's first Sino-foreign cooperative enterprise licensed for Class-A architectural design. In September 2001, the company adopted the ISO-9001 quality management system certification, and established a integral system of scientific management and quality management.

The company has a wealth of experience in architectural design, covering various fields in building industry. It adheres to the philosophy of “precision, diligence, realism and innovation”, and build the exquisite awareness. In two decades, Its design team has created totally more than 2,000 projects, including hi-rise buildings and overhigh-rise buildings, with total building area tens of millions of square meters, and the projects cover more than ten provinces and cities throughout the country, wining many awards of excellent design at municipal level and ministerial level.

The company regards talents as its corporate basis, and considers talents training & fostering as its core competence. The company has over 90 technicians, including 25 with senior titles, 31 with intermediate titles, 8 Class-A/B registered architects, 10 Class-A/B registered structural engineers, 6 registered equipment engineers, and 2 registered cost engineers, registered planner 5, as well as several domestically and internationally well-known engineering & design experts as senior consultants. Based on its own design team, the company also cooperates with famous domestic and foreign higher education institutions and top-notch international design companies in order to make Them stronger.

Under the guidance of the "quality for survival, service for reputation, operation for development, management for efficiency" working policy and the "people-oriented, service- prioritized, scientifically rigorous and innovative” quality policy, the company has won wide acclaim from all communities.

Simple and efficient work processes, strict personal responsibility, clearly established reward and punishment incentives, advanced quality system and strong research and technical personnel allow the company to provide high quality products and services to customers and lay a solid foundation for the company to establish a good brand image.

地址：天津市空港经济区凤鸣道华盈大厦6层
电话：+86-22-66267758/66267757/66267756
传真：+86-22-66267759
邮箱：tjbhgj@163.com
网址：www.tjgangjin.com

Add: 6th Floor, Huying Building, Fengming Road, Konggang Economic Zone, Tianjin
Tel: +86-22-66267758/66267757/66267756
Fax: +86-22-66267759
E-mail: tjbhgj@163.com
Web: www.tjgangjin.com

扫描查看更多信息

天津华厦建筑设计有限公司
Tianjin Huaxia Architectural Design Co., Ltd.

天津华厦建筑设计有限公司始创于1992年，拥有建筑行业建筑工程设计甲级、城乡规划编制乙级、市政行业乙级、工程招标代理机构甲级、房屋建筑工程监理甲级以及房屋建筑施工图审查和工程项目管理等多项资质。业务范围涉及建筑设计、市政设计、规划设计、建筑咨询、施工图审查、招标代理、项目管理、工程监理等综合性服务，同时扩展到新型建材、混凝土、砂浆预拌、房地产开发等多个行业，现已形成以设计为主体、房地产为龙头、建筑业服务和建材开发为两翼的集团化发展态势。公司通过GB/T19001—2008质量体系认证。注册资金2800万元，员工近500人，拥有中高级专业技术职称249人，其中一、二级注册建筑师36人，一、二级注册结构工程师42人，注册设备工程师6人，注册监理工程师28人，地方注册监理工程师75人，注册建造师38人，注册造价师16人，注册会计师8人。
公司本着以诚为本、锐意进取、举贤纳才的宗旨，旗下汇聚了一批资深专家和业界精英，其管理团队精诚干练、高效务实，设计团队创新求异、精益求精，开发团队熟韵市场、勇于开拓，是一支充满活力、开放而多元的战斗集体。公司在学校、医院、宾馆、展厅、商厦、写字楼、住宅等民用建筑及各类厂区、大跨度钢结构工程等工业建筑的规划、设计、监理等业绩丰富、奖项云集，作品遍及华夏大地。
华厦人秉承精心设计、优质服务的宗旨，以先进的设计理念、精湛的专业品质赢得了广大业主的盛赞，公司以"爱岗敬业、忠诚守信、团结协作、以德兴业"的企业精神与各界友人精诚合作，共建美好家园。

Tianjin Huaxia Architecture Design Co., Ltd. was founded in 1992, has Grade A qualification of architecture engineering, Grade B qualification of urban and rural planning preparation and the municipal sector, Grade A qualification of project tendering agencies, housing construction works supervision, and housing construction drawings review and project management and many other qualifications. Involved in architecture design, municipal design, planning and design, construction consulting, construction drawing review, bidding, project management, project supervision and other integrated services, the comany expands into new builds materials, concrete, ready-mixed mortar, real estate development and other industries, forming the development trend with design as the main form, real estate as the pioneer, construction services and building material development as the two wings. The company has passed the GB/T19001-2008 quality system certification. Registered capital of 28 million, the total number of the staff is nearly 500, and 249 have senior professional titles, including 36 First and Second Grade Registered Architects, 42 First and Second Grade Registered Structural Engineers, six Registered Equipment Engineers, 28 Registered Supervision Engineers, 75 Registered Supervision Engineers, 38 Registered Construction Engineers, 16 Registered Cost Engineers, 8 Certified Public Accountants.
Under the guidance of sincerity, enterprising spirit,staffing optimization, the company brings together a group of senior experts and the industry elites; its management teamis sincere and capable, efficient and pragmatic;its design team is innovative divergent, and excellence; and the development team is familiar with market and full of courage, creating a dynamic, open and diverse collective battle team. The company with various awards has many achievements in the planning,design and superrision of schools, hospitals, hotels, exhibition halls, commercial buildings, office building, residential and other civil buildings and different types of plant, large-span steel structure engineering, and other industrial construction, The works are spread throughout the country.
Huaxia staffs are adhering to the well-designed, quality service Purposes, combining eastern and westerrn architecture aesthetic, and with the advanced design concept and excellent professional quality, has won the majority of the owners praiss. The company with the spirit of enterprise for "dedication, loyalty and trustworthiness, solidarity and cooperation, ethics promote industry, cooperates with all friends to build a better home.

地址：天津市南开区华苑产业区榕苑路16号鑫茂科技园中心楼三层
电话：+86-22-58693336/58693341/23672000
传真：+86-22-58598916
邮箱：tjhxjzsjgs@126.com
网址：www.tj-huaxia.cn

Add: 3 Floor, Center Building, Xinmao Science and Technology Park, No. 16 Rongyuan Road, Huayuan Industry Area, Nankai District, Tianjin
Tel: +86-22-58693336/58693341/23672000
Fax: +86-22-58598916
E-mail: tjhxjzsjgs@126.com
Web: www.tj-huaxia.cn

天津宏筑建筑设计有限公司

Tianjin Hongzhu Architectural Design Co., Ltd.

宏筑是以"宏筑设计"品牌为核心，专业化与综合化并存的设计集团。宏筑缘起于2006年成立的设计工作室，2009年"宏筑"品牌诞生。2012年宏筑公司作为"特邀编委"参与中国第一部《中国建筑设计作品年鉴》的编撰及组织工作。
宏筑拥有具备独立法人资格的天津宏筑建筑设计有限公司、天津宏筑景鸿景观规划设计有限公司、天津鸿腾装饰设计有限公司、天津思景域建筑设计咨询有限公司、天津火域科技有限公司等5个子公司，提供专业的景观设计、建筑规划设计、建筑装饰设计、设计可视化及视觉创意等服务。打造一个横向联合的综合技术服务平台，相互协作的技术与管理支撑体系。
宏筑通过专业的分工与协作，围绕投资项目，提供从投资咨询、规划设计、建筑设计、景观设计、室内设计、建筑表现等较全面的咨询服务。曾为众多地产开发商、跨国公司和政府部门提供优质服务，作品遍及全国各地，并取得骄人的成绩。
宏筑以"专注、尊重、信任"为宏筑精神，以"将最好的设计理念及最完善的服务品质带给客户"为宗旨，致力于打造"国际化、专业化、综合化"企业。在技术领域，倡导设计创造价值，提倡设计全过程的创意，在管理领域，建立了一整套适合设计机构的发展的各项制度，注重人性化管理技巧。
几年来，宏筑的客户包括海内外各类投资机构、发展商以及政府机构，已有大量建筑实施建成。
我们象珍惜生命一样看待公司的信誉，随时准备接受新的挑战，为社会提供卓越的设计作品。

Hongzhu is a professional and comprehensive design group centering on the brand of “Hongzhu Design”. Hongzhu originated from the design studio was founded in 2006, and the brand of “Hongzhu” began in 2009. In 2012, the company joined the preparation and organization of Chinese Architecture Design Works Yearbook, the first architecture yearbook of China, as a specially invited member of editorial board.
Hongzhu is composed of Tianjin Hongzhu Architectural Design Co., Ltd., Tianjin Hongzhu JING HONG Landscape Design Limited, Tianjin HONG TENG Decoration & Design Limited, Tianjin SI JING YU Architecture Design Consultant Limited, and Tianjin HUO YU Science & Technology Limited, respectively with separate legal entity qualification. The five separate legal enterprises with special techniques have independent technique & management decision-making system, and provide professional landscape design, architecture design, architecture decoration design, design visualization and intelligent resources & technologies for visual originality, building a comprehensive technique service platform interconnected laterally, and a mutually coordinating technique & management supporting system.
Hongzhu has professional labor division and cooperation, providing all kinds of consultancy services on investment projects, such as investment consulting, planning design, architectural design, landscape design, interior design and architectural performance etc. It has provided high-quality service to real estate developers, multinational corporations and governmental agencies throughout the country with impressive performance.
With the corporate spirits of “devotion, respect & trust”, the principle of “presenting the best design ideas and perfect service quality to clients”, Hongzhu tries to be an “international, professional and comprehensive” enterprise. In technical field, Hongzhu initiates the idea of design creating value, and promotes the originality of the whole design process; in management field, it establishes a system fitting the development of design institutions, and pays attention to human-based management skills.
Over the years, the clients of Hongzhu vary from different kinds of investment institutions, developers and governmental agencies nationwide and overseas, with numerous constructions completed. They treasure the company’s reputation as their own lives, and they are ready for new challenges, to present excellent design works.

地址：天津市南开区红旗南路588号
仁爱濠景国际大厦D座10F
电话：13702167898/13702167899
邮箱：hz_sjy_cc@126.com
网址：www.hongzhujz.com

Add: 10th Floor, Tower D, Renai Haojing International Building,
No.588 Hongqi South Road, Nankai District, Tianjin
Tel: 13702167898/13702167899
E-mail: hz_sjy_cc@126.com
Web: www.hongzhujz.com

新疆四方建築設計院有限公司

XINJIANG SIFANG INSTITUTE OF ARCHITECTURAL DESIGN co.,Ltd

新疆四方建筑设计院有限公司成立于 1993 年 1 月 1 日，其前身为乌鲁木齐经济技术开发区建筑勘察设计院有限责任公司，2001 年 5 月 1 日与乌鲁木齐市建筑设计院合并成立乌鲁木齐建筑设计研究院有限责任公司，2009 年 11 月 2 日重新组建为新疆四方建筑设计院有限公司。

新疆四方建筑设计院有限公司具有建筑工程设计甲级、规划设计乙级、岩土勘察设计及施工乙级、市政设计乙级、咨询设计丙级等设计资质。

新疆四方建筑设计院有限公司现有职工 151 人，其中国家一级注册建筑师 5 人，一级注册结构师 5 人，二级注册建筑师 6 人，注册城市规划师 3 人，注册咨询师 4 人；高级工程师 40 人，工程师 51 人，助理工程师 32 人，具有较强的高端人才优势。

我院在注重提高人才素质的同时，不断更新和完善技术装备，配置各种绘图机、彩色打印机设备、投影演示仪、内部局域网、计算机中心室等，真正做到了计算机出图率达 100%。

自建院 17 年以来，设计了大量的设计作品，内容涉及宾馆、医院、游泳馆、幼儿园、中小学建筑、纪念性建筑、住宅、居住区规划、残疾人建筑等。涌现出许多优秀作品，例如，新疆屯河大厦、独山子大酒店、翼龙大酒店、独山子游泳馆、兵团二钢幼儿园、新疆康达小区、新疆军区医院门诊病房楼、新疆维吾尔医医院病房楼，乌鲁木齐市烈士陵园纪念馆、华源　博瑞新村居住小区、市残联残病人服务中心、新疆农业大学综合楼、餐厅、浴室和锅炉房等项目。

我院具有一批优秀的设计人才。许多优秀设计师都曾获得过国家、建设部、自治区优秀设计奖，个人业绩在同行业中较强。他们有的获国家评比优秀奖、建设部优秀设计三等奖、自治区优秀设计一等奖；有的获自治区优秀设计二、三等奖多项。在他们的带领下，全院整体素质具有较强的竞争力，也使我院的平台在一个较高的层面上。

我院将抓住国家西部大开发的机遇，强化具有地方、地域特色的精品设计，本着“顾客第一、信誉第一、质量第一、服务第一”的原则，努力为社会奉献更多、更好的设计产品。

我们有一个梦，那就是闯出一条具有新疆地方文化，地域特色的原生态建筑理论和实践之路，让大地记住我们！

我院的质量方针是：原创设计，追求卓越，立足诚信，服务一流。

我院的质量目标是：设计产品合格率达 100%，优质率达 90%，确保二年内获自治区优秀设计奖二项，院创优项目达五项。

地址：新疆乌鲁木齐市水磨沟区安居南路 70 号中国万向招商大厦 13 层
电话：+86-991-4697637
传真：+86-991-4697637
邮箱：xjsf-_d@sina.cn

Add: Floor 13, China Universal Merchants Mansion, 70 Anju South Road, Shuimogou District, Urumqi City, Xinjiang Region
Tel: +86-991-4697637
Fax: +86-991-4697637
E-mail: xjsf-_d@sina.cn

扫描查看更多信息

新疆印象建设规划设计研究院（有限公司）
Xinjiang Impression Construction Planning and Design Institute (Company Limited)

* 集文化思考、城市导演、工程设计于一体的特色设计研究机构。
* 具有中国环境艺术设计甲级，城市规划、旅游规划、建筑设计、室内设计、风景园林乙级资质的综合设计团队。

领导印象

高级建筑师、中国策划20年十大策划专家、中国环境艺术委员会专家委员会委员、全国首批注册高级环境艺术师、首届全国百位优秀环境艺术师、清华大学城市导演课题客座教授、新疆城市规划协会常务理事、新疆优秀中青年勘察设计工作者、董事长王元新；一级注册结构师、总工程师张晓民；一级注册建筑师、国家注册规划师、副院长张世鹏；一级注册建筑师、总建筑师苗新育、李萱、徐乃钦；副院长、高级工程师时卫国、王冀东、王洋等多位资深专家。

团队印象

该院设有建筑、规划、旅游、景观、装饰5个设计所，及陆易农教授规划工作室，阎顺研究员旅游工作室，王洋创作事务所，徐乃钦方案室，王红霞影视动漫工作室，袁赵君、伊莎雕塑家工作室，新疆印象建设沙龙等。现拥有教授级高级工程师、注册建筑师、注册结构师、注册城市规划师、注册环境艺术师、雕塑家等各类专业人才80余人。

成果印象

近几年来，该院作品有110件入选《中国建筑设计作品年鉴》，10件入选《中国创意优秀建筑设计作品集》。有30余项规划、建筑、景观设计成果获国家建设部、新疆维吾尔自治区、新疆生产建设兵团、乌鲁木齐市、昌吉市等各级优秀设计奖。其中：达坂城王洛宾音乐艺术城获2008年“中国策划20年经典策划”金奖，昌吉回民小吃街和莎车十二木卡姆故乡园获“2009年中国人居典范规划设计方案”金奖，沙湾大盘美食文化城、阜康市瑶池园、昌吉滨湖河获“2010年中国人居典范规划设计方案”金奖。

文化印象

“创新与研究是设计院的第一生产力”，董事长王元新一直要求设计团队在创作过程中做到“七分产品研究，三分作品设计”，要高举“现代地域文化”大旗，用优秀作品来阐释“新疆印象，不同创想”的境界。

印象2011

2011捷报频传，该院的昌吉市水岸林居获中国建筑学会2011年“全国人居经典建筑规划设计方案”规划、环境双金奖；昌吉回民小吃街获住房和城乡建设部环境艺术委员会“中国环境艺术奖最佳范例奖”；库尔勒梨园民街“华夏第一包”获“中国环境艺术奖最佳创作奖”，同时院长王元新、副院长王洋双双获得“全国百位优秀环境艺术师”称号。新疆印象建设规划设计研究院（有限公司）被国家住房与城乡建设部中国建筑文化中心《中国建筑设计作品年鉴》编委会授予“中国最具创新力建筑设计机构”荣誉称号，同时授予院长王元新“中国建筑设计行业杰出贡献人物”称号，授予总建筑师徐乃钦“中国建筑设计行业卓越贡献人物”荣誉称号。该院还获得了中国民族建筑研究会授予的“2011年度中国民族建筑事业杰出贡献奖”，院长王元新获得“2011年度中国民族建筑事业杰出贡献奖”。

地址：乌鲁木齐高新区苏州东街568号
金邦大厦15楼、11楼、10楼、7楼
电话：+86-991-7819196
传真：+86-991-7819189
邮箱：irismuse_shao@163.com
网址：www.xjyinxiang.com

Add: 15 Floor, 11 Floor,10 Floor,7Floor,Jinbang Building,No.568 Suzhou East street, Hign-tech District,Urumqi,Xinjiang
Tel: +86-991-7819196
Fax: +86-991-7819189
E-mail: irismuse_shao@163.com
Web: www.xjyinxiang.com

新疆维吾尔自治区建筑设计研究院
Xinjiang Architectural Design Institute

新疆建筑设计研究院成立于1956年，是新疆最大的国家甲级建筑勘察设计单位，主要从事建筑工程设计、城市规划、市政工程设计、工程勘察、工程咨询、工程监理、工程概预算等业务。该院现有正式职工574人，拥有中国工程院院士1人，全国勘察设计大师1人，享受国务院政府特殊津贴的专家9人，自治区优秀专家3人，教授级高工26人，国家一级注册建筑师等各类国家注册人员150多人。
五十多年的励精图治，为新疆各地的建设描绘了美好的蓝图。五、六十年代留下了人民剧场、新疆博物馆、新疆展览馆、八一剧场、昆仑宾馆等建筑精品。八、九十年代创作了新疆人民会堂、新疆科技馆、新疆迎宾馆、库车龟兹宾馆、乌鲁木齐友好商场、新疆图书馆、新疆友谊宾馆3号楼等一大批具有鲜明时代特色和地域文化特征的代表性建筑。跨入新世纪，海德酒店、中银广场、新疆国际大巴扎、乌鲁木齐国际机场新航站楼、广汇美居物流园、新疆邮电学校体育中心、新疆新博物馆、乌鲁木齐市委市政府联合办公楼、红山新世纪广场、中天广场、新疆体育中心、乌鲁木齐国际机场T1、T2、T3航站楼等塑造了新疆城市的崭新形象。各年代的建筑精品，印证了新疆经济的快速发展，也展示了新疆建筑设计研究院的发展历程和五十多年的成就与辉煌。
自上世纪八十年代以来，该院坚持走现代化与地方民族风格相结合的设计创作道路，在吸收、借鉴、继承新疆各民族传统建筑文化的基础上大胆创新，创作设计的一大批建筑工程项目在全国和新疆优秀设计评选中连连获奖，其中有33项作品分别获国家和部级优秀设计奖，264项作品获新疆维吾尔自治区优秀设计奖，32项科研成果及科技论文获省、市级奖，并获得建设部唯一授予的“少数民族地区建筑创作进步奖”。我院知名建筑师王晓东同志为中国工程院院士，因其建筑创作上的杰出成就曾荣获国际建筑师协会（UIA）颁发的罗伯特·马修奖（即改善人类居住环境奖）和中国建筑师的最高荣誉奖梁思成建筑奖。知名建筑师孙国城同志为全国首批勘察设计大师，新疆大量重点建筑的主要设计者，多次荣获建设部优秀建筑设计奖。院长席建立同志是知名结构专家，新疆土木建筑学会主任委员，享受国务院政府特殊津贴专家，教授级高级工程师，新疆有突出贡献优秀专家，在建筑抗震加固改造、钢结构以及大型公共建筑结构等领域卓有研究和实践。

Established in 1956, Xinjiang Architectural Design Institute is the largest national grade-A architectural surveying and design organization in Xinjiang, mainly engaged in architectural engineering design, urban planning, municipal engineering design, engineering survey, engineering consulting, engineering supervision, engineering budgeting etc. The institute presently has 574 permanent staff members, including an academician of Chinese Academy of Engineering, a national surveying and designing master, 9 experts endowed with the special government allowance of the State Council, 3 experts in Xinjiang Region, 26 professors of engineering, and 150 national registered employees such as National First-class Registered Architects.
After over 50 years' hard work, the institute has drawn a beautiful blueprint for the construction of various places in Xinjiang. Architectural masterpieces such as the People's Theatre, the Museum of Xinjiang, the Exhibition Hall of Xinjiang, the Agust 1st Theatre, Kun Lun Hotel were left for us in the 1950s and 1960s. A group of representative buildings with distinct characteristics of the times and regional cultural characteristics such as the People's Hall of Xinjiang, Xinjiang Science and Technology Museum, Xinjiang Ying Bin Hotel, Kupa Qiuci Hotel, Urumqi Youhao Shopping Mall, the Library of Xinjiang, NO. 3 Building of Xinjiang Friendship Hotel were established. In the new century, Hoi Tak Hotel, BOC Square, Xinjiang International Grand Bazaar, the new terminal of Urumqi International Airport, Magic Logistics Park, the Sports Center of Xinjiang University of Posts and Communications, the New Museum of Xinjiang, the Joint Office Building of Urumqi Municipal Party Committee and Municipal Government, Hongshan New Century Square, Zhongtian Square, the Sports Center of Xinjiang, the terminals of T1, T2 and T3 of Urumqi International Airport etc. together build up the new image of the cities in Xinjiang. The architectural masterpieces of all times witness the rapid economic development of Xinjiang and embody the history of the institute as well as the achievements and glories in over 50 years.
Since the 1980s, the institute has been persisting in the design creation which combines modernism and local ethnic styles, and has made bold innovations on the basis of taking in, learning from and inheriting the traditional architectural culture of the ethnic groups in Xinjiang. A group of architectural engineering projects accomplished by the institute has won prizes one after another in the national and Xinjiang excellent design selection, including 33 works that respectively won national and ministerial excellent design prizes, 264 works that won Excellent Design Prizes of Xinjiang Region, 32 scientific achievements and scientific theses that won provincial and municipal prizes. It was the only one to win the "Architectural Creation Progress Prize in Ethnic Minority Areas" endowed by the MOHURD. A noted architect of the institute, Wang Xiaodong, is an academician of Chinese Academy of Engineering who won the Robert Mathew Award (the prize for improving human living environment) granted by UIA for his outstanding achievement in architectural creation and won the highest honor for Chinese architects -- Liang Sicheng Architecture Prize. A well-known architect, Sun Guocheng, is one of the first national surveying and designing masters and the main designer of many important buildings in Xinjiang. He has won Excellent Architect Design Prize endowed by the Ministry of Construction many times. The president of the institute, Xi Jianli is a famous specialist in structure, the chairman of the Civil Construction Society of Xinjiang, an expert endowed with the special government allowance of the State Council, a professor of engineering, and an expert who has made remarkable contribution to Xinjiang. He has conducted prominent researches and practices in fields of the seismic retrofitting of buildings, steel structure and the structure of large public buildings, etc.

地址：新疆乌鲁木齐市光明路125号
电话：+86-991-8869192（总机）
传真：+86-991-8865683
邮箱：xadi@vip.163.com

Add: No.125 Guangming Road, Urumqi, Xinjiang
Tel: +86-991-8869192
Fax: +86-991-8865683
E-mail: xadi@vip.163.com

扫描查看更多信息

云南华凌建筑设计有限公司，成立于2005年，具有建筑工程设计、咨询及装饰设计甲级资质。公司立足于昆明，面向全国，设计项目遍及云南省内外多个城市，是昆明地区较有影响力的综合型建筑设计公司之一。公司经过多年艰苦创业，建立并完善了适应市场竞争的自我激励、自我约束和自我发展的内部机制，已逐步形成规模化经营与管理。

公司业务以建筑设计为主，服务领域涉及城市规划、景观设计、室内外设计等。一批优秀的设计项目已相继建成，并得到业主及社会各界的广泛好评。为提高设计师的业务水平和设计作品的质量，增强自身竞争力，公司先后与国内外多家知名设计公司合作，相互学习，使公司保持比较先进的设计理念和手法。

公司现有员工130余人，其中高级职称有21人，注册工程师有23人，中级职称有29人，初级职称有20人。公司下辖建筑设计和装饰设计两个分院。

多年来华凌倡导艺术与技术相结合的创作设计理念，注重设计作品的实用性，尊重环境、技术和经济等客观条件，追求建立在理性基础上的个性与创新。始终秉承质量第一、服务至上的原则，强调质量是设计工作的灵魂，服务是设计工作的保证。通过有效的管理体系，创新的设计手段来实现项目品质和价值的最大化。

今天的华凌人致力于以最敏锐的触觉、最顽强的精神、最精心的设计、最快捷的服务以及精益求精的专业精神，持续创新的管理原则，不负用户与业界的高度赞誉。

华凌人拥有十足的信心与全面深入的准备与建筑界有识之士携手共进，为社会奉献更多、更优的建筑精品。

Founded in 2005, Yunnan Hualing Building Design Co., Ltd. is ranked with Class A quality in construction design, consulting and decorative design. Based in Kunming, facing the whole country, the company undertakes design projects across a number of cities both inside and outside of Yunnan Province, and is one of most influential integrated companies in architectural design in Kunming region. After many years of hard work, the company established and improved the market-oriented internal mechanism for self-incentive, self¬¬¬-restraint and self-development, and has gradually formed large-scale operation and management.

The company's main business focuses on the architectural design and planning, with the service fields ranging from urban planning, landscape design to indoor and outdoor design and so on. A series of outstanding design projects have been completed or are being implemented, and draw wide praise from the owners and community. In order to improve the designer' business level and the quality of design work, and to enhance the company's competitiveness, the company has cooperated with several well-known domestic and foreign companies, and learn from each other, so as to maintain more advanced concepts and practice in design.

There are 130 employees in the company, 21 with senior title, 23 registered engineers, 29 with mid-level title, and 20 with junior title. The company is in charge of the architectural design branch and the decoration design branch.

For years, Hualing has been advocating the design concept of combining art and technology, paying attention to the practicality of design, respecting the objective conditions, such as environment, technology and economy, and pursuing personality and innovation based on a rational basis. Our company has been upholding the quality first and service-oriented principle, emphasizing the quality as the soul of the design and the service as the guarantee of the design work. And the company achieves the maximization in project quality and value by means of effective management system and innovative design skills.

Today's Hualing people are committed to live up to the praise of users and the industry with the most sensitiveness, indomitable spirit, ingenious design, efficient service, professional excellence and continuous innovative management principles.

Hualing have full confidence and comprehensive preparation to work together with people having insight in construction industry to make more and better-quality buildings for society.

总公司
地址：昆明市官渡区关上中心区关兴路239号8层
电话：+86-871-7197609
传真：+86-871-5711559
邮箱：809733532@qq.com

分公司
地址：昆明市二环东路685号6楼
电话：+86-871-3306883/3306433
传真：+86-871-3136725
邮箱：554148156@qq.com

Company
Add: 8th Floor,Number 239 Guanxing Road,Guandu District, Kunming
Tel: +86-871-7197609
Fax: +86-871-5711559
E-mail: 809733532@qq.com

Branch
Add: 6th Floor, No.685 East Second Ring Road. Kunming.
Tel: +86-871-3306883/3306433
Fax: +86-871-3136725
E-mail: 554148156@qq.com

昆明兰德设计有限公司

Kunming LAND Design Co.,Ltd.

昆明兰德设计有限公司是中国资深民营勘察设计企业。成立26年来，现已拥有建筑、化工、医药行业设计及装饰装潢、建设工程咨询、工程总承包等资质，已先后承接并出色地完成了二千余项工程设计、项目管理工作，是中国同行业中唯一荣获联合国奖旗的优秀企业。

本公司拥有以12位国际注册高级经理人为核心、28位高级工程师及43位注册工程师为技术骨干组成的复合型专业人才队伍，建成了涵盖国际技术合作投资咨询、建筑、化工石化医药、生物工程等行业的20余个分公司（设计室）。长期以来，公司在国内外工程建设中做出了重要贡献，所取得的业绩闻名遐迩，诸如在大理鹤庆建成了极具民族风格的现代商务中心，在丽江展开了新兴旅游城市战略规划（投资71亿元），云南橡胶基地建设，闻名国内外的昆明关上中心贸易区的开发，滇黔桂石油基地的建成，西南最大的纺织厂的建设，大批制药厂GMP的达标，曲靖富源大型煤化工基地的策划、国内外知名顶级抗癌天然药物紫杉醇基地的建成投产，五星级版纳、万象大酒店的建设，越南制药厂的建成投产，国内大型工业磷酸基地的建设，国内最大实木加工厂的建成、国内最大超临界液态CO_2生物药厂的建成投产，以及数百万平方米房地产开发等，其优良的业绩均得到了社会各界的较高评价。曾荣获“设计精巧誉满春城”、“认真负责 服务优良”、“信得过单位”及“设计之神”等多项奖旗；特别自豪的是承接了联合国援建昆明知名东南亚酒楼建设工程，并以出色成果荣获联合国“设计精巧 独创风格”奖旗。

公司是云南省勘察设计协会副理事长单位、专家组成员。

KUNMING LAND CO., LTD . is the chinese senior private survey enterprise established in 26 years ago, with the qualification of architecture and construction, chemical petrifaction, medicine industry and the decoration, and civil engineering consultation, the project general contracting, with more them 20 branches, investigation and the company is the outstanding enterprise which honored to receive the United Nations award banner in Chinese industry.

This company with core talents of 12 international registered senior managers and with compound specialized talents of 28 senior engineers and 43 registered engineers. 29 subsidiary companies (design firms) have been founded which engaged in international technical cooperation, investment consultation, architecture and construction, chemical petrifaction medicine, bio-engineering For many years, our companies have made the important contribution in domestic and foreign engineering construction and have obtained great achievement, such as the modern business centre with national style has built in Dali heqin, traveling city strategy planning in Lijiang have been launched (invest 7.1 billion), Yunnan rubber base construction, well-known Kunming Guanshang central trade area development, Yunnan, Guizhou, Guangxi petroleum base, the biggest Yunnan textile mill in southwest, large quantities of pharmaceutical manufacturing plants GMP reaching standard, planning for Qujing large-scale coal industry base, well-known anti- cancer natural medicine Paclitaxel base construction, international Laos Wan Xiang hotel construction, Viet pharmaceutical manufacturing plant construction, the south base construction of domestic large-scale calcium carbonate road, domestic major industry phosphoric acid (Jiangyin) base construction, the biggest solid wood processing factory in China, the biggest greatly supercritical liquid state CO2 biology pharmaceutical factory construction, and several million square meters real estate development etc. the company have obtained society's higher appraisal, which had honor to receive the design is exquisite, reputation spread in Chuncheng, earnest and responsible, the service is fine, the credit-worthy organization, god of the design and kinds of award banner; what is specially proud is we designed and constructed well-known Kunming Southeast Asia restaurant construction projects which UN helped to construct. Because of outstanding achievement, we honored to receive award banner of the design is exquisite and the style is creative from the United Nations. The achievements above are the masterpiece in industry; This Company is the expert group member and council unit of Yunnan Survey and Design Association.

Therefore, when you select a company to do the investment and consultation, general plan, project general contact, project management partner in China, Kunming LAND DESIGN CO., LTD. will be your sincere consultant and reliable friend.

地址：云南省昆明市东风东路47号
建业商务中心25楼
邮编：650041
电话：+86-871-3200488
传真：+86-871-3114758
邮箱：design@land-design.cn
网址：www.land-design.cn

Add: 25Floor, Jianye Busniess Center, No.47 East Dongfeng Road, Kunming, Yunnan
P.C.: 650041
Tel: +86-871-3200488
Fax: +86-871-3114758
E-mail: design@land-design.cn
Web: www.land-design.cn

扫描查看更多信息

GOA 绿城东方

GOA绿城东方自1998年创立以来，伴随着中国经济的迅速崛起，现已成为中国最具实力的建筑设计机构之一，具有国家建筑工程甲级资质。目前已分别在杭州、上海、北京、南京、宁波等地设立办公室，共拥有专业技术人员近600人，是涵盖都市规划、建筑设计、结构工程、给排水工程、机电设备、暖通设备、室内设计等多领域的专业设计团队。
公司恪守合伙人负责制的项目管理方式，使得每一个项目都由一个或多个合伙人全程控制，从而保证项目品质。在长期的执业实践中，公司与国内外优秀的规划建筑设计、室内设计、景观设计等相关设计及咨询机构建立了良好的业务合作关系，有能力为客户提供从项目前期策划、规划设计直至建筑设计等全过程的高水准设计及综合咨询服务，并通过协调与整合各相关专业的设计服务以进一步提升项目的最终品质。
在10余年的专业服务实践中，公司已为社会奉献了许多优秀的设计作品，其中桂花城、春江花月、北京御园等的设计创意均被业界视为“现象”来关注，这也使公司成为设计潮流的引领者。

Greentown Oriental Architects(GOA), founded in 1998, is a professional design team specialized in Urban Planning, Architectural Design, Structural Engineering, Plumbing Engineering, Electrical Engineering, HVAC Engineering and Interior Design etc. Though China's rapid economic growths, it has become one of the best architectural design firms in China and is accredited with National Construction Class A Qualification. With the support of nearly 600 professional staffs, the company has set offices in Hangzhou, Shanghai, Beijing, Nanjing and Ningbo.
We always follow partner responsible system in our project management. Every project is directly supervised by at least one partner in order to guarantee our highest service quality. During our past long term design practice, we have established excellent professional relationships with domestic and foreign firms which are outstanding in urban planning, architectural design, interior design, landscape design, etc. We are capable of providing high quality professional services from project strategy planning, master planning to architectural design. We also always coordinate with other related professions to further enhance the ultimate quality of the project.
Over ten years professional practice, we have provided a lot of excellent design works, such as Osmanthus Town, Chun Jiang Hua Yue, Beijing Majestic Mansion and etc. The design concepts of these projects have been considered as a "phenomenon" by the peers. It also makes us become the trendsetter of architectural design.

地址：浙江省杭州市古墩路389号
电话：+86-571-88366180
传真：+86-571-88366080
邮箱：goa@goa.com.cn
网址：www.goa.com.cn

Add: 389 Gudun Road, Hangzhou, Zhejiang, China
Tel: +86-571-88366180
Fax: +86-571-88366080
Email: goa@goa.com.cn
Web: www.goa.com.cn

扫描查看更多信息

杭州普立策建筑设计有限公司
Hangzhou PLC Architectural Design Co.,Ltd.

杭州普立策建筑设计有限公司（香港PLC国际设计集团）公司成立于2008年，参照国际化的设计服务模式，为客户提供房产开发咨询、城市规划咨询和建筑设计等专业服务。
普立策设计（PLCD）拥有众多对建筑充满热情的优秀建筑师、结构和设备工程师，具有丰富的项目运作经验。目前公司能提供高端别墅、豪华公寓、城市综合体、办公建筑、学校建筑等各类造型项目从规划设计、概念设计到施工阶段的全过程服务。
普立策设计（PLCD）自成立之日起，就致力于将优秀的建筑理念、技术手段和设计手法融为一体，追求高质量设计。坚持为业主提供完善的、高水准的专业服务，坚持环境效益，社会效益和业主的经济利益相结合，真诚沟通，相互尊重，长期合作，价值共享。
普立策设计（PLCD）始终将企业的生存发展与个人的事业前途紧密结合，坚持企业和员工共同成长，同心协力形成一个有朝气、有理想、有创造力、有共同目标的战斗团体。

设计创造价值
普立策设计（PLCD）始终坚持设计创造价值为公司的第一目标，只有设计为客户创造了价值才能赢得市场，这也是公司能在目前严峻的市场竞争中得以生存并不断壮大的根本原因，公司始终坚持为客户设计更具价值的规划，筑建的更理想空间，实现自身最佳的盈利模式——和客户双赢。

全程化设计
普立策设计（PLCD）专业从事项目从拿地前的可行性研究分析、项目定位分析、经济技术成本测算到拿地后项目的前期策划、项目业态分析、盈利模式分析、产品定位、建筑方案设计、施工图设计、各专项设计配合和工程实施配合的全过程服务，公司对每个承接的任务都开展全过程跟踪，以便于优秀的设计方案能在现实工程中得到最大程度地实现。

集体创作
普立策设计（PLCD）深知每个设计方案都代表着公司品牌，所以公司坚持集体创作，坚持每个项目的设计方案都必须经过集体讨论，严格把关，多个方案比较后才能推出，这是对客户负责，也是对自己负责。

地址：杭州市拱墅区湖墅南路186-1号丽阳国际商务中心6楼
电话：+86-571-88103291（前台）/+86-571-88102636（业务）
+86-571-88103373（投诉）
传真：+86-571-88103291
邮箱：plcd@plcdesign.cn
网址：www.plcdesign.cn

Add: Tower 6, Sunshine International Business Centre, No.186-1 Hushu South Road, Gongshu District, Hangzhou
Tel: +86-571-88103291/88102636/88103373
Fax: +86-571-88103291
E-mail: plcd@plcdesign.cn
Web: www.plcdesign.cn

扫描查看更多信息

宁波中鼎建筑设计研究院
Ningbo Zhongding Architecture Design & Research Institute

宁波中鼎建筑设计研究院是一家以建筑设计与研究为主的股份合作制企业，于 2002 年成立，旨在培养与造就一支高素质的建筑设计队伍并潜心于城市与建筑的研究与创作，不断为社会奉献精品工程；在工程设计方面充分发挥技术优势，专长于建筑功能、形式与经济三方面的综合效益分析与研究；在科题研究方面能积级探索具有学术前瞻性的基础理论，推进建筑艺术与技术的进步。
中鼎建筑设计研究院致力于应用先进的理念、技术和设备进行工程设计研究，依靠技术人员的创造力、丰富的实践经验和现代信息技术等手段，能应对各种复杂的建设条件和不同客户的要求，并提供先进可靠、经济安全的解决方案。
研究院将秉承不断为社会奉献精品工程、推进建筑技术进步为宗旨，坚持"诚信为本，追求卓越"的质量方针，为客户提供先进的设计技术和优质的工程服务。

Founded in 2002, Ningbo Zhongding Architecture Design & Research Institute is a joint-stock corporation and has been developing a high quality architectural force team, focusing on architectural design and research,. We have intended to create and research urban and architecture as well as devoting collected projects. In design, the institute exerts fully technical superiority, specializes in providing a combination of synthesis benefits among architectural function, form and economy by analysing and researching. In research, the institute zealously explores fundamental theory toward academic perspective.
Ningbo Zhongding Architecture Design & Research Institute dedicates to applying advanced conceptions, technologies, equipments for research of project design. Depending on talent of technicians' creation, abundant practical experience and modern informational techniques, the institute not only could deal with complicated constructional troubles and feed different clients' demand, but also could provide safely and economical settlements, which pay attention to the design between structure and space, make use of natural resource, pursuit harmony developing between human and environment.
By constantly offering collected projects, by promoting architectural technology as principle, the institute insists on a quality policy of pursuiting honesty and excellence in order to offering advanced design technology and prominent project service.

地址：浙江省宁波市环城西路南段 695 号
电话：+86-574-87495078
传真：+86-574-87497098
邮箱：zddesign@zddesign.cn
网址：www.nbzd.cn

Add: No. 695, the southern section of Ring West, Ningbo City, Zhejiang Province
Tel: +86-574-87495078
Fax: +86-574-87497098
E-mail: zddesign@zddesign.cn
Web: www.nbzd.cn

杭州友慧润城建筑设计有限公司

Hangzhou Youhui Runcheng Architectural Design Co., Ltd.

杭州友慧润城建筑设计有限公司成立于2009年，具有建筑行业（建筑工程）甲级资质。自公司成立以来，凭借自身的实力，以独特新颖的视觉角度、全新的设计理念，在城市规划、建筑设计、景观设计等领域取得了优秀的成绩，公司成立一年内签订合同产值达2000多万人民币。

公司拥有一支精英团队，队员们满载梦想、执著追求、专业进取、创新拼搏，使得友慧润城与国内诸多房产公司、策划顾问公司等有着许多良好的合作项目。目前公司的设计、规划业务遍及浙江、江苏、安徽、湖北、广西、山东、贵州、江西等省市。

公司坚持艺术与技术相结合的创作设计理念，追求建立在理性基础上的个性和创新，体现出深刻的文化内涵和独特的品位，为开发商及社会带来最大的投资回报的高效产品——艺术性、经济型、前瞻性三者合一的完美统一。

公司始终遵循"虚心做人、用心做事"的核心价值观，强调质量是设计工作的灵魂、信誉是设计工作的保证。将"以人为本、博采众长、融合精炼、自成一体"用于设计创作中，坚持以"学会换位思考，为客户考虑是实现创新的源泉"运作理念，来实现项目品质和价值的最大化。始终以"致力于成为卓越的建筑理想实践家"为目标，踏踏实实做到"开拓、创新、务实、求精"。

Hangzhou Youhui Runcheng Architecture Design Co., Ltd. was founded in 2009 and licensed for Class A Architectural Industry (Architectural Engineering). With its own strength, unique and novel perspective and brand-new design concept, it has made great achievements in the fields of urban planning, architectural design and landscape design since the establishment, and the value of signed contracts within the founding year reached over RMB20,000,000.

The company has an elite team, and all the members carry their dreams, persist on the pursuit, being professional and aggressive, innovative and aspirant, thereby maintaining numerous good cooperation projects between the company and several domestic real estate companies and planning& consulting companies. Currently, the designing and planning business of the company has covered lots of provinces and cities, such as Zhejiang Province, Jiangsu Province, Anhui Province, Hubei Province, Guangxi Region, Shandong Province, Guizhou Province and Jiangxi Province.

The company always adheres to the creation design principle of combining art and technology, pursues the individuality and innovation based on rationalism, thereby interpreting its profound cultural connotation and unique style, having brought high-efficient products with maximal return on investment to the developers and society----the perfect integration of artistry, economy and vision.

It follows the core value of "modesty & prudence" all the time, and emphasizes the idea of quality as the soul of design work, credit as the guarantee of design work. It merges the concept of "human orientation, drawing essences and experience widely, combining and refining, building a style of its own "into the design creation, and insists on the operation principle of "learning to think on the others' side and realize innovation by considering for others", to maximize project quality and value. Furthermore, the company is always "committed to becoming an outstanding architectural ideal practitioner", and has dependably realized the goals of "exploration, innovation, practice and perfection ".

地址：杭州市拱墅区湖墅南路271号中环大厦405室
电话：+86-571-88387906
传真：+86-571-88388172
邮箱：yhrc2011@126.com

Add: Room 405, Zhonghuan Building, Hushu South Road No.271, Gongshu District, Hangzhou
Tel: +86-571-88387906
Fax: +86-571-88388172
E-mail: yhrc2011@126.com

扫描查看更多信息

浙江新中环建筑设计有限公司

Zhejiang New China-Jaicn Architectural Design Co., Ltd.

浙江新中环建筑设计有限公司，是具有甲级建筑设计资质、乙级市政公用（排水、给水、道路、桥梁、风景园林）设计资质和乙级勘察专业资质、甲级监理资质、杭州市代建资质的独立法人企业。经过10多年的发展，公司已发展成为内部组织机构健全、专业结构配套合理、技术水平一流、市场竞争实力雄厚和社会信誉良好的大型设计公司。公司现有职工300多人，其中，国家一级注册建筑师11人、国家一级注册结构师12人、注册公用设备工程师5人、国家注册监理工程师15人、国家注册造价工程师3人、国家一级注册建造师4人，公司高级技术职称28人、中级技术职称98人。

近年来，公司在建立健全内部管理、完善企业规章制度的同时，坚持以人为本，对外引进高端人才，对内培养新生力量，狠抓建筑设计这一龙头业务，努力拓宽市政公用、勘察、弱电、室内设计等相关业务领域，并积极向高、精、尖技术挑战，取得了累累硕果。

公司推崇人性化管理体制，追求"和谐环境、创新技术、追求完美"的设计理念，通过优化、调整、激励等措施，大大地提高了员工的工作热情和积极性，充分地挖掘和发挥了员工的聪明才智，使公司获得了多个"钱江杯"优质工程奖和全国人居建筑环境双金奖等综合大奖。面对越来越激烈的竞争市场，公司将适时调整未来企业的发展方向，把握时代的脉搏，紧跟时代的步伐，构筑良好的工作氛围，搭建更宽阔的发展平台，让员工与企业携手共赢，用更多更好的作品，为这个城市乃至整个社会增光、添彩。

Zhejiang New China-Jaicn Architectural Design Co., Ltd. is an independent legal entity, licensed for Class A Architectural Design, Class B Municipal Public (water discharge, water supply, roads, bridges and landscape architecture) Design, Class A Supervision and Agent-Construction of Hangzhou City. Under the leadership of MOHURD, the Construction Department of Zhejiang Province and Construction Committee of Hangzhou City, its has developed into a large design company within more than ten years, with integral internal mechanism, complete specialty structure, top technology, high market competitiveness and good credit standings. Now, it has over 300 employees, including 11 National Class-1 Registered Architects, 12 National Class-1 Registered Structural Engineers, 5 Registered Utility Engineers, 15 National Registered Supervision Engineers, 3 National Registered Cost Engineers, 4 National Class-1 Registered Constructors, 28 employees with high technical titles and 98 employees with middle technical titles.

With sound internal management and complete laws & regulations developed in recent years, the company insists the human-based principle, introduces talents from outside, fosters new blood inside, focuses on the architectural design as the main business, makes effort to expand business areas such as municipal utilities, survey, electronics and interior design, challenges the high, sophisticated and precises technologies and has achieved great results.

The company values a human-based management system and pursues a design idea of "harmonious environment, technology innovation and perfection". By means of optimization, adjustment and incentives, the company has motivated the staff, and fully developed their intelligence and wisdom; It is a result, the company has won many awards, including "Qianjiang Cup" award of high quality project, and "Double-Gold Award in Architectural Environment" of National Habitat. Facing the increasingly competitive market, the company will adjusts the developing direction as applicable for the future, seizes the day, keeps pace with the times, creates good working atmosphere and broader platform for development, to build a win-win situation both for the workers and the enterprise for more and better works to honor the city, even the whole society.

地址：杭州市天目山路217号江南电子大厦6-10楼
邮编：310013
电话：+86-571-88228015
邮箱：1061740422@qq.com
网址：www.zjxzh.com

Add: Floors 6-10, Jiangnan Electronic Building, 217 Tianmushan Road, Hangzhou City
P.C.: 310013
Tel:+86-571-88228015
E-mail: 1061740422@qq.com
Web: www.zjxzh.com

浙江安居建筑设计有限公司
Zhejiang Anju Architectural Design Co., Ltd.

浙江安居建筑设计有限公司成立于1997年12月，具备国家建设部认证的建筑工程设计甲级资质。多年来主要承接国内各省市的厂区、住宅区、商业综合体、学校、星级酒店及各城区的旧城改造等项目。

公司的业务领域涵盖了规划、建筑、室内、景观、智能化等专业设计，其中尤以居住社区、五星级酒店和城市商业综合体地产的设计最为擅长。我公司一贯专注于工业与民用建筑等诸多领域的研究，提供从概念策划、定位方案、初设优化到施工图的整体设计服务，并一直在为创造超越客户期望的产品而努力。

公司目前拥有各类技术设计人员70余人，其中高级职称17人、中级职称28人，技术骨干人员占员工总数的95%以上。现设有5个设计业务部门，具有GB/T19001-2008标准的设计质量保证体系与经营管理制度。

公司成立至今，历经创业阶段，稳步发展阶段及质量全面提高阶段，坚持以创新求实的思路抓住企业发展机遇，昂首迎接挑战，阔步向前迈进，并继续本着"没有最好，只有更好"的服务宗旨，竭诚为客户提供最满意的服务。

近年主要项目介绍：

项目名称	**建筑类型**	**总建筑面积**
加格达奇·金马饭店	五星级宾馆建筑	总建筑面积5.7万m^2
舟山云厦住宅小区	居住建筑	总建筑面积9.8万m^2
下沙头格住宅小区	居住建筑	总建筑面积20.5万m^2
杭州下沙东方社区农转居多层公寓	居住建筑	总建筑面积13.23万m^2
杭州闲林省直经济房	居住建筑工程	总建筑面积约45万m^2
安吉浒畔居别墅	居住建筑工程	总建筑面积约8万m^2
杭州"天城银座"综合大厦	居住及公建	总建筑面积为6.1万m^2
大洋彼岸二期	居住建筑	总建筑面积为10.7万m^2
江冠·现代英冠商务中心	高层办公建筑	总建筑面积为12.2万m^2
萧储[2009]12号地块	超高层办公建筑	总建筑面积为14.5万m^2

地址：杭州市西湖区文一路68号坤和商务楼9楼
电话：+86-571-89710598
传真：+86-571-85117797
邮箱：wawawa7797@163.com
214263452@qq.com
66090247@qq.com

Add: 9th Floor, Kunhe Business Building, Wenyi Road No.68, Xihu District, Hangzhou City
Tel: +86-571-89710598
Fax: +86-571-85117797
E-mail: wawawa7797@163.com
214263452@qq.com
66090247@qq.com

扫描查看更多信息

华东勘测设计研究院（简称华东院）是中国水电工程顾问集团公司直属的大型综合性国家甲级勘测设计研究单位，于 1954 年在上海建院，现总部设在杭州，在四川、重庆、福建、广东、江西、云南等地设有分支机构，在越南、土耳其、尼日利亚等国设有驻外办事机构。
华东院现有 1600 多名员工，85% 以上是专业技术人员，其中，持有国家注册各类执业资格的有 500 余人。华东院是一个多专业、跨领域、综合性的勘测设计研究院，先后承担了大批大型公共建筑、高层建筑、花园住宅小区、工业建筑等各类工程项目设计，承担完成了多个城乡区域发展规划。
华东院的创作遵循最生态、最环保、最个性的思路，显独特于细节，立新意于经典，用换位思考的方式实现建筑与城市的共鸣，体现个性与共性的融合。华东院坚信：只有人文的、绿色的才是持久的、经典的。
华东院的建筑设计理念是以人为本，崇尚建筑与自然的和谐，为社会提供独特的、节能的、环保的绿色建筑。

HydroChina Huadong Engineering Corporation (Huadong Institute for short) is a large, comprehensive grade-A national reconnaissance & design research institute, directly subordinate to HydroChina Corporation. It was founded in Shanghai in 1954 with headquarters now located in Hangzhou and branches in Sichuan Province, Chongqing, Fujian Province, Guangdong Province, Jiangxi Province and Yunan Province, etc. Meanwhile, Huadong Institute has set up overseas agencies in Vietnam, Turkey and Nigeria, etc.
It has more than 1600 employees, over 85% of whom are professionals, wherein over 500 employees are licensed for various national registered certifications. Huadong Institute is a multidisciplinary, interdisciplinary and comprehensive reconnaissance & design research institute, and has successively taken charge of numerous engineering designs, including large-scale public buildings, high-rise buildings, garden residential areas and industrial buildings, etc. and has completed many development plans for urban and rural areas.
Huadong Institute creates works by following a most ecological, environment-friendly and individual idea, showing its unique feature in details and endowing new conception into the classical style. It realizes the resonance between buildings and city by means of perspective taking, and reveals the combination of individuality and generality. Huadong Institute firmly believes in that only humane and green works are long lasting and classical.
With the human-based architectural design concept, Huadong Institute advocates harmony between buildings and the nature, and is committed to providing unique, energy saving, environment-friendly and green buildings to the society.

地址：浙江省杭州市潮王路22号
电话：+86-571-56738888/56737418
传真：+86-571-88392805
邮箱：zhao_wb@ecidi.com
网址：www.ecidi.com

Add: No.22, Chaowang Road, Hangzhou City, Zhejiang Province
Tel: +86-571-56738888/56737418
Fax: +86-571-88392805
E-mail: zhao_wb@ecidi.com
Web: www.ecidi.com

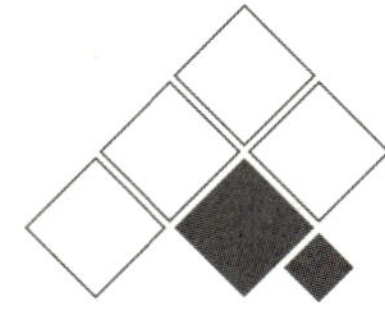

优秀设计机构·人物档案

The Well Known Design Institutions & the Character's Profile

主　　管：中华人民共和国住房和城乡建设部
主　　办：中国建筑文化中心
编　　辑：《中国建筑设计作品年鉴》编委会
　　　　　北京主语空间文化发展有限公司
主　　编：陈建为
执行主编：肖　峰
编辑部主任：肖　措
编　　辑：代　君　郭　晨　金　峰　冷娜英　李　悦　林　朋　刘笑艳
　　　　　欧　阳　齐　阳　王　伟　邢丽丽　张　澜　张　辉　朱英杰
美术设计：郝泽星　彭　丹　贾　妍　郑忠月

编辑部地址：北京市海淀区三里河路13号
　　　　　中国建筑文化中心712室
邮　　编：100037
电　　话：+86-10-88151966
传　　真：+86-10-88151958
监督电话：13910120811
网　　址：www.archrd.com
邮　　箱：zgjsmail@126.com